TODOS LOS CUENTOS

colección andanzas

Libros de Cristina Fernández Cubas en Tusquets Editores

ANDANZAS

El año de Gracia

Mi hermana Elba seguido de Los altillos de Brumal

El ángulo del horror

Con Agatha en Estambul

El columpio

Parientes pobres del diablo

Todos los cuentos

FÁBULA

El año de Gracia

El ángulo del horror

MARGINALES

Hermanas de sangre

CRISTINA FERNÁNDEZ CUBAS
TODOS LOS CUENTOS

Prólogo de Fernando Valls

1.ª edición: octubre de 2008
2.ª edición: enero de 2009

Diseño de la colección: Guillemot-Navares

Tusquets Editores, S.A. - Cesare Cantù, 8 - 08023 Barcelona
www.tusquetseditores.com
ISBN: 978-84-8383-097-0
Depósito legal: B. 2.941-2009
Fotocomposición: Foinsa-Edifilm, S.L.
Impresión: Liberdúplex, S.L.
Encuadernación: Reinbook
Impreso en España

Índice

Prólogo
Mundos inquietantes de límites imprecisos
Los relatos de Cristina Fernández Cubas

Casi todos los prólogos tienen algo de innecesarios, aunque al fin y a la postre también deberían sernos útiles. El lector generoso habrá de olvidarse, pues, del primer aserto y aprovecharse del segundo. Si además, como ocurre en este caso, varios de los cuentos recogidos son fantásticos, se corre el peligro de ofrecer demasiadas claves al lector y de anticiparle las sensaciones que él mismo experimentará por su cuenta, algo que he tratado de evitar. Por tanto, de necesitarlo, puede volver a él tras haber disfrutado de la lectura y extraído sus propias conclusiones. El prólogo se convertirá, de esta manera, en una provechosa confrontación de ideas y en una posible ayuda para completar sus impresiones.

Si un libro de narraciones es como un buque bien estibado –ha escrito Cristina Fernández Cubas–, entonces este volumen, que recoge *Todos los cuentos* (aclaremos: todos aquellos que han aparecido en sus libros, junto con la continuación de una pieza que Poe dejó inacabada), acaso habría de concebirse como un trasatlántico. De igual modo, un relato debería ser siempre un organismo vivo, de forma que la vinculación con las demás piezas que lo acompañan no se dejara al azar, pues la disposición en el conjunto y las posibles relaciones entre ellas condicionan tanto el significado de cada una como el del grupo. Ese orden «interno, personal, misterioso» –cito a la autora– afecta también al sentido de la totalidad, algo por lo que deberían preguntarse siempre los lectores, e incluso los críticos.

Pero ¿por qué *todos los cuentos*, tras publicar cinco libros de relatos? Entre otros motivos, para que el lector pueda descubrir aquellas historias secretas o *cuentos paralelos* (según los ha denominado la escritora) que misteriosamente se generan entre piezas como, por ejemplo, «El reloj de Bagdad», «En el hemisferio sur», «Mundo» o «Ausencia»; o entre diversos objetos que adquieren protagonismo, o incluso a través de los viajes y la búsqueda de la identidad de los personajes. En suma, para apreciar mejor lo que hay de unidad en una perseguida diversidad.

A los cinco libros de cuentos, publicados entre 1980 y 2006, podría haberse añadido alguna pieza más, si bien la autora ha preferido resaltar, con buen criterio, la unidad de los libros conocidos. Se incluyen aquí, por tanto, un total de veintiún cuentos o novelas cortas. Y precisamente con estas narraciones, Cristina Fernández Cubas se ha convertido en una de las cuentistas más prestigiosas del país de las últimas tres décadas, quizá junto a Juan Eduardo Zúñiga, Luis Mateo Díez, José María Merino, Juan José Millás, Enrique Vila-Matas y Javier Marías, por sólo citar a aquellos que yo particularmente prefiero, y sólo por recordar –esta vez– a los que tienen una obra ya cuajada. La autora comparte con los narradores citados el gusto por lo misterioso, enigmático y sorprendente, aunque su concepción del relato sea distinta, y su estilo literario, su prosa, diferente. En otra ocasión afirmé, acaso con excesiva contundencia, que la aparición en 1980 de *Largo noviembre de Madrid*, de Juan Eduardo Zúñiga, y de *Mi hermana Elba*, el primer libro de nuestra escritora, supuso el despegue de lo que llamé, algo pomposamente, «el renacimiento del cuento español contemporáneo», tras esos años algo más grises para el género de la segunda mitad de los sesenta y los setenta. Creo que, hoy, el juicio se ha visto confirmado.

Las cinco obras publicadas hasta ahora, de *Mi hermana Elba* (1980) a *Parientes pobres del diablo* (2006), en su mayoría deben su título a uno de los cuentos más significativos de cada volumen. Caracteriza a estos cuentos el empeño en poner el lenguaje y la estructura al servicio de la historia, de la intensidad narrativa e inquietud que se desea generar en el lector. La concisión, la precisión y la tensión, conceptos todavía necesarios para definir el género, se consiguen aquí mediante el estilo y a través del desarrollo de las peripecias de los personajes. A su vez, el lenguaje, su uso y peculiaridades, es motivo frecuente de reflexión en estas piezas.

«En general, sitúo mis cuentos en escenarios cotidianos, perfectamente reconocibles, en los que, en el momento más impensado, aparece un elemento perturbador. Puede tratarse de un ave de paso o de una amenaza con voluntad de permanencia. En ambos supuestos, las cosas ya no volverán a ser las mismas. Algo se ha quebrado en algún lugar...», ha declarado la autora. En efecto, todos sus relatos aparecen plagados de situaciones inquietantes, de vueltas de tuerca y sueños convulsos que a veces se convierten en pesadillas. Y en esos mundos de límites imprecisos, varias son las fuentes de inquietud: la visión de la realidad desde perspectivas insólitas; la alteración del tiempo y del espacio; la fatalidad; el viaje (o el desplazamiento) iniciático, pero también los espacios cerrados; el conflicto entre lo inexplicable y la razón; la otredad; los silencios tensos y agobiantes; las obsesiones y la duda sobre la identidad.

Pero vayamos a los libros sin más dilación. Cuando, a finales de los años setenta del pasado siglo, Cristina Fernández Cubas intentaba publicar *Mi hermana Elba*, encontró cierta incomprensión en las editoriales. Sin embargo, felizmente, el volumen apareció en 1980 en esta misma casa editora, que hoy sigue acogiéndola, en su colección Cuadernos Ínfimos. La crítica del momento recibió aquel primer libro con elogios unánimes, aun cuando todavía íbamos a tardar en apercibirnos de su importancia para el desarrollo del género en España.

Con la aparición de *Mi hermana Elba*, un nuevo autor reinauguraba en nuestro país una tradición, la que va de Poe (a quien la autora homenajea en «La noche de Jezabel» y en la continuación de «El faro») a Cortázar, que serviría de acicate para el cultivo de un género de escaso prestigio entonces entre los editores, la crítica y el público lector. Aquellos relatos, y los que luego formarían *Los altillos de Brumal* (1983), se desarrollaban en una distancia media, entre el cuento y la novela corta, aunque con la intensidad y tensión propias del relato. Las tres primeras piezas de *Mi hermana Elba* me parecen extraordinarias. El conjunto arranca con «Lúnula y Violeta», un relato tan sorprendente como enigmático, en el que la autora se vale del clásico motivo del doble para mostrarnos la conflictiva convivencia en un espacio abierto y, a la vez, cerrado –una granja en el campo– entre dos personalidades distintas pero complementarias: una mujer atractiva que escribe y una gran contadora de historias, poco agraciada, pero hábil y hacendosa. El desenlace, como será habitual en la autora, nos aporta alguna respuesta, al tiempo que nos suscita nuevas dudas.

«La ventana del jardín», el primer cuento que escribiera la autora, es una asombrosa complejidad. Narrado en primera persona, en él se utiliza una de las estructuras características del relato de terror: la llegada de un hombre a un lugar desconocido donde empiezan a ocurrirle hechos que no acaba de explicarse, como –por ejemplo– sucede en *Drácula*, libro que la autora suele citar como punto de partida. De este cuento destacaría la extraña relación que se crea entre el matrimonio Albert y su hijo, el enfermizo Tomás, por un lado, y el narrador-personaje que los visita en la granja que ocupan, aislados en el campo, por otro. Conforme avanza la trama, en medio de una atmósfera de inquietud y de duda, no sólo se pone en cuestión la credibilidad del narrador, sino que en el desenlace mismo se añaden otros misterios a los ya existentes.

La pieza que da título al volumen, «Mi hermana Elba», es la historia de una breve complicidad, la que la narradora (de once años) entabla en el colegio con Fátima (de catorce años), excelente contadora de historias, quien la domina a su antojo, y también con Elba, su hermana pequeña (de siete años), dueña de «habilidades» extraordinarias. Juntas descubren nuevas dimensiones de la realidad, si bien, tras las vacaciones de verano, las chicas irán abandonando definitivamente la infancia, con los ritos de paso que acompañan a este proceso.

Se cierra este primer libro con «El provocador de imágenes», relato narrado por un hombre, al igual que «La ventana del jardín», «El lugar», «En el hemisferio sur», «Helicón», «El legado del abuelo» (un niño en este caso) o «La fiebre azul». En aquel cuento, en el que se aborda el tema del *burlador burlado,* un personaje llamado H.J.K. recuerda su pasado remoto, en concreto la peculiar relación que mantuvo durante mucho tiempo con José Eduardo Expedito, a quien conoció durante los años de universidad, para contarnos que éste, un obsesivo «provocador», ha encontrado la inesperada horma de su zapato..., lo que no impedirá que H.J.K acuda en defensa de su amigo.

Tras calibrar ahora, quizá con algo más de claridad, el alcance de este primer libro, podemos afirmar que la narrativa de Cristina Fernández Cubas bebe de los cuentos orales que la autora oyera en la infancia, historias de las que se quedó impregnada, un bagaje al que iría sumando diversas lecturas en su edad adulta, perfectamente asimiladas: de *Frankenstein,* de Mary Shelley, a la obra de Carson McCullers; de las historias góticas a Henry James.

Ya en 1983 aparece su segundo libro, *Los altillos de Brumal*, compuesto por cuatro piezas antológicas. La primera, «El reloj de Bagdad», vuelve a ocuparse del fin de la infancia («tiempos de entregas sin fisuras») y de lo que en ella hay de credulidad e inocencia. El relato transcurre en el mundo cerrado de una casa, en donde el protagonismo lo tienen las viejas criadas, sobre todo Olvido, y los niños que escuchan embelesados sus historias de ánimas. Hasta que el padre adquiere, en un anticuario, un viejo reloj de pared con el que se inicia un periodo de transformaciones y se instala en el hogar lo incomprensible, incluso el horror. Aquí la autora no pretende que lo fantástico abra una grieta en la realidad cotidiana para cuestionar nuestras creencias racionales, sino que se vale de dicha estética para recrear episodios de la infancia que la razón, con sus rígidos mecanismos, no consigue explicar del todo.

En varias ocasiones la escritora ha salido al paso de las interpretaciones gratuitas que le dedicaba la crítica feminista más perezosa. Así le sucedió con el relato «En el hemisferio sur», que también ha sido tachado de fantástico, tal vez con demasiada ligereza. No en vano, este cuento trata sobre la identidad de una escritora que pierde la razón. Y, como ocurría en «La ventana del jardín», donde la voz narradora no parecía fidedigna, aquí –en cierta forma– se resuelve un misterio, mientras que otro se adivina en el horizonte, en torno a la sorprendente tía y la plácida casa que habita junto al mar, y al posible éxito futuro como escritor del narrador de la historia.

«Los altillos de Brumal» es, por su parte, el relato de una prueba y una liberación, de un aplazado viaje de la protagonista y narradora, la indomable Adriana, a la aldea en la que transcurrió su infancia, cuando aún era la niña Anairda. Debe regresar para asumir su pasado y librarse de la perniciosa influencia de la madre, de sus denodados empeños por que la chica no se aleje de lo racional, obligándola a estudiar Historia, y amputándole la fantasía, herencia paterna de Brumal, aldea de brujos o alquimistas. En suma, la historia, en sus componentes metaliterarios, representa una defensa de lo fantástico, entendido como alternativa a la realidad –digamos– lógica, además de una muestra de que existen también otros mundos, si bien casi nunca llegamos a ser conscientes de ellos.

Este segundo volumen se cierra con «La noche de Jezabel», un cuento importante en la trayectoria de la autora en el que, valiéndose de un marco clásico, se narra lo que aconteció durante una cena, en una noche de tormenta, al reunirse varias personas «en torno a una chimenea y contar historias de duendes y aparecidos». De los seis personajes convocados, tres relatan una vivencia; el cuarto reflexiona sobre las peculiaridades de los «aparecidos, fantasmas o simples visiones»; la anfitriona narra y escucha, y un sexto personaje, con sus risas intempestivas, desactiva todo lo relatado: la única historia que sigue con interés es la de Jezabel, en realidad, un cuento de Poe. Sobre el relato planea una pregunta: ¿somos capaces de detectar la realidad cuando se presenta sin adornos? Como ocurre en la narrativa de Poe, lo inexplicable irrumpe en lo cotidiano poniendo en cuestión sus normas, aunque aquí los personajes lo adviertan tardíamente. Y, tras homenajear al clásico por excelencia de los relatos de terror, la autora anticipa cómo serán en adelante sus historias, basándolas más en la vida real que en variaciones de lo que venía dictando la tradición literaria.

De su siguiente libro, *El ángulo del horror* (1990), llaman especialmente la atención tres piezas: «Helicón», «El legado del abuelo» y la que da título al conjunto. Y, tal como había anunciado, la escritora abandona lo sobrenatural, si bien resulta significativa la presencia del humor. Ahora, el horror, esa «sensación viscosa mucho más imprecisa que la pura y simple situación terrorífica», según lo había definido Cristina Fernández Cubas, o incluso la crueldad, lo encontramos disuelto en la vida cotidiana.

«Helicón» podría definirse como un enredo humorístico sobre el motivo del doble, una peculiar variante del conflicto entre Jekyll y Hyde, según se apunta en el texto. Su singularidad estriba en no ser un cuento fantástico; de hecho, es la narración de un error, de una confusión entre hermanos gemelos, una historia en la que el protagonista, bajo una nueva personalidad, acaba encontrando su auténtico ser. Valga como ejemplo del omnipresente humor la escena, más propia del cine mudo, en la que una «viejecita de bigudíes» ducha a Cosme con los restos de un caldo de hortalizas, de «acelgas, garbanzos y alubias», tras abandonar éste un tugurio nocturno. En suma, la autora pone en juego a cinco personajes en un relato sobre la identidad que aborda de qué modo un tímido consigue dar con su media naranja, escarbando en su interior y sacando a flote su otra naturaleza.

«El legado del abuelo» es un cuento sobre la verdad y la mentira, la ambición y la soledad, sin que falten los cada vez más habituales componentes humorísticos; un cuento sobre las distintas edades del hombre; acerca de cómo la vida no siempre resulta ser lo que parece, y donde la perspectiva del narrador, un niño de ocho años, lo condiciona todo, hasta el punto de que el contraste entre su percepción del mundo y la de sus mayores se convierte en elemento primordial de lo que se cuenta. La historia se construye con cuatro personajes individuales y uno colectivo: una familia. Entre ellos, quizá sea el auténtico protagonista el abuelo, que acaba de fallecer. Los otros tres personajes son dos mujeres –la madre (María Teresa, nueva Cordelia de una posible variación de *El rey Lear*) y la criada de la casa (la Nati)– y un niño, el narrador, hijo de la primera y nieto del difunto. A las consideraciones del chico sobre los cambios que produce en su familia la muerte del abuelo, se añade el conflicto por la posible herencia. Mientras la Muerte pone al descubierto los intereses de cada uno, el niño asiste a las reacciones de su familia como si se tratara de un espectáculo sorprendente y, en cierta forma, incomprensible, dadas sus mentiras piadosas, disimulos e hipocresías.

«El ángulo del horror» es la historia de una transformación, la que sufre el joven Carlos al descubrir en un sueño, luego realizado, la insólita y terrorífica perspectiva de la realidad a través de la cual observa, en sus allegados, la degradación y la muerte. Su necesidad de desahogarse convierte a su hermana Julia en cómplice, transmitiéndole también el espantoso legado; que ella, a su vez, cederá a Marta, la pequeña de la familia.

En los siguientes años, Cristina Fernández Cubas escribe simultáneamente dos libros: los cinco cuentos recogidos en *Con Agatha en Estambul* (1994) y la novela corta *El columpio* (1995). De «historias» ha calificado la autora las piezas del primero, quizá bordeando las supuestas leyes del género, alejándose de las denominaciones al uso (cuento, relato y novela corta), con el fin de conseguir una mayor libertad narrativa. Quizá por ello no deba extrañarnos que definiera «Mundo» como un texto formado por «Historias y más historias. Leyendas», como apunta su protagonista. Esta narración tiene su origen en un episodio real que le contaron a la autora, según el cual la abadesa de las Clarisas de Palma de Mallorca fue de visita a casa de unos vecinos para contemplar su convento de clausura desde fuera, realizando así lo que para ella había de ser el viaje más largo de su existencia. El punto de partida es una canción de tipo tradicional: «Yo me quería casar/ con un mocito barbero/ y mis padres me metieron/ monjita en un monasterio...». Carolina, una monja que ha pasado casi toda su vida en un convento de clausura, narra sus avatares, su acceso a la experiencia, en las postrimerías de su periplo vital. De igual modo, la aparición de madre Perú (cuya historia secreta es paralela a la de Carolina) significa el fin de la monotonía, el acceso a otro mundo, a la lectura: en concreto, a los libros y las historias burriladas en los mates, aunque la nueva monja acabe trayendo con ella, también, el mundo exterior: el de las mentiras y la Interpol.

«La mujer de verde» –relato que, como excepción, abordaré con más detalle– podría resumirse como la historia de dos acosos y una descomposición, producidos simultáneamente. El argumento parece sencillo. Eduardo, un empresario de éxito, se va a Roma con su mujer, para poner en marcha una nueva sucursal del negocio, dejando a cargo de la empresa a la narradora, su amante secreta, antigua compañera de estudios y ahora «ejecutiva respetada». Pero, mientras ésta sueña con reunirse con el jefe en Roma, empieza a encontrarse por la calle con una misteriosa mujer de verde, una especie de mendiga cuyo rostro le resulta familiar. Llegará a verla hasta cinco veces, sin que nadie más consiga detectar su presencia. Por fin se da cuenta de que la aparecida es, como había sospechado, la nueva secretaria de la empresa, la joven y agraciada Dina, que, al parecer, se ha convertido en una muerta viviente. Así, con el empeño de retardar el deterioro, incluso la muerte a ser posible, trata de advertírselo durante la Nochebuena, aunque sabe que la tomará por loca. Pero en medio de las prisas de la joven, a la que esperan en una fiesta, y la sorprendente revelación que le hace la narradora, se enzarzan en un forcejeo, y ésta acaba estrangulándola. Por tanto, y aquí radica sobre todo el tratamiento novedoso, a pesar de que la narradora tenga conocimiento de la muerte anticipada de Dina, no sólo es incapaz de evitarla, sino que acaba siendo ella misma la mano ejecutora sin que exista premeditación alguna. Puede considerarse, en conclusión, el relato de una muerte anunciada, el cumplimiento de una predestinación, en el que la autora convierte un argumento banal (un jefe que se lía con sus secretarias) en una historia sobre la fatalidad, en un cuento cruel con ribetes fantásticos, dados el trastocamiento del tiempo y espacio y la singular utilización que hace del motivo del doble.

Pese a estar salpicado de humor, quizá sea «El lugar» uno de los cuentos peor comprendidos de la escritora. Basado en los relatos de fantasmas, aborda la existencia en el más allá de la esposa del narrador, de la convivencia de Clarisa, tras su muerte, con los ancestros que habitan en el panteón familiar. Si bien, al principio, la esposa temía la soledad tras la muerte, en seguida consigue hacerse allí *un lugar propio*. En efecto, la muerte nos abre la perspectiva de otra vida, al parecer regida por normas diferentes que es necesario volver a aprender.

«Ausencia» es la historia de una oportunidad perdida, y el único cuento de la autora narrado en segunda persona. Una mujer descubre, de pronto, que no sabe quién es, por lo que tiene que volver a reconstruirse, a recuperar su identidad perdida, a través de los pequeños objetos que lleva consigo y de las preguntas que va formulándose. Hasta que paso a paso logra dar con su propio nombre, Elena Vila Gastón, su situación vital, y regresar a su trabajo rutinario, enfrentándose, en suma, a la realidad. Y, sin embargo, pese a descubrir muchos detalles sobre sí misma y sobre los demás, tomará decisiones tan significativas como quizás inesperadas.

«Con Agatha en Estambul» se ocupa de las aventuras que fabula la narradora, remedando a Agatha Christie –a quien homenajea–, sobre su marido y sobre el personaje de Flora, pero también sobre un taxista turco, Faruk, y sobre ella misma, en una ciudad que se ha vuelto fantasmagórica, irreal y brumosa, tan sorprendente como la conclusión –abierta– del relato. Así, la protagonista, tras lesionarse el tobillo y tener que permanecer encerrada en el hotel, sucumbe a los celos y a esa voz que ha empezado a oír desde que llegaron a Estambul, por medio de la cual elucubra historias que comprometen a su esposo.

Su siguiente y más reciente libro, *Parientes pobres del diablo* (2006), compuesto por tres novelas cortas, mereció el Premio Setenil al mejor volumen de narrativa breve publicado ese año. Ninguna de las tres es estrictamente fantástica, aunque todas produzcan una perturbación, inquietud o extrañeza ante lo inexplicable. La primera pieza, «La fiebre azul», cuenta la aventura de un falsificador y revendedor de arte que, tras huir de su insufrible familia, halla finalmente un sitio donde vivir en un impreciso lugar del continente africano. El protagonista tiene que pasar por África, padecer los efectos que el solitario hotel Masajonia produce en sus huéspedes, fascinarse con el misterioso número siete y con sugestivas expresiones y palabras, para terminar dándose cuenta de que cada uno tiene la familia, y las apariciones, que se merece...

El argumento de la segunda pieza, que da título al conjunto, arranca con dos confusiones: la de un vendedor ambulante con el diablo; y la de un hermano (Claudio) con otro (Raúl), a pesar de llevarse ambos casi veinte años. Lo que se relata, en suma, es la enigmática vida del desconcertante Claudio García Berrocal, con cuyo duelo se inicia la narración, para mostrarnos quién fue, a qué se dedicaba y qué le pasó. En realidad, como mandan las leyes del género, lo poco que podemos deducir es que el infierno va con él... Más adelante, una escritora de mediana edad se topa en México con un joven muy parecido al hermano mayor de Claudio, a quien conociera en la universidad. Cenan juntos, charlan, se intercambian inquietudes, hasta crearse entre ellos un clima de complicidad. A partir de ese momento, sus investigaciones se centrarán en detectar una casta de individuos nacidos para fastidiarles la existencia a los demás, sean éstos parientes pobres del diablo o no.

Del último relato, «El moscardón», destaca la peculiar voz narrativa en tercera persona, al proporcionar un tono algo distante y relativizar lo que cuenta, una voz que alterna con los monólogos y las delirantes apreciaciones de doña Emilia, la protagonista, hasta el punto de contraponerse. Esta última es una anciana que vive sola, con su canario, en diálogo con los tertulianos de la televisión, aunque sus cuatro sobrinos la visiten de vez en cuando, y el mundo le parezca un absoluto disparate. Lo que se narra, en esencia, es la estrategia planeada por la anciana para protegerse de sus miedos, mientras la acosa la degradación senil, que la lleva a revivir su juventud. Pero, sobre todo, adquiere cierta conciencia de que ha vivido en soledad y de que su vida sólo ha sido «una interminable sala de espera» donde apenas queda lugar para lejanos recuerdos, aunque sí, paradójicamente, para un «final feliz».

El volumen que el lector tiene ahora entre sus manos concluye con un *Apéndice* que requiere cierta explicación. En 1997, la editorial Áltera tuvo la feliz idea de encargar a algunos escritores, entre ellos a Cristina Fernández Cubas, la continuación de un cuento que Poe había apenas empezado, titulado «El faro». Las páginas del escritor norteamericano están formadas por el diario que escribe, entre el 1 y el 4 de enero de 1796, un «noble del reino», quien mueve influencias con el fin de obtener un puesto vacante de farero. Como desea estar solo, alejado de una sociedad en la que no confía y enfrascado en la escritura de un libro, lo acompaña únicamente un perro; pero empieza a sospechar que algo extraño ocurre en el faro... Hasta aquí, la narración de Poe. Cristina Fernández Cubas mantiene en su relato el mismo título y el formato de diario, que se extiende del 4 de enero hasta finales de abril. Y da respuesta a algunos de los enigmas que insinúa Poe, a la vez que abre otros frentes. Así, aclara por qué lo ayudó De Grät para que obtuviera el puesto de farero, e inventa un personaje femenino, Aglaia. El libro que el protagonista quería escribir, aquí titulado *El secreto del mundo*, apenas lo aborda, mientras que el perro de compañía termina muriendo, acentuando la soledad del protagonista, que, en su creciente enajenación, registra día a día detalles cada vez más inquietantes. Por otro lado, es interesante la reflexión que realiza sobre la razón y el papel que desempeñan los sueños en el conocimiento. En suma, al igual que en su novela corta *El año de Gracia*, un espacio abierto puede resultar, a la larga, no menos claustrofóbico que una habitación cerrada. Pero lo extraordinario es el modo en que la autora, partiendo de una historia apenas esbozada, acaba asumiéndola como propia, sin subvertir ni el estilo ni las propuestas estéticas del escritor norteamericano, transformándola y enriqueciéndola, hasta sacarle el máximo partido posible.

En el desenlace de «Los altillos de Brumal», la narradora sugiere cómo deben encararse las historias fantásticas. Aconseja silenciar las voces de la razón, en el fondo una rémora interpuesta entre la vida y cierta verdad, quizá más compleja y sutil, y también debilitar «ese rincón del cerebro empecinado en escupir frases aprendidas y juiciosas, dejar que las palabras fluyan libres de cadenas y ataduras». En efecto, el conjunto de la narrativa de Cristina Fernández Cubas puede entenderse como una reflexión sobre lo fantástico y las posibilidades que éste nos proporciona para obtener una visión distinta, más compleja, de la realidad. E incluso cuando sus cuentos no lo son, se vale de las técnicas y los motivos del género para interesar al lector, jugando con la intriga, el misterio y la incertidumbre. No en vano, la estética de lo fantástico pone de manifiesto fisuras y carencias de la conducta humana, al tiempo que nos muestra cómo lo familiar puede convertirse en extraño, en algo incontrolable e incluso siniestro, valiéndose –por ejemplo– de las sorprendentes posibilidades que esconden los objetos, siguiendo así la tradición de las vanguardias del siglo XX. De igual forma, utiliza la ambigüedad para ocultar más que para mostrar, dosifica la información y exige la atención del lector, mientras se sirve del lenguaje como motivo de reflexión e instrumento de sugestión y poder. Pero, sobre todo, la autora se muestra insatisfecha con el legado recibido de la tradición literaria, de ahí que ponga la técnica, los motivos y la retórica del género al servicio de la historia, y que utilice de manera novedosa los recursos establecidos por lo fantástico, logrando, casi sin excepción, sorprender a los lectores con el desarrollo del relato. Así, maneja con absoluta libertad el tiempo y el espacio, la voz narradora y los desenlaces, sin olvidar motivos tan asentados en la historia del género como el doble, el espejo, los fantasmas o umbrales y el viaje iniciático. Entre sus personajes, por tanto -no podía ser de otro modo-, no faltan quienes esconden psicologías confusas o crueles, o habitan mundos paralelos, diferentes, regidos por otras normas. En suma, ni la realidad ni los personajes suelen ser en estos cuentos lo que sugieren, de ahí que necesitemos ir más allá de la mera apariencia para entender su compleja realidad.

Al margen de las lecturas metafóricas y simbólicas a las que se prestan muchos de estos relatos, no debería olvidarse que Cristina Fernández Cubas es, por encima de todo, una narradora de fabulosas historias enigmáticas, por lo que sus cuentos nunca dejan indiferentes al lector. Si algo intuimos leyéndolas es lo mucho que la autora, a su vez, ha debido de disfrutar armando estos rompecabezas inteligentes y sugestivos, fundados en la observación precisa y sutil de una realidad confusa e inquietante, donde apariencia y esencia, verdad y mentira, resultan cada vez más difíciles de distinguir.

Fernando Valls
Junio de 2008

Todos los cuentos

Va por ti, Carlos

La suprema adquisición de la razón consiste en reconocer que hay una infinidad de cosas que la sobrepasan.

Blaise Pascal

Mi hermana Elba

A Carlos
A Osuna
A Balthazar

Lúnula y Violeta

Llegué hasta aquí casi por casualidad. Si aquella tarde no me hubiera sentido especialmente sola en el húmedo cuarto de la pensión, si la luz de una bombilla cubierta de cadáveres de insectos no me hubiera incitado a salir y buscar el contacto directo del sol, si no me hubiera refugiado, en fin, en aquel bar de mesas plastificadas y olor a detergente, jamás habría conocido a Lúnula. Fueron quizá mis ansias desmesuradas de conversar con un ser humano de algo más que del precio del café, o tal vez la necesidad, apenas disimulada, de repetir en alta voz los monólogos tantas veces ensayados frente al espejo, lo que me hizo responder con excesiva vivacidad a la pregunta ritual de una mujer desconocida. «Sí, la silla está libre», dije, y, asustada ante la posibilidad de no haber sido comprendida, lo repetí un par de veces. «No espero a nadie», insistí. «Está libre. Siéntese.» Turbada ante mi propia torpeza, me concentré en la taza de café ya fría, la tercera, la cuarta taza de café consumida sin ganas, alargada eternamente por miedo a dejar aquel local, a encontrarme de nuevo en la soledad ruidosa de la calle, a pasear fingiendo un rumbo en atención a esos rostros indiferentes que, en mi desmaña, me hacían sentirme observada. O abandonar angustiada mi único contacto con el mundo y recluirme una vez más en aquella habitación angosta. Un escalón, dos, tres, cuatro. Cinco pisos casi tan ruidosos como las calles de las que pretendía huir. Escaleras desgastadas por el paso diario de cientos de personas que, al igual que yo misma, estaban demasiado asustadas para balbucear un saludo o esbozar una sonrisa. Pero aquel día iba a revelarse distinto. Subí los escalones de dos en dos, con la felicidad de la pesadilla que termina, sonriendo, cantando por primera vez desde mi llegada a aquella ciudad inhóspita y difícil. Subía brincando como una colegiala estúpida, reteniendo en mi nariz aquellos olores que se me habían hecho cotidianos. Sofrito de cebolla, meados de gato, sábanas chamuscadas, herrín. Mis oídos iban saludando con alegría el trepidar de un tenedor contra la clara de huevo, los lloros de los niños, las peleas de los vecinos. Me sentía feliz y, al llegar a mi rellano, pulsé el timbre de la pensión sin importarme la advertencia hasta ahora religiosamente respetada: «Llame sólo una vez. No somos sordos». Al recoger mis cosas, mi última mirada fue para la luna desgastada de aquel espejo empeñado en devolverme día tras día mi aborrecida imagen. Sentí un fuerte impulso y lo seguí. Desde el suelo cientos de cristales de las más caprichosas formas se retorcieron durante un largo rato bajo el impacto de mi golpe.

Releo ahora mi cuaderno de notas:

«... La casa no es tan grande como había imaginado. Consta de un pequeño huerto, un pozo, un zaguán amplio y dos piezas holgadas en la planta baja. La habitación principal es soleada y agradable. Una mesa de nogal de estilo campesino, cuatro sillas recias y un par de butacones mullidos y resistentes constituyen el único mobiliario, si descontamos la enorme chimenea de piedra y las ruinosas estanterías de castaño, demasiado maltratadas por los años para que puedan sernos ahora de alguna utilidad. La impresión no es del todo acogedora pero Lúnula se propone corregirla en cuanto tenga tiempo y paciencia suficientes para ordenar el arsenal de muebles, cuadros y objetos de la más diversa índole que yacen acumulados en el cuarto contiguo: una estancia espaciosa, casi tanto como la anterior, igualmente soleada aunque de momento inhabitable. Aquí las sillas se amontonan sobre las mesas, los sofás sobre los arcones, las muñecas de porcelana sobre los baúles. Hace tanto tiempo que ningún alma ha pasado una escoba que el polvo se introduce en los pulmones y resulta difícil intentar una selección de los objetos necesarios o hermosos. De uno de sus ángulos –el más despejado, afortunadamente– surge la escalerilla de madera que conduce al altillo. Lúnula siente una especial predilección por este lugar, quizá porque fue ella misma quien, hace ya algunos años, colocó el entarimado, reforzó las vigas y decidió las divisiones. Los dormitorios son, sin embargo, muy desiguales. Uno es pequeño y sombrío, sin apenas ventilación ni salida al exterior. El otro, amplio y confortable. Aunque me opuse al principio, Lúnula se ha empeñado en que sea yo, como invitada, quien disfrute de las máximas comodidades».

Siguen luego un dibujo y un plano aproximado de mi nueva vivienda.

Lo recuerdo todo con precisión. Yo volcada sobre el resto de mi cuarto café, sin nada ya que degustar, turbándome más y más con mi propia incomodidad. Y ella sonriendo junto a mí como un ama comprensiva, ordenando con soltura una infusión de verbena, haciéndose oír con su voz amable pero enérgica en aquel local donde, tantas veces como tazas pasaban por mi mesa, tenía que hacer un brutal esfuerzo para imponerme. Pero yo seguía angustiada, sin atreverme a levantar la vista, con el pensamiento, insoportable para mi orgullo, de haber dejado traslucir mis ansias de comunicación, mi soledad, parte de mí misma.

Lúnula, sin embargo, no parecía reparar en mi timidez. Me dirigió algunas preguntas convencionales que yo acogí con alivio y aproveché la oportunidad para indicarle de pasada mi dirección. Allí mismo, junto al bar, frente al viejo almacén de ropa usada. No, naturalmente, nunca había entrado aún en aquella tienda fascinante que mi compañera de mesa parecía conocer tan bien, pero quizás algún día... De momento me contentaba con mirar a través de los escaparates. ¿Un sombrero? Reí a carcajadas imaginando mis veloces recorridos de la pensión al café y del café a la pensión ataviada con un vistoso sombrero de paja italiana, pero acepté la idea. Lúnula reía también divertida y rió aún más cuando, ya en el almacén, se empeñó en calarme una pamela de organdí, una escarcela francesa y dos enormes tocados de tul. Tras el malva de uno de los velos la tienda adquirió de pronto una lividez irreal. ¿Soñaba? Lúnula no dejaba de agitarse, moviéndose continuamente, encaramándose a los altillos de los armarios, amontonando uno tras otro los sombreros desechados. Los espejos, soldados en abanico, devolvían desde todos los ángulos posibles su feliz y sonrosada cara de campesina, el extraño contraste entre su exuberancia sin límites y el bonito vestido de raso pensado, con toda seguridad, para una mujer diez tallas más menuda. Me gustó su decisión, el desprecio que parecía tener de sí misma. Su cuerpo, desmesuradamente obeso, seguía moviéndose sin descanso. Ahora era ella quien se calaba un anticuado sombrero de rafia adornado con gorriones y nidos y volvía a reír con aquellas carcajadas contagiosas y extrañas. Reía como nunca antes había visto yo reír a nadie y los espejos reflejaban una vez más aquellos dientes descascarillados y enfermizos a los que, en cierta forma, parecía iba dedicada su propia risa. Lúnula, la primera mujer que conocí en la ciudad, era lo más distante a una mujer hermosa. Sin embargo, algo mágico debía de haber en sus ojos, en el magnetismo de su sonrisa exagerada, que hacía que los otros olvidaran sus deformidades físicas. Me quedé con un sombrero panamá y mi amiga se empeñó en pagar el importe. Luego, a la salida, nos contemplamos por última vez ante la luna del escaparate. «Vente a vivir conmigo», dijo. «Unos días en el campo te sentarán bien.»

A Lúnula le gusta jugar. Se pasa horas sentada en la mesa de nogal rodeada de naipes, luchando con un solitario muy especial que ella misma ha ideado y, al parecer, de enorme dificultad para un habitual de la baraja. Los otros, los solitarios de manual, no le interesan lo más mínimo. Le gusta vencer, según me ha dicho, pero desecha la facilidad. Por eso, desde hace mucho tiempo, mi amiga inventa sus propios juegos. Nunca rellena los crucigramas del periódico que de vez en cuando trae hasta aquí el cartero del pueblo de al lado, pero, muy a menudo, se construye los propios e intenta luego que yo, poco habituada a este tipo de entretenimientos, se los resuelva. Al atardecer, cuando baja el calor y empieza a canturrear el grillo, nos sentamos en el zaguán y conversamos. En realidad no dejamos de conversar durante todo el día, pero éste es el momento en que Lúnula me pregunta interesada por mi vida, por mis estudios, por aquella ida a la ciudad en busca de trabajo. Hoy, súbitamente animada, he creído recobrar la ya lejana tranquilidad de mi pequeño rincón de provincias, mis sueños de triunfo, mis grandes proyectos a los que en un momento me creí obligada a renunciar. Le he hablado a mi amiga de la imposibilidad de escribir una línea en aquel cuarto maldito de mi antigua pensión, de la necesidad imperiosa de aire libre, de conversar, de mostrar a alguien el producto de mi trabajo. Lúnula ha escuchado atentamente, descuidando sobre la mesa el consabido solitario a punto de concluir, asintiendo con la sonrisa compasiva de quien conoce ya de antemano lo que finge oír por vez primera. Luego me ha pedido el manuscrito y lo ha devorado ávidamente bajo la higuera, algo alejada del zaguán. Parecía tan absorta que cuando me he acercado hasta ella para encenderle un quinqué, me he sentido como una intrusa que interrumpe inoportunamente un acto de intimidad. Ahora, unas horas después, Lúnula sigue leyendo en su cuarto. Lo noto por la luz oscilante de su lamparilla y porque, desde aquí, el dormitorio contiguo, oigo de vez en cuando el sonido característico del papel en manos de un lector ansioso. Antes de retirarse mi amiga me ha dicho: «No está mal, Violeta, nada mal. Mañana conversaremos».

Pero desde hace unos días Lúnula no se ha levantado de la cama. Tiene un poco de fiebre y me ha pedido que retrase mi vuelta a la ciudad. No he sabido negarme ni me he sentido disgustada ante la posibilidad de postergar un poco mi enfrentamiento con el mundo. Sin embargo, hay algo en nuestra convivencia que ha cambiado desde que estoy aquí y que, a ratos, me hace sentirme incómoda. Hoy, por ejemplo, cuando ayudaba a mi amiga a trasladarse al dormitorio espacioso, mucho más adecuado para su estado actual, he visto olvidadas sobre un diván las hojas dispersas de mi manuscrito. Indignada ante esta falta de cuidado, he dejado caer la muda de sábanas al suelo y le he dirigido unas frases de reproche. Lúnula, entonces, ha intentado ayudarme a recomponer el orden, me ha hablado de su fiebre y se ha deshecho en excusas. Sus ojos, más desorbitados que de costumbre, parecían contritos y asustados. «Perdona», decía con un hilo de voz. «Debieron de caerse anoche mientras releía las primeras páginas.» Me he excusado a mi vez y, en señal de desagravio, he restado importancia al asunto. Pero luego, cuando sobre la mesa de nogal pretendía releer el manuscrito, mi disgusto ha ido en aumento. Lo que en algunas hojas no son más que simples indicaciones escritas a lápiz, correcciones personales que Lúnula, con mi aquiescencia, se tomó el trabajo de incluir, en otras se convierten en verdaderos textos superpuestos, con su propia identidad, sus propias llamadas y subanotaciones. A medida que avanzo en la lectura veo que el lápiz, tímido y respetuoso, ha sido sustituido por una agresiva tinta roja. En algunos puntos apenas puedo reconocer lo que yo había escrito. En otros tal operación es sencillamente imposible: mis párrafos han sido tachados y destruidos.

«... En nuestros primeros días de convivencia Lúnula se mostraba preocupada por que yo me encontrara a gusto en todo momento. Cocinaba mis platos preferidos con una habilidad extraordinaria, escuchaba interesada mis confesiones en el zaguán y parecía disfrutar sinceramente de mi compañía. Fueron unos días de paz maravillosa en los que, a menudo, me embargaba la sensación de que para Lúnula era yo casi tan importante como para mí su amistad. Mi amiga debía también, a su manera, de sentirse muy sola. Era joven, imaginativa y arrolladora. Pero, por las injusticias de la vida, no parecía estar en condiciones de gozar de los placeres comúnmente reservados a la juventud. Recuerdo nuestra visita al viejo almacén e imagino nuestro aspecto en el café: una mujer sentada junto a un bulto del que, a primera vista, resultaba difícil distinguir el sexo. Recuerdo también las indiscretas miradas del camarero y las risitas socarronas de una pareja de estudiantes acomodados en la mesa vecina. La exuberancia de Lúnula era difícil de aceptar cuando no se la conocía en profundidad, cuando no se le escuchaba, como yo, relatar historias fantásticas con tanta destreza o dotar de interés a cualquier tema que, de otros labios, nunca hubiese aceptado oír. En cierta forma, mi amiga pertenecía a la estirpe casi extinguida de narradores. El arte de la palabra, el dominio del tono, el conocimiento de la pausa y el silencio, eran terrenos en los que se movía con absoluta seguridad. Sentadas en el zaguán, a menudo me había parecido, en estos días, una entrañable ama de lámina sudista, una fabuladora capaz de diluir su figura en la atmósfera para resurgir, en cualquier momento, con los atributos de una Penélope sollozante, de una Pentesilea guerrera, de una gloriosa madre yaqui. Sabía palabras –o las inventaba quizás– en swahili, quechua y aimara. Ilustraba sus relatos con todo tipo de precisiones geográficas y su conocimiento de la naturaleza era apreciable. Pero, en un mundo de tensiones y barbarie, ¿de qué podían servir todas sus artes? Lúnula, la mejor contadora de historias que haya podido imaginar, se recluía en aquella casa alejada de todo, donde poder dar rienda suelta a su creatividad. Lo demás, los supuestos placeres del mundo, no parecían importarle lo más mínimo.»

Ésta es la segunda página de mi cuaderno. ¿Por qué hablaré de Lúnula en pasado?, me pregunto ahora.

He subido al dormitorio grande con el manuscrito en la mano. Lúnula se revolvía en la cama, acalorada, sudorosa, con expresión de fiebre. Me ha parecido realmente enferma y no he querido preocuparla más con mis imprecaciones. Sin embargo, mis labios me han traicionado. «En cuanto te cures», le he dicho, «haré mis maletas y me iré.» Ella se ha incorporado con dificultad. «Violeta», ha dicho, «no te comportes como una adolescente y tómate el trabajo de releer mis párrafos.» El esfuerzo la ha agotado sensiblemente. He cerrado la ventana y le he apagado la luz.

Me levanto a las cinco y saco agua del pozo. Un cubo para cocinar, otro para nuestro aseo, dos o tres para la limpieza de la casa y un barreño para refrescar la huerta. En esta operación invierto por lo menos dos horas, pero así y todo –a pesar de que me desenvuelvo mejor que en los primeros días– sé que no resulta suficiente. Las hortalizas han cambiado de aspecto desde que Lúnula no puede ocuparse de ellas y, quizá porque el calor aumenta de hora en hora, las reservas del pequeño aljibe han menguado considerablemente. También las provisiones que hace unos días parecían eternas están a punto de agotarse. Extrañamente, el camión del pueblo que solía pasar por aquí de cuando en cuando parece haberse olvidado de nuestra existencia. «Ocurre a veces», me dijo Lúnula ayer noche mientras cenaba en la mesa de su dormitorio. «Luego, de repente, se acuerdan otra vez y vuelven a pasar.» Pero, mientras, nos hallamos aisladas y algo hay que comer. Por eso esta mañana no he tenido más remedio que matar un gallo. Ha sido un trabajo duro, desagradable en extremo para una persona como yo, totalmente ajena a las tareas de una granja. Lúnula, envuelta en un batín de seda china, se ha encargado de dirigir la operación desde la ventana de su cuarto. «Retuércele el cuello», decía. «Con decisión. No le demuestres que tienes miedo. Es un momento nada más. Atóntalo. Maréalo. No le des respiro.» He intentado inútilmente seguir sus consejos. El gallo estaba asustado, picoteando mis brazos, dejando entre mis dedos manojos de plumas. He sentido náuseas y, por un momento, he abandonado corriendo el corral. Pero Lúnula seguía gritando. «No lo dejes ahora. ¿No ves que está agonizando? Casi lo habías estrangulado, Violeta. Remátalo con el hacha. Así. Otra vez. No, ahí no. Procura darle en el cuello. No te preocupe la sangre. Estos gallos son muy aparatosos. Aún no está muerto. ¿No ves cómo su cabeza se convulsiona, cómo se abren y cierran sus ojitos? Eso es. Hasta que no se mueva una sola pluma. Hasta que no sientas el más leve latido. Ahora sí. Murió. Cerciórate. Un gran trabajo, Violeta.» Y yo me he quedado un buen rato aún junto al charco de entrañas y sangre, de plumas teñidas de rojo, como mis manos, mi delantal, mis cabellos. Llorando también lágrimas rojas, sudando rojo, soñando más tarde sólo en rojo una vez acostada en mi dormitorio: un cuarto angosto sin ventilación alguna al que sólo llegan los suspiros de Lúnula debatiéndose con la fiebre.

Esta mañana me he sentido un poco mareada. Lúnula, en cambio, parece restablecida por completo. Se ha levantado de un humor excelente y ha decidido asumir el trabajo de la casa. Desde el zaguán la he visto accionar la polea del pozo con una facilidad increíble. Los cubos se iban llenando como en un sueño, livianos, etéreos, dotados de vida propia. Luego ha revisado las hortalizas y ha sonreído ante mi inhabilidad: «Violeta, me pregunto a veces qué es lo que sabes hacer aparte de ser hermosa». Me he quedado sorprendida. Hermosa es una palabra que no había oído hasta ahora en labios de Lúnula. Ni hermosa, ni bella, ni agraciada, ni bonita. En sus historias, ahora me daba cuenta, sugería a menudo estas cualidades sin nombrarlas jamás directamente. En cuanto a los objetos, era distinto. En este punto –y recuerdo los objetos del desván– Lúnula solía prodigar epítetos con verdadera generosidad. Las naturalezas muertas eran «soberbias», la cómoda de cedro «deliciosa», las muñecas de porcelana «de una gran belleza»... Es posible que ahora tenga fiebre yo y que mi pobre mente, incapaz de ordenar la avalancha de imágenes que se amontonan en mi cerebro, intente escabullirse como pueda deteniéndose en cualquier palabra pronunciada al azar, concentrándose en el zumbido intermitente de una avispa, sintiendo paso a paso el lento deslizarse de una gruesa gota de sudor por mi mejilla. Pienso noche y día, sombra y luz, leño y fuego, y noto cómo mis pensamientos se hacen cada vez más densos y pesados. A mi lado un viejo maletín de cuero verde, con algunos objetos acomodados ya en el fondo, se empeña en recordarme una antigua decisión. Pero no tengo fuerzas. «Estos días», digo en alta voz por la simple necesidad de comprobar que aún no he perdido el habla, «estos días de calor y trabajo me han agotado profundamente.»

Ella en cambio parece renacida, pletórica de salud, llena de una vitalidad alarmante. Ahora recorta las hojas de lechuga seca, limpia el jardín de mala hierba, siembra semillas de jacarandá, vuelve a accionar la polea del pozo, riega otra vez, se baña, escoge un conejo del corral y, con mano certera, lo mata en mi presencia de un solo golpe. Casi sin sangre, sonriendo, con una limpieza inaudita lo despelleja, le ha sacado los hígados, lo lava, le ha arrancado el corazón, lo adoba con hierbas aromáticas y vino tinto. Ahora parte los troncos de tres en tres, con golpes precisos, sin demostrar fatiga, tranquila como quien resuelve un simple pasatiempo infantil; los dispone sobre unas piedras, enciende un fuego, suspende la piel de unas ramas de higuera. Ahora me dirige una sonrisa compasiva: «Pero Violeta..., qué mal aspecto tienes. Deja que te mire. Tus ojos están desorbitados, tu cara ajada... ¿Qué te pasa, Violeta?». Pienso también que es la primera vez que habla de ojos, de cara, sin referirse a un animal, a un cuadro. «¡Y qué rara alimentación te has debido de preparar en estos días!... Te noto deformada, extraña.» Intenta disimular una mueca de repulsión pero yo la adivino bajo su boca entrecerrada. «Y esas carnes que te cuelgan por el costado.» Ahora me rodea la cintura con sus brazos. «Tienes que cuidarte, Violeta. Te estás abandonando.» Y sigue con su actividad frenética. Cuidarte, pienso, abandonarte. También es la primera vez que en esta casa se habla de cuidados y abandonos.

El jacarandá florece una vez al año y por muy escasos días, incluso, a veces, por tan sólo unas horas. Es un árbol de la familia de las bignoniáceas, oriundas de América tropical. No necesita atenciones especiales, pero sí un clima determinado y una dosis constante de humedad. Es poco probable, pues, que las semillas que ha plantado Lúnula germinen en nuestro huerto, tan necesitado de agua; es más, si hemos de hacer caso al prospecto que acompaña el envoltorio, tal empresa parece condenada de antemano. Pero Lúnula es capaz de desafiar a cielos y a infiernos. Si nada se logra, nada teníamos y nada se ha perdido; si, por el contrario, nuestros cuidados consiguen algún resultado, ¿existe algo más hermoso y mágico que asistir al florecimiento caprichoso de un jacarandá? Posiblemente no. Y Lúnula me relata una vez más historias de amor que nunca sucedieron, juramentos de fidelidad eterna bajo el auspicio de la pálida flor desagradecida e inconstante, fábulas de veneno, pasión y desencanto. Si uno tiene la suerte, la oportunidad o el placer de ser distinguido por su compañía, deberá cerrar los ojos y formular un deseo. Pero mucho cuidado: el deseo debe ser grande, importante y, sobre todo, inédito. Es decir, jamás debe haber sido formulado con anterioridad porque entonces la flor reina, tiránica y veleidosa, se encargará, por secretas artes y maleficios, de desbaratar cualquier solución feliz que el propio destino ofrezca al suplicante. Ay de aquellos amantes enardecidos que, cegados por su pasión, recorren las llanuras del Yucatán o las espesuras tropicales del Ecuador en busca de la flor antojadiza con un ruego latente en sus corazones. Abrasados por su propio ardor no se dan cuenta de que sus viajes y penalidades son absolutamente inútiles y de que su desgracia está ya fallada de antemano. «Flor injusta y fascinante», dice Lúnula y echa sobre la tierra agrietada el último pozal de agua.

He roto definitivamente mi bloc de notas; ¿para qué me puede servir ya? Sin embargo, he conservado por unos instantes algunas páginas. Basura, pura basura. ¿Cómo se me pudo ocurrir alguna vez que yo podía narrar historias? La palabra, mi palabra al menos, es de una pobreza alarmante. Mi palabra no basta, como no bastan tampoco las escasas frases felices que he logrado acuñar a lo largo de este cuadernillo. Ella en cambio parece disfrutar en demostrarme cuán fácil es el dominio de la palabra. No deja de hablarme, de cantar, de provocar imágenes que yo nunca hubiese soñado siquiera sugerir. Lúnula despilfarra. Palabras, energía, imaginación, actividad. «Lúnula», había escrito en una de esas hojas que ahora devora el fuego, «es *excesiva.*» ¿Qué he pretendido expresar con *excesiva?*, me pregunto. ¡Y con qué tranquilidad intento definir la arrolladora personalidad de mi amiga en una sola palabra! Pienso *excesiva, exceso, excedente, arrollo, ronroneo, arrullo* y me pongo a reír a carcajadas. ¿Dónde están los ojos de Lúnula, sus manos rasgando el aire, el cuerpo fundiéndose con el calor del verano? ¿Cómo puedo atreverme a intentar siquiera transcribir cualquiera de sus habituales historias o fábulas si no sé suplir aquel brillo especial de su mirada, aquellas pausas con que mi amiga sabe cortar el aire, aquellas inflexiones que me pueden producir el calor más ardiente o el frío más aterrador? ¿Cómo podría hacerlo? Mi bloc de notas arde en el fuego de la chimenea y no siento apenas ningún atisbo de tristeza. Ahora le toca el turno a mi manuscrito. Quiero ojearlo, pero siento una angustia infinita en el estómago. El trabajo de tanto tiempo, pienso. Basura, basura, basura, me dice una segunda voz. Miro por la ventana, Lúnula sigue ocupada en el huerto. Acaba de amontonar las hojas secas y se dispone a prenderles fuego. Intento darme prisa; no soportaría ahora una mirada más de conmiseración. Abro el manuscrito al azar y leo, también al azar, un par de párrafos. Siento los retortijones de siempre ante los errores de siempre. Me aburre mi redacción, me molestan ciertos recursos supuestamente literarios que me empeño en repetir. ¿A quién intentaba engañar?, me digo. No importa a quién pero a ella no. A Lúnula nunca la podré engañar. Me detengo en sus notas: estoy muy cansada y apenas puedo descifrar su caligrafía. Pero no importa. Ella seguramente quiso ayudarme, ¿para qué seguir, pues? Oigo ya sus pasos, pero intento releer algún párrafo más. No encuentro los míos. Están casi todos tachados, enmendados... ¿Dónde termino yo y dónde empieza ella? Lúnula entra ahora y yo me apresuro a derramar una lluvia de folios sobre las brasas. Ella parece no darse cuenta. Se ha acercado al fuego y me ha dicho: «Hoy precisamente empieza el invierno, ¿lo sabías?».

Lúnula, esta tarde, se ha marchado a la ciudad. «Se trata de muy pocos días», ha dicho. «Arreglar unos asuntillos y volver.» Vestía un traje de satén negro y llevaba el pelo recogido tras las orejas. Estaba hermosa. Antes, mientras le cepillaba y trenzaba el cabello, se lo he dicho. Cada día que pasa sus ojos son más luminosos y azules, su belleza más serena. Pero Lúnula conoce demasiado los cumplidos y no me ha prestado atención. Le he pintado las uñas con cuidado y le he preparado el maletín de cuero verde con todo lo que puede necesitar para estos días. También he querido acompañarla un trecho hasta la estación pero mi amiga se ha negado: «Tienes mucho que hacer», ha dicho. Y, en realidad, no le falta razón. En los últimos días, he descuidado totalmente la casa. Voy a tener que limpiar a fondo, dar una capa de barniz a la escalerilla de madera y ordenar todos los vestidos de Lúnula, plancharlos o remendar allí donde los años han desgarrado las sedas. Porque, si me doy prisa en terminar con el trabajo pendiente, quizá me quede tiempo aún para arreglar la habitación de los trastos, seleccionar los objetos hermosos, colocarlos en la otra sala y darle una sorpresa a Lúnula cuando regrese. Además he decidido no utilizar el dormitorio durante estos días. Me acurrucaré aquí, junto a la puerta, como un perro guardián, contando los minutos que transcurran, esforzándome en oír las llantas del camión antes de que pase, vigilando constantemente por si algún zorro intenta devorar nuestras gallinas, colocando recipientes profundos a la primera gota de lluvia, privándome del agua para que nada le falte a nuestro jacarandá (oh, árbol maravilloso, ¿florecerás?, y dime, tú que sabes de la vida y de la muerte, ¿volverá pronto Lúnula?), curtiendo las pieles de los numerosos conejos que he debido sacrificar en los últimos tiempos. Así, cuando Lúnula regrese, todo estará en perfecto orden.

NOTA DEL EDITOR. Estos papeles, dispersos, deslavazados y ofrecidos hoy al lector en el mismo orden en que fueron hallados (si su disposición horizontal en el suelo de una granja aislada puede considerarse un orden), no llevaban firma visible, ni el cuerpo sin vida que yacía a pocos metros pudo, evidentemente, facilitarnos más datos de los conocidos. Según el dictamen forense, el cadáver que, en avanzado estado de descomposición, custodiaba la puerta, correspondía a una mujer de mediana constitución. En el momento de su óbito vestía una falda floreada y una camisa deportiva con las iniciales «V.L.» bordadas a mano. El fallecimiento, siempre según el forense, se había producido por inanición. Tras un registro minucioso de las dependencias de la casa –cuya descripción, perfectamente ajustada a la realidad, se ofrece en páginas anteriores (párrafo segundo)–, se hallaron numerosas prendas, sábanas, manteles y demás accesorios de uso frecuente en cualquier hogar, adornados con las mismas iniciales que la finada ostentara en el día de su muerte. No se encontraron cartas, tarjetas ni ningún documento de identidad, pero preguntados los vecinos del pueblo más cercano (unos quince kilómetros) acerca de la(s) posible(s) moradora(s) de la granja, pudiéronse reunir los siguientes datos, que, como letra muerta, pasaron a formar parte del ritual atestado. El carnicero del pueblo, hombre de ciertos recursos y poseedor de una tienda-furgoneta con la que solía desplazarse bajo pedido por los alrededores, reconoció haber prestado algunos servicios a la granja y haber atendido, en más de una ocasión, a una tal señorita Victoria. Otros, el cartero y el empleado de telégrafos, por ejemplo, recordaban haber acudido alguna vez al lugar que nos ocupa para despachar correo o telegramas a una tal señora Luz. Todos ellos coincidían en que era de mediana estatura y discretamente agraciada, aunque disentían a la hora de ponderar su generosidad y filantropía. Hubo alguien, en fin, para quien el nombre completo de Victoria Luz no resultó del todo desconocido. Huelga decir, por otra parte, que los nombres de Violeta y Lúnula no despertaron en los encuestados ningún tipo de recuerdo.

Finalmente, un afamado biólogo de la ciudad que solía pasar, por razones familiares, largas temporadas en el pueblo, confesó conocer al dedillo los alrededores del mismo, desplazarse con asiduidad a las granjas vecinas y no haber tenido la ocasión ni la oportunidad –algo que, además, le parecía difícil en estas latitudes– de asistir al florecimiento caprichoso de un jacarandá.

La ventana del jardín

El primer escrito que el hijo de los Albert deslizó disimuladamente en mi bolsillo me produjo la impresión de una broma incomprensible. Las palabras, escritas en círculos concéntricos, formaban las siguientes frases:

> Cazuela airada,
> Tiznes o visones. Cruces o lagartos. La
> noche era acre aunque las cucarachas
> llorasen. Más
> Olla.

Pensé en el particular sentido del humor de Tomás Albert y olvidé el asunto. El niño, por otra parte, era un tanto especial; no acudía jamás a la escuela y vivía prácticamente recluido en una confortable habitación de paredes acolchadas. Sus padres, unos antiguos compañeros de colegio, debían de sentirse bastante afectados por la debilidad de su único hijo ya que, desde su nacimiento, habían abandonado la ciudad para instalarse en una granja abandonada a varios kilómetros de una aldea y, también desde entonces, rara vez se sabía de ellos. Por esta razón, o porque simplemente la granja me quedaba de camino, decidí aparecer por sorpresa. Habían pasado ya dos años desde nuestro encuentro anterior y durante el trayecto me pregunté con curiosidad si Josefina Albert habría conseguido cultivar sus aguacates en el huerto o si la cría de gallinas de José estaría dando buenos resultados. El autobús se detuvo en el pueblo y allí alquilé un coche público para que me llevara hasta la colina. Me interesaba también el estado de salud del pequeño Tomás. La primera y única vez que tuve ocasión de verle estaba jugueteando con cochecitos y muñecos en el suelo de su cuarto. Tendría entonces unos doce años pero su aspecto era bastante más aniñado. No pude hablar con él –el niño sufría una afección en los oídos– y nuestra breve entrevista se realizó en silencio, a través de una ventana entreabierta. Fue entonces cuando Tomás deslizó la carta en mi bolsillo.

Habíamos llegado a la granja y el taxista me señaló con un gesto la puerta principal. Recogí mi maletín de viaje, toqué el timbre y eché una mirada al terreno; en la huerta no crecían aguacates sino cebollas y en el corral no había rastro de gallinas pero sí unas veinte jaulas de metal con cuatro o cinco conejos cada una. Volví a llamar. El Ford años cuarenta se convertía ahora en un punto minúsculo al final del camino. Llamé por tercera vez. El amasijo de polvo y humo que levantaba el coche parecía un nimbo de lámina escolar. Golpeé con la aldaba.

Me estaba preguntando seriamente si no habría cometido un error al no avisar con antelación de mi llegada cuando, por fin, la puerta se abrió y pude distinguir a contraluz la silueta de mi amigo José Albert. «¡Ah!», dijo después de un buen rato. «Eres tú.» Pero no me invitó a pasar ni parecía decidido a hacerlo. Su rostro había envejecido considerablemente y su mirada –ahora que me había acostumbrado a distinguir en la oscuridad– me pareció opaca y distante. Me deshice en excusas e invoqué la ansiedad de saber de ellos, la amistad que nos unía e, incluso, el interés por conocer el rendimiento de ciertos terrenos en cuya venta había intervenido yo hacía precisamente dos años. Se produjo un silencio molesto que, sin embargo, no parecía perturbar a José. Por fin, unas carcajadas procedentes del interior me ayudaron a recuperar el aplomo. «Es Josefina, ¿verdad?» José asintió con la cabeza. «Tenía muchas ganas de veros a los dos», dije después de un titubeo. «Pero quizá caí en un mal momento...» Josefina, en el interior, seguía riendo. Luego dijo «¡Manzana!» y enmudeció. «Aunque, claro, no veo tampoco cómo regresar a la aldea ahora. ¿Tenéis teléfono?» Oí portazos y cuchicheos. «En fin... Si pudiera dar aviso para que me pasaran a recoger.» En aquel instante apareció Josefina. Al igual que su marido tardó cierto tiempo en reconocerme. Luego, con una amabilidad que me pareció ficticia, me besó en las mejillas y sonrió: «Pero ¿qué hacéis en la puerta? Pasa, te quedarás a comer».

Me sorprendió que la mesa estuviera preparada para tres personas y que la vajilla fuera de Sèvres, como en las grandes ocasiones. Había también flores y adornos de plata. De pronto creí comprender la inoportunidad de mi llegada (un invitado importante, una visita que *sí* había avisado) y me excusé de nuevo, pero Josefina me tomó del brazo. «No sólo no nos molestas sino que estamos encantados. Casi nos habíamos convertido en unos ermitaños», dijo. Un poco azorado pregunté dónde estaba el baño y José me mostró la puerta. Allí dentro di un respiro. Me contemplé en el espejo y me maldije tres veces por mi intromisión. Comería con ellos (después de todo me hallaba hambriento) pero acto seguido telefonearía a la aldea para que enviaran un coche. Iba a hacer todo esto (sin duda iba a hacerlo) cuando reparé en un vasito con tres cepillos de dientes. En uno, escrito groseramente con acuarela densa, se leía «Escoba», en otro «Cuchara» y en el tercero «Olla». La Olla, esta olla que por segunda vez acudía a mi encuentro, me llenó de sorpresa. Salí del baño y pregunté: «¿Y vuestro hijo?». Josefina dejó una labor apenas iniciada. José encendió la pipa y se puso a dar largas zancadas en torno a la mesa. Mis preguntas parecían inquietarles.

–Está bien –dijo Josefina con aplomo–. Aunque no del todo, claro.

–Ya sabes –añadió José–. Ya sabes –repitió.

–Unos días mejor –dijo Josefina–, otros peor.

–Los oídos, el corazón, el hígado –intervino José.

–Sobre todo los oídos –dijo Josefina–. Hay días en que no se puede hacer el menor ruido. Ni siquiera hablarle –y subrayó la última palabra.

–Pobre Tomás –dijo él.

–Pobre hijo nuestro –insistió ella.

Y así, durante casi una hora, se lamentaron y se deshicieron en quejas. Sin embargo, había algo en toda aquella representación que me movía a pensar que no era la primera vez que ocurría. Aquellas lamentaciones, aquella confesión pública de las limitaciones de su hijo, me parecieron excesivas y fuera de lugar. En todo caso, resultaba evidente que la comedia o el drama iban destinados a mí, único espectador, y que ambos intérpretes se estaban cansando de mi presencia. De pronto Josefina estalló en sollozos.

–Había puesto tantas ilusiones en este niño. Tantas...

Y aquí acabó el primer acto. Intuí enseguida que en este punto estaba prevista la intervención de un tercero con sus frases de alivio o su tribulación. Pero no me moví ni de mi boca salió palabra alguna. Entonces José, con voz imperativa, ordenó: «¡Comamos!».

El almuerzo se me hizo lento y embarazoso. Había perdido el

apetito y por mi cabeza rondaban extrañas conjeturas. Josefina, en cambio, parecía haberse olvidado totalmente del tema que momentos antes la condujera al sollozo. Descorchó –en mi honor, dijo– una botella mohosa de champagne francés y no dejaba de atenderme y mostrarse solícita. José estaba algo taciturno pero comía y bebía con buen apetito. En una de sus contadas intervenciones me agradeció las gestiones que hiciera, dos años atrás, para la compra de un terreno cercano a la casa y que súbitamente parecía haber recordado. Sus palabras, unidas a un especial interés por evitar los temas que pudiesen retrotraernos a los pocos recuerdos comunes –es decir, a los años del colegio–, me convencieron todavía más de que mis anfitriones no querían tener en lo sucesivo ningún contacto conmigo. O, por lo menos, ninguna visita sorpresa. Me sentía cada vez peor. Josefina pidió que la excusáramos y salió por la puerta de la cocina. La situación, sin la mujer, se hizo aún más tensa. José estaba totalmente ensimismado; jugaba con el tenedor y se entretenía en aplastar una miga de pan. De vez en cuando levantaba los ojos del mantel y suspiraba, para volver enseguida a su trabajo. A la altura del quinto suspiro, y cuando ya la miga presentaba un color oscuro, apareció Josefina con un pastel. Era una tarta de frambuesas. «La acabo de sacar del horno», dijo. Pero la tarta no tenía precisamente aspecto de salir de un horno. En la superficie unas frambuesas se hallaban más hundidas que otras. Me fijé mejor y vi que se trataba de pequeños hoyitos redondos. Los conté: catorce.

Entonces, ignoro por qué, volví a preguntar:

–¿Y vuestro hijo?

Y, como si hubiese accionado un resorte, la función empezó una vez más.

–Está bien... aunque no del todo, claro.

–Ya sabes, ya sabes.

–Unos días mejor, otros peor.

–El corazón, el oído, el hígado...

–Sobre todo los oídos. Hay días en que no se puede hacer el menor ruido. Ni siquiera hablarle.

El ruido del café dejó a José con la réplica obligada en la boca. Esta vez, para mi alivio, fue el hombre quien se levantó de la mesa. Al poco rato regresó con tres tacitas, también de Sèvres, y una cafetera humeante. Pensé que mis amigos estaban rematadamente locos o que, mucho peor, trataban por todos los medios de ocultarme algo.

–¿Cuántos años tiene Tomás? –pregunté esperando cierta consternación por su parte o al menos un titubeo.

–Catorce –dijo Josefina con resolución–. Los cumple hoy precisamente.

–Sí –añadió José–, íbamos a celebrar una pequeña fiesta familiar pero ya sabes, ya sabes...

–El corazón, el oído, el hígado –dije yo.

–Lo hemos tenido que acostar en su cuarto.

La explicación no acabó de satisfacerme. Quizá por eso me empeñé en llamar yo mismo a la aldea y solicitar el coche. Ante la idea de mi partida el rostro de mis anfitriones pareció relajarse, aunque no por mucho tiempo. Porque no había coche. O sí lo había, pero, una vez más sin saber la razón, fingí un contratiempo. No podía explicarme el porqué de todo esto pero lo cierto es que aquel juego absurdo empezaba a fascinarme. Quedé con el chófer para el día siguiente a las nueve de la mañana.

–Ya lo veis –dije colgando el auricular–. La suerte no quiere acompañarme. Voy a perder sin remedio el último autobús.

Mis amigos no daban señales de haber comprendido.

–Temo que voy a tener que abusar un poco más de vuestra hospitalidad. Por una noche. El único coche disponible no estará reparado hasta mañana.

Ellos encajaron estoicamente el nuevo contratiempo. La tarde discurrió plácida y, en algunos momentos, incluso amena. Josefina desapareció una vez por el corredor llevando una bandeja con los restos de comida y de tarta. «¿Para Tomás?», pregunté. José, ocupado en vaciar su pipa, no se molestó en responderme.

Al caer la noche y cuando Josefina preparaba de nuevo la mesa (esta vez sin Sèvres ni adornos de ningún tipo), lancé al aire mi última e intencionada pregunta: «¿Cenará esta noche Tomás con nosotros?». Ellos contestaron al unísono: «No. No va a ser posible». Y, a continuación, tal y como esperaba, repitieron por riguroso orden la retahíla de lamentaciones acostumbradas, lo que no hizo sino confirmar mis sospechas. Tomás no cenaría con nosotros, tampoco desayunaría mañana ni podría hacerlo ya nunca más; sencillamente porque había dejado de pertenecer al mundo de los vivos. La locura y el aislamiento de mis amigos les llevaba a actuar como si el hijo estuviera aún con ellos. Por soledad o, quizá también, por remordimientos. Evité mirarles. Cada vez con más fuerza acudía a mi mente la idea de que los Albert se habían deshecho de aquella carga de alguna manera inconfesable.

Pero de nuevo me había equivocado. Al terminar la cena, Josefina tomó mi mano y me preguntó dulcemente:

–¿Te gustaría ver a Tomás?

Fue tanta mi sorpresa que no acerté a contestar enseguida. Creo, sin embargo, que mi cabeza asintió.

–Ya lo sabes –dijo José–, ni una palabra: los oídos de nuestro hijo no soportarían un timbre de voz desconocido. –Y, sonriendo con amargura, me condujeron al cuarto.

Era la misma alcoba que yo conociera dos años atrás, aunque me dio la impresión de que habían reforzado los muros y de que los cristales de la ventana eran ahora dobles; el suelo estaba alfombrado en su totalidad y del techo pendía una luz pretendidamente tenue. Entramos con sigilo. De espaldas a la puerta, en cuclillas y garabateando en un cuaderno como cualquier niño de su edad, estaba Tomás Albert. Su rubia cabeza se volvió casi de inmediato hacia nosotros. Pude comprobar entonces con mis propios ojos cómo Tomás, en contra de mis sospechas, había crecido y era hoy un hermoso adolescente. No parecía enfermo pero había algo en su mirada, perdida, difusa y al tiempo anhelante, que me resultaba extraño. Me arrodillé en la alfombra y le sonreí. Pareció reconocerme enseguida y me atrevería a asegurar que le hubiese gustado hablar, pero Josefina le cubrió suavemente la boca y besó su cabello. Luego, con un gesto, le indicó que no debía fatigarse sino intentar dormir. Lo dejamos en la cama. Al salir, José y Josefina me miraban expectantes. Yo, incapaz de encontrar palabras, me atreví a dar unas palmaditas amistosas en la espalda de mi amigo. Al cabo de un buen rato sólo acerté a decir: «Es un guapo muchacho, Tomás. ¡Qué lástima!».

Ya en mi cuarto respiré hondo. Sentía repugnancia de mí mismo y una gran ternura hacia el niño y mis pobres amigos. Sin embargo, mis intromisiones vergonzosas no habían terminado aún. Me desabroché la chaqueta, separé los brazos y el cuaderno de dibujos de Tomás Albert cayó sobre mi cama. Fue un espectáculo bochornoso. El espejo me devolvió la imagen de un ladrón frente al producto de su robo: un cuaderno de adolescente. No podía saber con certeza por qué había hecho aquello, aunque esa sensación, tantas veces sentida a lo largo del día, se me había hecho familiar. Me desnudé, me metí en la cama y leí. Leí durante mucho rato, página por página, pero nada entendí de aquel conjunto de incongruencias. Frases absolutamente desprovistas de sentido se barajaban de forma insólita, saltándose todo tipo de reglas conocidas. En algún momento la sintaxis me pareció correcta pero el resultado era siempre el mismo: incomprensible. Sin embargo, la caligrafía no era mala y los dibujos excelentes. Iba a dormirme ya cuando Josefina irrumpió sin llamar en mi cuarto. Traía una toalla en la mano y miraba de un lado a otro como si quisiera cerciorarse de algo. El cuadernillo, entre mi pierna derecha y la sábana, crujió un poco. Josefina dejó la toalla junto al lavabo y me dio las buenas noches. Parecía cansada. Yo me sentí aliviado por no haber sido descubierto.

Apagué la luz pero ya no tenía intención de dormir. El juego fascinante de hacía unas horas se estaba convirtiendo en un rompecabezas molesto, en algo que debía esforzarme en concluir de una manera o de otra. El coche aparecería a las nueve de la mañana. Disponía, pues, de diez horas para pensar, actuar, o emprender antes de lo previsto la marcha por el camino polvoriento que ahora empezaba a ansiar con todas mis fuerzas. Pero no me decidía a huir. La impresión de que aquel pálido muchachito me necesitaba de alguna manera, me hizo aguardar en silencio a que mis anfitriones me creyeran definitivamente dormido. ¿Qué buscaba Josefina en mi cuarto? Es posible que nada en concreto: comprobar que estaba metido en la cama y dispuesto a dormir. Me vestí con sigilo y me encaminé a la habitación de Tomás. La puerta, tal como suponía, estaba cerrada. Me pareció arriesgado golpear las paredes con fuerza pero, sobre todo, inútil, a juzgar por los revestimientos interiores que aquella misma tarde había tenido ocasión de examinar. Recordé entonces la ventana por la que Tomás me había deslizado su mensaje en nuestro primer encuentro. Salí al jardín con todo tipo de precauciones. Volvía a sentirme ladrón. Arranqué un par de ramitas del suelo para justificar mi presencia en caso de ser descubierto, pero, casi de inmediato, las rechacé. El juego, si es que en realidad se trataba de un juego, había llegado demasiado lejos por ambas partes. Me deslicé hasta la ventana de Tomás y me apoyé en el alféizar; los postigos no estaban cerrados y había luz en el interior. Tomás, sentado en la cama tal y como lo dejamos, parecía aguardar algo o a alguien. La idea de que era YO el aguardado me hizo golpear con fuerza el cristal que me separaba del niño, pero apenas emitió sonido alguno. Entonces agité repetidas veces los brazos, me moví de un lado a otro, me encaramé a la reja y salté otra vez al suelo hasta que Tomás, súbitamente, reparó en mi presencia. Con una rapidez que me dejó perplejo, saltó de la cama, corrió hacia la ventana y la abrió. Ahora estábamos los dos frente a frente. Sin testigos. Miré hacia el piso de arriba y no vi luz ni signos de movimiento. Estábamos solos. Tomás extendió su mano hacia la mía y dijo: «Luna, luna», con tal expresión de ansiedad en sus ojos que me quedé sobrecogido. A continuación dijo: «Cola» y, más tarde, «Luna» de nuevo, esta vez suplicándome, intentando aferrarse a la mano que yo le tendía a través de la reja, llorando, golpeando el alféizar con el puño libre. Después de un titubeo me señalé a mí mismo y dije: «Amigo». No dio muestras de haber comprendido y lo repetí dos veces más. Tomás me miraba sorprendido. «¿Amigo?», preguntó. «Sí, A-M-I-G-O», dije. Sus ojos se redondearon con una mezcla de asombro y diversión. Corrió hacia el vaso de noche y me lo mostró gritando: «¡Amigo!». Luego, sonriendo –o quizás un poco asustado–, se encogió de hombros. Yo no sabía qué hacer y repetí la escena sin demasiada convicción. De pronto, Tomás se señaló a sí mismo y dijo: «Olla», «La Olla», «O-L-L-A», y al hacerlo recorría su cuerpo con las manos y me miraba con ansiedad. «OLLA», repetí yo, y mi dedo se dirigió hacia su pálido rostro.

A partir de aquel momento los dos empezamos a comprender lo que ocurría a ambos lados de la reja. No fue el encuentro de dos mundos distintos y antagónicos, sino de algo mucho más inquietante. El lenguaje que había aprendido Tomás desde los primeros años de su vida –su único lenguaje– era de imposible traducción al mío, por cuanto era EL MÍO sujeto a unas reglas que me eran ajenas. Si José y Josefina en su locura hubiesen creado para su hijo un idioma imaginario sería posible traducir, intercambiar nuestros vocablos a la vista de objetos materiales. Pero Tomás me enseñaba su vaso de noche y repetía AMIGO. Me mostraba la ventana y decía INDECENCIA. Palpaba su cuerpo y gritaba OLLA. Ni siquiera se trataba de una simple inversión de valores. Bueno no significaba Malo, sino Estornudo. Enfermedad no hacía referencia a Salud, sino a un estuche de lapiceros. Tomás no se llamaba Tomás, ni José era José, ni Josefina, Josefina. Olla, Cuchara y Escoba eran los tres habitantes de aquella lejana granja en la que yo, inesperadamente, había caído. Renunciando ya a entender palabras que para cada uno tenían un especial sentido, Olla y yo hablamos todavía un largo rato a través de gestos, dibujos rápidos esbozados en un papel, sonidos que no incluyesen para nada algo semejante a las palabras. Descubrimos que la numeración, aunque con nombres diferentes, respondía a los mismos signos y sistema. Así, Olla me explicó que el día anterior había cumplido catorce años y que, cuando hacía dos, me había visto a través de aquella misma ventana, me había lanzado ya una llamada de auxilio en forma de nota. Quiso ser más explícito y llenó de nuevo mi bolsillo de escritos y dibujos. Luego, llorando, terminó pidiendo que le alejara de allí para siempre, que lo llevara conmigo. Nuestro sistema de comunicación era muy rudo y no había lugar para matices. Dibujé en un papel lo mejor que pude el Ford años cuarenta, el camino, la granja, un pueblo al final del sendero y en una de sus calles, a los dos, Yo-AMIGO y Tomás-OLLA. El chico se mostró muy contento. Entendí que estaba deseoso de conocer un mundo que ignoraba pero del que, sin embargo, se sentía excluido. Miré el reloj: las cinco y media. Expliqué a Olla que a las nueve vendría el coche a recogernos. Él tendría que espabilarse y salir de la habitación como pudiese cuando me viera junto al chófer. Olla me estrechó la mano en señal de agradecimiento.

Regresé a mi cuarto y abrí la ventana como si acabara de despertarme. Me afeité e hice el mayor ruido posible. Mis manos derramaban frascos y mi garganta emitía marchas militares. Intenté que todos mis actos sugiriesen el despertar eufórico de un ciudadano de vacaciones en una granja. Sin embargo, mi cabeza bullía. No podía entender, por más que me esforzara, la verdadera razón de aquel monstruoso experimento con el que me acababa de enfrentar y, menos aún, encontrar una explicación satisfactoria a la actuación de José y Josefina durante estos años. Pensar en demencia sin matices y, sobre todo, en demencia compartida, capaz de crear tal deformación organizada como la del pequeño Tomás-Olla, me resultaba inconsistente. Debían de existir otras causas o, por lo menos, alguna razón oculta en el pasado de mis amigos. ¿El egoísmo? ¿No querer compartir por nada del mundo el cariño de aquel hermoso y único hijo? Mi voz seguía entonando marchas militares cada vez con más fuerza. Sentía necesidad de actividad y me puse a hacer y deshacer la cama. ¿Conocía yo realmente a mis amigos? Intenté recordar algún rasgo fuera de lo común en la infancia de mis antiguos compañeros de colegio, pero todo lo que logré encontrar me pareció de una normalidad alarmante. José había sido siempre un estudiante vulgar, ni brillante ni problemático. Josefina, una niña aplicada. Desde muy jóvenes parecían sentir el uno hacia el otro un gran cariño. Más tarde les perdí la pista y unos años después anunciaron una boda que a nadie sorprendió. Deshice la cama por segunda vez y me puse a sacudir el colchón junto a la ventana: estaba amaneciendo.

Hacia las seis y media empecé a detectar signos de movimiento. Oí ruido de vajilla en la cocina y, a través de los cristales, observé cómo José abría las jaulas de los conejos. Bajé sin dejar de canturrear. Josefina estaba preparando el desayuno. No dejaba de sonreír y también ella, a su vez, cantaba. Interpreté tanta alegría por la inminencia de mi marcha, pero nada dije y me serví un café. Al poco rato apareció José en la puerta del jardín. Vestía traje de faena y olía a conejo. Su rostro estaba mucho más relajado que el día anterior. Sin embargo su mirada seguía tan opaca como cuando, apenas veinte horas antes, había tardado su buen rato en reconocerme. Tomó asiento a mi lado y me dio los buenos días. En realidad, no dijo exactamente B-u-e-n-o-s d-í-a-s, con estas u otras palabras, pero, por la expresión de su cara, traduje el balbuceo en un saludo. Josefina se sentó junto a nosotros y untó dos tostadas con manteca y confitura. Pensé que estaba compartiendo el desayuno con dos monstruos y sentí un cosquilleo en el estómago.

Eran las ocho. La sensación de que no era yo el único pendiente del reloj me llenaba de angustia. Mis anfitriones seguían comiendo con buen apetito: tarta de manzana, pan negro, miel. Me entregué a una actividad frenética para disimular mi nerviosismo. Abrí el maletín de viaje y simulé buscar unos documentos. Lo cerré. Pedí un paño de gamuza para sacar brillo al cierre. No podía dejar de preguntarme, ahora que mi cansancio empezaba a hacerse manifiesto, cómo lograría Tomás llegar hasta el coche o franquear siquiera los muros de aquella habitación donde se le pretendía aislar del mundo. Pero el chico era tan listo como sospechaba. A las ocho y media sonó una campanilla en la que hasta ahora no había reparado y Josefina preparó una bandeja con leche, café y un par de bizcochos. Esta vez no hizo alusión alguna a la supuesta debilidad de su hijo (cosa que agradecí sinceramente) ni me molesté yo en preguntar si Tomás había pasado mala noche. El reloj se había convertido en una obsesión. Las nueve. Pero el Ford años cuarenta no aparecía aún por el camino.

Me sentía más y más nervioso: salí al jardín y, al igual que la noche anterior, arranqué un par de ramitas para rechazarlas a los pocos segundos. No sé por qué, pero no me atrevía a mirar en dirección a la ventana del chico. Sentía, sin embargo, sus ojos puestos en mí y cualquiera de mis actos reflejos cobraba una importancia inesperada. De pronto los acontecimientos se precipitaron. «¡Amigo!», oí. Había sido pronunciado con una voz muy débil, casi como un susurro. Me volví hacia la puerta principal y grité: «¡Olla!». El chico estaba ahí, a unos diez metros de donde yo me encontraba, inmóvil, respirando fuerte. Parecía más pálido que la noche anterior, más indefenso. Quiso acercarse a mí y entonces reparé en algo que hasta el momento me había pasado inadvertido. Tomás andaba con dificultad, con gran esfuerzo. Sus brazos y sus piernas parecían obedecer a consignas opuestas; su rostro, a medida que iba avanzando, se me mostraba cada vez más desencajado. No supe qué decir y acudí al encuentro del muchacho. Olla jadeaba. Se agarró a mis hombros y me dirigió una mirada difícil de definir. Me di cuenta entonces, por primera vez, de que estaba en presencia de un enfermo.

Pero no tuve apenas tiempo de meditar. La ventana de Olla se abrió y apareció Josefina fuera de sí, gritando –aullando, diría yo– con todas sus fuerzas. Sus manos, crispadas y temblorosas, reclamaban ayuda. Escuché unos pasos a mis espaldas; José transportaba una pesada cesta repleta de hortalizas pero, al contemplar la escena, la dejó caer. Olla ardía. Yo sujetaba su cuerpo sin fuerzas. José corrió como enloquecido hacia la casa. Oí cómo el hombre mascullaba incoherencias, daba vuelta a una llave y abría por fin la puerta del cuarto del chico. Casi enseguida salieron los dos. Estaban tan excitados intercambiando frases sin sentido que no parecía que mi presencia les incomodara ya. Traían un frasco de líquido azulado e intentaron que la garganta de Olla lo aceptase. Pero el chico había quedado inmóvil y tenso. Como una piedra.

–¿Qué podríamos hacer? –pregunté.

Mis amigos repararon de repente en mi presencia. José me dirigió una mirada inexpresiva. «Tenemos que llamar a un médico», dije. Pero nadie se movió un milímetro. Formábamos un grupo dramático junto a la puerta. Olla tendido en el suelo con el cuerpo apoyado en mis rodillas, José y Josefina lívidos, intentando aún que el chico lograra deglutir el líquido azulado. «Se pondrá bien», dije yo, y mis propias palabras me parecieron ajenas. ¿Qué estaba pasando? ¿Por qué minutos atrás me sentía como un héroe y ahora deseaba ardientemente vomitar, despertar de alguna forma de aquella pesadilla? ¿Por qué el mismo muchacho que horas antes me pareció rebosante de salud respondía ahora a la descripción que durante todo el día de ayer me hicieran de él sus padres? ¿Por qué, finalmente, ese lenguaje, del que yo mismo –con toda seguridad único testigo– no conseguía liberarme mientras José y Josefina reanimaban a su hijo entre sollozos? ¿Por qué? Me así con fuerza del brazo de José. Supliqué, gemí, grité con todas mis fuerzas. «¿POR QUÉ?» volvía a decir y, de repente, casi sin darme cuenta, mis labios pronunciaron una palabra. «Luna», dije, «¡LUNA!» Y en esta ocasión no necesité asirme de nadie para llamar la atención. José y Josefina interrumpieron sus sollozos. Ambos, como una sola persona, parecieron despertar de un sueño. Se incorporaron a la vez y con gran cuidado entraron el cuerpo del pequeño Tomás en la casa. Luego, cuando cerraron la puerta, Josefina clavó en mis pupilas una mirada cruel.

Corrí como enloquecido por el sendero. Anduve dos, tres, quizá cinco kilómetros. Estaba ya al borde de mis fuerzas cuando oí el ronroneo de un viejo automóvil. Me senté en una piedra. Pronto apareció el Ford años cuarenta. El conductor detuvo el coche y me miró sorprendido. «No sabía que tuviera usted tanta prisa», dijo, «pero no pase cuidado. El autobús espera.» Me acomodé en el asiento trasero. Estaba exhausto y no podía articular palabra. El chófer se empeñaba en buscar conversación.

–¿Hace tiempo que conoce a los Albert?

Mi jadeo fue interpretado como una respuesta.

–Buena gente –dijo–. Magnífica gente –y miró el reloj–. Su autobús espera. Tranquilo.

Me desabroché la camisa. Estaba sudando.

–¿Y el pequeño Tomás? ¿Se encuentra mejor?

Negué con la cabeza.

–Pobre Ollita –dijo.

Y se puso a silbar.

Mi hermana Elba

Aún ahora, a pesar del tiempo transcurrido, no me cuesta trabajo alguno descifrar aquella letra infantil plagada de errores, ni reconstruir los frecuentes espacios en blanco o las hojas burdamente arrancadas por alguna mano inhábil. Tampoco me representa ningún esfuerzo iluminar con la memoria el deterioro del papel, el desgaste de la escritura o la ligera pátina amarillenta de las fotografías. El diario es de piel, dispone de un cierre, que no recuerdo haber utilizado nunca, y se inicia el 24 de julio de 1954. Las primeras palabras, escritas a lápiz y en torpe letra bastardilla, dicen textualmente: *Hoy, por la mañana, han vuelto a hablar de «aquello». Ojalá lo cumplan.* Sigue luego una lista de las amigas del verano y una descripción detallada de mis progresos en el mar. En los días sucesivos continúo hablando de la playa, de mis juegos de niña, pero, sobre todo, de mis padres. El diario finaliza dos años después. Ignoro si más tarde proseguí el relato de mis confesiones infantiles en otro cuaderno, pero me inclino a pensar que no lo hice. Ignoro también el destino ulterior de varias fotografías, que en algún momento debí de arrancar –y de cuya existencia hablan aún ciertos restos de cola casera petrificados por el tiempo–, y el instante o los motivos precisos que me impulsaron a desfigurar, posiblemente con un cortaplumas, una reproducción del rostro de mi hermana Elba.

*

Durante el largo verano de 1954 sometí a mis padres a la más estricta vigilancia. Sabía que un importante acontecimiento estaba a punto de producirse e intuía que, de alguna manera, iba a resultar directamente afectada. Así me lo daban a entender los frecuentes cuchicheos de mis padres en la biblioteca y, sobre todo, las animadas conversaciones de cocina, interrumpidas en el preciso momento en que yo o la pequeña Elba asomábamos la cabeza por la puerta. En estos casos, sin embargo, siempre se deslizaba una palabra, un gesto, los compases de cualquier tonadilla a la moda bruscamente lanzados al aire, una media sonrisa demasiado tierna o demasiado forzada. Mi madre, en una ocasión, se apresuró a ocultar ciertos papeles de mi vista. La niñera, menos discreta y más dada a la lamentación y al drama, dejaba caer de vez en cuando algunas alusiones a su incierto futuro económico o a la maldad congénita e irreversible de la mayoría de seres humanos. Decidí mantenerme alerta y, al tiempo que mis ojos se abrían a cualquier detalle hasta entonces insignificante, mis labios se empeñaron en practicar una mudez fuera de toda lógica que, como pude comprobar de inmediato, producía el efecto de inquietar a cuantos me rodeaban.

Nunca como en aquella época mi padre se había mostrado tan comunicativo y obsequioso. Durante las comidas nos cubría de besos a Elba y a mí, se interesaba por nuestros progresos en el mar e, incluso, nos permitía mordisquear bombones a lo largo del día. A nadie parecía importarle que los platos de carne quedaran intactos sobre la mesa ni que nuestras almohadas volaran por los aires hasta pasada la medianoche. Mi silencio pertinaz no dejaba de obrar milagros. Notaba cómo mi madre esquivaba mi mirada, siempre al acecho, o cómo la cocinera cabeceaba con ternura cuando yo me empeñaba en conocer los secretos de las natillas caseras o el difícil arte de montar unas claras de huevo. En cierta oportunidad creo haberle oído murmurar: «Tú sí que te enteras de todo, pobrecita». Sus palabras me llenaron de orgullo.

Tan largo me pareció aquel verano y tan frecuentes las conversaciones de mis padres, siempre a media voz, barajando docenas de nombres para mí desconocidos, que terminé por convencerme de que tampoco aquella vez iba a variar en nada mi monótona vida. Pero, por fortuna, la decisión estaba firmemente tomada y, aunque las palabras «separación» o «divorcio» nunca fueron pronunciadas, muy pronto me enteré de su más inmediata consecuencia. Elba y yo pasaríamos el invierno en un internado. Los prospectos, extraídos de un cajoncito secreto de un canterano junto al que había transcurrido la mayor parte de sus conversaciones, vieron entonces por primera vez la luz. Se trataba de un colegio grande y hermoso, situado a pocos kilómetros de la ciudad donde vivíamos habitualmente y rodeado de bosques frondosos y jardines de ensueño. Estas palabras, musitadas por mi madre con voz temblorosa, a medio camino entre la alegría y el llanto, nos fueron repetidas hasta la saciedad y acompañadas casi siempre de la misma apostilla: «Os visitaremos cada domingo», decía y, enjugándose los ojos –una actitud que recuerdo muy frecuente en aquellos días–, nos preguntaba a continuación si deseábamos ir al cine, comprar lapiceros de colores o jugar con las muñecas. Fue –y mi diario se hace eco con infantiles expresiones de alegría– un final de verano feliz, unido, en mi memoria, a los uniformes de cuello marinero recién adquiridos y a las visitas constantes a los más variados comercios. Observé con sorpresa que no se reparaba en gastos y que cualquier objeto, inaccesible poco tiempo atrás, pasaba a formar parte de nuestras pertenencias sólo con que la pequeña Elba demostrara un mínimo interés o que yo, no muy segura aún de los resultados, formulara tímidamente un deseo.

Con el fin del verano y el regreso a la ciudad llegaron también los últimos preparativos. Las compras se incrementaron vertiginosamente y, en algunos momentos, me costó un cierto esfuerzo disimular mi agitación o permanecer en aquel mutismo al que, sin saber muy bien la razón, atribuía gran parte del mágico cambio que se iba a operar en mi futuro. Contaba con impaciencia los días, muy pocos ya, que me quedaban para conocer mi nuevo colegio y, desesperada ante el paso lento de las horas, me entretenía en dividir el tiempo en unas fracciones, que denominé «pasos», y que comprendían, aproximadamente, unas seis horas cada una. De esta forma los días no me parecieron ya tan monótonos y, casi sin darme cuenta, me encontré a los pocos «pasos» en la estación de un pueblo costero con olor a sal y una deliciosa humedad que me rizaba el cabello. La noche había caído ya y mi padre no tuvo más remedio que avisar a un coche de alquiler para que nos condujera al colegio. Al llegar se despidió efusivamente de ambas. Luego, como obedeciendo a una súbita inspiración, se agachó junto a mí y me dijo casi en secreto: «Un día de estos cumpliste once años, ¿verdad? Toma, compra caramelos para ti y para tus amigas». Y entonces, mientras notaba el débil tintineo de unas monedas en mi bolsillo, sentí una infinita piedad hacia aquel hombre que en aquellos momentos me parecía tan pequeño y desamparado.

El lugar que me habían destinado era el tercio de un pupitre doble pintado de azul oscuro y repleto de inscripciones y manchas de tinta. Las otras dos partes eran ocupadas por la que iba a ser mi compañera obligada durante todo el curso: una adolescente obesa de piel grasienta con la que, inútilmente, intenté en los primeros días hilvanar una conversación. Durante las clases escuchaba a sor Juana con la boca entreabierta y la miraba ausente. En los recreos no solía jugar con nadie, quizá porque el exceso de peso le impedía cualquier movimiento o, tal vez, porque sus ojos, siempre perdidos en el infinito, no le permitían concentrarse en ningún pasatiempo. Nuestras relaciones se limitaron, pues, a soportarnos lo mejor que pudimos y para ello no tuvimos más remedio que recurrir a las reglas al uso: trazar una línea divisoria entre nuestros respectivos territorios y morder las pastillas de chocolate de forma inconfundible, de manera que cualquier diente ajeno en aquellos tesoros almacenados en el pupitre fuera rápidamente detectado.

Casi enseguida el obstinado silencio de mi compañera, convertido tan sólo en agudos grititos cuando la campana de la escalera nos avisaba de la hora del almuerzo, me obligó a lanzar una mirada a mi alrededor en busca de algún ser más comunicativo. Observé a todas las alumnas una a una y así, mientras sor Juana nos adentraba en los secretos de la aritmética, leía oscuras profecías o dibujaba en la pizarra los preceptos básicos de higiene y urbanidad, tuve tiempo para aprenderme sus caras de memoria y establecer mis preferencias. Me di cuenta muy pronto de que la mayoría de niñas formaba un grupo cerrado, y de que yo no era para ellas *la nueva,* como mi fantasía se había encargado de imaginar en la semana que precedió a mi ingreso en el internado, sino simplemente *una* nueva, categoría en la que, además de cuatro o cinco compañeras, se incluía a mi propia vecina de mesa.

Tampoco mis ensoñaciones protagónicas acerca de la singular situación por la que atravesaban mis padres iban a verse reflejadas en la realidad de aquellas estrechas aulas. Muchas de mis compañeras se hallaban internadas por circunstancias similares e incluso, en mi misma clase, había dos huérfanas, condición que en un principio envidié, pero a la que terminé por no conceder, como la mayoría, ninguna importancia. Comprendí pronto que mi vida en aquel apartado colegio se iba pareciendo cada vez más a la que con tanta ilusión había abandonado, y la sensación de que los días, tremendamente largos, no se iban sucediendo unos a otros sino repitiéndose de forma implacable, terminó por convencerme de que mi llegada allí no se había producido hacía meses sino siglos y que nada podía existir fuera de aquellos fríos mármoles, de los frutales del jardín o de los algarrobos que flanqueaban la entrada. Las noches, además, en poco diferían de las que había dejado atrás. Elba, que a pesar de sus seis años cumplidos había sido destinada a la clase de párvulas, logró, con sus frecuentes lloriqueos, un inesperado trato de favor. Para su alegría y mi desgracia fue acomodada junto a mí, en el dormitorio de las medianas.

Decepcionada ante las escasas novedades que me deparaban aquellos largos días y convencida de la inutilidad de dividir el tiempo en «pasos» –que, esta vez, no iban a conducirme a ninguna parte–, me entretuve en imaginar que yo no era yo, y que todo lo que me rodeaba no era más que el fantasma de un largo y tedioso sueño. Pero las frías mañanas, los lloros de Elba o la presencia inevitable de mi compañera de mesa me devolvían continuamente a la realidad. Opté entonces por hacer como la mayoría de mis compañeras y dejarme arrastrar por el tono científico de sor Juana citando a Mendel sobre un capazo de guisantes, temblar de emoción ante el relato de fogosas y valientes mujeres bíblicas o discutir, a lo largo de toda la semana, sobre el posible argumento de la película prevista para el domingo. Al atardecer, cuando las externas recogían sus libros y abandonaban el edificio, me entretenía en observar las sombras que los pedestales de las imágenes dejaban sobre el falso mármol de la capilla. Algunas eran inamovibles. Otras, la sombra del púlpito, por ejemplo, no tenían una forma precisa y sus contornos estaban en relación directa con la cantidad de cirios encendidos o la presencia de flores, atriles y misales. Al terminar el rosario nos dirigíamos en fila al refectorio y de ahí al estudio. Yo, con la excusa de cuidar a Elba, era la primera en retirarme. La acostaba en la cama y, sin ningún cansancio, intentaba a mi vez dormir. No esperaba con ilusión la llegada del día porque sabía que nada nuevo podía depararme, pero cerraba los ojos como obedeciendo a uno de los numerosos actos rituales que una mente ajena y desconocida parecía empeñada en imponerme. Hasta que conocí a Fátima.

Fátima contaba unos catorce años de edad. Tenía por costumbre repetir curso tras curso y las profesoras acogían sus respuestas desatinadas con una curiosa mezcla de paciencia y abandono, como si nada se pudiera esperar de aquella alumna flaca y desaseada. Sin embargo, su actitud hacia las demás compañeras de clase era de arrogante superioridad. A menudo requeríamos su presencia para consultarle cuestiones importantes y su nombre, a la hora de formar equipos, era disputado con vehemencia. Pero a ella no parecían interesarle nuestras diversiones y acostumbraba a emplear sus recreos en pasear por los jardines, conversar con unas y otras, sentarse bajo un algarrobo y descabezar un sueño, o desaparecer por espacio de más de una hora. Cuando esto ocurría, solía regresar con flores y hojas de ciertas especies que sólo se daban al otro lado de la propiedad. Las alisaba y prensaba entre las páginas de sus libros como un extraño trofeo. Fátima, lo sabíamos todas, entraba y salía de las zonas prohibidas a las demás con la mayor tranquilidad del mundo.

Pero lo que más me llamaba la atención en ella era su actitud durante las clases de sor Juana. Se hundía en el pupitre con expresión de infinito aburrimiento, pendiente en apariencia del zumbido de una abeja o garabateando distraída sobre la última mancha de tinta caída en su cuaderno. Pocas veces era preguntada, pero, cuando esto ocurría, Fátima tardaba un buen rato en responder o, muy a menudo, se limitaba a encogerse de hombros. Sus notas eran siempre muy bajas, pero ella encajaba los resultados con indiferencia.

Me costaba comprender su comportamiento porque, en más de

una ocasión, Fátima nos había demostrado dominar cualquiera de los temas fallados pocos minutos antes o, en todo caso, poseer un caudal de conocimientos muy superior al de todas sus compañeras. Recuerdo una mañana en que varias amigas nos preguntábamos acerca de lo extraño que parecía a simple vista que los hebreos, olvidados de Moisés, hubiesen fundido un ídolo para adorarlo. Fátima se había acercado al grupo y, como era habitual en ella, escuchaba nuestras intervenciones con una media sonrisa de condescendencia. Sin embargo aquella mañana tomó la palabra y, sentándose en el centro, nos explicó otros casos en los que, según la historia, se habían producido adoraciones semejantes. Nos habló de Mahoma, de la destrucción de ídolos de La Meca y de la caprichosa conservación en la *Kaaba* de una singular piedra negra caída del cielo. Nos describió a los antiguos egipcios y dibujó en el suelo el cuerpo de su dios, el buey Apis. De allí pasamos a Babilonia, sus famosos jardines colgantes y su fabuloso rey Nabucodonosor. Seguimos por la caja de Pandora, en cuyo seno se encerraban todos los males, para conocer, junto a Simbad, las enormes garras del pájaro *rokh* y los intrincados zocos de Bagdad y Basora. Embelesadas ante el relato de nuestra amiga, asistimos aún a la narración de varias historias más procedentes de las más diversas fuentes y entremezcladas con tanta habilidad que a ninguna de las presentes se nos ocurrió poner en duda la veracidad del más ínfimo detalle. Cuando sonó al fin la campanilla de la cena, algunas intentaron arrancar de Fátima la promesa de que al día siguiente continuaría con su relato. Pero ella no comprometía jamás su palabra y se limitó, como solía, a encogerse de hombros. Ya en el pasillo y vivamente impresionada por todo lo que acababa de escuchar, me atreví a abordarla por vez primera. «Fátima», dije, «¿por qué no has contado todo eso en clase?» Mis compañeras me hacían señas de desaprobación y me indicaban, con nerviosos movimientos de cabeza, que la dejara en paz. Pero ella se detuvo y pareció recapacitar: «Pues no sé... Estaría pensando en otras cosas, supongo». Luego se fijó detenidamente en mí y me preguntó mi nombre.

Aquel día me sentí muy importante y me pareció incluso registrar una expresión de envidia en los ojos de muchas compañeras, que se iría acrecentando a medida que Fátima y yo nos convertíamos en amigas inseparables o, para ser más exacta, a partir del momento en que pasé a ser la seguidora fiel de la admirable Fátima. Porque aquella misma noche iba a descubrir algunas singularidades que hacían de mi nueva amiga la persona más atractiva que hubiera conocido hasta entonces, y gracias, por paradoja, al ser que menos me podía interesar de todo el colegio: mi feliz y obesa compañera de pupitre y dormitorio.

A las nueve de la noche, como siempre, acosté a Elba. Se sentía inquieta y tuve que contarle un par de cuentos para que consiguiera conciliar el sueño. Apagué después la luz e intenté dormir yo también, pero cierto olor ácido y penetrante me obligó a cubrirme la cabeza con las sábanas. Encendí de nuevo la luz. Elba dormía plácidamente y, tal como había supuesto, el hedor no procedía de su cama. Miré a mi alrededor y me topé con los ojos vacíos y la boca entreabierta de mi compañera de mesa. Me acerqué a su cama. Ahora no había duda de dónde procedía aquel tufillo tan semejante a algunos efluvios que, durante las clases, me veía obligada a soportar. Iba a decirle algo, pero ella se acurrucó entre las sábanas con expresión de animal acorralado. Añoré por un instante las tranquilas noches en la casa de mi familia y, por no sufrir aquella mirada perdida que durante el día me esforzaba en apartar de mi vista, salí del dormitorio y apagué la luz. El pasillo, de noche, me pareció más desolado y frío que de ordinario. Me senté en el suelo y esperé a que llegara el sueño contemplando ensimismada los bordados de mi camisón y la felpa deshilachada de mis zapatillas. Entonces apareció Fátima.

Mordisqueaba un trozo de queso e iba vestida aún con la bata negra de cuello de piqué, como un desafío más a aquella rigidez de horarios que parecían destinados a todas nosotras menos a ella. Me miró sonriendo y me ofreció un poco de queso. «Ya», dijo después de un momento, «seguro que a tu vecina le ha dado por roncar... o algo peor.» Yo asentí con la cabeza. Hacía frío y mis intentos por que el borde del camisón cubriera mis tobillos helados me parecieron en aquel momento absolutamente ridículos. Fátima sonrió de nuevo, engulló el último bocado y me hizo un ademán de despedida. «Hasta mañana», dijo. Y ante mi indescriptible sorpresa vi cómo, con una gran seguridad, se disponía a franquear la puerta de clausura. «¡Fátima!», grité incorporándome de un salto, «¿adónde vas?» Ella por toda respuesta me indicó el pasillo que la puerta entreabierta permitía adivinar. «Esto es el noviciado», dije dominada por una extraña agitación. «Si te descubren te expulsarán.» Fátima se encogió de hombros sin dejar de sonreír y, abriendo de par en par la puerta que señalaba el límite de la zona permitida, me hizo señas de que me acercara y escuchara en silencio. «Sí, están cantando», dije yo para disimular el temblor que de repente se había apoderado de todo mi cuerpo. «Pero ¿y si nos descubren?» Y, aterrada aún por haberme incluido gratuitamente en la más alta transgresión que preveía la norma, no presté atención al dedo de Fátima que me ordenaba el más estricto silencio. Los cantos se habían interrumpido, pero al cabo de unos segundos se volvió a oír el armonio. «Tienen para una hora», me susurró al oído. «Si quieres seguirme, hazlo, y si no, cállate.» Y así, casi sin pensarlo, me encontré con Fátima recorriendo los largos pasillos de la zona prohibida, contemplando imágenes y cuadros, abriendo y cerrando puertas, subiendo y bajando escaleras cuya existencia, hasta aquel momento, me había sido totalmente desconocida. Fátima iba respondiendo a todas las preguntas que yo, presa aún de una gran excitación, no acertaba a formular. «Éstos son los dormitorios de las monjas», decía. «Has de saber que ni siquiera las criadas pueden entrar aquí.» Aterrorizada, quise regresar a mi cuarto, pero me dio más miedo aún no reconocer el camino o mostrar cobardía ante la seguridad de mi amiga. Entramos en una amplia estancia repleta de libros y Fátima me alcanzó un grueso volumen de grabados muy similares a los que adornaban las paredes de uno de los pasillos que acabábamos de abandonar. Abraham dispuesto a sacrificar a su hijo, José tentado por la mujer de Putifar, Rebeca dando de beber a Eliazar... Pero la biblioteca no parecía ser el fin de nuestra incursión. Seguimos avanzando –ahora con pasos lentos por la cercanía del oratorio– hasta llegar a un amplio cuarto provisto de diez camas, separadas entre sí por nueve mamparas, y de un enorme ropero sin puertas. «Ésta es la habitación de las novicias», seguía explicando Fátima. «Y aquí está su ropa interior.» Y apenas hubo pronunciado estas frases cuando, ante mi sorpresa, se había encasquetado un gorro de popelín blanco e intentaba ceñirse una enagua rayada con más de tres bolsillos. El aspecto de Fátima era tan cómico que, por unos instantes, mi miedo se apagó un tanto y me puse, a mi vez, a revolver el armario de las novicias y a hurgar en los bolsillos de los hábitos. Encontré misales, rosarios, un par de caramelos resecos y un papel arrugado con algunas jaculatorias y buenos propósitos. También, en uno de los refajos, hallé un clavo oxidado. «Lo hacen para mortificarse», dijo mi amiga. «Algunas se los ponen en los zapatos y andan disimulando, como si tal cosa. Otras se pinchan un poco de vez en cuando y nada más.» Luego, como viera que este descubrimiento me había dejado sobrecogida, se acercó a mi oído y susurró: «Pero hay otras que hacen cosas aún más extrañas». Y, rompiendo a reír, me mostró el interior de un calzón en el que, sin que yo pudiera explicármelo, aparecían tres estampas cosidas en el forro y una reproducción de la fundadora de la comunidad.

La sorpresa, unida al estado de inquietud en que me hallaba, hizo que mi boca prorrumpiera al fin en estrepitosas carcajadas que más se asemejaban a auténticos espasmos nerviosos. Recogía unas toscas medias de hilo y la perfección de los zurcidos me provocaba risa. Comparaba el tamaño de los calzones con mis propias medidas y tenía que llevarme la mano a la boca para contenerme. Leía alguno de los numerosos buenos propósitos y su candidez me resultaba desternillante. Contagiada por la seguridad de mi amiga quise incluso forzar un cofrecito que prometía encerrar nuevas maravillas y que yacía en el fondo del armario semioculto por un hato de faldones. Pero Fátima me ordenó silencio.

El roce de las gruesas cuentas de un rosario contra un hábito, un rumor que todas conocíamos bien, me dejó perpleja. Pronto, sin embargo, la inminencia de que alguien se acercaba hizo que mi cuerpo volviera a temblar como una hoja y que mis piernas, dotadas de vida propia, empezaran a agitarse en todas direcciones posibles sin moverse apenas del lugar en el que me encontraba. «Vamos a escondernos», dijo Fátima, pero, ante mi estupor, no eligió una mampara cualquiera del dormitorio o el interior del armario, como mi imaginación se disputaba nerviosamente, sino que, sin abandonar su expresión de extrema tranquilidad, se acurrucó en una de las esquinas del cuarto y, con un gesto rapidísimo, me indicó que me sentara a su lado. Muerta de pánico, obedecí a Fátima, quien se arrinconó aún más contra la pared, y, ahogando los latidos de mi corazón, me dispuse a afrontar el fin de los acontecimientos mientras mi mente pugnaba por encontrar algún pretexto para mi inexcusable presencia.

A los pocos segundos se abrió la puerta y entraron dos novicias. Venían conversando entre risas, pero una de ellas, al ver la luz prendida, se detuvo en seco. Pensé que mi fin era próximo y me cubrí la cara con las manos. Pero las dos novicias se dirigieron cada una a su mesita de noche, sacaron un par de devocionarios del cajón, y, de nuevo entre risas, apagaron la luz y se perdieron por el pasillo. Cuando el chasquido del entarimado de madera bajo sus desgastadas zapatillas se hizo imperceptible, Fátima y yo salimos a hurtadillas de la habitación y repetimos el camino de vuelta que, esta vez, se me antojó interminable. Subimos y bajamos las numerosas escaleras y pasamos, sin detenernos, por aquel pasillo repleto de imágenes y escenas bíblicas que antes me había llamado poderosamente la atención, pero del que ahora sólo deseaba huir. Cuando por fin, jadeantes, llegamos a la zona permitida, Fátima me indicó con un gesto que no pronunciara palabra y, sigilosa, se internó en su dormitorio.

Aquella noche no me fue posible conciliar el sueño. Por mi cabeza rondaban aún las imágenes de la peligrosa aventura que acababa de vivir pero, sobre todo, un montón de preguntas a las que, por más que me esforzaba, no podía hallar ninguna respuesta satisfactoria. Esperé con impaciencia a que llegara el día y, con éste, la ocasión propicia de abordar a Fátima.

Desayunamos, como cada mañana, en mesas separadas, pero pude observar que Fátima escupía la leche con un gesto de repugnancia y se negaba a engullir el pan excesivamente seco y la mantequilla rancia. Parecía de malhumor y la indiferencia de sus vecinas de mesa me dio a entender que estas reacciones debían de ser en ella bastante frecuentes y que, quizá, lo más prudente sería dejarla en paz y esperar a que se calmara. Tuve que aguardar, pues, al recreo del mediodía y seguirla discretamente en sus paseos solitarios por el jardín, esperando una mirada de complicidad que no llegaba o alguna indicación que me animara a conversar con tranquilidad. Ella andaba despacito, canturreando y recogiendo guijarros del suelo. De vez en cuando los lanzaba lejos de sí y volvía a repetir la operación. Simulaba no haber reparado en mi presencia, pero yo sabía que tal posibilidad era más que improbable. Ahora yo acababa de cubrir con decisión los escasos pasos que nos separaban y Fátima, con una expresión de tedio sólo comparable a la desgana con la que atendía las clases de sor Juana, no tuvo más remedio que rendirse a la evidencia. Se sentó fastidiada a la sombra de un algarrobo y me inquirió con la mirada. Yo me acerqué tímidamente: «Hay algo que no entiendo», dije. «Las novicias de ayer no nos vieron ni dijeron nada.» Fátima se encogió de hombros y se puso a dibujar en la tierra con una ramita. «Pero estábamos allí mismo y ni siquiera nos miraron.» Sus ojos me taladraron el rostro. «Eres más tonta de lo que pareces», dijo. «Yo creí que tú sabías.» Y, después de cerciorarse de que nadie podía escucharnos, prosiguió: «Estábamos allí pero no estábamos. Y aunque a ti te pudiese parecer que estábamos, no estábamos». Muda de asombro me senté a mi vez junto al algarrobo. No me atrevía a preguntar nada que pudiese interrumpir el discurso de Fátima, pero tampoco me sentía capaz de ocultar la admiración que sus incomprensibles palabras me habían producido. Me mantuve en silencio pero no aparté mis ojos de los suyos. Fátima suspiró con cansancio. «No me mires con esa cara de susto», dijo y, a continuación, como quien repite una tabla recién aprendida, se puso a canturrear: «En todas partes del mundo hay escondites. Unos son muy buenos y otros no. Algunos fallan a veces y otros nunca. El de anoche es pequeño pero muy seguro. Por eso casi siempre voy al dormitorio de las novicias». Y, olvidándose de mi presencia, volvió a garabatear sobre la tierra húmeda.

Quise preguntar algo más con relación a lo ocurrido, pero temí que mi excesiva curiosidad terminara con su paciencia y callé. Mi inquietud, sin embargo, me obligaría pronto a romper el silencio. «Fátima», dije al fin, «pero allí no había paredes ni nada.» Ella suspiró de nuevo. «Veo», volvió a decir en idéntico tono, «que todavía no has comprendido. Te repito que *no estábamos* allí, ¿lo entiendes ahora?» Asentí confusa con la cabeza. «En este colegio», siguió más animada mi amiga, «hay cuatro, cinco o quizá más, pero yo no los conozco todos. En casa de mis padres, cuando era pequeña, descubrí uno enorme. Luego ampliaron la habitación y no lo he podido encontrar nunca más.» Mi vecina de mesa apareció en aquel momento devorando un plátano y Fátima enmudeció. Después, al tiempo que se incorporaba, me susurró al oído: «Cerca de aquí, en este mismo jardín, hay uno muy antiguo. El otro día me encontré allí con tu hermana Elba».

De la mano de Fátima aprendí a conocer los cuatro escondites del colegio. Tres, contando el de la habitación de las novicias, estaban situados en el interior del edificio y dos de ellos eran de parecida estructura. El tercero, en cambio, no ocupaba uno de los ángulos de la habitación como los otros, sino que se hallaba en la capilla, exactamente a la altura de la baldosa número diecisiete contando a partir del púlpito. Como la búsqueda resultaba un poco complicada, Fátima había marcado desde hacía tiempo la baldosa en cuestión con una cruz, pero, así y todo, el escondite era muy poco utilizado por la angostura de sus dimensiones. El cuarto se encontraba en el jardín. Era amplio y agradable y, durante un tiempo, acudíamos allí regularmente para conversar de nuestras cosas y observar sin ser vistas. Elba solía unirse a nuestros juegos con un brillo especial en la mirada y una emoción incontenible al comprobar cómo yo, de pronto, había empezado a considerarla seriamente. También Fátima trataba a mi hermana con mucho respeto y, en nuestras incursiones nocturnas, dejábamos que fuera Elba quien nos precediera. Su compañía nos resultó de gran utilidad. Elba descubrió por sí sola un escondite más situado en el hueco de la escalera que a Fátima no le pareció del todo desconocido pero que, según confesó, había olvidado inexplicablemente. Este último hallazgo, sin duda el mejor del colegio, nos deparó no pocas diversiones y a su utilización casi constante se debió el hecho de que una de las criadas se despidiera indignada (en el hueco de la escalera, decía, habitaba un brujo empeñado en levantarle las faldas) y que la pobre hermana cocinera, acostumbrada a pasar junto a la escalera para servir a la comunidad, cambiara un buen día prudentemente de itinerario.

Pero la facilidad con que Elba se movía en aquellos mundos sin límites superaba, en mucho, a la de la propia Fátima. Más de una vez, mientras mi amiga y yo hojeábamos los gruesos volúmenes de la biblioteca, deteniéndonos ante la imagen de Sansón o pasando ávidamente los grabados referentes a las plagas de Egipto, Elba, a la que acabábamos de ver jugando en el jardín, aparecía de repente con la expresión inequívoca del pecadillo recién cometido. No se molestaba en aclarar cómo había logrado alcanzarnos con tanta rapidez y, si alguna de nosotras insistía en averiguarlo, se mostraba perpleja ante nuestras preguntas. Se diría que mi hermana había logrado descubrir algunos escondites más dentro de los ya conocidos o que, por misteriosos conductos cuya comprensión se nos escapaba, sabía cómo desplazarse sin ser vista por la mayoría de las dependencias del internado. Un día Elba nos habló de «caminos chiquitos», pero ni Fátima ni yo pudimos sacar gran cosa en claro de sus voluntariosas explicaciones infantiles.

Y así, sin que yo me preguntara ya más por la extraña inmunidad que parecía protegernos en ciertas zonas del colegio, transcurrió aquel inolvidable invierno y llegaron de nuevo las vacaciones. Fátima marchó con sus padres a un pueblo de montaña, y Elba y yo fuimos conducidas como cada verano a la playa. Mis padres habían llegado a un acuerdo en su situación personal, pero a mí, durante aquel verano, sólo me interesaba la compañía de Elba, a la que, día a día, me sentía más apegada. Al principio Fátima me escribía cada semana y yo no dejaba de informarle de las habilidades de mi hermana. «No sé cómo lo hace», le escribí en una ocasión, «pero el reloj de la escalera se detiene cuando ella lo mira fijamente.» Sin embargo, las cartas de Fátima, cada vez más espaciadas, se convirtieron pronto en postales y un día, en fin, dejaron de llegar. No sabía a qué atribuir el silencio de mi amiga pero me consolé pensando en la cantidad de novedades que podría contarle al empezar el próximo curso, y, olvidada de todo lo que no fuera Elba, me dediqué a anotar cuidadosamente en mi diario cuanto decía, hacía o balbuceaba en sueños.

Sin embargo, cuando las vacaciones tocaban a su fin, volvimos a oír cuchicheos en la biblioteca, frases a media voz y lloros lastimeros. Escuchamos detrás de la puerta y nos fuimos enterando de que el próximo invierno Elba no iría conmigo al internado. Mi propia madre intentó explicármelo el día en que cumplí doce años: «Elba», me dijo, «necesita estudiar en un colegio especial junto a niñas como ella». De nada sirvieron mis protestas ni mi defensa vehemente de sus cualidades. Todo había sido programado desde hacía tiempo, a nuestras espaldas, mientras Elba, Fátima y yo jugábamos felices en el internado. Insistí a cada momento sobre su grave error pero de nada sirvieron las revelaciones con que, aun a costa de romper un secreto, intentaba aturdirles para salvar la suerte de Elba. Mi padre me ordenaba callar antes de que lograse hilvanar una frase y luego, haciéndose cargo de mi sufrimiento, intentaba, a su vez, que yo comprendiera razones que me parecían incomprensibles. «Tu hermana», solía decirme, «no es una niña normal. Tiene siete años y apenas habla. En ese colegio intentarán detener su retraso.» Lloré, supliqué, pataleé, hasta que terminé entendiendo que mis posibilidades de éxito en aquel mundo de adultos regido por la inmediatez eran prácticamente nulas. Pedí ayuda varias veces a Fátima pero no obtuve respuesta. Sólo al final, pocas semanas antes de volver al internado, recibí una postal: «Perdona por no haberte escrito antes pero estoy muy ocupada. Pronto empieza otra vez el colegio. ¡Qué rabia! Besos. Fátima».

El puesto que me habían asignado en el curso que ahora empezaba era mejor que el del año anterior. Esta vez tenía derecho a la mitad exacta del pupitre y mi compañera de clase era una nueva de aspecto mucho más agradable que mi antigua vecina. Pregunté varias veces por Fátima, pero mi amiga no había llegado aún. Me sentía triste y echaba mucho en falta la compañía de la pequeña Elba cuando, sin nadie con quien compartir mis juegos, rondaba sola por los pasillos de la clausura o me acurrucaba, durante los recreos, en el escondite del jardín. En la capilla habían realizado a lo largo del verano algunas reformas y ya no supe localizar el lugar exacto en el que antes se hallara la baldosa número diecisiete, pero tampoco me sentí disgustada. En realidad, los juegos que el año anterior tanto me fascinaran perdían ahora, sin la compañía de mi amiga y de Elba, la mayor parte de su interés.

Una mañana, cuando dominada por el aburrimiento estaba a punto de abandonar mi refugio y unirme a los juegos de las demás compañeras, observé cómo muchas de ellas corrían hacia un coche negro que acababa de detenerse ante la puerta. Comprendí que se trataba de Fátima pero no me moví, esperando con emoción a que fuera ella la primera en descubrirme. Algunas niñas habían formado un corro en torno al auto y, aunque me era difícil observar sin abandonar por completo mi posición, pude oír con toda nitidez la inconfundible voz de mi amiga y sus sonoras carcajadas. Luego, cuando el corro se convirtió en un grupo que avanzaba hacia mí, la miré con mayor detenimiento. Había crecido y sus cabellos, recogidos en la nuca, le conferían un cierto aspecto de gravedad que en nada recordaba a la estudiante desaliñada de unos pocos meses atrás. Llevaba unos zapatos oscuros con una punta de tacón y colgado al hombro, en lugar de cartera, un bolso de cuero negro. Pasaron junto al escondite, y yo hice un gesto con la mano que Fátima pareció no detectar. Entonces esperé el momento de mayor confusión, salí del refugio y me abalancé sobre mi amiga.

Ella me saludó con cortesía, sin dejar de escuchar los cumplidos de cuantas la rodeaban, sin una frase especial o un brillo en los ojos que me hubiera bastado para reconocer una preferencia. Poco después, en las semanas que siguieron a nuestro reencuentro, terminaría comprendiendo que a Fátima no le interesaban ya unos juegos que ella, sin duda, consideraba ahora infantiles, y que mi propio aspecto, aún muy aniñado, convertía mi presencia en algo molesto y detestable. Tampoco mis explicaciones acerca de las habilidades de Elba y su trágico confinamiento en una institución lograron despertar su curiosidad. Me escuchaba siempre con desgana, fingiendo atender a todo lo que yo le estaba contando para, acto seguido, hablarme de sus últimas vacaciones, mostrarme fotos de su grupo de amigos o despotricar contra su actual reclusión en aquel colegio, lejos de la civilización y del mundo. Se hizo amigas entre alumnas de su edad que estudiaban cursos superiores y, ante la sorpresa de sus antiguas compañeras, se dedicó a trabajar con ahínco. Fátima, la gran Fátima que todas –y yo con mayor razón– admirábamos, había dejado de pertenecerme.

Pero yo no podía conformarme. Los ojos de Elba, la expresión de angustia con que se despidió de mí el día en que nos separamos, me perseguían a donde quiera que fuese. Por las noches creía oír su voz y, en sueños, se me aparecía constantemente con el brazo extendido, como si, a su manera, me solicitase una ayuda urgente que yo, desde el internado y sin la compañía de Fátima, me veía en la imposibilidad de conceder. En los recreos, más sola que nunca, cuando me refugiaba en el escondite del jardín, volvía a escuchar su voz. «¡Ayúdame!», me decía y sus palabras, cada vez más apremiantes, se iban convirtiendo en una horrible pesadilla de la que ni siquiera despierta podía liberarme. A veces le suplicaba paciencia, otras, las más frecuentes, le rogaba que me dejase en paz. Parecía como si Elba no reposara nunca, como si se mantuviera siempre al acecho, como si temiera caer en el olvido.

Hice nuevas amigas y, en parte por el frío reinante, pero sobre todo porque intentaba apartar el recuerdo de Elba y de nuestras incursiones en los escondites, dejé paulatinamente de frecuentar aquellos refugios que ahora se me revelaban desprovistos de interés y de cuya existencia, por alguna oscura razón, me avergonzaba. Mis padres fueron a visitarme algunos domingos y, en esas ocasiones, solía unirse a nosotros mi compañera de clase, con la que, a medida que transcurría el curso, me sentía más identificada. Paseábamos por el pueblo, comíamos en el muelle y hacíamos excursiones en barca. Pero la voz de Elba no conocía la piedad ni el descanso. Se hacía oír en los momentos más inoportunos: cuando, con el balón alzado, estaba segura de encestar, cuando era yo precisamente la encargada de realizar la lectura que acompañaba al almuerzo, cuando intentaba ordenar mis ideas para responder con acierto a un examen. Siempre Elba, con su expresión de angustia y su brazo extendido, con una mirada cada vez más exigente, sonriéndome a veces, gimoteando otras, tomando nota de todos y cada uno de mis pensamientos. Hasta que su mismo recuerdo se me hizo odioso. «¡Basta!», terminé gritando un día. «Vete de una vez para siempre.» Y progresivamente su voz fue debilitándose, haciéndose cada vez más lejana, fundiéndose con otros sonidos y, por fin, desapareciendo por completo. Fueron unos meses felices, colmados de proyectos para las próximas vacaciones. Mi compañera y su familia pasarían el verano en un viejo caserón junto a la playa, a escasos kilómetros de la casa que mis padres poseían en la misma localidad. Formaban un grupo numeroso del que yo, desde ahora, me convertía en miembro. Planeamos excursiones y especulamos con toda la gama de posibilidades que mi aparición podía provocar en su primo Damián, de cuya fotografía había logrado apropiarme en secreto y a quien iban encaminadas, desde hacía cierto tiempo, todas mis ensoñaciones.

Pero con el verano llegaría también la inevitable Elba. Mis padres fueron a recogerla a la ciudad y regresaron a la playa dando muestras de una gran satisfacción. Elba había efectuado ciertos progresos, decían, y, con un contento que me pareció desmesurado, me mostraron el cuaderno de ejercicios de mi hermana en el que sólo acerté a ver algunas letras mal trazadas y unos esbozos de cuadriláteros y circunferencias. En el momento de su llegada, cuando divisó mi rostro pegado al cristal de una de las ventanas, los ojos de Elba brillaron de satisfacción y, tendiendo hacia mí su bracito –aquel brazo que había llegado a detestar–, pronunció mi nombre con una claridad en ella desconocida. Luego, al reunirnos en el salón, la noté ya distraída y ausente. No buscaba mi mirada ni parecía dispuesta a prodigarme aquellas pruebas de afecto a las que, en otros tiempos, había sido tan aficionada. Recorría la casa con los ojos exageradamente abiertos y acariciaba el tapizado de los sillones como alguien que regresa a su ciudad natal después de un largo y agitado viaje. La sensación de que había perdido a una hermana me asaltó de repente pero, ante mi propio asombro, no sentí pesar alguno. Faltaban aún algunos minutos para que las bicicletas de mis amigos hicieran su aparición en el jardín. Me apresuré a vestirme con un traje nuevo y me aposté en la verja. «Ojalá no la vean», pensé.

Pasaron algunos días. Elba, desde su mundo, parecía intuir que su presencia me resultaba incómoda. No quiso volver a la playa –aquel lugar donde, un par de años antes, yo misma le había enseñado a nadar–, y sus frecuentes torpezas a la hora de las comidas determinaron que en lo sucesivo tomase sus alimentos en la cocina. Tampoco este año iba a compartir el dormitorio conmigo. Un llanto accidental me sirvió de excusa para exigir un traslado. Apenas la veía, pero sus ojos, cada vez más penetrantes, me acompañaban siempre en mis salidas desde las ventanas de su cuarto.

Una mañana la niñera apareció en la playa a una hora inhabitual. Me asió bruscamente del brazo y, con frases entrecortadas, vino a decirme que debía ir corriendo a casa. Bajo el toldo de los baños se había formado un grupo que me miraba con curiosidad. «Elba, se trata de Elba», oí. Por el camino fui informada a medias de lo ocurrido. Mi hermana había perdido el equilibrio en la terraza. ¿Se salvaría? La niñera esquivó la pregunta.

No quise ver el cuerpo ni mis padres me obligaron a ello. Pero, por las conversaciones que fui oyendo a lo largo de la tarde, me enteré de que la sangre corría a borbotones y de que fue mi padre quien primero acudió en su ayuda y cerró para siempre sus ojos.

Los días inmediatos fueron pródigos en acontecimientos. La casa se llenó de gente y de llantos. Algunas mujeres se apoyaban en mi hombro y lloraban, otras me acariciaban compungidas. Discutieron acerca de las medidas y características de la caja. No llevaría cristal, oí decir a mi madre, su carita había quedado destrozada. Pero el color sería blanco, como las flores y el sudario en el que había sido envuelta.

En la iglesia se agolpaba la gente desde primeras horas de la mañana. Cuando mis padres y yo bajamos del coche negro todos se retiraron con respeto. Avanzamos por el pasillo central cogidos del brazo y nos arrodillamos en el primer banco, muy cerca del lugar donde cuatro cirios custodiaban el féretro blanco de pequeñas dimensiones. El sacerdote habló con mucho cariño de mi hermana y del dolor de los familiares que dejaba en el mundo. Cuando pronunció mi nombre sentí un estremecimiento y miré con el rabillo del ojo a los bancos traseros. Todos parecían pendientes de mi persona. Se rezó un padrenuestro y por mis ojos desfilaron toda suerte de imágenes. Fátima, Elba, Eliazar, mi obesa compañera de pupitre, Rebeca, la palabra «escondite»... No oía ya rezos sino un extraño zumbido. Mi madre me dio aire con las tapas de un misal. Me había desmayado.

Salimos de nuevo por el pasillo central y, por indicación de mi padre, nos detuvimos junto a la puerta. Siguieron las frases de condolencia y los apretones de mano. Me sentía observada. Pasaron una a una todas las familias del pueblo. Pasó Damián con los ojos enrojecidos y me besó en la mejilla.

Era el 7 de agosto de un verano especialmente caluroso. En esta fecha tengo escritas en mi diario las palabras que siguen: «Damián me ha besado por primera vez». Y, más abajo, en tinta roja y gruesas mayúsculas: «HOY ES EL DÍA MÁS FELIZ DE MI VIDA».

El provocador de imágenes

Aunque suelo presumir de una memoria excelente y algunos hechos de mi vida así lo atestiguan –no confío en mi secretaria y sólo uso la agenda en contadas ocasiones–, hay ciertos datos que escapan ahora a mis intentos de ordenación y emergen del pasado envueltos en una nube de sombras y murmullos. No consigo recordar, por ejemplo, la primera vez que me crucé por los pasillos con mi amigo José Eduardo E. ni, tan siquiera, si este encuentro ocasional tuvo lugar algún día. Pero lo cierto es que su voz, extrañamente parecida a la de un famoso doblador de entonces, me produjo, aquella mañana, una incómoda sensación de familiaridad.

Estábamos en septiembre y llevábamos ya varias horas aguardando turno frente a la ventanilla del Negociado de la Facultad. Era un día lluvioso y tristón. Los paraguas se amontonaban en un ángulo del vestíbulo, chorreantes, rezumando una humedad molesta sobre el serrín agrupado en pequeños montículos. Los maquillajes de las chicas parecían más llamativos que de costumbre y algo semejante debía de ocurrir con sus vestidos, aún veraniegos y vaporosos, ahora lamentablemente empapados y salpicados por motitas de barro. La espera había terminado con mi paciencia y me sentía malhumorado. Una estudiante de rostro bonachón y carnes generosas clavó su finísimo tacón de aguja en el dedo gordo de mi pie. No me dio tiempo a reaccionar. Las varillas de un paraguas sin cierre pugnaban por hundírseme en el costado. Tomé conciencia de la proximidad de la ventanilla y casi me precipité sobre la única persona que me separaba de mi objetivo. Entonces oí su voz.

–José Eduardo Expedito –dijo.

La funcionaria había dejado de teclear.

–¿Expósito?

–No –repitió la voz–. Expedito. –Y luego, en el tono cálido y condescendiente de quien se halla habituado al mismo, invariable equívoco–: No es apellido sino nombre. San Expedito glorioso, 14 de abril, patrón de las urgencias.

Me fijé en su cogote y vi que usaba gomina. El cuello de la camisa aparecía ligeramente chamuscado, pero el tejido era de cierta calidad, el colorido aceptable y la combinación con un jersey de lana cruda, discreta. Mis ojos se hallaban tan cerca de su espalda que pude observar, con toda nitidez, una línea de puntos discordante. Es un jersey hecho a mano, pensé, una madre, una abuela quizá. Los empujones habían remitido un tanto y logré separarme unos centímetros: la textura, desde aquella distancia, parecía perfecta. Es un jersey hecho a mano, insistí, aunque, cosa curiosa, se diría que pretende imitar a los confeccionados en serie. Es decir, lo pretende descaradamente.

La empleada masculló una cifra con voz mecánica y por un momento el punto de espiga color crudo, la nuca engominada y el cuello raído se entregaron a una curiosa danza arrítmica. Buscó en un bolsillo y luego en otro. Se agachó un par de veces y hurgó en una bolsa deportiva. De pronto, y sin que mediara transición alguna, se relajó por completo. Sacó del interior de su camisa un sobre arrugado, se hizo repetir el importe de la matrícula y, con una lentitud que me pareció afectada, ordenó sobre el mostrador unos cuantos billetes y algunas monedas. No sé si mi obligada proximidad le había molestado o si se trató en efecto de un accidente, el caso es que, al voltearse, la colilla de su cigarrillo perforó mi impecable gabardina. «Perdón», dijo. Pero sus ojos negros y brillantes no mostraron congoja alguna.

Tampoco puedo precisar, sin riesgo a equivocarme, quién se acercó a quién por primera vez; si nuestro encuentro definitivo tuvo lugar en el interior de la facultad, en sus jardines o en cualquiera de las tabernuchas que en aquella época solía frecuentar. Ni siquiera me atrevería a afirmar que ciertos encendedores, bufandas o relojes de pulsera con los que yo acostumbraba a juguetear mientras conversábamos y que, dada mi desidia, a menudo extraviaba, fueran los mismos que pocos días después aparecían en los bolsillos, cuello o muñeca de J. Eduardo con alguna pequeña, ligera, casi imperceptible variante. Todo esto sucedió hace bastantes años y lo único que me siento capaz de asegurar es que nuestra amistad fue el producto de una convivencia larga, un proceso lento jalonado de los más inverosímiles encuentros en distintos lugares de Europa, una historia de fidelidades y devociones un tanto incomprensible o sorprendente para los demás compañeros de aulas y pasillos.

Porque él, J. Eduardo E., era un estudiante becado de ternos deslucidos y zapatos ajados, y yo, H.J.K., el reverso de la medalla. Tenía el futuro resuelto de antemano y mis largas jornadas en la facultad transcurrían ociosas en las mesas del bar, discutiendo con unos y otros, planeando fines de semana en la montaña o intentando conseguir una cita púdica con la más agraciada de las escasas estudiantes. Nuestras diferencias económicas y, por lo tanto, la distinta actitud a la hora de enfocar el año académico le hicieron mostrarse cauto durante varios cursos. Me dejaba hablar largo y tendido, invitarle a fiestas y almuerzos (en los que solía, si el número de invitados era elevado, mantenerse al margen con una beatífica sonrisa en los labios), y contarle, con la presunción de un joven de mis características, mis exiguos escarceos amorosos o mis adolescentes luchas generacionales.

Tan grandes eran sus aparentes dotes de auditor y tan parcas sus intervenciones personales –alguna que otra interrogación aislada, un *Cómo* o un *Por qué* soltados en el momento más inesperado– que, poco a poco, fue ganándome una incómoda sospecha: José Eduardo E. no sólo me tenía sometido a una tenaz observación sino que, además, dirigía por entero mis confesiones. Este hallazgo, lejos de impulsarme a rehuir su compañía, aumentó mi interés por aquel comedido compañero de aulas. Me sometí gustoso a sus interrogatorios –sus supuestos silencios, como había comprobado ya, no eran más que hábiles interrogatorios– y me ofrecí a acompañarle a clases, conferencias o seminarios.

Me admiró la pasión que mostraba mi amigo por los más tediosos temas jurídicos, pero sobre todo su tenacidad en interrumpir las clases, alzar el brazo y defender tesis con las que, me constaba, estaba en profundo desacuerdo. A veces dotaba a sus intervenciones de un rebuscado acento anglosajón, otras se fingía tartaja o ceceoso; una mañana, en fin, simuló un desmayo que a casi todos convenció. Aunque nunca me habló de la razón por la que se tomaba tantas molestias me pareció comprender, ahora que empezaba a conocerle íntimamente, que su desmedida curiosidad por las reacciones de sus semejantes le conducía a someterlos a las más diversas pruebas y trabajos.

Fue más o menos por esas fechas cuando, emocionado, me mostró su llamamiento a filas (la ocasión, me dijo, de experimentar en un mundo ajeno) y cuando, también, intentó persuadirme de su profundo amor hacia dos hermanas gemelas a las que, con su obstinado acoso y frecuentes insidias, logró seducir y por consiguiente enemistar. El día en que una de ellas canalizó sus celosías y rivalidades en un sonoro bofetón propinado en la mejilla de la otra (por un momento el reflejo en el espejo quedó distorsionado), Eduardo contempló la escena con una mueca de placer, cerró los ojos como para fijar la imagen en su retina, ejecutó un *arabesque* al estilo de las grandes figuras y abandonó jubiloso el local. No es necesario añadir que, desde aquel día, las mellizas debieron considerarse definitivamente rechazadas.

Pero sus deseos de experimentación no se mantuvieron siempre en el mismo grado ni tuvieron por objeto exclusivo las reacciones del género humano. Recuerdo ciertas épocas en que su curiosidad ilimitada se centraba en ahondar en un saber concreto o en dominar todo lo relacionado con una materia determinada. Logró así convertirse en una eminencia en el conocimiento de sánscrito y poseer, casi al mismo tiempo y de forma harto misteriosa, los secretos y artilugios de la más exquisita cocina francesa. Esta ciencia –que rememoro aún con terror– conseguiría transformar a Eduardo en uno de los seres más irascibles que haya conocido jamás. Discutía las dimensiones de las mesas, la altura de los asientos, el diseño de las copas o la profundidad de los platos con el mismo ardor con que se permitió rechazar en cierta oportunidad un correcto mantel a cuadros sin razón aparente. Todo, según él, se hallaba en estrecha relación con el menú seleccionado y no era infrecuente verle incorporarse a mitad del almuerzo, exigir el inmediato cambio de la cubertería o ponerse a trajinar con las lámparas del local a fin de conseguir una iluminación adecuada. En algunos establecimientos era idolatrado; en la mayoría temido como a la peste. Mostraba una preferencia morbosa por restaurantes de cierto renombre y en días de admirable discreción se había contentado con anotar en una libretita algunas de las irregularidades halladas, aunque, para mi desgracia, no fuera éste su comportamiento habitual. Una canallesca expresión de malignidad infantil solía acompañar sus protestas y un peculiar carraspeo, entre el sarcasmo y la tos, las remataba. Inútil resultaría aclarar que todos mis esfuerzos por hacerle entrar en razón estuvieron condenados al fracaso o que, tal vez, fortalecieron aún más su incontenible necesidad de explicar a los *maîtres* cómo debían presentar sus especialidades, a los cocineros cómo sazonarlas y a los comensales cómo ingerirlas. Una noche fuimos expulsados de Maxim's. En la puerta evité su mirada, pero no me fue posible desoír su carraspeo. Parecía feliz.

Durante sus arrebatos gastronómicos me asaltaba siempre la misma duda: no sabía precisar si lo que pretendía Eduardo era defender sus innegables conocimientos culinarios o si se trataba, una vez más, de poner a prueba a *maîtres*, camareros, porteros, cerilleras y pinches. O quizás –y los años me darían la razón– el asunto resultaba un tanto más complejo. Terminamos con distinta fortuna los estudios, nuestras vidas se encaminaron hacia objetivos opuestos, pero no dejamos de cartearnos y mantenernos recíprocamente informados. Pude constatar entonces que Eduardo, a pesar de hallarse sumido en otra de sus más duraderas pasiones –la comprobación de las tesis de J.H. Fabre sobre la fecundación de los escorpiones–, no desperdició ocasión de provocar, en sus ratos de ocio, lo que había dado en llamar «imágenes».

Su primera carta, fechada en Bolonia al igual que las siguientes, era escueta: hablaba de su doctorado en leyes e incluía alguna mención aislada al deficiente grado de preparación de la mayoría de sus compañeros de estudios. La segunda, mucho más imaginativa, describía con todo lujo de detalles las ceremonias nupciales del *Scorpio Europoeus* y su reacción inesperada ante la presencia de una mantis religiosa que, a modo de factor discordante, había introducido una noche en el terrarium. La tercera se centraba en una fabulosa morena de busto altivo, cejas pobladas y funámbula de oficio con quien, me aseguraba, iba a contraer matrimonio en breve.

Al cabo de cierto tiempo recibí la cuarta: la volatinera yacía en un hospital de Ischia aquejada de una misteriosa picadura venenosa, Eduardo había conseguido un puesto de profesor en el este de Francia y su terrarium, de tres por tres de superficie y metro y medio de altura, me era ofrecido desinteresadamente en atención a nuestra probada amistad. Al final, en la postdata y como si el tema le resultara ajeno, me añadía su opinión acerca de unos cortometrajes de ciertos vanguardistas romanos. La palabra «imágenes» aparecía en el centro de una nubecilla de trazo infantil.

Meses más tarde coincidí con Eduardo en París, como tantas veces debía ocurrirnos a lo largo de nuestras vidas y, como siempre, por una mezcla de azar y voluntad de encuentro. Conversamos, paseamos, discutimos. Él me mostró sus últimos poemas y yo le pagué la cuenta del hotel. En esa época, lejos ya de anteriores arrebatos, su comportamiento fue en extremo cortés y considerado.

Una noche nos despedimos en la Gare de l'Est. Él aguardaba un tren con destino a Estrasburgo y yo intentaba matar el tiempo hasta la salida del talgo que debía conducirme de regreso a Barcelona. En el buffet, mientras devorábamos un par de bocadillos, una mujer menudita de mirada transparente pidió permiso para acomodarse en nuestra mesa. Como siempre en situaciones similares, Eduardo se apresuró a preguntarle nombre, apellido, profesión, deseos y expectativas ante la vida. Pedí una *choppe* y me evadí respetuosamente de la obligación de conversar. Aquella mujer que decía llamarse Ulla Goldberg, contar treinta y tres años de edad y viajar a Alsacia *par plaisir* no me interesaba en absoluto. Su duro acento sueco me resultaba grotesco y sus enfermizos cabellos pálidos, cortados al estilo de cualquier institutriz de pesadilla, me parecieron de una total falta de respeto a las posibles ideas estéticas del prójimo. Reparé en los enormes zapatones que ahora movía nerviosa y mi mirada cambió al instante de dirección. Sin embargo Ulla Goldberg, la poco atractiva Ulla Goldberg, iba a resultar de una importancia capital en el futuro de José Eduardo. Les dejé a la entrada del andén (la sueca Ulla había insistido en transportar ella sola el equipaje de mi amigo) y me decidí a abandonar la estación, montar en un taxi y esperar la salida de mi ferrocarril en Austerlitz.

Durante mucho tiempo dejé de recibir noticias de Eduardo e interpreté su silencio como alguna nueva fascinación científica. Cierta vez me había hablado de lo apasionantes que le parecían los artrópodos en general, pero, sobre todo, de la complejidad maravillosa de los epiginios o conjunto de órganos genitales externos de las hembras de las arañas. Era posible, también, que hubiera sucumbido a las delicias de la cerveza alsaciana o se empeñara en discutir a diario con los mesoneros del canal acerca de la forma más ortodoxa de elaborar una *choucroute* o hervir una salchicha. No se me ocultaba, en fin, la eventualidad de un interés desmedido por averiguar las auténticas causas de ese curioso rubor permanente y moteado que adorna las mejillas de los estrasburgueses y les hace tan similares a su plato regional. Pero la realidad, la verdadera razón de su mutismo, superó todas mis previsiones. Ulla, la insípida señorita Goldberg, se había convertido en la fiel y servicial compañera de Eduardo. Ocupaban una bonita casa a orillas del Ill, llevaban una vida recogida y sólo salían, en contadas ocasiones, para pasear, ir al cine o asistir a las clases que, cada vez con mayor desgana, impartía mi amigo en la *Faculté Internationale de Droit Comparé.* No se podía afirmar, en honor a la verdad, que Eduardo se mostrase feliz y colmado, sino más bien todo lo contrario: parecía sujeto a una agitación constante o a una necesidad, casi patológica, de no separarse ni un momento de su compañera. Tuve oportunidad de visitarles camino de Alemania y, a estas informaciones proporcionadas por un amigo común, debí añadir alguna precisión más acerca del estado físico de Ulla. Se la veía delgada, ojerosa y pálida. Si no fuera porque la impresión que me había causado en nuestro primer encuentro no admitía apostilla alguna, añadiría que, incluso, visiblemente desmejorada.

Me obligaron a alojarme en su casa y no se molestaron en evitarme el suplicio de sus constantes discusiones. Pude enterarme así de que, después de un prolongado noviazgo en el que Eduardo combinó con precisión matemática la más fogosa pasión con el más terrorífico desprecio, la sueca había pasado a compartir su lecho de forma cotidiana. No se sabía a buen seguro –y yo, como invitado, me sentía altamente incómodo– si aquel proyecto de mujer era su esposa, su madre, su gobernanta o quizá tan sólo su cocinera, pero lo cierto es que las humillaciones que le infligía en público me hacían sospechar las que debía de depararle en privado. Esta situación, insostenible a los ojos de un extraño, parecía fascinar a Eduardo. Se diría que, por fin, después de largos años de búsqueda, había encontrado el cobaya perfecto en ese ser escuálido que se prestaba sin pestañear a cualquiera de sus caprichos.

Sus relaciones, su misma presencia bicéfala, me empezaban a fastidiar considerablemente. Quizás hubiera debido abandonar desde el primer momento la acogedora casa ribereña y mudarme a un anónimo hotel donde reposar tranquilo, pero mi tradicional incapacidad de tomar resoluciones rápidas me hizo postergar lo que, poco tiempo después, se revelaría inevitable. La tarde, al fin, en que Eduardo me confesó sus últimas ocupaciones, comprendí de pronto la extraña serie de gritos, aullidos y ruidos mecánicos que a menudo interrumpían mi sueño y que, hasta entonces, no me había logrado explicar. Porque las noches en la bonita casa estrasburguesa habían sido, si cabe, todavía más desapacibles que los días. Ahora, cuando Eduardo me mostraba entusiasmado la extensa –y al parecer completísima– colección de revistas y libros que él denominaba «la adorable biblioteca sadopornográfica», entendí además la inhumana palidez de Ulla y la preocupante agitación que parecía dominar el cuerpo de mi amigo a cualquier hora del día. Al montón de publicaciones sobre el tema siguió una exhibición de los más diversos aparatos, máquinas y herramientas que Eduardo insistió en mostrarme con un particular arrobo y un brillo burlón en la mirada. La presencia de una tuerca enorme ornada de cuchillos y provista de un regulador de temperaturas me dejó suspenso. Sin embargo, no debía de tratarse de lo mejor, porque Eduardo no le prestó excesiva atención y, casi enseguida, arrancándome el artefacto de las manos, pretendió que le acompañara al desván y conociera sus últimos ingenios.

Fingí una cita urgente y desaparecí por la puerta del jardín. Los nuevos pasatiempos de mi amigo me parecieron indignos y juzgué inútil mantener una conversación sobre el tema. Aquella noche me refugié en un hotel de paso y dudé durante un buen rato en contratar los servicios de una prostituta o perderme tras los vapores del *schnapps* en cualquiera de las numerosas cantinas. Hice lo primero, pero no me privé de lo último. Cuando debía de hallarme a la altura de la séptima copa, o quizá de muchísimas más –recuerdo una violenta discusión al final de la velada sobre el particular–, un grueso alsaciano, empeñado en hacerme invitar de forma continuada a la concurrencia, me palmeó la espalda con aire confidencial. «*On vous attend à la porte*», dijo. Alcé los ojos con esfuerzo y distinguí una tambaleante silueta blonda que, dada la pesadez de mi estado, tomé al instante por la chica flacucha y pintarrajeada que había abandonado en el hotel. «*Viens ici!*», dije con una voz que, incluso a mí mismo, me pareció excesivamente ebria. La mujer avanzó con pasos lentos y se acodó en la barra del bar. Llevaba una maleta que de inmediato reconocí como propia. Intenté concentrar mi atención en aquel rostro que ahora se me presentaba como las partes dispersas de un rompecabezas, pero tardé aún algunos minutos en identificarlo. Ulla, el perro apaleado y humillado, la mujer cuya sola presencia me hacía sentir náuseas, se había desplazado hasta la más baja cantina de *La petite France* (¿cómo pudo averiguar que yo estaba allí?) para devolverme mi equipaje. Me incorporé penosamente y me acerqué hasta ella. Una masa grisácea con fragancias de *schnapps* se desparramó por su enfermiza cabellera. Al día siguiente, cuando víctima de una fuerte resaca me desperté en el hotel, recordé la poco airosa anécdota y reí de buena gana.

Sin embargo, la sombra de Ulla no dejó de atormentarme durante algunas semanas. La recordaba constantemente en su última posición, acodada en la barra de la taberna, mirándome con aquellos ojos traslúcidos que ni siquiera cambiaron de expresión cuando yo –ignoro si en un estado realmente inconsciente– derramé mis excesos alcohólicos sobre su irritante flequillo. La recordaba, y algo en ella que no podía precisar me hacía verla como un ser inhumano fuera de toda posible lógica.

¿Cuál podía ser el origen de mi indominable repulsión? Recorrí mentalmente su cuerpo insignificante, su piel mortecina, aquellos labios viscosos, su mirada. ¿Un cierto aroma? ¿Una manera peculiar de sentarse y cruzar las piernas? ¿Su calzado, quizás? ¿O tan sólo su admirable insistencia en combinar lo a todas luces incombinable? Zapatos beige, jersey rosado, falda celeste... Me acordé de repente del intrépido Jonathan Harker y su llegada al misterioso castillo transilvano. Le envidié. El conde, por lo menos, era un sabio fascinante. Excelente conversador y hombre de educación exquisita, solía narrar junto al fuego toda suerte de historias, batallas o guerras, sucedidas varios siglos atrás, con la maestría y el colorido de quien ha tenido el milagroso privilegio de presenciar los hechos. Sin embargo, aquellos dientecillos menudos y afilados que asomaban de pronto; la excesiva proximidad de su boca al dar con toda cortesía las buenas noches; la turbadora fetidez que acompañaba su aliento... Harker podía formularse muchas preguntas, pero los motivos de su rechazo tenían siempre un nombre, una localización concreta. Nada más lejos de lo que me sucedía a mí. Precisamente lo contrario de lo que me estaba sucediendo a mí. Pensé entonces en el brillante doctor Victor Frankenstein y su terror incontenible ante el primer signo de vida de su criatura. Unos párpados que se abren, un suspiro... ¿No era eso lo deseado? Sí... pero demasiado grande. Una escala demasiado grande. Justo el punto que separa la hermosura de la monstruosidad... Y, por fin, con la luminosidad que precede al hallazgo, apareció ante mis ojos la siniestra figura de Hyde. Ése era el camino. Hyde provocaba una aversión indefinible emanada de su propia inhumanidad. Como Ulla Goldberg. Exactamente igual que Ulla Goldberg.

Ulla, me sorprendí pensando, es imposible y, con un angustioso escozor de estómago, rememoré las desagradables escenas que la extraña pareja me había obligado a presenciar e imaginé, con más asco aún, las que sin duda debían de desarrollarse en la alcoba. Ulla, intenté convencerme, no existe.

Y respiré aliviado.

Confieso, en detrimento de mi supuesta sagacidad, que tardé bastante en dar con la clave, aunque no tanto como para no comprender inmediatamente que algo había de cierto en todo aquel manojo de elucubraciones absurdas. Porque si bien resultaba evidente que Ulla era, a pesar de todo, una mujer de carne y hueso, no era, en todo caso, *la* mujer que pretendía aparentar.

La solución me llegaría de forma inesperada. Me hallaba en Hamburgo y acababa de entrar en una tabernucha para consultar una dirección incierta. Entonces, por el más puro y desafortunado azar, me topé con Eduardo.

Mi amigo, me di cuenta enseguida, estaba totalmente ebrio. Nada en su desaseado atuendo recordaba al flamante profesor graduado en Bolonia y conocedor de las más variadas disciplinas y ciencias. Estaba abrazado a una jarra de cerveza y su mirada turbia parecía encontrar en la espuma mil motivos de sorpresa. Nuestra conversación fue larga y, en algunos instantes, dolorosa. Eduardo acababa de abandonar Estrasburgo, pero no sabía aún adónde dirigirse o si pensaba dirigirse a alguna parte. No me pudo hablar de sus proyectos (simplemente porque carecía de ellos), pero sí, con frases entrecortadas, aludió a su más reciente pasado. «Ulla», dijo con voz brumosa (y yo lamenté que alguien pronunciara de nuevo aquel nombre), «Ulla me ha engañado.» Por primera vez en mucho tiempo me sentí regocijado: ¿una pelea de enamorados? ¿Otro ardoroso latino en la vida sentimental de la singular sueca? ¿O, quizá, los restos de dignidad de aquel frágil cuerpecillo se habían rebelado al fin contra las crueldades de mi amigo? Pedí una jarra de cerveza y me dispuse a consolar al abatido amante. La dirección que minutos antes me había conducido al bar acababa de perder toda su importancia. Pero Eduardo, con un gesto que no me pareció involuntario, derramó el resto de su bebida sobre mi camisa. «Eres un imbécil», dijo.

Las palabras que siguieron luego o, mejor, el alud de frases deslavazadas que Eduardo escupió literalmente sobre mi rostro, me adentraron en una realidad sorprendente. Ulla no era dócil («¡Dócil!», gritaba mi amigo fuera de sí arqueando las cejas), ni sumisa («¿Sumisa?», la pregunta fue acompañada de una estruendosa carcajada), jamás había sido realmente humillada (aquí las carcajadas dejaron paso a un rictus amargo), ni tampoco le había amado nunca (los ojos de Eduardo se llenaron de lágrimas). Ulla, siguió mi amigo a voz en grito y cuando varios parroquianos del local se habían situado ya cerca de nuestra mesa, no era una vulgar farsante (a pesar de que no se llamase Ulla ni fuera finalmente sueca, detalles estos de mínima importancia), ni mucho, muchísimo menos, una débil mental como acababa yo de insinuar con cierta timidez. «Ulla», dijo solemnemente Eduardo, «es una Provocadora.»

A partir de esta revelación la voz de mi amigo se hizo cada vez más densa. Ahora, consciente del interés que despertaban sus palabras entre los clientes de la taberna, inició un complicado discurso bilingüe, salpicado de frecuentes «no obstante», «a pesar de todo», «sin embargo» –o de *wenngleich, obgleich, so* e *ich denke*–, de muy difícil comprensión para otra persona que no hubiera conocido como yo los singulares entretenimientos del conferenciante. Pude enterarme así de que Ulla *(«Herausvarderin, herausvarderin!»*, explicaba Eduardo) era la más grande provocadora de imágenes que ser alguno pudiera concebir. Durante los largos meses de convivencia en el idílico chalet del canal había soportado de su compañero toda suerte de pruebas, ofensas, alabanzas, trabajos e investigaciones. Nunca se le oyó una frase de queja ni en su rostro apareció un mohín de disgusto. Pero aquella mirada de una transparencia inquietante con la que acogía cualquier capricho ajeno, por extraño o contra natura que pudiera parecer, ocultaba una terrible falsedad. Ulla Goldberg estaba experimentando, ensayando o probando *(«Meerschwein, ein grosses meerschwein»)* a aquel ingenuo cobaya que el azar había puesto entre sus manos y que –lo que resultaba aún más grave– creía, en su ignorancia, dirigir los hilos de una insulsa marioneta.

No puedo precisar con certeza cómo Eduardo llegó a descubrirse objeto de estudio (esa parte del discurso fue pronunciada casi enteramente en bávaro), pero me pareció entender que la científica Ulla había recopilado la mayor parte de sus impresiones en una agenda en la que simulaba anotar recetas alsacianas, menús macrobióticos e inocentes pasatiempos culinarios. Una mañana trágica, por fin (ahora Eduardo se expresaba en perfecto catalán), la agenda, a la que no había concedido importancia hasta entonces, cayó de forma imprevista en sus manos. Ulla se hallaba ausente, y Eduardo pensó con alegría que aquel modesto memorándum podía depararle alguna que otra pequeña sorpresa: comprobar, por ejemplo, si el desarrollo de su peculiar historia de amor había repercutido en una preferencia por determinados alimentos, o si las cantidades de cerveza consumidas desde que empezó su convivencia habían experimentado, con el tiempo, algún tipo de cambio. Pero la agenda, a pesar de registrar algunos menús sin importancia o las complicadas recetas de *bortsch* polaco o la *harira* marroquí, poco tenía que ver con la gastronomía. Una serie de gráficos –cuya comprensión le costaría a Eduardo bastantes días de estudio– aparecían con frecuencia acompañados de numerosas acotaciones. En un principio, el ávido lector los tomó por simples partes meteorológicos pero, a medida que avanzaba en la lectura y lograba penetrar en el hábil lenguaje cifrado, pudo comprobar con un agudo estremecimiento los siguientes extremos: las notas hacían siempre referencia a un tal «J.E.E.», y los supuestos partes, a los que en un principio no había prestado atención, no eran más que auténticas gráficas de conducta referidas de nuevo al «paciente J.E.E.», es decir, al propio José Eduardo Expedito. Atrapado en esta trampa inesperada, J. Eduardo siguió leyendo con codicia, sin despreciar ninguna anotación por banal que pudiera parecerle. Fue así como se encontró con la receta de *harira* (escrita en sueco y, en contra de lo previsto, rigurosamente auténtica) pero, sobre todo, con infinidad de precisiones acerca de su carácter y una fiel reproducción a lápiz carbón de algunas de sus habituales expresiones o posturas. (También, en unas hojas arrancadas de otro bloc y unidas a las anteriores, aparecía una extensa relación de las posibles conductas del paciente J.E.E. ante determinados estímulos.)

Hacía rato que los parroquianos habían dejado de interesarse por el discurso de J. Eduardo y entonaban una melancólica canción alemana. El conferenciante interrumpió de pronto la confesión de su vida, se unió a los cánticos y prorrumpió en sollozos. Seguramente debí haber actuado con mayor energía y retirar el pesado cuerpo de mi amigo (que ahora andaba a gatas por el suelo) de aquella pestilente taberna, pero todos mis intentos por lograr su cooperación resultaron vanos. Eduardo, según me pareció entender, se había convertido en algo tan unido al local como las jarras que el camarero rellenaba sin respiro o como los eructos con que aquellos corpulentos clientes interrumpían el sonido de la cerveza a presión o el tintineo de las monedas. Salí del bar en el preciso momento en que Eduardo, sin abandonar su terráquea posición, intentaba hacerse con todos los restos de alcohol (a veces tan sólo espuma) que adornaban los fondos de los vasos. Sus últimas palabras, pronunciadas en una lengua para mí incomprensible, fueron identificadas por uno de los presentes no recuerdo ahora si como eslovaco, esloveno o esperanto.

Permanecí un par de días en Hamburgo, pero no logré reunir el valor necesario para visitar de nuevo la taberna. Sin embargo, aquel encuentro casual iba a determinar, sin que yo me diera cuenta, muchas de mis posteriores decisiones. Tenía cierta prisa por alcanzar Toulouse –un negocio importante reclamaba mi presencia– pero, de una forma inconsciente, fui retrasando mi llegada. Huí de las tediosas *autobahnen* y escogí el camino más indirecto posible (Postdam, Gotha, Fulda, Coblenza, Nuremberg, Berchtesgaden, Ulm, otra vez Fulda, Dortmund, Aquisgrán, de nuevo Coblenza, Tubinga, Friburgo y Baden-Baden). Empleé dos semanas en el recorrido y consumí diez veces más de la gasolina prevista. De Baden-Baden me dirigí a Estrasburgo. No sabía a ciencia cierta lo que iba a hacer allí –y mi terrorífica agenda se empeñaba en recordarme a cada paso mi considerable demora con respecto a la cita–, pero cuando llegué a la capital alsaciana me sentí poseído de una agradable excitación. Alquilé una habitación en el mejor hotel y contesté con vaguedades a la siempre molesta pregunta acerca de la probable duración de mi estancia. Empecé por pasearme sin prisas por el canal (un día, dos, tres días), hasta encontrarme frente al chalet que, pocos meses antes, fuera la vivienda de una pareja amiga. El vistoso *À Louer* colocado en la fachada no me sorprendió lo más mínimo. Abandoné mi recorrido por las riberas del Ill y me dediqué a conocer todos y cada uno de los numerosos restaurantes de la ciudad. Al cabo de unos quince días mi estómago emitió claras señales de protesta y mi rostro empezó a adquirir un tono sonrosado que me desagradaba en extremo. Así y todo no sólo no deserté de mi periplo gastronómico sino que, incluso, lo amplié con la visita nocturna a todo tipo de tabernas, bodegas y discotecas. Cuando llevaba ya cerca de un mes y comenzaba a chapurrear algunas palabras de alsaciano –la cita de Toulouse había quedado definitivamente olvidada–, mis pasos, tras una noche de tabernas por *La petite France,* me encaminaron hacia el pequeño bar, testigo, unos meses antes, de mi primera borrachera estrasburguesa. La noche era fría y los cristales empañados apenas dejaban traslucir los contornos imprecisos de la ruidosa clientela que ahora se balanceaba al ritmo de una cancioncilla popular. A juzgar por los aspavientos con que era acogida cada estrofa, debía de tratarse de algo muy picante o atrevido. O quizá, pensé, de todo lo contrario. Confieso que nunca logré penetrar el extraño humor de los habitantes de aquella zona caprichosamente tratada por la historia y que mis escasas comunicaciones con los nativos estuvieron siempre presididas por el alcohol. Vacilé en abrir los pesados portones con olor a Kolberg, pero un vientecillo pertinaz decidió por mi dubitativa mente.

Me senté ante una mesa vacía y esperé. Durante todos aquellos días, y a pesar de que nunca me lo había formulado explícitamente, no había hecho otra cosa que aguardar. No tenía ningún motivo razonable para suponer que la persona aguardada debía hallarse por aquellas fechas en la ciudad, pero un sexto sentido me indicaba que tal posibilidad era más que factible. Dirigí mis ojos a la barra y me topé con el grueso alsaciano que, tiempo atrás, había conseguido terminar con mi paciencia, mi bolsillo y mi resistencia gástrica al *schnapps.* Junto a él una mujer rubia atendía con una paciencia pasmosa a la clientela. La miré con cautela y esperé a que se colocara de lleno dentro de mi ángulo de visión, hecho que tardó cierto rato en producirse, pero que colmaría, por fin, mi corazón de un agradable cosquilleo. Ahora no había duda. El rostro demacrado y pálido, el cabello enfermizo y ralo y, sobre todo, aquellos ojos que parecían desconocer sus propias posibilidades de movimiento, se hallaban ante mí, a una distancia inferior a un par de metros.

Me acerqué a la barra con una sonrisa en los labios. «Señorita Goldberg», dije, «porque usted es mi gran amiga la señorita Goldberg, ¿no es cierto?» Ulla me devolvió la sonrisa. Se la veía muy atareada lavando jarras de cerveza y atendiendo los constantes pedidos del dueño del local. Esperé a que sirviera cuatro *choppes* a unos estudiantes y la abordé de nuevo: «Trabaja usted aquí con regularidad, por lo que veo». La frágil cabecita asintió levemente pero no me prestó mayor atención. Decidí entonces tocar el tema que me interesaba de forma directa. «¿Sabe algo de Eduardo?», pregunté con voz saltarina y despreocupada. Aquí la afanosa camarera me miró por primera vez con detenimiento. «Sí», dijo y, abandonando las jarras a medio lavar, se secó lentamente las manos con una toalla. Miró las manecillas de un vetusto reloj de pared e hizo un significativo gesto al propietario. Su jornada, me pareció entender, había terminado. «Sí, sé algo de Eduardo», repitió con voz pausada y en sus ojos, cosa insólita, apareció un leve brillo desconocido. Me acodé con tranquilidad en la barra y le solicité, a pesar de que su horario había concluido, el impagable favor de servirme una cerveza. «¿De nuevo en Bolonia?», pregunté. «¿O ha decidido quizá continuar con sus estudios de sánscrito?» Ulla se había servido una naranjada. Sus ojos seguían brillando de forma inhabitual. «No», dijo con un curioso rictus que interpreté como alegría, emoción o sentimiento de triunfo. «Nada de eso.» Detuvo su mirada en la mía y yo me sentí atravesado por finísimas agujas candentes. «Algunos clientes viajan con frecuencia al otro lado de la frontera. La información coincide siempre, aunque los lugares por donde se mueve tu amigo son muy diversos: Frankfurt, Munich, Berlín.» Asentí con la cabeza esperando la revelación final. El dueño del local (¿su nuevo objeto de investigación?) no me quitaba la vista de encima. «Eduardo», siguió Ulla cada vez más radiante, «se ha convertido en un vulgar alcohólico.» Y, al momento, presa de una incontenible euforia, empezó a relatarme una larga cadena de anécdotas vergonzosas, expulsiones de centros de enseñanza, detenciones, humillaciones y escándalos que parecían, en un crescendo imparable, animar más y más aquel rostro que, en mi ingenuidad, había creído incoloro. Pensé que Ulla pertenecía a una subdivisión detestable dentro del mundo de los provocadores, como piadosamente la había catalogado mi amigo. «Vulgar depredadora», murmuré y, en aquel momento, los recientes y nefastos experimentos de Eduardo me parecieron un inocente juego de niños. Rememoré a mi amigo en la facultad, paseando por los jardines con sus zapatos desgastados, atento al florecimiento prematuro de una buganvilla o al vuelo de un estornino, anotando sus impresiones en una abigarrada libretilla anunciadora de un popular producto farmacéutico. Me acordé de sus delicadas endechas en memoria de los escorpiones hembra y de nuestros paseos por París intentando conseguir en alguna librería de viejo un interesante tratado sobre el origen de las lenguas y su relación científica con la destrucción de la torre de Babel. Reviví a Eduardo instalado en una modesta pensión de Barcelona y combinando el estudio de leyes con lo que entonces constituía su última pasión: la costura. En este punto no pude evitar una sonrisa. Nunca podría olvidar aquellos cursillos de corte y confección por correspondencia –causantes, al principio, de mis peores ironías– gracias a los que, en el reducido lapso de dos o tres semanas, logró cambiar su terno raído por una flamante obra digna de los mejores sastres. Sentí una inmensa ternura por aquel entrañable ser y permanecí aún algunos minutos embebido en mis ensoñaciones. Pero Ulla seguía allí, radiante, vencedora. El sabor del triunfo hacía que sus labios se contrajeran solapando un jadeo y que sus fosas nasales adquirieran, por momentos, dimensiones impensables. «Ulla, perversa Ulla», pensé, «¿cómo un excremento como tú osa compararse a

Eduardo?» Sus evidentes muestras de felicidad por su más reciente destrucción (el próximo, a buen seguro, sería el tabernero) me parecieron de una bajeza intolerable.

–Ulla –dije al fin midiendo cada una de mis palabras–. Aparta de tu cabeza esa falsa imagen –y subrayé la palabra *imagen* en un tono confidencial de profesional o *connaisseur.*

Ahora el brillo de sus ojos había experimentado una considerable disminución. Encendí un cigarrillo y sin perder mi aparente calma proseguí:

–Es cierto que en los últimos tiempos suele frecuentar bares, tabernas, pulperías, cantinas, vinaterías, bodegas y demás lugares de solaz y diversión. Verdad es también que su actual campo de operaciones coincide en cierta medida con las ciudades que aquí se acaban de enumerar. Pero eso no es todo.

Y sabiéndome escuchado con todo interés no sólo por la destinataria de mis supuestas informaciones (el tabernero se había instalado a su vez en la barra con gesto hosco), me embarqué en una minuciosa descripción de las cualidades de determinadas cervezas y de los progresos que J. Eduardo E. había efectuado en la materia. Porque, como nadie ignoraba, los conocimientos de mi amigo en todo lo referente a vinos eran admirables. ¿O no lo sabía Ulla? No, Ulla no lo sabía. Pero así era. Su absoluta concisión a la hora de determinar las clases, grupos, aromas, linaje o crianza de los caldos báquicos coincidía históricamente con la época en que todas sus energías se habían concentrado en desbancar a Bocuse de su primerísimo puesto en la cocina francesa. ¿Tampoco estaba al corriente, pequeña y singular Ulla? (pero usted, querida, ¿conoció realmente a Eduardo?). Sin embargo, en el vasto conocimiento alcohólico de nuestro común amigo existía una pequeña laguna: la cerveza. Este insignificante olvido, que a cualquier otra persona hubiera traído sin cuidado, le atormentaba desde hacía tiempo. Aunque, ¿qué obstáculos podían interponerse ante un ser privilegiado como él? Apenas ninguno. En escasas semanas de degustación ininterrumpida y de estudios concienzudos sobre su proceso y elaboración, Eduardo se había convertido en una eminencia en el asunto. Podía distinguir con los ojos vendados, la nariz obturada y la boca obstruida (y por consiguiente, sin prestar atención al color, el olor y el gusto) una cerveza de baja fermentación de otra de fermentación alta a una distancia superior a diez metros y dejándose guiar por un raro instinto cervecero que, según los ecos que llegaban de toda Alemania, se le había desarrollado de forma repentina. Averiguar la cantidad de lúpulo contenido en las distintas marcas era un juego de niños para un hombre como él; paseaba la yema del índice por una partícula de espuma y enumeraba, como la cosa más natural del mundo, las propiedades y currículum de aquella bebida que, a modo de prueba, le ofrecían de continuo los más reputados taberneros. Su fama se iba acrecentando de forma tan impresionante que el eminente cervezólogo no podía dar abasto entre las frecuentes invitaciones procedentes de Düsseldorf, Munich, Bremen, Berlín, Dortmund o Hamburgo, por citar sólo algunas de las numerosas ciudades que reclamaban su presencia. Aconsejado por varios amigos, había llegado a aceptar la cátedra de Cervezología en la Escuela Superior de Ciencias Técnicas de Munich, pero abandonó pronto sus tareas por considerar que la mayor parte del alumnado e incluso del claustro de profesores no estaba a la altura de sus conocimientos. Finalmente, cansado de explicar a los cerveceros cómo debían elaborar su cerveza y dando la materia como definitivamente conocida y trabajada, se disponía a partir en breve de tierras germanas (su excesiva celebridad le empezaba a resultar molesta) y emprender, allende los mares, altas e interesantísimas investigaciones sobre otros temas, complejos y peliagudos, que en estos momentos acaparaban por completo su imaginación. De Estrasburgo, dije para acabar, conserva un grato recuerdo.

Las mejillas de Ulla Goldberg habían recobrado su habitual palidez enfermiza. Sonreí; el brillo de sus ojos estaba dejando paso a su acostumbrada transparencia inhumana. Miré por un momento sus dilatadas pupilas y en ellas me pareció ver reflejados al tabernero, las mesas, a algunos parroquianos, los espejos del local e incluso a mí mismo. Le tendí jovialmente la mano y estreché la suya con la misma flaccidez con que me era ofrecida. Antes de salir retuve en mi mente su imagen abatida. No podía explicarme cómo había sido capaz de lanzar aquel vómito de falsedades e incongruencias pero me sentía aceptablemente feliz. Después de todo, a Ulla Goldberg nunca la había podido soportar, y José Eduardo E. seguía siendo, como siempre, mi mejor amigo.

Los altillos de Brumal

A mi padre

El reloj de Bagdad

Nunca las temí ni nada hicieron ellas por amedrentarme. Estaban ahí, junto a los fogones, confundidas con el crujir de la leña, el sabor a bollos recién horneados, el vaivén de los faldones de las viejas. Nunca las temí, tal vez porque las soñaba pálidas y hermosas, pendientes como nosotros de historias sucedidas en aldeas sin nombre, aguardando el instante oportuno para dejarse oír, para susurrarnos sin palabras: «Estamos aquí, como cada noche». O bien, refugiarse en el silencio denso que anunciaba: «Todo lo que estáis escuchando es cierto. Trágica, dolorosa, dulcemente cierto». Podía ocurrir en cualquier momento. El rumor de las olas tras el temporal, el paso del último mercancías, el trepidar de la loza en la alacena, o la inconfundible voz de Olvido, encerrada en su alquimia de cacerolas y pucheros:

–Son las ánimas, niña, son las ánimas.

Más de una vez, con los ojos entornados, creí en ellas.

¿Cuántos años tendría Olvido en aquel tiempo? Siempre que le preguntaba por su edad la anciana se encogía de hombros, miraba con el rabillo del ojo a Matilde y seguía impasible, desgranando guisantes, zurciendo calcetines, disponiendo las lentejas en pequeños montones, o recordaba, de pronto, la inaplazable necesidad de bajar al sótano a por leña y alimentar la salamandra del último piso. Un día intenté sonsacar a Matilde. «Todos los del mundo», me dijo riendo.

La edad de Matilde, en cambio, jamás despertó mi curiosidad. Era vieja también, andaba encorvada, y los cabellos canos, amarilleados por el agua de colonia, se divertían ribeteando un pequeño moño, apretado como una bola, por el que asomaban horquillas y pasadores. Tenía una pierna renqueante que sabía predecir el tiempo y unas cuantas habilidades más que, con el paso de los años, no logro recordar tan bien como quisiera. Pero, al lado de Olvido, Matilde me parecía muy joven, algo menos sabia y mucho más inexperta, a pesar de que su voz sonara dulce cuando nos mostraba los cristales empañados y nos hacía creer que afuera no estaba el mar, ni la playa, ni la vía del tren, ni tan siquiera el Paseo, sino montes inaccesibles y escarpados por los que correteaban manadas de lobos enfurecidos y hambrientos. Sabíamos –Matilde nos lo había contado muchas veces– que ningún hombre temeroso de Dios debía, en noches como aquéllas, abandonar el calor de su casa. Porque ¿quién, sino un alma pecadora, condenada a vagar entre nosotros, podía atreverse a desafiar tal oscuridad, semejante frío, tan espantosos gemidos procedentes de las entrañas de la tierra? Y entonces Olvido tomaba la palabra. Pausada, segura, sabedora de que a partir de aquel momento nos hacía suyos, que muy pronto la luz del quinqué se concentraría en su rostro y sus arrugas de anciana dejarían paso a la tez sonrosada de una niña, a la temible faz de un sepulturero atormentado por sus recuerdos, a un fraile visionario, tal vez a una monja milagrera... Hasta que unos pasos decididos, o un fino taconeo, anunciaran la llegada de incómodos intrusos. O que ellas, nuestras amigas, indicaran por boca de Olvido que había llegado la hora de descansar, de tomarnos la sopa de sémola o de apagar la luz.

Sí, Matilde, además de su pierna adivina, poseía el don de la dulzura. Pero en aquellos tiempos de entregas sin fisuras yo había tomado el partido de Olvido, u Olvido, quizá, no me había dejado otra opción. «Cuando seas mayor y te cases, me iré a vivir contigo.» Y yo, cobijada en el regazo de mi protectora, no conseguía imaginar cómo sería esa tercera persona dispuesta a compartir nuestras vidas, ni veía motivo suficiente para separarme de mi familia o abandonar, algún día, la casa junto a la playa. Pero Olvido decidía siempre por mí. «El piso será soleado y pequeño, sin escaleras, sótano ni azotea.» Y no me quedaba otro remedio que ensoñarlo así, con una amplia cocina en la que Olvido trajinara a gusto y una gran mesa de madera con tres sillas, tres vasos y tres platos de porcelana... O, mejor, dos. La compañía del extraño que las previsiones de Olvido me adjudicaban no acababa de encajar en mi nueva cocina. «Él cenará más tarde», pensé. Y le saqué la silla a un hipotético comedor que mi fantasía no tenía interés alguno en representarse.

Pero en aquel caluroso domingo de diciembre, en que los niños danzaban en torno al bulto recién llegado, me fijé con detenimiento en el rostro de Olvido y me pareció que no quedaba espacio para una nueva arruga. Se hallaba extrañamente rígida, desatenta a las peticiones de tijeras y cuchillos, ajena al jolgorio que el inesperado regalo había levantado en la antesala. «Todos los años del mundo», recordé, y, por un momento, me invadió la certeza de que la silla que tan ligeramente había desplazado al comedor no era la del supuesto, futuro y desdibujado marido.

Lo habían traído aquella misma mañana, envuelto en un recio papel de embalaje, amarrado con cordeles y sogas como un prisionero. Parecía un gigante humillado, tendido como estaba sobre la alfombra, soportando las danzas y los chillidos de los niños, excitados, inquietos, seguros hasta el último instante de que sólo ellos iban a ser los destinatarios del descomunal juguete. Mi madre, con mañas de gata adulada, seguía de cerca los intentos por desvelar el misterio. ¿Un nuevo armario? ¿Una escultura, una lámpara? Pero no, mujer, claro que no. Se trataba de una obra de arte, de una curiosidad, de una ganga. El anticuario debía de haber perdido el juicio. O, quizá, la vejez, un error, otras preocupaciones. Porque el precio resultaba irrisorio para tamaña maravilla. No teníamos más que arrancar los últimos adhesivos, el celofán que protegía las partes más frágiles, abrir la puertecilla de cristal y sujetar el péndulo. Un reloj de pie de casi tres metros de alzada, números y manecillas recubiertos de oro, un mecanismo rudimentario pero perfecto. Deberíamos limpiarlo, apuntalarlo, disimular con barniz los inevitables destrozos del tiempo. Porque era un reloj muy antiguo, fechado en 1700, en Bagdad, probable obra de artesanos iraquíes para algún cliente europeo. Sólo así podía interpretarse el hecho de que la numeración fuera arábiga y que la parte inferior de la caja reprodujera en relieve los cuerpos festivos de un grupo de seres humanos. ¿Danzarines? ¿Invitados a un banquete? Los años habían desdibujado sus facciones, los pliegues de sus vestidos, los manjares que se adivinaban aún sobre la superficie carcomida de una mesa. Pero ¿por qué no nos decidíamos de una vez a alzar la vista, a detenernos en la esfera, a contemplar el juego de balanzas que, alternándose el peso de unos granos de arena, ponía en marcha el carillón? Y ya los niños, equipados con cubos y palas, salían al Paseo, miraban a derecha e izquierda, cruzaban la vía y se revolcaban en la playa que ahora no era una playa sino un remoto y peligroso desierto. Pero no hacía falta tanta arena. Un puñado, nada más, y, sobre todo, un momento de silencio. Coronando la esfera, recubierta de polvo, se hallaba la última sorpresa de aquel día, el más delicado conjunto de autómatas que hubiéramos podido imaginar. Astros, planetas, estrellas de tamaño diminuto aguardando las primeras notas de una melodía para ponerse en movimiento. En menos de una semana conoceríamos todos los secretos de su mecanismo.

Lo instalaron en el descansillo de la escalera, al término del primer tramo, un lugar que parecía construido aposta. Se le podía admirar desde la antesala, desde el rellano del primer piso, desde los mullidos sillones del salón, desde la trampilla que conducía a la azotea. Cuando, al cabo de unos días, dimos con la proporción exacta de arena y el carillón emitió, por primera vez, las notas de una desconocida melodía, a todos nos pareció muchísimo más alto y hermoso. El Reloj de Bagdad estaba ahí. Arrogante, majestuoso, midiendo con su sordo tictac cualquiera de nuestros movimientos, nuestra respiración, nuestros juegos infantiles. Parecía como si se hallara en el mismo lugar desde tiempos inmemoriales, como si sólo él estuviera en su puesto, tal era la altivez de su porte, su seguridad, el respeto que nos infundía cuando, al caer la noche, abandonábamos la plácida cocina para alcanzar los dormitorios del último piso. Ya nadie recordaba la antigua desnudez de la escalera. Las visitas se mostraban arrobadas, y mi padre no dejaba de felicitarse por la astucia y la oportunidad de su adquisición. Una ocasión única, una belleza, una obra de arte.

Olvido se negó a limpiarlo. Pretextó vértigos, jaquecas, vejez y reumatismo. Aludió a problemas de la vista, ella que podía distinguir un grano de cebada en un costal de trigo, la cabeza de un alfiler en un montón de arena, la china más minúscula en un puñado de lentejas. Encaramarse a una escalerilla no era labor para una anciana. Matilde era mucho más joven y llevaba, además, menos tiempo en la casa. Porque ella, Olvido, poseía el privilegio de la antigüedad. Había criado a las hermanas de mi padre, asistido a mi nacimiento, al de mis hermanos, ese par de pecosos que no se apartaban de las faldas de Matilde. Pero no era necesario que sacase a relucir sus derechos, ni que se asiera con tanta fuerza de mis trenzas. «Usted, Olvido, es como de la familia.» Y, horas más tarde, en la soledad de la alcoba de mis padres: «Pobre Olvido. Los años no perdonan».

No sé si la extraña desazón que iba a adueñarse pronto de la casa irrumpió de súbito, como me lo presenta ahora la memoria, o si se trata, quizá, de la deformación que entraña el recuerdo. Pero lo cierto es que Olvido, tiempo antes de que la sombra de la fatalidad se cerniera sobre nosotros, empezó a adquirir actitudes de felina recelosa, siempre con los oídos alerta, las manos crispadas, atenta a cualquier soplo de viento, al menor murmullo, al chirriar de las puertas, al paso del mercancías, del rápido, del expreso, o al cotidiano trepidar de las cacerolas sobre las repisas. Pero ahora no eran las ánimas que pedían oraciones ni frailes pecadores condenados a penar largos años en la tierra. La vida en la cocina se había poblado de un silencio tenso y agobiante. De nada servía insistir. Las aldeas, perdidas entre montes, se habían tornado lejanas e inaccesibles, y nuestros intentos, a la vuelta del colegio, por arrancar nuevas historias se quedaban en preguntas sin respuestas, flotando en el aire, bailoteando entre ellas, diluyéndose junto a humos y suspiros. Olvido parecía encerrada en sí misma y, aunque fingía entregarse con ahínco a fregar los fondos de las ollas, a barnizar armarios y alacenas, o a blanquear las junturas de los mosaicos, yo la sabía cruzando el comedor, subiendo con cautela los primeros escalones, deteniéndose en el descansillo y observando. La adivinaba observando, con la valentía que le otorgaba el no hallarse realmente allí, frente al péndulo de bronce, sino a salvo, en su mundo de pucheros y sartenes, un lugar hasta el que no llegaban los latidos del reloj y en el que podía ahogar, con facilidad, el sonido de la inevitable melodía.

Pero apenas hablaba. Tan sólo en aquella mañana ya lejana en que mi padre, cruzando mares y atravesando desiertos, explicaba a los pequeños la situación de Bagdad, Olvido se había atrevido a murmurar: «Demasiado lejos». Y luego, dando la espalda al objeto de nuestra admiración, se había internado por el pasillo cabeceando enfurruñada, sosteniendo una conversación consigo misma.

–Ni siquiera deben de ser cristianos –dijo entonces.

En un principio, y aunque lamentara el súbito cambio que se había operado en nuestra vida, no concedí excesiva importancia a los desvaríos de Olvido. Los años parecían haberse desplomado de golpe sobre el frágil cuerpo de la anciana, sobre aquellas espaldas empeñadas en curvarse más y más a medida que pasaban los días. Pero un hecho fortuito terminó de sobrecargar la enrarecida atmósfera de los últimos tiempos. Para mi mente de niña, se trató de una casualidad; para mis padres, de una desgracia; para la vieja Olvido, de la confirmación de sus oscuras intuiciones. Porque había sucedido junto al bullicioso grupo sin rostro, ante el péndulo de bronce, frente a las manecillas recubiertas de oro. Matilde sacaba brillo a la cajita de astros, al Sol y a la Luna, a las estrellas sin nombre que componían el diminuto desfile, cuando la mente se le nubló de pronto, quiso aferrarse a las balanzas de arena, apuntalar sus pies sobre un peldaño inexistente, impedir una caída que se presentaba inevitable. Pero la liviana escalerilla se negó a sostener por más tiempo aquel cuerpo oscilante. Fue un accidente, un desmayo, una momentánea pérdida de conciencia. Matilde no se encontraba bien. Lo había dicho por la mañana mientras vestía a los pequeños. Sentía náuseas, el estómago revuelto, posiblemente la cena de la noche anterior, quién sabe si una secreta copa traidora al calor de la lumbre. Pero no había forma humana de hacerse oír en aquella cocina dominada por sombríos presagios. Y ahora no era sólo Olvido. A los innombrables temores de la anciana se había unido el espectacular terror de Matilde. Rezaba, conjuraba, gemía. Se las veía más unidas que nunca, murmurando sin descanso, farfullando frases inconexas, intercambiándose consejos y plegarias. La antigua rivalidad, a la hora de competir con su arsenal de prodigios y espantos, quedaba ya muy lejos. Se diría que aquellas historias, con las que nos hacían vibrar de emoción, no eran más que juegos. Ahora, por primera vez, las sentía asustadas.

Durante aquel invierno fui demorando, poco a poco, el regreso del colegio. Me detenía en las plazas vacías, frente a los carteles del cine, ante los escaparates iluminados de la calle principal. Retrasaba en lo posible el inevitable contacto con las noches de la casa, súbitamente tristes, inesperadamente heladas, a pesar de que la leña siguiera crujiendo en el fuego y de que de la cocina surgieran aromas a bollo recién hecho y a palomitas de maíz. Mis padres, inmersos desde hacía tiempo en los preparativos de un viaje, no parecían darse cuenta de la nube siniestra que se había introducido en nuestro territorio. Y nos dejaron solos. Un mundo de viejas y niños solos. Subiendo la escalera en fila, cogidos de la mano, sin atrevernos a hablar, a mirarnos a los ojos, a sorprender en el otro un destello de espanto que, por compartido, nos obligara a nombrar lo que no tenía nombre. Y ascendíamos escalón tras escalón con el alma encogida, conteniendo la respiración en el primer descansillo, tomando carrerilla hasta el rellano, deteniéndonos unos segundos para recuperar aliento, continuando silenciosos los últimos tramos del camino, los latidos del corazón azotando nuestro pecho, unos latidos precisos, rítmicos, perfectamente sincronizados. Y, ya en el dormitorio, las viejas acostaban a los pequeños en sus camas, niños olvidados de su capacidad de llanto, de su derecho a inquirir, de la necesidad de conjurar con palabras sus inconfesados terrores. Luego nos daban las buenas noches, nos besaban en la frente y, mientras yo prendía una débil lucecita junto al cabezal de mi cama, las oía dirigirse con pasos arrastrados hacia su dormitorio, abrir la puerta, cuchichear entre ellas, lamentarse, suspirar. Y después dormir, sin molestarse en apagar el tenue resplandor de la desnuda bombilla, sueños agitados que pregonaban a gritos el silenciado motivo de sus inquietudes diurnas, el Señor Innombrado, el Amo y Propietario de nuestras viejas e infantiles vidas.

La ausencia de mis padres no duró más que unas semanas, tiempo suficiente para que, a su regreso, encontraran la casa molestamente alterada. Matilde se había marchado. Un mensaje, una carta del pueblo, una hermana doliente que reclamaba angustiada su presencia. Pero ¿cómo podía ser? ¿Desde cuándo Matilde tenía hermanas? Nunca hablaba de ella pero conservaba una hermana en la aldea. Aquí estaba la carta: sobre la cuadrícula del papel una mano temblorosa explicaba los pormenores del imprevisto. No tenían más que leerla. Matilde la había dejado con este propósito: para que comprendieran que hizo lo que hizo porque no tenía otro remedio. Pero era una carta sin franqueo. ¿Cómo podía haber llegado hasta la casa? La trajo un pariente. Un hombre apareció una mañana por la puerta con una carta en la mano. ¿Y esa curiosa y remilgada redacción? Mi madre buscaba entre sus libros un viejo manual de cortesía y sociedad. Aquellos billetes de pésame, de felicitación, de cambio de domicilio, de comunicación de desgracias. Esa carta la había leído ya alguna vez. Si Matilde quería abandonarnos no tenía necesidad de recurrir a ridículas excusas. Pero ella, Olvido, no podía contestar. Estaba cansada, se sentía mal, había aguardado a que regresaran para declararse enferma. Y ahora, postrada en el lecho de su dormitorio, no deseaba otra cosa que reposar, que la dejaran en paz, que desistieran de sus intentos por que se decidiera a probar bocado. Su garganta se negaba a engullir alimento alguno, a beber siquiera un sorbo de agua. Cuando se acordó la conveniencia de que los pequeños y yo misma pasáramos unos días en casa de lejanos familiares y subí a despedirme de Olvido, creí encontrarme ante una mujer desconocida. Había adelgazado de manera alarmante, sus ojos parecían enormes, sus brazos, un manojo de huesos y venas. Me acarició la cabeza casi sin rozarme, esbozando una mueca que ella debió de suponer sonrisa, supliendo con el brillo de su mirada las escasas palabras que lograban aflorar a sus labios. «Primero pensé que algún día tenía que ocurrir», masculló, «que unas cosas empiezan y otras acaban...» Y luego, como presa de un pavor invencible, asiéndose de mis trenzas, intentando escupir algo que desde hacía tiempo ardía en su boca y empezaba ya a quemar mis oídos: «Guárdate. Protégete... ¡No te descuides ni un instante!».

Siete días después, de regreso a casa, me encontré con una habitación sórdidamente vacía, olor a desinfectante y colonia de botica, el suelo lustroso, las paredes encaladas, ni un solo objeto ni una prenda personal en el armario. Y, al fondo, bajo la ventana que daba al mar, todo lo que quedaba de mi adorada Olvido: un colchón desnudo, enrollado sobre los muelles oxidados de la cama.

Pero apenas tuve tiempo de sufrir su ausencia. La calamidad había decidido ensañarse con nosotros, sin darnos respiro, negándonos un reposo que iba revelándose urgente. Los objetos se nos caían de las manos, las sillas se quebraban, los alimentos se descomponían. Nos sabíamos nerviosos, agitados, inquietos. Debíamos esforzarnos, prestar mayor atención a todo cuanto hiciéramos, poner el máximo cuidado en cualquier actividad por nimia y cotidiana que pudiera parecernos. Pero, aun así, a pesar de que lucháramos por combatir aquel creciente desasosiego, yo intuía que el proceso de deterioro al que se había entregado la casa no podía detenerse con simples propósitos y buenas voluntades. Eran tantos los olvidos, tan numerosos los descuidos, tan increíbles las torpezas que cometíamos de continuo, que ahora, con la distancia de los años, contemplo la tragedia que marcó nuestras vidas como un hecho lógico e inevitable. Nunca supe si aquella noche olvidamos retirar los braseros, o si lo hicimos de forma apresurada, como todo lo que emprendíamos en aquellos días, desatentos a la minúscula ascua escondida entre los faldones de la mesa camilla, entre los flecos de cualquier mantel abandonado a su desidia... Pero nos arrancaron del lecho a gritos, nos envolvieron en mantas, bajamos como enfebrecidos las temibles escaleras, pobladas, de pronto, de un humo denso, negro, asfixiante. Y luego, ya a salvo, a pocos metros del jardín, un espectáculo gigantesco e imborrable. Llamas violáceas, rojas, amarillas, apagando con su fulgor las primeras luces del alba, compitiendo entre ellas por alcanzar las cimas más altas, surgiendo por ventanas, hendiduras, claraboyas. No había nada que hacer, dijeron, todo estaba perdido. Y así, mientras, inmovilizados por el pánico, contemplábamos la lucha sin esperanzas contra el fuego, me pareció como si mi vida fuera a extinguirse en aquel preciso instante, a mis escasos doce años, envuelta en un murmullo de lamentaciones y condolencias, junto a una casa que hacía tiempo había dejado de ser mi casa. El frío del asfalto me hizo arrugar los pies. Los noté desmesurados, ridículos, casi tanto como las pantorrillas que asomaban por las perneras de un pijama demasiado corto y estrecho. Me cubrí con la manta y, entonces, asestándome el tiro de gracia, se oyó la voz. Surgió a mis espaldas, entre baúles y archivadores, objetos rescatados al azar, cuadros sin valor, jarrones de loza, a lo sumo un par de candelabros de plata.

Sé que, para los vecinos congregados en el Paseo, no fue más que la inoportuna melodía de un hermoso reloj. Pero, a mis oídos, había sonado como unas agudas, insidiosas, perversas carcajadas.

Aquella misma madrugada se urdió la ingenua conspiración de la desmemoria. De la vida en el pueblo recordaríamos sólo el mar, los paseos por la playa, las casetas listadas del verano. Fingí adaptarme a los nuevos tiempos, pero no me perdí detalle, en los días inmediatos, de todo cuanto se habló en mi menospreciada presencia. El anticuario se obstinaba en rechazar el reloj aduciendo razones de dudosa credibilidad. El mecanismo se hallaba deteriorado, las maderas carcomidas, las fechas falsificadas... Negó haber poseído, alguna vez, un objeto de tan desmesurado tamaño y redomado mal gusto, y aconsejó a mi padre que lo vendiera a un trapero o se deshiciera de él en el vertedero más próximo. No obedeció mi familia al olvidadizo comerciante, pero sí, en cambio, adquirió su pasmosa tranquilidad para negar evidencias. Nunca más pude yo pronunciar el nombre prohibido sin que se culpase a mi fantasía, a mi imaginación, o a las inocentes supersticiones de ancianas ignorantes. Pero la noche de San Juan, cuando abandonábamos para siempre el pueblo de mi infancia, mi padre mandó detener el coche de alquiler en las inmediaciones de la calle principal. Y entonces lo vi. A través del humo, de los vecinos, de los niños reunidos en torno a las hogueras. Parecía más pequeño, desamparado, lloroso. Las llamas ocultaban las figuras de los danzarines, el juego de autómatas se había desprendido de la caja, y la esfera colgaba, inerte, sobre la puerta de cristal que, en otros tiempos, encerrara un péndulo. Pensé en un gigante degollado y me estremecí. Pero no quise dejarme vencer por la emoción. Recordando antiguas aficiones, entorné los ojos.

Ella estaba allí. Riendo, danzando, revoloteando en torno a las llamas junto a sus viejas amigas. Jugueteaba con las cadenas como si estuvieran hechas de aire y, con sólo proponérselo, podía volar, saltar, unirse sin ser vista al júbilo de los niños, al estrépito de petardos y cohetes. «Olvido», dije, y mi propia voz me volvió a la realidad.

Vi cómo mi padre reforzaba la pira, atizaba el fuego y regresaba jadeante al automóvil. Al abrir la puertecilla, se encontró con mis ojos expectantes. Fiel a la ley del silencio, nada dijo. Pero me sonrió, me besó en las mejillas y, aunque jamás tendré ocasión de recordárselo, sé que su mano me oprimió la nuca para que mirara hacia el frente y no se me ocurriera sentir un asomo de piedad o tristeza.

Aquélla fue la última vez que, entornando los ojos, supe verlas.

En el hemisferio sur

«A veces me suceden cosas raras», dijo y se acomodó en el único sillón de mi despacho.

Suspiré. Me disgustaba la desenvoltura de aquella mujer mimada por la fama. Irrumpía en la editorial a las horas más peregrinas, saludaba a unos y a otros con la irritante simpatía de quien se cree superior, y me sometía a largos y tediosos discursos sobre las esclavitudes que conlleva el éxito. Aquel día, además, su físico me resultó repelente. Tenía el rímel corrido, el carmín concentrado en el labio inferior y a uno de sus zapatos de piel de serpiente le faltaba un tacón. Si no fuera porque conocía a Clara desde hacía muchos años la hubiera tomado por una prostituta de la más baja estofa. Dije: «Lo siento», y me disponía a enumerar con todo detalle el trabajo pendiente, cuando reparé en que una gruesa lágrima negra bailoteaba en la comisura de sus labios. Le tendí un pañuelo.

–Gracias –balbuceó–. En el fondo, eres mi mejor amigo.

Estaba acostumbrado a confesiones de este calibre. Clara acudía a mí en los momentos en que el mundo se le venía abajo, cuando se sentía sola o a los pocos minutos de sufrir una decepción amorosa. Me armé de paciencia. Sí, en el fondo, éramos buenos amigos.

–A veces me suceden cosas –repitió.

Le ofrecí un cigarrillo que ella encendió por el filtro. Rió de su propia torpeza y prosiguió:

–O, para ser exacta, me suceden sólo cuando escribo.

Corrí mi silla junto al sillón y eché una discreta mirada a su reloj de pulsera. Clara, instintivamente, se bajó las mangas del abrigo.

–A menudo, cuando escribo, me embarga una sensación difícil de definir. Tecleo a una velocidad asombrosa, me olvido de comer y de dormir, el mundo desaparece de mi vista y sólo quedamos yo, el papel, el sonido de la máquina... y *ella*. ¿Entiendes?

Negué con la cabeza. Su tono me había parecido más cercano a un recitado que a una confesión. Preferí no interrumpirla.

–Ella es la Voz. Surge de dentro, aunque, en alguna ocasión, la he sentido cerca de mí, revoloteando por la habitación, conminándome a permanecer en la misma postura durante horas y horas. No se inmuta ante mis gestos de fatiga. Me obliga a escribir sin parar, alejando de mi pensamiento cualquier imagen que pueda entorpecer sus órdenes. Pero, en estos últimos días, me dicta muy rápido. Demasiado. Mis dedos se han revelado incapaces de seguir su ritmo. He probado con un magnetofón, pero es inútil. Ella tiene prisa, mucha prisa.

Alejé mi silla de su asiento y suspiré de nuevo. Tendría que pasar la noche en blanco, redactando informes, corrigiendo galeradas, improvisando solapas... Clara no tenía derecho a robarme el tiempo como lo estaba haciendo. «Es una egoísta», pensé. Me levanté con la secreta esperanza de que mi amiga me imitara.

–Querida –dije–, me estás hablando de algo a lo que los antiguos llamaban «musa», una señora a quien invitaría ahora mismo, con muchísimo gusto, si supiera que iba a acudir a mi cita.

Ella no se había movido del sillón. Encendió otro cigarrillo, extraído ahora de una pitillera de plata, y me sonrió con amargura.

–Eso sería lo fácil y así lo interpreté durante un tiempo. Me hallaba, creía, en uno de esos éxtasis que sólo conocen los elegidos.

Iba a decir «¿lo entiendes?», pero se detuvo. Era obvio que Clara no me contaba entre las filas de los elegidos.

–Intenté convencerme. Me decía: «Lo que te ocurre, Clara, es algo fabuloso. Esta voz que te parece escuchar no es otra cosa que tu imaginación, tu talento creativo». Y también: «Estás atravesando el período más importante de tu vida». Todo eso me decía y terminaba ordenándome: «Déjate de lamentaciones y aprovéchate». Y así hice. Mi corazón palpitaba con fuerza, mis dedos se descarnaban sobre el teclado, pero permanecía junto a la máquina de escribir entregada en cuerpo y alma a los dictados de la imperiosa Voz. No atendía al teléfono, desoía el timbre de la puerta y sólo me atrevía a hablar cuando sus palabras iban haciéndose imperceptibles. Le suplicaba paciencia, un poco de paciencia. «Tranquilízate», le decía, «mañana volveré a estar contigo. Ahora necesito dormir, descansar, la cabeza me arde, siento mil agujas en las plantas de los pies, los ojos se me nublan...» Casi nunca me prestaba atención. Las más de las veces, amanecí con los cabellos enredados en las teclas y el carrete de la cinta prendido de una de mis orejas. ¿Entiendes?

No tuve más remedio que sentarme otra vez. Sí, entendía perfectamente lo que Clara intentaba explicarme con voz trémula y, en honor a la verdad, la envidiaba. Nunca había sufrido tales arrebatos en carne propia. Jamás había conocido ese momento mágico en que el escritor, poseído por una fuerza milagrosa, se ve compelido a rellenar sin descanso hojas y más hojas, a no concederse tregua, a enfermar, a plasmar sobre el papel los dictados de su mente enfebrecida. Pero sabía que eso les ocurría a otros. Había probado a embriagarme, a euforizarme, a relajarme. A menudo las tres posibilidades a un tiempo. Los resultados no tardaron en reflejarse en mis ojos, en las bolsas que los contorneaban, en las arruguillas que surcaban mis párpados, en las canas que, con paso firme, iban invadiendo patillas, barba, cejas y bigote. De mi antiguo cabello apenas si podía acordarme. Me quedaban tan sólo tres mechones que dejaba crecer y peinaba hábilmente para que disimularan el odioso brillo de mi cabeza. Pero el papel en blanco seguía ahí. Impertérrito, amenazante, lanzándome su perpetuo desafío, feminizándose por momentos y espetándome con voz saltarina: «Anda, atrévete. Estoy aquí. Hunde en mi cuerpo esas maravillosas palabras que me harán daño. Decídete de una vez. ¿Dónde está esa famosa novela que bulle en tu cerebro? No prives al mundo de tu genio creador. ¡Qué pérdida, Dios, qué pérdida!...». A ratos, mientras los fármacos se entregaban a una trepidante danza, me parecía como si el papel se agigantase, como si me escupiera su blancura detestable, o como si se refugiase en la más absoluta inmovilidad para ahogar sus irresistibles deseos de carcajearse de mi persona. Intenté describir mis sensaciones, la burla cotidiana del papel o, mejor, «La Holandesa de la Blanca Sonrisa». Pero no fui más allá del título. Mi mesa de trabajo se hallaba abarrotada de manuscritos de corte similar, obritas de escritores mediocres que nunca verían la luz, mamotretos sobre los que debía informar semanalmente y a los que solía despachar con un tajante «Publicación desaconsejada». En mi caso, además, se trataba de una primera obra. ¿Cómo podía hablar de la angustia del creador si ese creador angustiado que era yo no había tenido aún ocasión de crear nada? El proyecto caía por su propio peso y no me costaba esfuerzo alguno imaginar mi futuro libro rubricado con un «Publicación desaconsejada» por cualquier informador demasiado pendiente de su propio papel en blanco para conceder un mínimo de confianza al mío. Meneé la cabeza. A mi manera, yo también había oído voces.

–Dios mío –gimió alguien desde el sillón.

Clara seguía en el despacho. La observé con detenimiento. Estaba pálida, el zapato descompuesto acababa de desprenderse de su pie y los restos de carmín y rímel se reunían ahora en el hoyuelo de su barbilla. Con un leve gesto le indiqué que la escuchaba.

–Pero esto no es lo más grave. Trance, sugestión, arrebato, éxtasis... ¡qué más da! Sin embargo, hace un par de días, empecé a asustarme seriamente. La noche anterior había trabajado hasta altas horas y, como era ya habitual, me había quedado dormida entre el tabulador y el sujetamayúsculas. Me desperté, pues, con un tremendo dolor de cabeza. Pero ella no permite deserciones. Apenas comenzaba a amanecer, y ya estaba otra vez dictándome a una velocidad vertiginosa. Sólo que aquel día había llegado al límite de mis fuerzas. Me crucé de brazos y esperé a que comprendiera. Fue entonces cuando me di cuenta: la Voz tenía acento extranjero.

El respaldo del asiento registró mi leve sobresalto con un crujido. Clara había alzado la mano a modo de súplica. No debía interrumpirla, colegí. Hubiera jurado que luchaba dolorosamente por hacer acopio de todas sus fuerzas y conducirme a la revelación final. Aguardé a que se repusiera.

–Te ahorro los detalles de la impresión que me causó aquel insólito hallazgo. Durante varias horas no acerté a hacer otra cosa que a pasear sin rumbo bajo la lluvia. Cuando al fin reparé en que me hallaba empapada hasta los huesos, regresé a casa. Había tomado una enérgica decisión: clausuraría mi cuarto de trabajo, llamaría a los amigos, practicaría algún deporte. Esto fue anteayer, ¿entiendes?

Asentí. Clara no me dio tiempo a intervenir.

–Anteayer.

Volví a asentir.

–Y ayer puse en práctica mi nuevo plan de vida. Visité el zoo, viajé en golondrina y almorcé con una amiga. Al caer la tarde, por desgracia, me volvió a asaltar el miedo a esa presencia de la que pretendía huir. Pensé que la mejor forma de conjurarla era llenar la casa de discos, revistas, cualquier novedad que lograra aturdirme. Entré en la primera librería que hallé en mi camino y me puse a husmear con toda libertad, sin importarme la mirada recelosa del encargado. Vi, entonces, un libro que me llamó la atención.

»El grabado de la portada reproducía la figura de una mujer enfundada en una gabardina chorreante: la lluvia había empapado su cabello y por sus mejillas discurrían gruesas gotas de agua. El parecido con la imagen que yo debía de ofrecer la noche anterior incitó mi curiosidad. Lo abrí por la primera página y leí: *A menudo, cuando escribo, me asalta una sensación perturbadora...* Lo cerré de golpe. Sobre la mujer empapada, letras estilo Liberty configuraban el título: HUMO DENSO. Más abajo, en caracteres sencillos, el nombre de la autora: Sonia Kraskowa. Retomé el primer párrafo con cierto temor. Mis labios murmuraron: *Tecleo a una velocidad pasmosa, me olvido de comer y de dormir, el mundo desaparece de mi vista...* Los objetos del establecimiento empezaron a bailar a mi alrededor. "No puede ser", dije ahogando un chillido. El dependiente me tendió un ejemplar: NO PUEDE SER, Sonia Kraskowa. Tuve que apoyarme en una estantería para no desplomarme. "Creo que me estoy volviendo loca", musité en un tono apenas perceptible. "No exactamente", intervino el hombre y, ajustándose las gafas, puntualizó: EL DÍA EN QUE CREÍ VOLVERME LOCA... Ignoro cómo pude mantenerme en pie. El empleado consultaba ahora un fichero y me instaba a rellenar la hoja del pedido. No lo hice. Pero conservaba en la mano un ejemplar de HUMO DENSO y pagué el importe.

»No pude aguardar a llegar a casa. A la salida rasgué el envoltorio y abrí el libro al azar. Leí: *Mañana volveré a estar contigo. Antes necesito dormir, descansar...*

No sé si Clara pronunció el consabido «¿entiendes?» o si, por una vez, la pregunta murió en sus labios. El travesaño de la silla acababa de desprenderse, el respaldo de rejilla emitió su postrer chasquido, y yo me encontré sentado en el suelo con la misma cara de estupor con la que había acogido sus últimas revelaciones. ¿Qué pretendía Clara con esta historia? Estaba sudando. Me incorporé, arrinconé de una patada los restos de la silla y me puse a pasear a grandes zancadas por el despacho.

–Esto es todo –su voz sonaba ahora dulce y melancólica–. Algún día tenía que ocurrir. Todo lo que yo escribo, está escrito ya. Todo lo que yo pienso, lo ha pensado antes alguien por mí. Quizás yo no sea más que una simple médium... o peor. Una farsante. Una vil y repugnante farsante.

Abrí la ventana y respiré hondo. En el parque, no se movía una brizna de hierba. El verano más caluroso del siglo, recordé. A un niño se le acababa de escapar un globo. Me apoyé en el alféizar, lo rescaté y hundí mi uña en su faz de goma. La explosión se entremezcló con un lloriqueo lejano y las últimas palabras de mi amiga.

–Me deshice del libro en un cubo de basura y eché a andar. No he parado en toda la noche.

–¡Qué día! –dije, y me sorprendí de la seguridad de mi voz–. Este bochorno va a terminar con todos.

–Sí, es posible –ahora ella andaba descalza en torno a mi mesa. Aproveché para sentarme en el sillón: estaba exhausto–. El calor, el exceso de trabajo... Pero no podemos quedarnos en conjeturas. Veamos: ¿tú has leído a Sonia Kraskowa?

La pregunta me pilló desprevenido.

–No –dije con un hilo de voz.

Nunca he sido aficionado a los *best-sellers* ni, menos aún, a la literatura intimista: en esa mujer coincidían ambos factores. Me encogí de hombros y me volví a preguntar por las verdaderas intenciones de mi amiga. ¿Una burla?... La ansiedad de sus ojos me alarmó.

–No todo –añadí.

–Bien.

Clara no dejaba de revolotear en torno a la mesa. Me hizo pensar en un detective novato angustiado ante su primer caso de envergadura.

–La primera hipótesis, la de una alucinación total, descartada. Sonia Kraskowa existe. Pero nos queda aún la segunda. Es posible que HUMO DENSO no tenga nada que ver con mi vida, que todo haya sido una ilusión, que, allí donde yo leí lo que creí leer, diga en realidad: *Nací en el barrio judío de Praga, en la avenida Pařižská, en la calle Maiselova,* o *junto a la sinagoga Staronová...*, por ejemplo.

–Entiendo.

–Iré a casa, beberé un vaso de leche caliente, tomaré un somnífero y dormiré como una criatura. Pero antes me arreglaré un poco. No me gustaría que ningún conocido me viera con esta pinta.

Conduje a mi amiga al único lavabo decente de toda la planta y aguardé fuera. Oí el chorro de agua, el chirriar de los grifos, las palmadas con las que Clara intentaba conjurar su pesadilla. De pronto se hizo el silencio. La mañana no estaba para guardar formas y abrí. Clara se hallaba en pie, inmóvil sobre la alfombrilla de espuma, la cabeza apenas inclinada hacia adelante.

–Mira –dijo, y señaló el agua que ahora desaparecía por el sumidero.

Me acerqué. Observé un líquido turbio de matices rojinegros y admiré, complacido, el nuevo rostro de Clara. Parecía una niña. Iba a decirle lo bien que resultaba sin maquillar, lo alegre que me sentía ante su transformación, pero ella había vuelto a accionar el grifo.

–Mira.

No acerté a ver otra cosa que el agua, ahora cristalina, describiendo los círculos de rigor.

–¿Lo has visto?... Dicen que en el hemisferio sur los líquidos desaparecen por los desagües en dirección inversa. Un fenómeno relacionado con la rotación de la Tierra, la velocidad relativa del agua y no sé cuántas monsergas más –permaneció unos segundos ensimismada y prosiguió–: Tal vez lo que yo necesite sea un viaje. Sí, un viaje al hemisferio sur. Desremolinar el remolino, ¿entiendes?

Me encogí de hombros. Su sonrisa se había convertido en una máscara.

–No me tomarás por loca, ¿verdad?

–No –mentí.

Y le tendí los zapatos de piel de serpiente.

El trabajo amontonado sobre la mesa había dejado de obsesionarme. Saqué un espejito del cajón y retoqué mecánicamente mi peinado. Acababan de dar las dos, disponía de hora y media y el autoservicio de la esquina se me ofrecía como un lugar idóneo para ordenar mis ideas sin que nadie me importunara. En el rellano me crucé con un grupo de atolondradas secretarias. Fingí no verlas, pulsé el botón del ascensor y, canturreando, me encaminé hacia el restaurante. Al sentarme me noté, a la vez, fatigado y ansioso.

La historia que Clara acababa de narrarme con tan aparente verismo me inquietaba. Quizás hubiera debido dejarla en manos de un médico, despreocuparme y concentrarme en mis informes, solapas y correcciones. Pero mi amiga había llegado muy lejos en su relato y yo me sentía incapaz de contener el creciente nerviosismo que iba adueñándose de todos mis miembros. Ignoraba aún si el extraño temblor que me poseía se debía tan sólo a una seria preocupación por el estado mental de mi visitante, o si una rara emoción, surgida de lo más profundo, entraba ahora en funcionamiento de modo inesperado.

Había algo en todo aquel barullo que se me aparecía como fascinante, etéreo, inaprehensible... Clara podía considerarse una mujer afortunada. Hasta sus crisis resultaban tremendamente literarias, sus abatimientos envidiablemente creativos. «¡Qué argumento!», pensé, y casi enseguida, como absolviéndome de tan frívola idea, añadí: «En cuanto se le pase, se lo diré. Debe escribirlo».

Entré en mi despacho en el preciso instante en que sonaba el teléfono. Me senté sobre la mesa y descolgué el auricular.

–Soy Clara –oí.

Le pedí que aguardara un momento y acerqué el sillón con el pie.

–¿Estás ahí? –preguntó.

–Sí. ¿Qué ocurre ahora?

–¡Ellos lo saben! –dijo, y prorrumpió en sollozos.

Siempre he detestado los lloriqueos con que las mujeres suelen adornar sus confidencias o dramatizar las situaciones más cotidianas, pero debo reconocer que, en aquellos momentos, todo lo que tuviera relación con Clara me interesaba vivamente. Esperé a que se calmara y escuché:

–¡Lo han descubierto! Saben que soy una tramposa deleznable, que mis libros no son más que la transcripción exacta de otros..., de los de otra mujer. Pero yo te juro que soy totalmente ajena al fraude.

Le supliqué que procediera por orden.

–Verás –dijo al fin–. He llegado a casa con la idea de acostarme y descansar. Mi cuarto de trabajo, como sabes, está cerrado a cal y canto, por lo que he tomado el camino del baño para dirigirme al dormitorio... No puedo explicarme cómo ha llegado hasta allí.

–¿Quién? ¿Quién estaba ahí?

–HUMO DENSO. Sobre la mesita de noche.

–¿Y...?

–No me has entendido. HUMO DENSO, mi primer HUMO DENSO, desapareció en un cubo de basura a los pocos minutos de abandonar la librería. Alguien, por tanto, debió de entrar en casa por la noche o esta mañana, mientras conversaba contigo, con un segundo HUMO DENSO bajo el brazo. Lo han hecho para demostrarme que lo saben.

–¿Quiénes? ¿Quiénes lo saben?

–No sé... ellos, los otros. Me he mudado a un hotel.

Anoté la dirección que me dictaba Clara con voz temblorosa y me satisfizo comprobar cómo mi amiga, aun en las situaciones más difíciles, no cedía un ápice en su gusto por la comodidad y el lujo. Un hotel, sin embargo, no me parecía el lugar adecuado para su estado de ansiedad y a punto estuve de ofrecerle mi estudio. En el último instante, me contuve: me estaba buscando complicaciones innecesarias. La frase, no obstante, quedó en el aire:

–Un hotel no me parece adecuado...

–¿Qué podía hacer si no? Recogí el libro de la mesilla, lo abrí por la mitad y leí: *Y se mudó a un hotel...* No me preguntes a quién se refería.

No lo hice. Había llegado el momento de pasar a la acción, de afrontar a Sonia Kraskowa y de abandonar mi ridícula posición de visitante en mi propio despacho. Me puse en pie, limpié la mesa de galeradas, manuscritos y holandesas, destrocé la hoja en la que había anotado el plan de trabajo para el fin de semana y rebusqué, en mi desordenado archivador, una serie de recortes a los que tal vez, en el transcurso de las horas, lograría encontrarles alguna utilidad. Oprimí el timbre del interfono. La secretaria, como de costumbre, no se presentó.

Faltaba aún un buen rato para que pudiera considerarme libre, pero aquel día no me hallaba dispuesto a acatar horarios. Tomé un papel en blanco y escribí:

«Para el lunes a primera hora (¡urgente!)
Humo denso
No puede ser
El día en que creí volverme loca,
y todo lo que haya podido escribir Sonia Kraskowa».

Iba a doblarlo, pero añadí:

«Igualmente urgente:
Arreglen de una vez esta maldita silla, o consígame otra».

Salí del despacho con la eufórica sensación de haber escogido el único camino posible. Al pasar junto a la mesa de la secretaria, le tendí el papel.

–¡Oh! –dijo.

Pero no fue la aspereza de la nota lo que le había sobresaltado. Un frasco de laca de uñas de un rojo chillón acababa de derramársele sobre la mesa.

Cené con Clara en un restaurante de su elección, a tono con la ampulosa alfombra de la suite que acabábamos de abandonar, provisto de aire acondicionado y atendido por media docena de camareros atosigantes y serviles. A la hora de pagar la cuenta Clara recordó, de pronto, que había olvidado el billetero en el hotel y se encogió de hombros. Extendí un cheque. Nunca me ha dejado de sorprender el egoísmo de los dolientes, la incapacidad de trascender sus problemas, o de vislumbrar los abismos en los que puedan hallarse sumergidos los otros. Al firmar, como por instinto, había añadido un par de ridículos adornos a la rúbrica. Si no colaba, el lunes me vería obligado a suplicar un nuevo adelanto. A no ser que me atreviera a plantearle mi problema... *a ella.* Enseguida deseché la idea. Los consejos se regalan, la compañía se exige, pero el dinero, por lo visto –y esbocé una sonrisa–, tan sólo se presta.

–Eres lo único que me queda –dijo Clara, un tanto más animada tras el tercer coñac–. Si tú me fallaras... No sé... Prefiero no pensarlo.

La acompañé al hotel. Al despedirme, la besé en la mejilla y le entregué una carpeta. Ella me miró con recelo.

–Lectura amena e interesante –dije–. Una selección muy especial para una chica muy especial. Te tumbas en la cama, te tomas un par de valiums y, entre chiste y chiste, te quedas dormida como una niña. Mañana comprenderás que has estado alucinando como una loca. Aunque no lo seas.

Le estreché la mano. Sus dedos estaban rígidos como los de una muerta y su mirada increíblemente triste.

–¡Fuerza! –dije aún.

Y me encaminé sin prisas hacia mi estudio.

Abrí la puerta en el preciso momento en que el teléfono dejaba de sonar. Me serví una copa. Casi enseguida el aparato volvió a dejar oír su voz. Conté diez, veinte, treinta y cinco llamadas... Encendí un cigarrillo. Hay situaciones en la vida en que uno debe apoyarse en sus propios recursos, asumir sus problemas y tomar sus decisiones. A las dos de la madrugada el teléfono enmudeció, y yo me sentí ganado por una deliciosa sensación de paz y un sueñecillo dulce. La jornada había resultado agotadora. Me acosté en la cama, pero el recuerdo de los últimos acontecimientos pudo más que mi cansancio. Dormí a ratos, soñé a trompicones y, en el estado de duermevela, tomé una determinación. Pasaría el fin de semana en casa de tía Alicia, junto al mar, lejos del inaguantable bochorno ciudadano, de las pesadillas propias y ajenas. Abordé el primer tren de la mañana junto a algunos bañistas madrugadores y un grupo bullicioso de mochileros. Dejé atrás los edificios grises, los arrabales despertando a la claridad del día... Tía Alicia, ¿cómo acogería mi visita? Hacía más de diez años que no sabía nada de ella, fuera de una tarjeta por Navidad y unas cuantas postales perdidas desde alguno de sus viajes. Al llegar, la encontré como siempre, en pie desde las primeras horas, regando el jardín con una paciencia y una dedicación exquisitas.

–¡Qué sorpresa! –dijo. Y me invitó a pasar.

Cuando crucé el umbral, me sentí sacudido por multitud de recuerdos. La proverbial hospitalidad de mi tía, el refugio placentero de mis años de estudio, el retiro escogido para todas las novelas que siempre quise escribir y no pasé de proyectarlas. Desayuné chocolate con bollos y me tendí en la cama. Me hallaba extenuado.

Al cabo de unas horas, tía Alicia me despertó.

–Bueno, bueno –dijo–. Y ahora me vas a contar qué nueva travesura has hecho.

El lunes acudí al trabajo con la puntualidad de un principiante. Sobre la mesa me aguardaban cuatro novelas de Sonia Kraskowa. Los restos de la silla, en cambio, seguían amontonados en un rincón. Me acomodé en el sillón y contemplé la portada de HUMO DENSO. La entrada de una secretaria me sobresaltó.

–¿Sabe ya la noticia?

Me limité a colocar el libro sobre los otros.

–Aquí tiene el diario. Dicen que, en los últimos tiempos, se encontraba muy deprimida... Usted la conocía mucho, ¿verdad?

Mi cabeza asintió. La mujer permanecía a mi lado, esperando pacientemente una opinión personal que no tenía la menor intención de proporcionarle. Ojeé el periódico con desgana. Las fotos no le hacían justicia. Clara, de pequeña, en la hacienda de sus padres en Tucumán; Clara firmando ejemplares en la puerta de unos grandes almacenes; Clara, con gafas oscuras y gesto hosco, acodada en la barra de un bar. El éxito, decían, es más difícil de digerir que el fracaso. «Zarandajas», pensé, y reviví por un instante nuestro último apretón de manos y sus dedos rígidos como la muerte. Sin embargo, no podía afirmar que me hallase impresionado por la desaparición de mi amiga. Clara moría en la plenitud de su fama, llorada por todos, milagrosamente huida de un final mucho más trágico y aborrecible. La imaginé, de repente, avejentada, los ojos turbios zozobrando en la angustia, vestida con una bata blanca, compartiendo la habitación con seres atormentados, babeantes, deformes. Al principio, quizá recibiría alguna visita; es posible, incluso, que el trato de los médicos fuera preferente. Pero sólo al principio. Clara, en un momento de lucidez, se había evadido de su destino.

Despedí a la secretaria con un encargo. No iba a asistir al funeral. Las funciones religiosas me enfermaban, pero sí le enviaría una corona de flores, las menos mortuorias que existieran, margaritas, jazmines, petunias y madreselvas, ramas de olivo en recuerdo de los padres de su padre, girasoles como en las heladas tierras de su familia materna. Escribí: «A Clara Sonia Galván Kraskowa. Los que te quieren no te olvidan», y precisé, por teléfono, que la leyenda debía ir en letras rojas sobre fondo blanco.

El montoncillo de libros que me aguardaba sobre la mesa había adquirido una presencia patética, una luminosidad agobiante. Volví a HUMO DENSO y lo abrí por la primera página. Me sorprendió la cuidada redacción, la sencillez y concisión del lenguaje. «No está mal», me dije, y en mi juicio no intervino para nada la odiosa benevolencia con la que se suele acoger la obra del amigo desaparecido. Ahí estaba Clara Galván, mi flacucha compañera de facultad, con sus dudas y su timidez, la búsqueda desesperada de una identidad, la necesidad obsesiva de encontrar sus raíces, la opción por la parte eslava de su apellido en homenaje a una madre que nunca conoció. El primer capítulo hacía referencia a su infancia en Argentina; el segundo se iniciaba en Barcelona. Reconocí de buen grado que, en contra de mis suspicacias, su prosa era excelente. Clara había avanzado a pasos agigantados desde su desvaído primer relato, un cuento pretencioso e insulso con el que, pese a todo, logró hacerse con el único galardón de un ya olvidado certamen universitario. Confieso que, en aquella ocasión, la decisión del jurado me dejó estupefacto. Yo también había concurrido al concurso con una narración breve, la única que en mi vida había logrado iniciar, desarrollar y rubricar, y de la que me hallaba convencido y orgulloso. Nunca después, abatido por mi primer fracaso, podría ya volver a escribir por la mera búsqueda del placer sin sentirme observado por miles de ojos acechantes. Pero todo esto había ocurrido hacía ya mucho tiempo y, a la vista del ejemplar que aún sostenía entre las manos, aquel odiado veredicto se transformaba en un compendio de sabiduría y previsión. El oscuro jurado había intuido en Clara Galván a la futura Sonia Kraskowa. Cerré HUMO DENSO y ojeé desordenadamente el resto de los libros.

¿Habría obrado con temeridad al entregarle, en la noche del viernes, el dossier Sonia Kraskowa? El periódico describía la suite del hotel en perfecto orden. Clara tendida sobre el lecho y, junto a su cuerpo –la única nota discordante dentro de la pulcritud de la estancia–, una carpeta repleta de recortes de prensa, críticas loatorias y fotografías de la propia finada. *No pudo soportar su éxito por más tiempo...* ¡Qué podían saber ellos de los desvaríos de mi pobre amiga! Fue tal vez una forma algo brusca de enfrentarla con la realidad, pero no cabía otra opción. Lo supe enseguida, desde el momento en que Clara se instaló en el sillón de mi despacho y empezó a relatarme su magnífica pesadilla, el torbellino de mundos que anidaba en su perturbado cerebro, el punto de partida, en fin, de la novela que había perseguido durante tanto tiempo. Y ahí estaba. Nítida, fascinante. El soplo necesario para decidirme a embestir la blancura intolerable del papel y darle al mundo lo que el mundo sin duda esperó un día de mí. Iba a estar redactada en primera persona. Una mujer. Una escritora como Clara aterrada ante la Voz, ante su doble, ante su propia e inocente infamia. Un huracán de ideas me azotaba la mente. Eso era, un huracán.

–Tornado –dijo la secretaria, y sólo entonces reparé en que, según su costumbre, había entrado sin llamar.

–Tornado –repitió y me entregó una carpeta.

Leí: TORNADO.

–Una sorpresa. La obra póstuma de Sonia Kraskowa. El jefe pregunta si se siente capaz de leerla, entenderla y redactar una contraportada. Texto elogioso y tierno, naturalmente.

Era lo menos que podía hacer.

–Bien. Le conseguiré una silla.

Mis manos habían acogido con cierto temblor el inesperado manuscrito. Venciendo mi emoción, lo coloqué sobre la mesa, aguardé a que trajeran el asiento y encendí un cigarrillo. El agente de Clara Sonia no perdía el tiempo. Posiblemente se hallaría ahora formando parte del cortejo fúnebre, gimoteando o contando a todos cómo él, y sólo él, lanzó a la fama a la malograda escritora, cómo la ayudó con sus consejos, cómo la socorrió en sus momentos de desolación. Y lo más probable es que actuara con sinceridad. «La vida es cruda», me dije, «muy cruda.» Observé una fecha, escrita a lápiz junto al sello de la agencia, y me entristeció averiguar que mi amiga había entregado su última obra hacía menos de una semana. Abrí la carpeta y, con la mejor voluntad, me dispuse a saborear TORNADO.

Ignoro si fue el bochorno de aquella siniestra mañana o la tensión acumulada durante los últimos días, pero, de pronto, me pareció como si las letras de los primeros párrafos intentaran agitarse, abandonar el papel, entregarse a un rápido y ondulante movimiento giratorio. La cabeza me daba vueltas. Abrí la ventana y me enjugué el sudor. El verano más caluroso del siglo, no cabía duda. Después, volví a tomar asiento y leí:

«... Se lo acababa de decir. Le acababa de explicar cómo la irritante Voz me mantenía en vilo durante días y noches, cómo, con contumaz precisión, iba debilitando mi deteriorado juicio. Y él, dando vueltas en torno a la mesa, simulaba comprender. Pero yo le sabía sutilmente interesado. Su cabeza bullía de ideas contradictorias, de sueños, de frustraciones, de conmiseración hacia sí mismo, acaso, en aquel momento, hacia mi persona.. Se asomó a la ventana, y yo me fijé en su cogote. Era un hombrecillo ridículo, preocupado por aparentar una juventud que nunca conoció, obsesionado por disfrazar sus escasos mechones de pelo ralo. A punto estuve de echarme a reír y desbaratar mi desesperada apuesta. Pero no lo hice. La campanilla del despertador me devolvió a la insulsa cotidianeidad de mis días. Fue entonces cuando decidí poner en práctica mi sueño. Hasta aquel momento no había hecho otra cosa que escribir la vida; ahora, iba a ser la vida quien se encargara de contradecir, destruir o confirmar mis sueños...».

No pude seguir leyendo. Los párrafos se habían entregado a una danza alucinante, un sudor frío embotaba mis sentidos, la ceniza del cigarrillo caía impasible sobre el montón de folios. Me acerqué a la ventana y llené mis pulmones del fétido aire ciudadano. Con gran esfuerzo volví sobre TORNADO y me detuve en la dedicatoria:

«A ti, a mi (¿mejor?) amigo.

»Con la firme esperanza de que algún día podamos reírnos ante estas páginas».

Y abajo, a la manera de una postdata:

«En aquel concurso de nombre lejano, tu cuento era el mejor. Alguien (lamentablemente no existe el femenino para ciertos pronombres personales) se encargó de ocultarlo a los ojos del jurado. ¿Sabremos olvidarlo?».

No, yo no podía olvidar la mano rígida de Clara al despedirse en la puerta del hotel, su mirada melancólica al alcanzar la carpeta de recortes, su entonación astutamente premeditada, o quizá patéticamente sincera, al decirme: «Si tú me fallaras...». Y yo, como la más estúpida de las criaturas, había caído de bruces en las redes de su tétrico juego. Corrí enloquecido al lavabo e incliné la cabeza bajo el chorro de agua. Iba a perder pie, lo sabía. Al incorporarme, observé cómo el agua desaparecía por el sumidero describiendo círculos. Un remolino, recordé. Me apoyé en la pared y tardé un rato aún en cerrar el grifo. Cuando me fui, los círculos seguían el sentido de las agujas de un reloj. Como en el hemisferio sur.

Por la tarde me despedí de la editorial, clausuré el estudio, tomé el último tren y me dirigí a casa de tía Alicia.

–¡Qué sorpresa! –dijo.

Pero las sábanas olían a lavanda y espliego, y una jícara de chocolate me aguardaba, humeante, sobre la mesa de la cocina.

Los altillos de Brumal

No podría ordenar los principales acontecimientos de mi vida sin hacer antes una breve referencia a la enfermedad que me postró en el lecho en el ya lejano otoño de 1954. Fue exactamente el 2 de octubre, fecha señalada para el inicio de las clases escolares, cuando el médico visitó por primera vez la casa familiar, pronunció un nombre sonoro y misterioso, y yo, en medio de un acceso de fiebre que me hacía proferir frases inconexas, temí llegada la hora de abandonar el mundo. Pero, por fortuna, la escarlatina se comportó conmigo como una dolencia de manual, sin trato preferente ni malignidad acusada, y de todos aquellos días de forzosa inactividad, recuerdo sólo, con asombro, un raro afán por desprenderme de sábanas y mantas, y embadurnarme con la tierra húmeda de tiestos y jardineras. Al despedirse, la enfermedad me dejó en obsequio un cuerpo larguirucho y unas maneras torpes y desvaídas a las que tardaría un buen tiempo en acostumbrarme. No sé si debo culpar a ese regalo inesperado, o al simple hecho de que las clases hubieran empezado hacía algunos meses. Pero lo cierto es que, el primer día que asistí a la escuela nacional, encontré sobrados motivos para detestar la vida.

Mi primer apellido fue acogido por la maestra con un espectacular arqueo de cejas. Hizo como si intentase memorizarlo, lo repitió un par de veces, las consonantes se le agolparon en la garganta, sus alumnas se revolvieron de risa en sus asientos, y ella, en venganza, decidió suprimirlo de un plumazo.

Aquello fue el inicio de una larga pesadilla. Sentí como si me despojaran del recién estrenado delantal, de los suaves mitones que lucía con orgullo, del lazo de terciopelo con que mi madre había recogido mis cabellos aquella misma mañana. No llevaba más de diez minutos en la escuela y ya había sido relegada a una categoría singular y deleznable. Mi segundo apellido no iba a gozar de mejor acogida. Era demasiado corriente, tan común que en la vetusta aula lo ostentaban unas cuantas niñas más, las mismas que ahora protestaban con vehemencia, pataleaban intransigentes sobre el entarimado, golpeaban las tapas de los pupitres con los puños. Debía comprenderlo. En ese mundo de derechos adquiridos, no querían ni podían efectuar excepción alguna en mi favor. En lo sucesivo sería conocida por Adriana, sin otros nombres que arroparan mi tímida presencia, sin otro apoyo que el sentirme la más alta, la más desgarbada y la más ignorante.

Pero el día, tantas veces soñado desde la prisión del lecho, no había hecho sino empezar. Atenta a la salvaguarda de su autoridad, la maestra me preguntó enseguida por mi lugar de origen. Mi acento le había parecido extraño, insólito, inhabitual... ¿O se trataba, quizá, de un defecto congénito? No me obligó a abrir la boca, mostrar la garganta y sacar la lengua, como en un principio temí. Con un hilo de voz pronuncié el nombre de mi aldea. Lo repetí tres veces. Intenté situarlo en el mapa de colorines que, al instante, dos alumnas socarronas desplegaron sobre el encerado. Pero mis dedos, confundidos ante un coro de carcajadas, naufragaron en los azules del Mediterráneo.

A aquellas burlas, sin embargo, debo un precoz despertar a las leyes de la vida. Con una sabiduría que, casi treinta años después, me deja aún perpleja, comprendí muy pronto que el injusto trato que acababa de recibir no procedía de la ocasional maldad de una profesora, ni de la inocente crueldad de un montón de niñas anodinas y engreídas. La diferencia estaba en mí y, si quería librarme de futuras y terribles afrentas, debería esforzarme por aprender el código de aquel mundo del que nadie me había hablado y que se me aparecía por primera vez cerrado como la cáscara de una nuez, inexpugnable como los abismos marítimos en los que mis dedos acababan de extraviarme. A nadie dije que hacía sólo unas semanas que había aprendido a leer y a escribir, en atención, quizás, a la extraña máxima que Madre repetía con frecuencia: *«Huimos de la miseria, hija... Recordarla es sumergirse en ella»*. No iba a dar un nuevo motivo de risa a mis compañeras. Aguanté con paciencia el lento desfilar de las horas, me resguardé en el silencio y, en el recreo, me mantuve al margen, observando juegos, intentando memorizar canciones. Al llegar a casa, mentí.

–Ha sido estupendo –dije.

Madre no levantó los ojos del bastidor y siguió bordando con exquisita delicadeza.

Se fue hace tiempo, pero, aún ahora, me cuesta imaginar que la corrupción pueda haberse ensañado con aquellas manos blancas y delicadas, con sus inescrutables ojos verdes, con la lánguida sonrisa que dibujaban sus labios cuando creía no ser vista por nadie, cuando yo fingía no reparar en su presencia, jugar, dormir o repasar las lecciones de la escuela.

Madre no era una mujer alegre. La recuerdo a menudo silenciosa, enfrascada en oscuros pensamientos que nunca quiso compartir, santiguándose a la menor ocasión, gimiendo sola en su alcoba hasta que las luces del alba terminaran por vencer su persistente incapacidad de conciliar el sueño. Nunca fue demasiado cariñosa conmigo, pero yo sabía que, a su manera, me amaba. Todo en ella era privacidad y secreto. Cuando yo enfermaba, permanecía la noche en vela junto a la cabecera de mi cama, repitiendo para sí una retahíla de jaculatorias, increpando a media voz a invisibles enemigos. Cuando algo les ocurría a mis dos hermanos, su preocupación se concretaba en llamar a un médico. Conmigo era la entrega total.

Sabía que me quería y, aunque nunca pude cruzar el umbral de su atormentado mundo, intenté en todo momento corresponderle con mi cariño. La ayudaba en los trabajos de la casa, devanaba madejas, o bordaba, con la mejor voluntad, una esquina cualquiera de las labores en las que ocupaba su tiempo. Otra demostración de afecto no hubiera sido comprendida. Desde la muerte de mi padre, Madre se había encerrado en ese extraño universo que le negaba el reposo. Parecía como si hubiese sellado un pacto con el silencio y la melancolía, pero, a veces, cuando mencionaba a su familia, el rubor se señoreaba de sus mejillas, sus ojos despedían fuego, y yo comprobaba aliviada que, en contra de las apariencias, la sangre discurría por sus venas como en el resto de los mortales.

Nunca los nombraba individualmente. No hablaba de sus padres, de sus hermanos, de sus tíos. Decía *familia* y, al mentarla, la emprendía a pisotones contra escarabajos y cucarachas.

La casa estaba llena de cucarachas, y eran muchas las veces que Madre maldecía a su familia. Fue así como, desde pequeña, establecí una relación estrecha entre familia y cucarachas, y adquirí, con el correr de los años, la firme convicción de que aquélla era la responsable directa de nuestra pasada indigencia y de nuestra actual parquedad de recursos. Sin embargo, el día en que mi madre logró vender el último terreno que le ligaba a su familia, esperé inútilmente alguna alusión a reformas, compras o tan siquiera un buen almuerzo. Las paredes desconchadas podían esperar, las grietas serían trampeadas con masilla y mis hermanos seguirían asistiendo a la vetusta escuela del barrio. Nada había cambiado pues, a excepción del hecho, sin consecuencias, de que antes fuéramos pobres y ahora hubiésemos ascendido a la categoría de modestos.

Pero los planes de mi madre iban más allá de guardar los fajos de billetes en un cajón, como se me ocurrió al principio, y esperar aliviada la llegada de la vejez. Todo, hasta el último céntimo de la venta, tenía un destino prefijado desde hacía muchos años, algo que, para ella, parecía revestir una importancia capital. Cuando me enteré de que la única beneficiaria de la transacción iba a ser yo, enmudecí de asombro. Sin embargo, era tan insólita la luz que alumbró de pronto sus ojos verdes que no me atreví a negarme.

–Irás a la Universidad –dijo.

Por un momento no supe si aquel júbilo repentino era el resultado de una importante decisión o de la venta de lo poco que le unía a su pasado. Pero nada pregunté, sorprendida como estaba ante unas mejillas súbitamente enrojecidas, ante unos brazos que no paraban de gesticular, ante la ilusión de niña con que tejía y trenzaba lo que iba a ser mi futuro. Hablaba de Medicina, Derecho, Letras... Pero su candor me hacía pensar en una jovencita en vísperas de boda, en los viejos cuentos de hadas con los que, años atrás, intentaba conjurar mi siempre inexplicado terror al amanecer. Anotaba cifras en su libreta de cuentas. Sumaba, restaba, dividía. Todo estaba calculado y decidido. A mis hermanos, en compensación, les dejaría la casa. A mí me construiría el futuro.

Estudié Historia sin excesivo convencimiento. Mi memoria proverbial me ayudó a obtener resultados aceptables y, aunque yo no hice nada para fomentarla, me granjeé cierta fama de alumna perezosa pero privilegiada. Madre, contenta ante la facilidad con la que me iba aproximando a su meta, mantuvo durante los últimos años una actitud plácida y serena. Sus oscuros fantasmas habían dejado de torturarla: ya no gemía, ni suspiraba, ni, por la noche, se revolvía agitada en la soledad del lecho. La muerte le sobrevino en un día especialmente importante para ella. Acababa de obtener mi licenciatura, y Madre, como si nada le atase ya a este mundo, se entregó a un dulce sueño del que jamás despertó. Retrasé con excusas el momento de cerrar la caja. Nunca, en vida, su rostro me había parecido tan hermoso.

Sin embargo, en los años que sucedieron a su muerte, mis actividades poco tuvieron que ver con aquellos estudios que mi madre se había empeñado en costear. Abandoné la casa familiar, ahora propiedad de mis hermanos, y me instalé en un pequeño piso en el centro de la ciudad. No me molesté en solicitar una plaza de profesora, como hicieron muchas de mis compañeras, ni en conseguir un puesto en la edición de alguna enciclopedia. Mis habilidades eran otras y, cancelada la deuda con mi madre, a ellas me entregué con toda mi energía.

¿Fueron mis deseos de suavizar la pobreza los que me lanzaron a esta fantástica aventura del gusto y de la apariencia? Desde muy pequeña sentía una poderosa inclinación por la cocina. Me gustaba combinar elementos, experimentar, adivinar los ingredientes de cualquier producto enlatado, confeccionar sopas de legumbres sin legumbres o lograr unos aparatosos filetes de pescado a base de arroz hervido y prensado. A Madre le molestaba que yo me encerrara en mi pieza favorita e intentara luego sorprenderla con mis pequeños hallazgos, convencida, tal vez, de que, en el glorioso futuro que me había destinado, no quedaba lugar para bajas tareas ni ocupaciones serviles. Mientras viví junto a ella, acaté sus caprichos, y Madre, en su simplicidad, confundió mi auténtico amor filial con el triunfo de una voluntad que a ratos yo no comprendía y a ratos admiraba.

Pero ahora, liberada del penoso deber de fingir, podía moverme a mi antojo entre las cuatro paredes de la nueva cocina. Los comienzos fueron tímidos, como todos los de aquel que se entrega a una afición largos años postergada. Con el tiempo, sin embargo, mis buenas manos para el disfraz o para el aprovechamiento de cualquier resto me valieron el esperado reconocimiento. Conseguí una colaboración semanal en una revista especializada y un consultorio diario en una de las principales emisoras de la ciudad. Las cartas me llovieron desde los primeros días y me resultaba muy agradable constatar que la mayoría de mis corresponsales me creía una viejecilla sabia, de cabellos canos y rostro bondadoso. Un amigo editor me ofreció la posibilidad de publicar un libro. Acepté. Mis recetas corrían de boca en boca y, aunque nunca merecí la atención de los gastrónomos oficiales, no se me ocultaba que ellos sabían de mí y que me odiaban con todas sus fuerzas.

Sus desplantes o su silencio no me afectaron lo más mínimo, y si, en el prólogo que por aquel entonces empecé a escribir, incluí una avalancha de fechas y datos históricos, no fue para ganarme su respeto, sino como un homenaje póstumo a aquella mujer que intentó encaminar mi vida por otros derroteros. Tampoco me preocupé en rebatir sus teorías a la hora de redactar las primeras páginas. Hice un llamamiento desde la emisora a todo oyente que tuviera algo que mostrarme. Y esperé pacientemente, siempre ocupada junto a mis fogones, a que sus aportaciones fueran abarrotando el buzón o invadiendo la cocina.

Recibí tartas caseras, recetas olvidadas, figurillas de mazapán, confituras, compotas... Mi editor seguía de cerca mi trabajo y me propuso emprender juntos un pequeño recorrido por el Bajo Rhin donde, según le constaba, existían recetas milenarias que podríamos incorporar al libro. Era evidente que su afán no procedía tanto de las investigaciones en las que me hallaba sumida, como de un mal disimulado interés hacia mi persona. Por esta razón, probablemente, me mostré de acuerdo. Partiríamos dentro de unos días, el tiempo justo para que yo acabara de analizar las colaboraciones de lectores y oyentes. Ardía en deseos de viajar e, incapaz de concentrarme, hice una selección apresurada del montón de paquetes y cartas que aguardaban su turno sobre la mesa de la cocina, el sofá de la antesala o las estanterías del comedor.

La mayor parte eran conservas caseras cuyo único mérito residía en la calidad de la fruta empleada y en el cuidado puesto en su elaboración. Fiada de mi instinto, fui eliminando las que me parecieron más vulgares. El tiempo se me echaba encima y sospecho no haber sido demasiado rigurosa en mi trabajo. Sólo así puedo explicarme que, a punto de darlo por concluido, reparase por primera vez en una vasijilla mohosa provista de una inscripción apenas legible.

La destapé con dificultad. De su interior surgió un denso aroma a fruta silvestre, el perfume inconfundible de una conserva antigua. Me serví un par de cucharadas. Aquella mermelada de fresa no se parecía a ninguna otra. Seguí degustando. Era la mermelada con más gusto a fresa que había probado en mi vida; era, con toda seguridad, *mermelada de fresa...* Sin embargo, me hubiese atrevido a jurar, sin ningún titubeo, que en su elaboración no había intervenido fresa alguna. Paladeé una cucharada más. Tampoco azúcar. Volqué el resto del contenido en un plato y estudié el recipiente. El proceso de conservación difería de los habituales. Tal vez se tratara del tiempo, de una fermentación inesperada, de alguna mutación... La caja de cartón en la que había llegado no contenía información ni remitente, y las letras que ilustraban el tarro apenas se destacaban del color del barro cocido.

Intenté proceder con orden. Las primeras letras debieron de formar, en otro tiempo, la palabra «Mermelada»; seguía luego un espacio en blanco (un probable «de», borrado con los años) y, por fin, unas desdibujadas mayúsculas trazadas en una caligrafía demasiado arcaica para resultarme identificables. La ayuda de una lupa no hizo más que confundirme. Probé entonces la operación inversa. Alejé el tarro de mis ojos y parpadeé a propósito, como si conociera de antemano lo que pretendía descifrar. No prestaba atención a las letras, sino al conjunto, a su forma, al significado que pudiera encerrar aquella sucesión de signos. Y, de pronto –al quinto, al sexto parpadeo quizá–, las mayúsculas adquirieron un relieve sorprendente. Me pareció como si una sombra envolviera los objetos de la cocina o como si toda la luz brotara de aquella palabra. Leí: «BRUMAL». Y al instante me sentí muy pequeña, y también muy alta, inmensamente feliz y desesperadamente desgraciada, mientras la habitación se poblaba de niñas vociferantes y burlonas, enfundadas en delantales de rayadillo, adornadas con lazos de colores, dispuestas a reír hasta la saciedad ante aquel nombre que, por desconocido, les provocaba, en su ignorancia, tantas carcajadas y tanto desprecio.

Pero ¿qué sabía yo de Brumal? *«Huimos de la miseria, hija...»* Y mis recuerdos, arrinconados en la esquina más oscura de la memoria, se resistían a amanecer bruscamente de su letargo, a liberarse de la pesada losa con que una mano infantil les condenó al silencio, a comparecer ante una presencia que tantas veces les había rechazado. Degusté otra cucharadita de mermelada de fresa, y ellos se agitaron por un instante en su escondite. Muy levemente, lo suficiente para convencerme de que seguían ahí, como los despojos de una cinta insonora, secuencias deslavazadas de una película pendiente de montaje, material desechado por un autor avergonzado de su primera obra. No tenía más que pronunciar BRUMAL, una, dos, media docena de veces, para que asomaran por entre las tinieblas y yo intentara aprehenderlos, fijarlos, devolver a los grises su color original, rellenar los constantes espacios en blanco. Demasiados, quizás. O, tal vez, demasiado tarde. Ellos, astutos y escurridizos, no se mostraban dispuestos a permanecer un instante más de lo acostumbrado. Pero yo iba a presentarles una lucha sin cuartel. Relamía la cucharilla y la vergüenza se trocaba en interés, el deseo de olvido en necesidad de memoria. La aldea de mis orígenes dejaba de erigirse en palabra prohibida. ¿Cómo era Brumal? Tuve que contentarme con imágenes ya conocidas: un lugar inhóspito, umbrío, de tierras castigadas y estériles. ¿Era eso motivo suficiente para abochornarme, o fueron las sonrisitas de mis ignorantes condiscípulas las que trastocaron mi infantil escala de valores? Ahora era yo quien sonreía, embriagada por el olor de fresa, sintiendo los labios almibarados y pegajosos.

Vivíamos a escasos kilómetros del mar, tal vez a una veintena, pero en la aldea apenas si sabíamos del resplandor del sol o de la brisa que empujaba las barcas de los pescadores. Los niños del pueblo nos acostumbrábamos desde los primeros días a vivir en el frío y en las sombras. Y, como nada conocíamos, nada podíamos desear. Una vez al año, sin embargo, todo Brumal se desplazaba en comitiva. Adornábamos media docena de tartanas, y la comunidad engalanada se encaminaba hacia el pueblo de mar más cercano, aquel al que, según los registros, pertenecíamos. Cenábamos, cantábamos, dormíamos en la playa y, al día siguiente, regresábamos a la aldea. Así habían hecho nuestros abuelos, así hacíamos nosotros y así, con seguridad, harían nuestros hijos. Pero aquellos peregrinajes anuales me dejaban siempre un amargo sabor de boca. Las gentes del mar nos miraban con recelo, los niños de piel tostada nos escudriñaban sin recato y, en las noches de playa, no contábamos con la compañía de un solo lugareño ni de una barcaza rezagada. Nuestras cuentas, no obstante, estaban al día. Mi padre, el único hombre de Brumal que había convivido con ellos, se vestía de fiesta en el día señalado y llenaba de billetes los bolsillos de su chaleco. Visitaba los comercios, encargaba harina de trigo, compraba conservas de pescado y pagaba espléndidamente cualquier servicio. Su actitud era admirada y adulada, mientras mi madre, arrebujada en un mantón de lana negra, murmuraba frases de desdén para cada conocido que se adivinaba tras las celosías de las ventanas. «El oro todo lo compra», decía. Y luego nos miraba a todos, a su marido, a su hija, a sus paisanos, con sus tristes y enigmáticos ojos verdes.

Madre era natural de la playa, pero siempre se negó a visitar a sus familiares o a mirar la casita de persianas azules en la que había nacido. Tenía aún una hermana o un hermano en el pueblo. Mi padre preguntaba por ellos en el almacén y enviaba saludos; mi madre, año tras año, fingía sorprenderse con desganada ironía de que no hubieran hallado un momento para acudir a recibirla. Pero Madre no sólo detestaba a sus propias cucarachas.

Me había terminado la mermelada: el sabor que tantas veces degustara de niña, el delicioso aroma a fruta silvestre, el mismo color con el que teñíamos las rebanadas de pan antes de encaminarnos al colegio. Aunque ¿íbamos a la escuela en Brumal? No podía recordarlo. Abandonamos la aldea cuando yo contaba siete años, recorrimos algunos pueblos y nos instalamos, por fin, en una ciudad a cientos de kilómetros de nuestro lugar de origen. Casi enseguida nacieron mis hermanos, unos gemelos abúlicos que no supieron despertar mi interés ni conseguir mi afecto. Mi padre falleció al poco tiempo y Madre, encerrada en su habitual mutismo, no contribuyó en nada a resucitar mis recuerdos.

«Iré a Brumal», me dije.

Y, mientras recogía algunos cacharros y cerraba ventanas, reviví a tía Rebeca, la anciana tía Rebeca, encerrada perennemente en su altillo, entregada a la elaboración de deliciosas confituras, aquejada de un fuerte reumatismo que le impedía desplazarse. Y su muerte. La casa llena de sacerdotes y de incienso, de rezos y plegarias; los lloros de mi padre y la decisión irrevocable de Madre de abandonar Brumal. «Ahora mismo», decidí. Y, al cerrar la puerta, recordé cómo, pocos días después, reunimos nuestros enseres en un par de baúles, una tartana nos acercó a la carretera y esperamos allí, durante horas, la llegada de un coche de línea. Las palabras de siempre *–«Huimos de la miseria, hija...»–* y una extraña alegría asomando a sus ojos. Madre parecía muy contenta aquella mañana, y, en su excitación, se había vestido al revés, exhibiendo costuras, dobladillos, forros, pespuntes. Un espectáculo *miserable* para los biempensantes usuarios del autocar, agrupados en los últimos asientos, observándonos como a leprosos o apestados, temerosos de la contaminación que presagiaba nuestra presencia. Y Madre, altiva y orgullosa, simulando no haber reparado en su error, hasta bien entrada la noche, cuando llegamos a nuestro primer destino, cuando descargamos baúles y atados. Madre, entonces, restando importancia a lo que hacía, le dio la vuelta al abrigo, introdujo los brazos en las mangas, se ciñó el cinturón y, con exagerada lentitud, sacudió el polvo de las solapas. Ahora, al recordarlo, no podía dejar de sonreír.

Bajé apresurada del tren y miré algo inquieta a mi alrededor. Nada en el rostro de las gentes me sugirió al carácter hosco y desconfiado que creía recordar. Tampoco los niños de piel tostada me parecieron entonces temibles e indeseables. La tarde era soleada y una inesperada alegría me encaminó al muelle donde faenaban algunos pescadores. No supe dar con la casita de persianas azules que mi memoria situaba cerca del mar, pero me hallaba en el pueblo de mi madre y, extrañamente, me sentía invadida por una sensación de orgullo. Pregunté a un pescador por Brumal. El hombre se encogió de hombros.

En el Ayuntamiento me hablaron de un par de aldeas perdidas en el monte y prácticamente abandonadas por sus habitantes. Ninguna respondía al nombre de Brumal. Entré en el casino. Algunos ancianos jugaban a naipes, otros dormitaban frente al televisor. Me acerqué al grupo que me pareció de mayor edad. La palabra Brumal no suscitó en ninguno de ellos el más mínimo recuerdo. Al salir, un anciano agitó su bastón. «Sí», dijo, «algunos lo conocían por este nombre.» Y, luego, calándose unas gafas y observándome con un punto de desconfianza, añadió: «Antes, le hablo de años, vivían allí unas cuantas familias. Ahora no sé si queda alguien...». Pocos datos pude reunir acerca de mi aldea, aunque sí los suficientes para saber cómo llegar hasta allí. Di las gracias a mi informador y le tendí la mano. Pero ya el anciano se había vuelto hacia el televisor y limpiaba con un pañuelo los cristales de las gafas.

Hice noche en un hotel y, al día siguiente, abordé el primer coche de línea que se dirigía al interior. El conductor se detuvo a la altura de una encrucijada y me señaló una vereda llena de pedruscos y socavones. El sol y el buen tiempo habían quedado atrás, pero la visión del campanario de una iglesia lejana me animó a cubrir el resto del camino a pie. «A las siete de la tarde», gritó el conductor, cuando ya había avanzado algunos pasos, «cada día a las siete. Si está en la carretera la recojo.»

Anduve campo a través sin tener que preocuparme de no pisar ningún sembrado. En Brumal las tierras son áridas y la vegetación inexistente. Al cabo de una hora me detuve a pocos metros de la primera casa del pueblo. «Estoy en Brumal», me dije ahogando una creciente emoción. «Al fin en Brumal.»

Dos perros famélicos me salieron al encuentro. Sus ladridos parecían imitar el sonido del viento, los silbidos de la leña húmeda al arder, los bajos sostenidos de un viejo órgano sordo e incompleto. Me hallaba por fin en Brumal y, en aquel momento, empezaba a comprender que ese viaje debería haberlo realizado años atrás, antes de que la aldea hubiera llegado al estado de deterioro que actualmente ofrecía. Casuchas viejas y descuidadas, muchas de ellas mostrando aún las huellas de un incendio remoto, ventanas sin cristales, los restos de una construcción, que bien pudo haber sido una escuela, reducida ahora a un montón de escombros. Un olorcillo acre surgía de las pocas viviendas que parecían habitadas. El humo de algunas chimeneas ensombrecía todavía más la densa bruma permanentemente asentada sobre la aldea. La iglesia, en contraste, me pareció altiva y desmesurada. Ocupaba casi la tercera parte del espacio habitado y, aunque su estado era prácticamente ruinoso, se erguía en medio de aquella inmundicia con una majestuosidad desafiante. Sentí un escalofrío. No me hubiera producido mayor impresión una catedral gótica trasplantada a un estercolero.

Entonces, no sé por qué, me acordé del hombre del casino.

Me hallaba desconcertada. El único banco de la Plaza estaba ocupado por un anciano; me senté a su lado. Ni él parecía dispuesto a saludarme ni yo encontré fórmula alguna para dirigirle la palabra. El anciano encendió un cigarrillo y yo le imité. No sabía aún si lo que deseaba era llorar o ponerme a gritar con todas mis fuerzas. Poseía solamente una certeza: nunca debí regresar a aquel lugar odioso. Un balón de juguete rodó hasta mis pies. Lo alcé y miré en mi entorno, pero ningún niño vino a recogerlo. ¿Qué diablos estaba yo haciendo en Brumal? El viejo carraspeó y yo, en mi interior, le agradecí su silenciosa compañía. Encendí otro cigarrillo. Dos, tres más. Era evidente que no podía pasarme la mañana allí, sentada junto a un anciano sin habla, único ser humano que, hasta entonces, me había ofrecido Brumal. Crucé la Plaza y me dirigí a la iglesia.

La puerta estaba entornada. La empujé. Me costó cierto tiempo acostumbrarme a la oscuridad, a la atmósfera insana que desprendían los viejos muros, al polvo que levantaba a mi paso y que me producía una tos seca y asfixiante. Nadie, con seguridad, había orado allí desde hacía años. A no ser que aquel viejecillo silencioso fuera el único habitante de Brumal. Un cuerpo demasiado frágil para dejar huella alguna sobre los bancos, los reclinatorios, los restos de una alfombra roída por las ratas, los andrajos de damasco que colgaban a ambos lados del pasillo central. El estado calamitoso del retablo sólo era comparable a lo que quedaba de un antiguo púlpito, ahora impracticable, con la mayoría de escalones hundidos y las barandillas resquebrajadas. Sobre el altar mayor había un libro abierto. La débil luz que proyectaba el rosetón no me permitía leer; encendí una cerilla. Soplé sobre las páginas de pergamino pero, en contra de lo que esperaba, ni una sola mota de polvo se levantó en el aire. Aproveché un cabo de vela y lo coloqué a mi derecha, en el lado del Evangelio. Una serie de nombres, provistos de numerosas consonantes y escritos en temblorosas redondillas, oscilaron ante mis ojos. Algunos no me resultaron del todo desconocidos. Busqué el apellido de mi padre. Estaba marcado con tres aspas.

La repentina sensación de creerme observada me obligó a volverme con cautela. La nave me pareció más grande, oscura y destartalada que instantes atrás. Alcancé otro cabo de vela y, conteniendo la respiración, me dirigí hacia la puerta. No habría avanzado más de dos pasos cuando percibí un leve jadeo. Iba a apretar a correr, pero en aquel preciso instante vislumbré una figura alta y oscura sentada en uno de los últimos bancos.

–Buenos días –oí.

No pude responder. La silueta acababa de ponerse en pie y se dirigía hacia mí a grandes zancadas.

–Soy el párroco –dijo.

Suspiré aliviada.

–Me llamo Adriana –musité, pero no creí oportuno mencionar mis apellidos.

Salimos a la Plaza. Ahora, otro viejecillo ocupaba junto al primero el banco de piedra en el que antes me había sentado. No hablaban entre sí ni parecía que nuestra presencia fuera motivo suficiente para alzar la vista. Había oscurecido considerablemente.

–¿Deseaba algo? –preguntó el sacerdote.

Asentí. Ya no me importaban los motivos que me habían conducido a Brumal, pero sentía la imperiosa necesidad de escuchar el sonido de alguna voz. Miré en dirección al reloj de la iglesia. Faltaban algunos minutos para el mediodía.

–Supongo que le sorprenderá que se haya nombrado a un ministro para una parroquia con tan pocos feligreses –continuó–. Cosas burocráticas, ¿sabe usted?... Sin contar con que esta iglesia posee un valor incalculable.

Me pareció que aquel joven se estaba burlando de mí. Le observé con curiosidad. Veintitantos años a lo sumo, pensé.

–... Y que, para un lugar tan dejado de la mano de Dios, se haya designado a una persona como yo, casi sin experiencia.

Seguí sin intervenir. Su sotana presentaba varios desgarrones y numerosos remiendos. Me fijé en el polvo acumulado en el cuello y en los extremos de las mangas.

–Antes, las cosas eran de otra manera. En Brumal hubo mucha vida.

Habíamos avanzado unos pasos en dirección al banco. Ahora eran cuatro los viejos sentados en silencio. Una mujer vestida con un batín floreado asomó por la puerta de una de las casas. Me sonrió.

–... Pocos. Casi todos ancianos. Pero muy buena gente. Muy buena.

Llegamos al otro lado de la Plaza. El sacerdote abrió una cancela y me invitó a pasar.

La suciedad y el desorden de la casa del cura no tenían nada que envidiar al estado lamentable de la iglesia. Las telarañas se habían adueñado de techos y rincones, los muebles yacían amontonados en el centro de lo que parecía la pieza principal y un olorcillo difícil de definir impregnaba cortinas, visillos y las fundas de los sillones en que acabábamos de acomodarnos. Pensé que necesitaba beber algo. Pero ya el cura, adivinando mis deseos, se me había adelantado. Sirvió dos copitas de aguardiente de fresa. Apuré la mía de un sorbo.

–Así que es usted oriunda de la aldea... Muy interesante. Mucho.

Miró a través de la ventana, y yo seguí la dirección de sus ojos. En la Plaza, una docena de hombres conversaba animadamente.

–... Y ha venido hasta aquí para recuperar su pasado, ¿no es cierto?

Me encogí de hombros. El sacerdote simulaba preguntar, pero yo lo sabía ensimismado, indiferente a una respuesta por demás innecesaria. ¿A qué podía haber venido si no? ¿A quién, fuera de los hijos de la aldea, se le podía ocurrir visitar Brumal? Me angustió la soledad de aquel hombre joven, obligado a vivir entre ruinas, y eché una mirada discreta a la desastrada habitación.

–Mi ama de llaves falleció hace unos meses –explicó a modo de excusa.

Me serví un segundo aguardiente y sentí un delicioso calorcillo en el estómago. El párroco se apresuró a rellenarme la copa. El antiguo desconcierto se había convertido en euforia. Creí llegado el momento de agradecerle su hospitalidad y empecé a hablar. Hablé durante largo rato: horas quizá. Hablé de mi padre, recordé a tía Rebeca e intenté recuperar los rostros de las amigas del desaparecido colegio. ¿Dónde estarían ahora? ¿En la Plaza tal vez? ¿En esa creciente algarabía que me hacía, a ratos, interrumpir mis explicaciones? ¿Elaborando mermeladas, confituras, compotas... en esos luminosos altillos de los que surgían hebras de humo azul, violeta, naranja...? Mi cabeza funcionaba a una velocidad de vértigo pero no por ello dejé de apurar las copas que, sin descanso, me seguía sirviendo el sacerdote. El aroma de fresas se había hecho envolvente.

–Ésta es una de las especialidades de Brumal –dijo de pronto.

Su mirada había adquirido un brillo impropio de un sacerdote. No recordaba haberle hablado de mi libro de cocina ni de la tinajilla mohosa que, apenas veinticuatro horas antes, me hiciera tomar la decisión de conocer Brumal. Sentí un pequeño estremecimiento y mi mente se encargó de repetirme que en esas tierras no crecía planta alguna, ni siquiera zarzamora o malahierba por los caminos. Las risas de la Plaza, cada vez más estridentes, me impulsaron a volverme de nuevo. Ahora los ventanucos de los altillos aparecían en sombras, y algunas mujeres se habían unido al bullicioso grupo de la Plaza. Tenía que irme.

–Es pronto todavía –dijo el párroco. Parecía contento y la forma en que se refrotaba las manos indicaba una excitación creciente que empezaba a incomodarme–. No puede marcharse ahora sin ver antes lo que le interesa. Mermelada de *fresa*... –y subrayó la última palabra con una sonrisa.

Iba a enfundarme el abrigo, pero ya el hombre me había tendido un astroso y maloliente mandil negro. Al incorporarme, volví a verle como a un joven inofensivo, un pobre cura de pueblo para quien, con toda seguridad, charlar conmigo constituía el único acontecimiento de interés desde hacía algunos años. Ahora sujetaba con ambas manos el mandil y el brillo burlón había desaparecido de sus ojos.

–Póngaselo. Así no se ensuciará el vestido.

Abrió una puerta chirriante, y yo le seguí con precaución por una angosta y oscura escalera de caracol. El aire se había hecho irrespirable y el alcohol empezaba a castigarme con sus efectos. «Ya hemos llegado», oí. El resplandor de un fósforo iluminó de pronto el interior de un altillo.

Era una estancia espaciosa y, al contrario de todo lo que había contemplado hasta entonces, extremadamente ordenada y limpia. Un infiernillo de alcohol ocupaba una mesa central rodeado de ollas, tarros y marmitas. Las paredes estaban cubiertas de anaqueles. En algunos había libros. En la mayoría, pomos minúsculos, vasijas de barro, tinajillas mohosas sin inscripciones ni leyendas. El sacerdote encendió un quinqué y una luz poderosa como la del día hizo visible hasta el último rincón del altillo. En una esquina vi un incensario y una casulla bordada en oro.

–No está tan ordenado como cabría desear –dijo el cura–. Pero no quiero entretenerla... Husmee. Husmee a gusto.

¿Qué rara emoción me hizo desoír las llamadas del instinto? Sin darme cuenta me encontré entregada a una actividad frenética. Destapé algunas tinajas, las olí, volqué parte de su contenido en una marmita de cobre. Intenté leer algunas inscripciones que, sin orden ni concierto, aparecían sobre algunos de los tarros. Abrí un cuaderno que yacía junto al infiernillo. La letra era temblorosa y el trazo del lápiz se confundía a ratos con las arrugas del macilento papel. «Me llevaría tiempo», pensé, «mucho tiempo.»

El sacerdote me había dejado a solas en la habitación. Me alegré. Observé el montón de objetos que en pocos minutos había reunido sobre la mesa. No sabía por dónde empezar. Me ajusté el mandil y por un momento me pareció oír un lamento, una súplica, aquellos suspiros que acompañaron toda mi infancia... La miseria, recordé, la miseria de la que siempre hablaba Madre. Pero el pomo que sostenía en las manos pedía a gritos ser abierto y el infiernillo que acababa de encender me prometía apasionantes e inesperadas aventuras. «Brumal», dije en alta voz, «Brumal...» Y un eco burlón me devolvió el sonido de mi palabras.

¿O era otra vez el incómodo recuerdo de una maestra irascible en un aciago primer día de clase?... No. No tenía más que acercar el oído al cristal de la ventana para darme cuenta de que yo conocía aquellas voces. Antes de la enfermedad que me postró en el lecho, antes de que aprendiera a situar Brumal sobre un mapa de colores, yo había conocido aquellas voces. Niñas jugando al corro, refrescándose en la fuente, revolcándose en la tierra agrietada de la Plaza, divirtiéndose en formar bolas de barro, pisoteándolas luego con los pies desnudos, llamándome a gritos, caminando al compás de incomprensibles tonadillas... Sí; no tenía más que pegar los ojos al cristal para verlas y oírlas:

Otnas Sen reiv se yo-h
Sotreum sol ed a-íd

Y yo, de pronto, conocía la respuesta. Sin ningún esfuerzo podía replicar:

Sabmut sal neib arre-ic
Ort ned nedeuq es e-uq

No necesitaba implorar *¿raguj siajed em?*, *¿raguj siajed em?...* porque formaba parte de sus juegos. Me estaban esperando y me llamaban: *Anairda... Anairda... Anairda...* «¡Sí!», grité. «¡Estoy aquí!» Y me apoyé en el alféizar de la ventana.

Pero todo había sido una efímera ilusión. La Plaza se hallaba en sombras, y las voces provenían de mí misma, de aquellas imágenes borrosas que reaparecían, de repente, como láminas recién iluminadas. Mis juegos infantiles en Brumal; las cancioncillas de las niñas para las que yo no era Adriana sino *Anairda;* trazos invertidos en el espejo; una olvidada habilidad para juguetear con el sonido de unas palabras de las que ignorábamos aún su posibilidad de escritura. Nuestro lenguaje secreto; un lenguaje al que, con toda probabilidad, habían jugado, cuando niños, nuestros padres y abuelos, y los abuelos de nuestros abuelos.

Me sentía embargada por una tierna emoción. Alcancé un libro de las estanterías y lo abrí sobre mis rodillas. El corazón me palpitaba con fuerza. El altillo se había convertido en un arcón de recuerdos, el desván en el que se amontonan objetos entrañables y obsoletos, el álbum de fotos amarillentas decidido a enfrentarme a un pasado deseado y desconocido. Pero en el libro no hallé sones infantiles, ni canciones de rueda, ni me bastó, para captar el sentido, invertir el orden de los párrafos o leer, como en nuestros juegos, de derecha a izquierda. Aquellas palabras no pertenecían a ningún idioma conocido. Y, sin embargo, resultaban sonoras, poderosas... No me atreví a pronunciarlas en voz alta.

Había sido hermoso, muy hermoso... Pero ahora debía marcharme. Desandar el camino hasta la carretera, aguardar el coche de línea, dejarme conducir dócilmente hasta la playa y esperar un tren. A cientos de kilómetros estaba mi vida. Aquí, tan sólo el eco nostálgico de viejos juegos de una pequeña *Anairda* convertida para siempre en Adriana.

Empecé a descender con lentitud los ondulantes peldaños. Notaba los pies cansados, la cabeza embotada. Durante unos segundos los ojos se me nublaron y tuve que asirme de la barandilla. Después me restregué las manos sudorosas en el mandil negro. Me acordé de tía Rebeca. De todas las tías de mis amigas de la aldea.

Alguien, entonces, golpeó la puerta de la calle, y yo, sintiendo sobre mí una infinidad de años, me agazapé dentro del hueco de la escalera. Desde allí pude escuchar las palabras del sacerdote.

–Todo en orden –dijo–. La nueva ama de llaves ha llegado esta mañana.

Conté dos, tres, cuatro... hasta siete vueltas de llave. Oí un chirrido arrastrado y agudo, y comprendí que alguien estaba asegurando el cerrojo con una cadena de refuerzo.

No puedo establecer con exactitud si el ventanuco del altillo comunicaba con algún tejado de fácil acceso, si me lancé enloquecida sobre la tierra agrietada de la Plaza, o si, finalmente, los habitantes de la aldea me dejaron huir. Sé que, con todas mis fuerzas, invoqué la memoria de mi madre, que mi mente despertó súbitamente de una terrible pesadilla, y que me puse a correr por un camino oscuro en una de las noches más frías de mi memoria. Los desgarrones, arañazos y hematomas con que desperté, días después, en la silenciosa habitación de un hospital, pregonaban a gritos las dificultades de mi huida. Apenas podía articular palabra, y nadie, de entre el sonriente grupo de bata blanca que me había tomado a su cuidado, parecía dispuesto a proporcionarme una explicación aceptable. Permanecí cerca de un mes encerrada en un centro psiquiátrico. Mi cuerpo se había recuperado con sorprendente rapidez, pero la inquietud de mi alma no disminuía. Me habían encontrado de madrugada junto a un camino. Aterida de frío, la nariz sangrante, las palmas de las manos desolladas. Nadie sabía de dónde venía ni adónde pensaba dirigirme, y las escasas frases que logré balbucear fueron tachadas de desvaríos y alucinaciones. Existía una única evidencia. Mi garganta rezumaba aguardiente, y ese simple detalle, a los ojos de aquellos médicos, explicaba sobradamente lo inexplicable.

Mis hermanos acudieron a rescatarme. No me hicieron excesivas preguntas, ni yo me molesté en agradecer su silencio. Sabía que en ellos la falta de curiosidad no significaba discreción, sino la más absoluta carencia de interés. En mis documentos constaba aún el domicilio familiar. Les habían avisado, y ellos, como un contratiempo menor, no habían tenido más remedio que hacerse cargo de una hermana a la que nada les unía. Al salir del hospital, uno de los médicos habló de una fuerte conmoción y de la peligrosidad de ciertos hábitos, tales como beber con desenfreno. Ellos asintieron abochornados.

El camino de regreso se realizó en el más estricto silencio. En un alto, frente a una gasolinera, les sorprendí cuchicheando entre ellos. Sospeché que intercambiaban dudas acerca de mis facultades mentales y, adelantándome a sus posibles decisiones, me fingí adicta al presunto vicio que, con tanta ligereza, se me había diagnosticado. Al llegar a casa intenté tranquilizarlos. «No beberé una gota más en toda la vida», dije. No se mostraron ni aliviados ni entristecidos.

Cuando abrí la puerta de mi piso, sentí un indescriptible bienestar. Todo estaba en el perfecto desorden que precedió a mi marcha. Las cartas de los oyentes revueltas sobre la mesa de la cocina, junto a platos y cacerolas sin lavar, y una lista de prendas para recoger de la tintorería medio anegada en el fregadero. Me acordé de pronto del proyectado viaje con mi amigo editor y corrí maquinalmente hasta el buzón. Entre las apremiantes cartas de la emisora y de la revista hallé una nota redactada en términos ásperos que, lejos de incomodarme, devolvió a mi rostro la sonrisa perdida hacía ya tantos días. Su tono, como de costumbre, no era profesional, y en su enfado por mi descortés deserción flotaba el deje inconfundible del enamorado despechado. «Si tenías otros proyectos», releí, «podías haberte tomado la molestia de avisarme.» Descolgué el auricular y marqué un número con cierto temor. Habían transcurrido ya algunas semanas desde la fecha prevista para emprender el viaje pero, tal como deseaba con el corazón, mi amigo había postergado la partida. Inventé una excusa que, como siempre, resultó mucho más creíble que la auténtica relación de los últimos acontecimientos y me confesé dispuesta a viajar al cabo de diez, a lo más quince días. Después llamé a la revista y a la emisora, me declaré enferma y les rogué que no me molestaran hasta dentro de unos meses. Al día siguiente, empecé mi trabajo.

A primeras horas de la mañana me dirigí al Obispado. Tal como presentía, ni el nombre de Brumal, ni cualquier otro que respondiera a su situación geográfica, figuraban en la relación de parroquias de ninguna diócesis. Regresé a casa y me puse a rellenar cuartillas. Apenas me concedí tiempo para comer o dormir. Una desconocida excitación regía mis actos, una persistente alegría me obligaba a mantenerme en pie. Dormitaba en momentos perdidos, y los sueños, embarullados y oscuros, me remitían sin remedio a aquel lugar inhóspito del que había conseguido huir.

Sin embargo, no me sentía cansada. La necesidad de contrastar los escasos recuerdos con mi reciente experiencia, la urgencia de hallar una explicación lógica a una serie de hechos aparentemente inverosímiles, me llenaban de una fortaleza y un vigor insospechados. Pero... ¿se trataba realmente de hechos *inverosímiles,* de explicaciones *lógicas?* Los días de internamiento me habían aleccionado: no debía hacer partícipe a nadie de mis dudas, intuiciones o pesquisas. Por eso tenía que seguir escribiendo, anotando todo cuanto se me ocurriese, dejando volar la pluma a su placer, silenciando las voces de la razón; esa rémora, censura, obstáculo, que se interponía de continuo entre mi vida y la verdad... Aunque ¿cómo llegar hasta ella? ¿Cómo desandar camino, desprenderme de Adriana y volver, por unos instantes, a sentirme *Anairda?* Tal vez no fuera difícil. Bastaba con descorchar una botella de aguardiente, debilitar ese rincón del cerebro empecinado en escupir frases aprendidas y juiciosas, dejar que las palabras fluyeran libres de cadenas y ataduras. Como ahora... ¿A quién me estaba dirigiendo ahora, cuando, sentada ante la mesa de la cocina, reía con las carcajadas imparables de quien empieza a vislumbrar la luz en la oscuridad más densa?

Desconozco cuánto tiempo me encontré sumida en aquel estado de excitación, en qué consistió mi alimentación durante aquellos días, qué hice aparte de reír y llorar, si dormí realmente o si venció la ensoñación sobre el recuerdo. Sólo sé que una madrugada el timbre del teléfono me devolvió bruscamente a un piso descuidado e irreconocible. El montón de platos y cacerolas aún por lavar hedía. Un grifo goteaba sobre el fregadero rebosante de agua. Descolgué el auricular... Hoy era el día fijado para el viaje, el recorrido por el Bajo Rhin, las recetas milenarias que debíamos incorporar al libro... ¿Cómo podía haberlo olvidado? No, no lo había olvidado. Todo lo contrario, lo sabía, y por ello había trabajado denodadamente en las últimas horas. Pero ahora había concluido con mi trabajo, con la parte más importante de mi trabajo, y nada podría demorar por más tiempo mi partida. ¿Estaría lista dentro de una hora?... Colgué. Me hallaba desnuda, sudorosa, con el cabello enmarañado y los pies descalzos apoyados en la tierra húmeda de una maceta. Instintivamente miré hacia uno de los cuadros que colgaban de la pared: los ojos de mi madre me parecieron más inescrutables que nunca.

Corrí hacia el armario y saqué una maleta. La deseché. Reuní los papeles que había estado emborronando a lo largo de todos esos días y los metí en un sobre. Todavía tenía mucho que escribir. Luego, cuando la escritura no bastase, o mi alma hubiera recobrado la paz, rompería las cuartillas en mil pedazos. Sería, sin duda, un instante maravilloso. Pero ahora no podía entretenerme. Las seis de la mañana. Un terrible cansancio me abatió de golpe. Sentía los músculos agarrotados, la cara desencajada, los movimientos torpes e indecisos. El grifo seguía goteando pero no me preocupé por cerrarlo. Las seis y cuarto. De nuevo me topé con la melancólica mirada de mi madre. Parecía como si intentara retenerme, censurarme, recordarme la larga lista de privaciones y sacrificios: «Madre», supliqué, «¡Madre!».

Pero sus ojos me perseguían a lo largo y ancho de la casa, me taladraban la espalda cuando yo intentaba ignorarlos, me conminaban a permanecer inmóvil sobre las frías baldosas, obediente a lejanas máximas y consejos. Un minuto, dos... El tiempo. Se diría que quería ganar tiempo: su única arma. La miré otra vez, y algo en su abatida expresión terminó con los restos de mi paciencia. «¡Estúpida!», grité. Y reí. Reí con unas carcajadas que parecían surgir de otros tiempos, unas convulsiones que al contacto con el aire se transformaban en silbidos, unos espasmos que me producían un placer inefable y desconocido... ¿Cómo podía darse una mezcla tan grotesca de estulticia y osadía? «Tus artimañas», reí, «tus artimañas han fracasado.»

Y es que nunca entendiste nada, Madre. Confundiste nuestros juegos de niños con algo poderoso e innombrable de lo que pretendías huir. ¿Creías acaso que vistiéndote al revés conjurabas algún peligro? Juegos de niños, Madre. Inocentes e inofensivos juegos de niños. De poco te sirvió eliminar un sutil personaje de las historias de hadas y prodigios que me contabas de pequeña, porque ese personaje maldito estaba en mí, en tu querida y adorada Adriana, arrancada vilmente de su mundo, obligada a compartir tu mediocridad, privada de una de las caras de la vida a la que tenía acceso por derecho propio. La cara más sabrosa, la incomparable. Sin la cual no existiría gente miserable como tú, tus dos insulsos y abúlicos hijos, las cucarachas de tu pueblo natal, la vulgaridad de una apestosa ciudad en la que, entre injusta e ingenua, decidiste sepultarme... Me era fastidiosamente fácil reconstruir tu historia. La boda con mi padre, tu llegada a la aldea, el resquemor ancestral de los tuyos proyectado equivocadamente contra ti. Un odio antiguo y epidérmico, un temor del que ni los más viejos recordaban las causas. Pero tú nunca dejaste de pertenecerles. Por eso te miraba por última vez, venciendo la aversión que me provocaban tus desabridos ojos verdes, y, con un carbón encendido, marcaba sobre tu rostro tres cruces negras. Ahora, por fin, Madre, estabas muerta y enterrada.

El momento era delicioso pero no podía detenerme. Las siete en punto. Dentro de muy poco un hombre llamaría a la puerta, insistiría, esperaría inútilmente a que una imposible Adriana acudiera a recibirle. Porque *Adriana* dejaba de existir aquí, en este preciso instante, mientras una feliz Anairda bajaba presurosa las escaleras, se dirigía a la estación, pronunciaba por última vez el nombre de la odiosa localidad de mar, subía a un tren y, recostada en su butaca, indiferente a los demás viajeros del vagón, se entregaba a dulces sueños recordando que, al mediodía, es ya de noche en Brumal.

La noche de Jezabel

Los hechos, según Arganza, ocurrieron hace unos veinte años en una población del interior de no más de mil almas. Era su primer destino, y mi buen amigo, recién salido de una universidad en la que no había destacado precisamente por su amor al estudio, sentía auténticos accesos de terror cuando, fuera de las horas de consulta, alguien golpeaba la puerta de la casa y voceaba su nombre. En aquellos momentos Arganza palidecía, se ponía a temblar como una hoja, y pronunciaba en voz alta las únicas palabras capaces de devolverle la fe en sí mismo: «Ojalá no sea nada». Luego, un tanto más calmado, bajaba las escaleras y abría la puerta de la calle. Pero se guardaba muy bien de dejar traslucir la segunda parte de su inconfesable deseo: «... O todo lo contrario. Ojalá esté muerto».

La suerte, desde los primeros días, se le mostró propicia. En seis meses de ejercicio tan sólo se vio obligado a atender algunas amigdalitis sin importancia, un ictus apoplético y un par de fracturas que resolvió con éxito. Arganza empezó a cobrar confianza, no tanto en sus conocimientos como en la férrea salud de los hombres del campo, se felicitó por haber escogido un destino tan apacible y dejó, paulatinamente, de emplear sus noches en devorar con avidez revistas de actualización médica y olvidados libros de texto. Una madrugada, sin embargo, volvió a sentir el inconfundible cosquilleo del miedo. Habían golpeado a la puerta con impertinente impaciencia, con una rudeza impropia de un campesino. Desde la ventana distinguió la silueta de un guardia civil iluminada por la luna, y un estremecimiento recorrió su cuerpo.

–¿Es grave? –preguntó.

El civil enarcó las cejas:

–¡Como que está muerto!

Mi amigo respiró hondo.

Avanzaron por la calle principal, cruzaron la Plaza y se detuvieron por fin frente a un cobertizo iluminado. En el interior un hombre yacía en el suelo empapado de sangre. Una de sus manos sostenía sin fuerzas un puñal teñido de rojo. La otra reposaba inerte sobre un papel arrugado en el que Arganza, con sólo inclinarse, pudo leer con claridad: «*Que a nadie se culpe de...*». El resto se hallaba sumergido en el charco púrpura.

Cumpliendo con las inevitables formalidades, el médico rodeó la muñeca del difunto, colocó los dedos bajo la mandíbula, constató la inexistencia de reflejo pupilar y, tal vez para convencerse a sí mismo de la importancia de sus conocimientos, confirmó lo que todos sabían con un tajante: «Está muerto». Después miró a la pareja de civiles, volvió sobre el difunto e, impresionado por la sangrienta inmolación, decidió tomarse un respiro y darse una vuelta por la Plaza.

No habrían pasado más de diez minutos cuando regresó al tétrico cobertizo. Uno de los guardias se hallaba en pie, con la carta arrugada temblando entre sus manos y una mezcla de sorpresa y terror dibujada en el rostro. Pero sobre el charco de sangre no había cadáver alguno.

–¿Y bien? –preguntó Arganza.

El hombre tardó un buen rato en responder.

–Mi compañero está despertando al juez de paz y yo me he ausentado unos minutos. Sólo unos minutos.

Era demasiado absurdo para creerse realmente despierto. El médico se restregó los ojos. Pero ni el civil se desvaneció ni el cadáver hizo acto de presencia.

–¿Qué puede haber ocurrido aquí? –preguntó.

El guardia señalaba ahora en dirección al suelo.

–Son huellas –dijo uno de los dos.

El reguero de sangre conducía al interior de la vivienda, retornaba después al cobertizo y se perdía al fin en la oscuridad de las calles desiertas. Sin atreverse a levantar la vista, siguieron a la luz de una linterna el siniestro camino. A pocos metros se detuvieron. El cadáver estaba allí, junto a la puerta cerrada de un caserón en sombras. Yacía en el suelo, y su aspecto no difería en nada del hombre de quien, poco antes, Arganza constatara su defunción. Con la salvedad de que ahora vestía una americana impecable y el olor de la muerte se confundía con un perfume intenso y dulzón.

El extraño suceso no tuvo, por fortuna, repercusión alguna en la carrera de mi amigo. La pareja de civiles, temerosa de haber incurrido en falta por el breve abandono del cadáver, guardó un silencio tan culpable como ejemplar, Arganza extendió el certificado de defunción en el zaguán del caserón donde había tenido lugar la segunda muerte del suicida, y el asunto se dio por zanjado y concluido cuando el vigoroso finado recibió, al cabo de unos días, modesta sepultura fuera del recinto del camposanto, junto a los restos de un maestro librepensador, un miembro del maquis y un presunto hijo del rector, a quien la memoria colectiva atribuía un ateísmo irreversible y militante.

A esta altura del relato el médico solía detenerse, mirar de soslayo al ocasional auditorio y añadir:

–Estaba muerto. Desde el primer momento vi que estaba muerto. Tan muerto como que yo estoy ahora aquí, entre vosotros.

Luego rellenaba la cazoleta de la pipa del mejor tabaco holandés y aspiraba una bocanada de humo con visible deleite.

–Una bonita historia de amor.

En los pueblos las noticias se propagan a la velocidad del rayo. Nadie, fuera de los amedrentados civiles y del asombrado médico, llegó a conocer la primera parte de la historia. Pero en la segunda existían ya de por sí suficientes datos para ocupar las conversaciones mañaneras del mercado y las tertulias nocturnas del café. El difunto vestía una americana nueva, una prenda costosa sobre la que no había dudado en derramar, con generosidad, chorros de perfume de olor persistente. Como si la localidad se hallase en fiestas o si se dispusiera a asistir a un baile. Pero todo lo que hizo el pobre difunto fue vestirse de esa guisa para morir junto a la puerta de una de las casas principales de la Plaza: precisamente la vivienda del alcalde y su mujer, una agraciada muchacha obligada, por la pobreza, a entregar su juventud a un arrugado sesentón y a quien la Naturaleza no había consolado de su infortunio con el regalo de la esperada descendencia. Algunos aseguraban haber visto desde sus ventanas cómo el joven desesperado, momentos antes de expirar, intentaba aferrarse a la aldaba y pedir auxilio. Otros lo rebatían con energía. Porque no pedía auxilio. Se limitó a pronunciar un nombre de mujer y acariciar, en su caída, el portón que nunca en vida le había sido abierto.

–Una historia de amor –decía Arganza. Y aspiraba de nuevo una bocanada de humo–... O de odio, de venganza. Del odio más aberrante que jamás haya podido albergar corazón alguno.

Porque pronto, entre los vecinos, la figura del suicida enamorado dejó paso a la del amante ofendido. Ahora el cartero creía recordar de súbito un dato importante y esclarecedor. Más de una vez había recogido en el buzón del pueblo correspondencia destinada a una de las casas del propio pueblo. Era extraño. Pero él vivía demasiado atareado para pararse a pensar y, aunque sorprendido, había optado por introducir las cartas en la saca de reparto sin prestar demasiada atención a la dirección ni al remitente. Ciertos pétalos de rosas mustias, esparcidos al azar sobre la tierra que cobijaba al discutido enamorado –y al maestro, al resistente y al hijo del rector–, sirvieron como pretexto para asestar el golpe definitivo sobre la cada vez más debatida pasividad de la alcaldesa. Alguien, con voluntad conciliadora, intentó hacerse oír: ¿por qué no pensar en una ráfaga de viento capaz de transportar, por encima del muro del cementerio, frágiles pétalos de rosa procedentes de cualquiera de las tumbas de los afortunados que habían recibido cristiana sepultura? Pero los ánimos se hallaban demasiado enardecidos para rendirse ante una explicación tan simple, y la imagen de la virtuosa veinteañera, a quien, hasta hacía muy poco, todos compadecían, fue cobrando con irremisible rapidez los rasgos de una bíblica adúltera, de una castiza malcasada, de una perversa devoradora de hombres a los que seducía con los encantos de su cuerpo para abandonarlos tras saciar sus inconfesables apetitos. El día, en fin, en que una vieja, parapetada tras sus gruesas gafas de carey, aseguró haber distinguido, en la noche sin luna, la figura de una mujer envuelta en una capa negra merodeando por las cercanías del camposanto, todos, hasta los más prudentes, identificaron aquella loca fantasía con los remordimientos de la malmaridada, negaron a los vientos la capacidad de manifestarse por ráfagas y, con el plácet del párroco, sufragaron una serie de misas por el alma del desdichado, con la firme convicción de que, en el umbral de la muerte, la fe había retornado a su espíritu afligido consiguiendo pronunciar –aunque sólo fuera con el corazón– el Dulce Nombre de Jesús.

–A la mujer, como todos habréis adivinado ya, no le quedó otra salida que abandonar el pueblo.

Con estas palabras, Arganza solía poner punto final a su relato. Era su historia, posiblemente su única historia, la narración de unos hechos que mi querido amigo se veía compelido a escupir con calculada periodicidad. Pero algunos de los que habíamos tenido ocasión de escucharle unas cuantas veces sabíamos que, en otros tiempos, su historia poseía una pequeña coda que ahora, cada vez con mayor frecuencia, el narrador solía olvidar.

Porque el médico, a su vez, había decidido abandonar el pueblo. Pidió el traslado, aguardó pacientemente la confirmación de destino y quiso la casualidad que, en la fecha escogida para partir, coincidiera en el vagón del tren con la vilipendiada mujer, compendio de maldades y perversiones. Arganza, sin dudarlo un instante, se inclinó cortésmente y le tendió la mano. Pero su acto no obtuvo la lógica y esperada reacción. La mujer le dirigió una mirada rebosante de asombro, entrelazó los dedos, un punto de desdén dilató fugazmente sus pupilas y, volteando la cabeza hacia la ventanilla, prefirió la visión de la comunidad, que tan cruelmente la expulsaba de su seno, a la mano tendida del joven médico que, en aquellos momentos, empezaba a sentir el insufrible rubor del ridículo. Cuando Arganza abandonó el vagón de cola y se instaló a la cabeza del tren, no se paró a pensar que el recelo y el resentimiento se habían señoreado de aquella criatura. De repente, sus recuerdos se habían teñido de rojo: se vio a sí mismo, inclinado sobre el cadáver del suicida, bajo la atenta mirada de los civiles, pronunciando el incuestionable «Está muerto». Y deseó, con todas sus fuerzas, que el tren ganara velocidad y que el pueblo en cuestión no hubiera existido nunca.

–Supongo que servirá –dijo Arganza.

Le sonreí. Su pequeña historia había experimentado, con el tiempo, ciertas y significativas variaciones, de las que la omisión del encuentro final en el tren no era más que una previsible consecuencia. Mi amigo sabía dónde marcar el acento, cómo enfatizar, cuándo debía detenerse, encender la pipa y tomarse un respiro. Y así, la figura de aquel joven, inexperto y asustado médico iba adquiriendo, día a día, mayor juventud, inexperiencia y miedo: el extraño caso del cadáver que se acicala y perfuma más allá de la muerte pasaba a desempeñar un papel secundario; y la desgraciada e indefensa alcaldesa, cuya hermosura se acrecentaba por momentos, terminaba erigiéndose en la víctima-protagonista de odios ancestrales, envidias soterradas y latentes anhelos de pasionales y escandalosos acontecimientos. Arganza había conseguido arrinconar lo inexplicable en favor de un simple, común y cotidiano drama rural.

–Por lo menos –añadió riendo–, para romper el hielo.

La iniciativa de reunirnos aquella noche en casa no había partido de mí, aunque, desde luego, la provocó ingenuamente Arganza. Nos habíamos encontrado en la terraza del Café del Puerto. Mi amigo preguntaba a un anciano pescador por sus achaques reumáticos, yo leía el periódico en la única mesa soleada y, de pronto, una sombra que yo creí un nubarrón me obligó a alzar la vista. Jezabel, mi inseparable compañera de colegio, mi discreta amiga de facultad, se hallaba de pie ante mí sonriéndome con la superioridad que, hacía ya un buen tiempo, me había aconsejado reducirla a la categoría de antigua conocida. Le presenté a Arganza y ella le saludó como si le conociera de toda la vida. Fue entonces cuando el cielo se volvió repentinamente oscuro, un trueno retumbó sobre nuestras cabezas y el primer chaparrón de septiembre anegó por igual vasos, platos, copas y las hojas del periódico tras el que pensaba refugiarme. Al cobijarnos en el interior, creo recordar que el médico dijo algo semejante a: «Se acabó el verano. A partir de ahora sólo nos queda reunirnos en torno a una chimenea y contar historias de duendes y aparecidos». El resto fue demasiado rápido para que yo pudiera reaccionar. Jezabel extrajo una libreta de su bolso, me preguntó por mi dirección, yo se la di con vaguedades, inquirió acerca de la existencia de una chimenea, yo asentí. Pero no me dio tiempo a explicar que estaba condenada; un elemento de decoración inútil en un chalet de alquiler; una casa desprovista de las mínimas comodidades. Cuando abandonamos el café, Jezabel subió a su coche y prometió: «A las nueve en punto. A lo mejor tengo que cargar con mi prima... No te importa, ¿verdad?». Y el rumor del auto me dejó con la obligada réplica en la boca.

–Muy simpática tu amiga... Encantadora.

Miré hacia el mar. Sólo le hubiera faltado añadir *muy interesante* para que mi acopio de paciencia cediera el lugar a una explosión de ira. Pero ahora Arganza encendía su pipa por enésima vez, y yo me preguntaba por el absurdo azar que me había llevado a encontrar a Jezabel en el Café del Puerto... No podía esperar excesivas sorpresas de la noche en la que se me obligaba a participar: la historia de Arganza, la inevitable historia de Arganza, y las insípidas apostillas de Jezabel. Miré de nuevo hacia el mar. Olas embravecidas comiéndole terreno a la playa, haciéndome sentir la fragilidad de mi vivienda, una casa de madera que se ponía a temblar con los vientos, por la que pagaba el triple de lo razonable y a la que, pese a todo, no pensaba renunciar con la llegada del otoño. «El mar», pensé, «por lo menos me queda el mar.»

–A propósito –dijo de pronto Arganza, pero se olvidó de precisar a propósito *de qué*–. ¿Conoces a ese inglés que suele merodear por la playa recogiendo conchitas y clasificando algas?... Me he tomado la libertad de invitarle.

Me encogí de hombros. Jezabel se traía a una prima, Arganza invitaba a un ridículo inglés de cazamariposas y a mí me estaba apeteciendo, cada vez más, olvidarme de la cena, montarme en el coche e instalarme, por una noche, en la fonda del pueblo.

–Lo he hecho por una razón muy simple –dijo con ojillos picarones.

Y, arqueando las cejas, me señaló con la embocadura de la pipa y añadió:

–Se llama Mortimer.

En aquel momento una racha de viento abrió de par en par los ventanales del comedor, una lluvia de arena rellenó la pipa de mi amigo, y yo, sin saber por qué, presentí que la velada iba a resultar mucho menos tediosa de lo que me había temido.

–Con esta especie de manta te encontrarás mejor –dijo Jezabel. Y envolvió al silencioso Mortimer en la capa de mi abuelo.

Los invitados habían llegado en tromba, calados hasta los huesos, con los zapatos perdidos de lodo y los cabellos enmarañados y rebosantes de arena. Durante un buen rato no hice otra cosa que rebuscar en los armarios zapatillas, calcetines, batines y toallas, e intentar, sin demasiada convicción, comprender el arcaico mecanismo de una estufilla eléctrica que formaba parte de los enseres de la casa y no presentaba indicios de haber sido utilizada en bastantes temporadas. Fuera se había desencadenado una auténtica tempestad. Dentro, unos y otros se esforzaban por asegurar ventanas y reforzar puertas.

–Necesitamos otro jersey –dijo Jezabel.

Subí al dormitorio y dejé a Arganza al cuidado de las copas, las ventanas y los temblores de mis huéspedes. Abrí el cajón de la cómoda y no me molestó tanto comprobar que alguien había hurgado ya entre mis ropas, como la rápida constatación de que la prenda elegida fuera precisamente un abrigo de *mohair* adquirido aquella misma mañana. Observé la etiqueta recién arrancada y murmuré: «Maldita Jezabel. No cambiará nunca». Al punto me arrepentí de haber dado rienda suelta a mi fastidio. Porque no estaba sola. Frente al espejo se hallaba una mujer menudita y rechoncha ajustándose un kimono. Parecía tan complacida ante su propia imagen que, al principio, no reparó en mí, o tal vez fingió por cortesía no haber prestado atención a mis palabras.

–¡Oh! –dijo a modo de excusa–. Mi vestido estaba chorreando.

Le sonreí. Ella se apresuró a presentarse.

–Soy Laura –dijo–. Laura –repitió. Y entendí que se hallaba sumamente orgullosa de su nombre–. Sé que has preparado una cena estupenda pero, por desgracia... ¡estoy a régimen!

No conseguí mostrarme sorprendida. Al bajar las escaleras, observé cómo el ampuloso kimono se revelaba incapaz de disimular unas fláccidas redondeces que ella, sin embargo, balanceaba con cierta gracia y con el más absoluto desenfado. La idea del régimen, comprendí enseguida, tenía que ser una imposición de su prima. Y me divirtió imaginar la relación entre la exuberante y espontánea Laura y la refinada y contenida Jezabel.

–Bien –dijo Arganza–. Por orden de edades.

Junto a la chimenea condenada se hallaba en pie mi abrigo de *mohair* envolviendo el cuerpo de un demacrado joven de ojos negros y mirada altiva. Peinaba raya en medio, el cabello empapado producía la ilusión de un uso desenfrenado de gomina, y si no fuera porque, al verme, se acercó hasta mí, me hubiera creído frente a una estatua de cera o una fotografía ampliada y macilenta de cualquiera de mis antepasados.

–Tenía muchas ganas de conocerte –dijo, y pronunció un nombre que no conseguí retener–. Jezabel me ha hablado mucho de ti.

De nuevo Jezabel. Miré a mi alrededor con la secreta esperanza de no tener que toparme con otro rostro desconocido. Laura estaba conversando con Arganza, y Jezabel seguía empeñada en abrigar a Mortimer con la capa del abuelo. Discretamente, me escabullí hacia la cocina. Sabía lo que presagiaba aquel inocente *por orden de edades:* un pueblo de mil almas, un extraño hecho que la razón de Arganza pretendía minimizar, pero, sobre todo, una prueba definitiva para mi debilitado ánimo. Encendí el horno y saqué un par de solomillos de la nevera. Estaban congelados. Me acordé del inexistente hielo que mi amigo pretendía romper con su relato y me reconocí dispuesta a concederle todo el tiempo del mundo. Corté unos tacos de jamón, dispuse varias lonchas de queso sobre una bandeja y, sin ninguna prisa, abrí todas las latas que se me pusieron por delante. Unas risotadas, procedentes del comedor, me enfrentaron de pronto al pantagruélico aperitivo que acababa de preparar. Resultaba extraño. Nunca hasta entonces, que yo recordara, el relato de Arganza había provocado la más mínima hilaridad en su público. Pensé que, seguramente, mi amigo había decidido arrinconar hoy su eterna historia en favor de cualquiera de las anécdotas festivas que jalonaron su prolongada vida de estudiante y me arrepentí de haberme escabullido. Pero, cuando aparecí en el comedor con la bandeja en la mano, el narrador se hallaba en el punto de:

«... O de odio. Del odio más aberrante que jamás haya podido albergarse...».

Y en sus ojos se leía la inconfundible sensación de descanso del pecador que acaba de confesar públicamente sus faltas.

Los miré uno a uno. Más que a una cena de final de verano, me pareció asistir a la agonía de un aburrido baile de máscaras. El joven del abrigo de *mohair* no había abandonado su posición junto a la chimenea; a Mortimer se le notaba incómodo dentro de la capa; Jezabel, semirrecostada en el sofá, escuchaba atentamente a Arganza, y Laura no desperdiciaba ocasión para mirarse de reojo al espejo y acariciar con complacencia mi viejo kimono. Constaté que existía más de un pequeño error en la precipitada elección de vestuario. A Laura le hubiera sentado mucho mejor el abrigo que envolvía al joven demacrado, a éste la capa del abuelo y a Mortimer, tal vez, la prenda japonesa. Pero jamás a Laura. La suavidad de la seda no conseguía oscurecer la primera visión que había tenido de ella hacía menos de media hora. Vestía mi kimono, sí... Pero yo la adiviné enseguida andando por su casa con un batín de fibra guateada y el cabello aguijoneado de pinzas. Jezabel, desde el sofá, acababa de poner la habitual coletilla a la narración de Arganza.

–La gente, en los pueblos, es ruin y mezquina –y luego, mirándome con exagerada sorpresa, añadió–: Me cuesta comprender que hayas decidido pasar el invierno aquí.

No me molesté en responder. Mortimer había logrado zafarse de la capa y recobraba ahora el desangelado aspecto de un aprendiz de explorador perdido en un jardín botánico.

–Voy a contarles algo –dijo.

Pero no logró hilvanar historia alguna.

Regresé de la cocina con la inquietante noticia de que el horno no funcionaba, el agua sabía a salitre y los solomillos se negaban a descongelarse. Arganza, llevándose el índice a los labios, me rogó silencio.

Jezabel se hallaba erguida sobre uno de los almohadones del sofá hablando pausadamente, en un tono tan bajo que no logré comprender palabra de cuanto estaba contando. No había tenido la gentileza de esperarme, pero, en honor a la verdad, no me importó lo más mínimo. Agucé el oído y me enteré de que estaba refiriéndose a su bisabuela. Escuché una pormenorizada relación acerca de ojos color violeta, cabellos azabache, pómulos prominentes y labios delicados y sensuales. Bajé la vista. Las coincidencias entre la desaparecida dama y la presente Jezabel se me antojaron demasiado precisas para achacarlas al azar o a los caprichos de las leyes genéticas. Cuando terminó con su descripción, supe que la totalidad del auditorio se hallaba profundamente convencido de la radiante belleza de la bisabuela, pero, sobre todo, de los fascinantes atributos físicos de su digna descendiente.

Enrojecí. El estupor y cierto nefasto sentimiento –uno tras otro, quizá los dos a un tiempo– me habían dejado paralizada en el suelo. Me apoyé en la repisa de la chimenea. Como en un espejo, el joven ojeroso me prestó su imagen envuelta en mi abrigo de *mohair.* Me senté en una silla.

–... Pero mi bisabuelo, el pintor, amaba por igual a su esposa y a su arte...

Escuché con discreto interés la continuación de la historia. La velada estaba transcurriendo de acuerdo con mis primeras previsiones. Arganza y Jezabel. O Jezabel y Arganza. Me pregunté por mi verdadero papel en aquella cena sin cena en la que los invitados se permitían prescindir olímpicamente de la figura del anfitrión. No llegué a encontrar una respuesta ajustada. Jezabel rememoraba ahora a su bisabuelo, fascinado ante el lienzo, ante la ilusión de vida que, día tras día, lograba plasmar en su retrato, mientras la modelo, su mujer, se consumía posando durante largas horas en un aposento húmedo y sombrío.

–Cuando, al fin, el pintor dio por concluida su obra, entró en un breve estado de trance. «Pero... ¡si es la vida misma!», exclamó. Y luego, pálido aún, se volvió hacia su amada mujer. Y fue entonces cuando se dio cuenta... de que estaba muerta.

Una bonita historia. Edgar Allan Poe la tituló, hace más de cien años, «El retrato oval». Y de pronto Jezabel, introduciendo algunas variaciones que en poco la favorecían, se tomaba la licencia de soltárnosla como propia y añadir, con una fingida e inadmisible modestia:

–No es tan espectacular como un cuento de vampiros o brujos, pero es un hecho real. Mis padres conservan aún el retrato. Es... ¿cómo diría yo?... Impresionante.

Me admiró el aguante y la cortesía de los presentes. Aunque ¿se trataba realmente de paciencia y caballerosidad? Arganza había adquirido una apariencia babosa. Recordaba a un perro faldero, pendiente del menor movimiento de su idolatrada dueña, dispuesto a saltarle sobre las rodillas al primer descuido. De nuevo una impertinente aflicción encendió el color de mis mejillas. Me detuve en Mortimer: se hallaba rellenando hasta el borde un vaso de whisky, y la rojez o prominencia de sus ojos arrojaban ciertos datos de peso acerca de su silenciosa melopea. Me pregunté si la incomodidad que el inglés pretendía ahogar en alcohol procedía de la intolerable apropiación de Jezabel u obedecía a la simple necesidad de cobrar valor para hablar en público. Me incliné por la segunda hipótesis.

¿Qué oscuro y soterrado resentimiento anidaba en el inexpugnable corazón de Jezabel? La observé con precaución, detecté un fugaz brillo de triunfo en sus pupilas y me reafirmé en la sospecha de que la burla iba dirigida exclusivamente contra mí.

Era la primera vez en mucho tiempo que veía a mi antigua amiga de colegio. Nuestro último encuentro había tenido como escenario la bulliciosa planta de un supermercado a pocos minutos de la hora de cierre. De eso haría tal vez un par de años, pero ahora reconocía ese breve fulgor en su mirada y revivía una anécdota a la que, en su momento, no concedí apenas importancia. En aquella ocasión, Jezabel se me había acercado con extemporáneas muestras de alegría.

Habló de lo bien que funcionaban sus asuntos, de lo mucho que se divertía viajando sin cesar, para concluir proporcionándome, con la mayor naturalidad del mundo, una lista de amigos y conocidos entre los que figuraban los nombres más famosos, ilustres o importantes del país. Cuando, por mera cortesía, le llegó el momento de interesarse por mi vida, no pude llegar más allá del obligado «bien» de compromiso. Se despidió, me besó en las mejillas y desapareció, en cuestión de segundos, por uno de los corredores. Sólo después, al pasar por caja y asistir al desfile de una serie de productos inesperados, me di cuenta de que Jezabel, en la precipitada huida, se había confundido de carrito. Pero era ya la hora del cierre. Pagué el importe de mi compra-sorpresa y atribuí a las prisas o al despiste de mi antigua amiga el irritante, molesto, pero excusable error. Sin embargo, recordaba ahora la casi imperceptible expresión de triunfo al despedirse y me asaltaba la duda de si se había tratado, en realidad, de una confusión, o si Jezabel, en uno de sus extraños juegos sólo comprensibles para sí misma, me había obligado con saña a alimentarme durante una semana a su gusto y medida. Tal interpretación, a simple vista, podía parecer absurda. Como también la posibilidad opuesta: la repentina visión de la que fuera mi inseparable compañera de infancia escrutando el contenido de la bolsa de compra, sonriéndose ante mis necesidades o tomando nota de mis preferencias. Pero lo que acababa de ocurrir hacía escasos instantes presentaba cierto parecido con aquel inocente episodio y me obligaba a ponerme en guardia.

–... Y eso es todo –dijo Jezabel.

«El retrato oval» formaba parte de un volumen de cuentos que, con motivo de una fiesta de cumpleaños, le había regalado yo en nuestros tiempos de facultad. Por aquel entonces, Jezabel se había convertido ya, a mis ojos, en una cargante aleación de falsedad y prepotencia, en un cúmulo de frases hechas dispuesto a provocar admiración a cualquier precio. No me hallaba, por tanto, entusiasmada ante la idea de la fiesta. Pero no me sentí con fuerzas de declinar la invitación: le compré el libro y, en la dedicatoria –*«A mi mejor amiga del colegio»*–, pretendí aprisionar nuestra amistad en un espacio delimitado y concreto. Fue, probablemente, mi último regalo. Y ahora Jezabel, haciendo gala de un patente desprecio a la memoria, me lo devolvía burdamente disfrazado en mi propia casa. Pero había algo más. Arganza... ¿Qué conclusiones habría extraído Jezabel de mi relación con el maduro Arganza? ¿Un novio? ¿Un amante? Arganza era mucho más que eso. Mi mejor amigo, la persona con la que me gustaba charlar, pasear, a la que respetaba y quería, y junto a quien me sentía relajada, protegida y feliz. Sin embargo –y ella no podía ignorarlo– después de aquella noche me costaría un considerable esfuerzo arrinconar la expresión de carnero degollado con que el médico, pendiente del menor gesto de Jezabel, había acogido su asombroso relato. Mi antigua amiga *del colegio* se apuntaba un nuevo tanto en su enfermiza colección de rivalidades y triunfos. Recordé el saludo del joven ojeroso y pálido –«Jezabel me ha hablado mucho de ti»– y pensé que, probablemente, era merecedora de lástima.

–Me ha gustado –dijo Laura.

No percibí ironía en su voz. Se había aproximado a la narradora en cuclillas, sin abandonar su posición sobre el taburete, como si se hallara ante un espectáculo de títeres y quisiera hacerse con un lugar privilegiado en las primeras filas. El kimono acababa de abrírsele y dejaba al descubierto un par de muslos orondos y sonrosados. Me pareció que el joven de cera y Jezabel intercambiaban una breve mirada de repulsa. No pude evitar sonreír para mis adentros. Las rollizas piernas de Laura se convertían en el más firme atentado contra la elegancia y la exquisitez de la presunta bisabuela... ¿Materna? ¿Paterna? Era obvio que la delicada usurpadora se avergonzaba de la presente y viva muestra de su familia, y este pequeño detalle me decidió a intentar convertirla en mi cómplice. Iba a proponer a Laura que tomara la palabra. Pero ya Mortimer se había puesto en pie.

–Voy a contarles algo –dijo.

Y se inclinó levemente ante Jezabel, a quien, con toda probabilidad, tomaba por la dueña de la casa.

Arganza me lo había explicado. Mortimer hablaba a la perfección cinco o seis idiomas, unos cuantos dialectos e, incluso, un par de lenguas muertas. No obstante, su envidiable fluidez me sorprendió. Le escuché con atención:

–No sé si saben ustedes que yo nací en el condado de Essex. Pues bien, uno de nuestros condes, Robert de Devereux, favorito de la reina Isabel, fue condenado a muerte por la propia soberana. Sin embargo, no abrigo la intención de hablarles de él.

Se había sentado de nuevo y rebuscaba ahora en un desvencijado zurrón cierto papel de importancia definitiva para el inicio de su parlamento. En pocos instantes la mesa se llenó de erizos, mariposas y caballitos de mar. Laura, con la mano en la boca, ahogó una risita.

–He dicho antes que no voy a hablar del conde de Devereux, y no voy a hacerlo. Me bastará con recordar que, desde aquel sangriento suceso, acaecido en 1601, no existe una sola anciana en Chelmsford que no asegure haber sido visitada, en alguna ocasión, por el espíritu de nuestro noble ajusticiado. Sin embargo, Devereux es simplemente una aparición, acaso la más famosa, de las muchas que tienen a bien presentarse de improviso en los hogares de los plácidos habitantes del Condado. Pero yo no las temo. Por una razón muy sencilla –y aquí se detuvo, consciente de la expectación que habían levantado sus palabras, para añadir con voz muy queda–: Sé reconocerlas a primera vista.

Miré a Arganza con el vehemente deseo de guiñarle un ojo y felicitarle por su adquisición, pero mi amigo se hallaba murmurando algo al oído de Jezabel. Tras una breve pausa, Mortimer prosiguió:

–Una vez, de pequeño, vi a un hombre extremadamente alto, de aspecto taciturno, apoyado en la verja del jardín. Vestía de negro y, aunque yo me hallaba a pocos pasos removiendo la tierra de una maceta, no reparó en mi presencia ni, por tanto, me dirigió pregunta alguna. Al día siguiente, desde la ventana de mi cuarto, le volví a ver. Me pareció muy extraño que no se decidiera a llamar o a abrir la cancela y corrí a contárselo a mi madre. «Es un hombre muy blanco», dije. «Pero no como nosotros.» Ella, sentada en un sillón del gabinete, no levantó los ojos de su labor. «¿Te refieres a que no pertenece a nuestra raza?», preguntó con indiferencia. «No», repuse. «Quiero decir que está pálido, muy pálido, viste de negro y es muy serio. Pero no parece enfadado.» Mi madre, entonces, interrumpió el macramé, guardó la labor en su costurero y murmuró con cierta fatiga: «Debe de ser uno de ellos». Después, sentándome en sus rodillas, me acarició el cabello y, con una voz tranquila y dulce, añadió: «Mortimer, mi pequeño Mortimer, ya va siendo hora de que aprendas a distinguirlos. Así no podrán nada contra ti». Y me besó en la mejilla.

Un respetuoso silencio se había adueñado de la habitación. El inglés desdoblaba ahora el papel que, desde hacía un rato, sostenía en una de sus manos.

–Esta tarde, cuando mi querido doctor ha tenido la amabilidad de invitarme a tan magnífica reunión, he tomado la precaución de anotar algunos datos de importancia. La memoria puede jugarnos malas pasadas, y debo confesar que hace ya muchos años que he dejado de preocuparme por aparecidos, fantasmas o simples visiones. Si me lo permiten, voy a consultar mis notas.

Me fijé en las piernas musculadas y peludas que asomaban por los orillos de sus bermudas e intenté imaginarlo de niño, sentado en las faldas de su madre. El silencio era total, interrumpido tan sólo por las ráfagas de viento azotando los cristales de las ventanas.

–Palidez inquietante –dijo Mortimer–. Una palidez excesiva que no puede provenir de causas naturales y una expresión en la mirada, si me permiten la ocurrencia, de tristeza *infinita*... Suelen mostrar una preferencia excluyente por dos colores, el blanco y el negro, con cierta ventaja a favor de este último. Si la aparición en cuestión es masculina, vestirá seguramente de negro, un traje de buen corte aunque un tanto pasado de moda. Si la aparición es mujer, tenemos muchas probabilidades de encontrarnos frente a un traje vaporoso, un tejido liviano de color blanco, que se agite con el viento y deje entrever, discretamente, los encantos de un cuerpo del que ya no queda constancia. He dicho «muchas probabilidades». Lo habitual es que las aparecidas gusten también del negro, de la oscuridad que acentúa su indescriptible palidez y las hace, a decir de algunos, misteriosamente bellas.

Un rayo, zigzagueando en el cielo, iluminó fugazmente la playa. Mortimer prosiguió impertérrito:

–Esos seres, o mejor, esa apariencia de seres, disponen de escasa y contada energía. Por ello acostumbran a ser parcos en palabras y astutos en la elección de lugares donde manifestarse. Suelen aparecer sentados (un balancín, el sillón más confortable de la biblioteca, por ejemplo), o de pie. Pero en tal supuesto buscarán invariablemente un apoyo. La jamba de la puerta, el alféizar de la ventana, o, muy a menudo, la repisa de la chimenea...

Crucé una mirada con Arganza y a punto estuvimos los dos de volvernos hacia el joven pálido de ojos profundos. Laura, probablemente, había tenido la misma idea. Porque ahora rompía a reír como si fuera a reventar, llevándose las manos al estómago, agitándose sobre el taburete y ahogando, con sus carcajadas, el silbido del viento y el repiqueteo de los cristales. Jezabel se movió inquieta en el sofá.

Ya no abrigaba la menor duda de quién había acogido, al inicio de la velada, el relato de Arganza con tan insólita hilaridad, y no se me ocultaba la molestia que tales expansiones de alegría provocaban en el ánimo de su prima. Volví a recordar el episodio del supermercado, apoyé a Laura con una sonrisa y comprendí, con cierto placer, que a Jezabel se le estaba escapando la noche.

–Hablaba en serio –dijo Mortimer.

Se hallaba en pie, con los ojos chispeantes de cólera y un rictus de inesperada fiereza en los labios. Presentí que iba a desembarazarse del papel que sostenía con una de sus manos y del vaso que se tambaleaba en la otra para rodear el generoso cuello de la feliz y obsesiva riente. Pero no fue más que una huidiza sensación. Mortimer volvió a sentarse, Laura escondió el rostro entre las rodillas y pronto, para tranquilidad de todos, sus carcajadas se convirtieron en un apagado jadeo.

–Hablaba en serio –repitió.

La ira había dejado paso a un enfurruñamiento infantil que no podía menos que mover a compasión o ternura. Creí llegado el momento de tomar las riendas de la situación y pedirle, con toda amabilidad, que continuara transportándonos a Chelmsford, al cálido regazo de su madre o a las veleidades de los hermosos, taciturnos y enlutados visitantes. Como tantas veces a lo largo de la noche, alguien se me adelantó.

–Su relación es interesante y curiosa. Pero obsoleta.

No sé si fue el tono afectado de su voz, la constatación de que había abandonado su posición junto a la chimenea para tomar asiento en el balancín o el simple hecho de que, en aquel preciso instante, la casa se quedara completamente a oscuras, pero cuando pronuncié un innecesario: «Es la tormenta» y el silencio más absoluto acogió mis palabras, sentí un extraño estremecimiento que nada tenía que ver con la tempestad ni con el frío.

A la luz de todas las velas que conseguimos reunir, la estancia recobró, en parte, su aspecto inofensivo. Me avergoncé de haberme dejado impresionar sin motivo, pero, no muy segura aún de la fuerza de mi temple, evité detenerme en las sombras que proyectaban nuestras figuras sobre una de las paredes.

–Sí, querido amigo, fuera de un innegable interés histórico o literario, sus amables consejos, hoy en día, no nos sirven de nada.

Preferí concentrarme en la llama de una de las velas. No me hubiera gustado encontrarme con que los contornos de la mecedora, por cualquier efecto óptico perfectamente explicable, ocuparan un lugar preeminente entre nuestras siluetas reunidas en la pared.

–Insisto: de nada.

Desde el lugar en que me hallaba no podía observar con nitidez la expresión de Arganza. Pero me pareció que se había acercado aún más a Jezabel y que ésta apoyaba una de sus manos, con gesto indolente, en los hombros del abatido Mortimer. El joven de mirada profunda prosiguió:

–No podemos hablar de espíritus, espectros o fantasmas sin incurrir en un siempre desechable anacronismo. Actualmente, el más allá no necesita de apariciones tan fantásticas para manifestarse. Les pondré un ejemplo. Supongo que alguno de entre los que nos encontramos esta noche aquí habrá conocido uno de esos días en que los objetos se niegan a responder al uso para el que fueron creados. La estilográfica que no funciona, los lavabos que se embozan y atascan sin causa aparente, la aspiradora que se resiste a aspirar, o el teléfono que suena sin que nadie responda al otro lado del auricular... Con frecuencia se trata simplemente del reflejo de nuestro propio malestar. Los objetos, mal llamados inanimados y con los que solemos convivir sin atender a su indudable importancia, registran, con silenciosa fidelidad, la menor variación en nuestras emociones. Pero su resistencia, por denominarla de alguna manera, tiene un límite y hay momentos en que, sobrecargados de tensión, no tienen más remedio que rebelarse. Sin embargo, su repentina indocilidad no tiene por qué responder forzosamente a nuestras secretas desazones y angustias. Y eso es, ni más ni menos, lo que creo que está ocurriendo aquí.

El trío formado por Arganza, Jezabel y Mortimer se me apareció como un bloque compacto, un monstruo de tres cabezas que prolongaba su poder en el joven pedante de voz afectada. Busqué la mirada cómplice de Laura: había vuelto a ocultar la cabeza entre las redondeces de sus rodillas. Tal vez se hallaba cansada, pensé. Tal vez intentaba por todos los medios contener su extremada facilidad para desdramatizar las intervenciones de los demás invitados. Me asaltó la incómoda sospecha de que, si decidía retirarme al dormitorio, nadie me echaría en falta.

–Todos los presentes nos sentimos tranquilos y relajados. Es decir, casi todos –y yo me quedé con la duda de si la salvedad hacía referencia al comportamiento de Laura o si el joven poseía la inoportuna habilidad de leer en el pensamiento ajeno–. Nuestro entorno no tiene, por lo tanto, razones suficientes para registrar una sobrecarga emocional que le conduzca a insubordinarse. Pero, de la misma forma que los objetos registran nuestras alteraciones, poseen memoria y conocen, de una forma muy primaria, desde luego, el significado de la palabra «preferencia». Tampoco olvidemos que los avances de nuestra época (la electricidad, las telecomunicaciones...) constituyen un canal idóneo para que fuerzas ocultas e innombrables hagan, a través de él, acto de presencia. En uno u otro supuesto, la evidencia es incuestionable.

El joven se interrumpió unos instantes y, mirando al vacío, añadió con voz grave:

–Esta casa nos está rechazando.

Las sonoras carcajadas de Laura no me produjeron, esta vez, el menor motivo de regocijo. Sabía que no debía ceder a la creciente paranoia que me hacía sentirme como único centro de una burla colectiva e intenté serenarme. Sin embargo, no podía olvidarme del horno súbitamente descompuesto, del inesperado corte de luz, del sorprendente castellano de Mortimer, ni del hecho de que el joven demacrado hubiera acudido a la cena de la mano de Jezabel. Poco podía importarme ya que la desagradable mascarada fuera obra del azar o estuviera sutil y hábilmente preparada. El resultado seguía siendo el mismo. Jezabel, con la invención de la noche, se había permitido humillarme en mi propio refugio, Arganza sucumbía desde el primer momento al despliegue de encantos de Jezabel, y la estatua de cera, cuando por fin rompía su mutismo para demostrarnos que no era más que un ser de carne y hueso, se deleitaba enfrentándome a una casa súbitamente agresiva y hostil. Me dirigí a la ventana y observé cómo la lluvia golpeaba la carrocería de los coches estacionados junto al porche. Deseé que me dejaran sola pero, al tiempo, temí que lo hicieran. Las risas de Laura se me antojaban ahora inoportunas e irritantes. Acaso, pensé, su aparente simpleza no era lo que le movía a prodigar aquellas muestras de gozo con tanta generosidad. Me resistía a aceptarla como partícipe de la broma, pero sí, en cambio –y esta idea iba abriéndose paso con firmeza–, la podía adivinar asustada, tremendamente asustada por algo que yo no hubiera acertado a intuir y que ella, desde el inicio de la noche, hubiese captado con su sensibilidad epidérmica y salvaje. El joven se había levantado y acababa de descolgar el auricular del teléfono.

–¿No lo decía yo? Está averiado.

Se produjo un significativo silencio que nadie se esforzó en romper. Me aferré a una extravagante posibilidad: ¿por qué no pensar que aquel joven presuntuoso no era más que un excelente prestidigitador pendiente, ahora que su demostración había concluido, del fervoroso aplauso de los asistentes? Arganza, a su vez, se había puesto en pie. Pero sus ojos denotaban contrariedad.

–Vaya por Dios –dijo–. Precisamente hoy, mi día de guardia.

Y luego, dirigiéndose a mí, como si recordara de improviso mi presencia, añadió:

–Había dejado tu número por si se declaraba alguna urgencia. Supongo que tendré que irme.

Corrí al teléfono y comprobé con desagrado que el joven no había mentido. Pero no podía consentir que Arganza me dejara a solas con aquellos fantoches. Las risitas de Laura empezaban a enervarme seriamente.

–Está lloviendo –dije.

–También para mis enfermos. ¡Qué le vamos a hacer!

Tenía que encontrar una excusa para acompañarle. Mi mente, por desgracia, se había quedado en blanco.

–En todo caso –intervino Jezabel–, hace ya un buen rato que se nos aguó la fiesta.

Todos miraron a la incansable reidora con patente impaciencia. Les noté fatigados, malhumorados, tensos. También yo sentía los nervios a flor de piel. Estaba preguntándome quién sería el primero en estallar cuando Laura se interrumpió en seco.

–Lo siento –dijo.

Parecía como si, por primera vez a lo largo de la velada, la jovial invitada se hubiera hecho a la idea de la inoportunidad de ciertas expansiones. Se ciñó el cinturón del kimono y, con aire contrito, retocó su peinado frente al espejo.

–Es ya muy tarde.

Nadie, ni siquiera Jezabel, hizo ademán de acompañarla.

–Mañana te devolveré el vestido.

Asentí sin atreverme a mirarla a los ojos. Cuando se internó por el pasillo, alcancé a oír un débil «Buenas noches» y respiré hondo.

Durante unos minutos permanecimos en reconfortante silencio, atentos al fulgor de los relámpagos y al repiqueteo de la pipa de Arganza sobre la mesa. Creí que había llegado la hora de las explicaciones y las excusas y, con la mejor voluntad, me dispuse a aceptarlas. Pero Jezabel no tenía la menor intención de disculparse. Me miró fijamente, suspiró con cansancio y, en un tono difícil de olvidar, espetó:

–¿Hace tiempo que conoces a Laura?

El asombro me había dejado paralizada en el asiento. No puedo recordar cuál fue mi primera reacción ni cómo, en una intervención atropellada y balbuciente, logré enterar a Jezabel del desconcierto en que me acababa de sumir su pregunta. Ella enarcó las cejas en una mezcla de estupor e indignación.

–¿Mi prima? ¿Cómo pudiste pensar que esa terrible mujer era prima mía? Yo creí que se trataba de tu casera, de la mujer de la limpieza... ¡qué sé yo!

La había ofendido en lo más hondo. Pero no sentí el menor amago de placer.

–Mi prima, la prima de quien te hablé, se encuentra en estos momentos en su cama, atiborrada de calmantes y barbitúricos, luchando contra un insoportable dolor de muelas... ¿No te lo dije al llegar?

No. Jezabel no se había tomado la molestia de informarme de tan irrelevantes pormenores, y yo, en justicia, no tenía por qué achacarle culpa alguna. Pero la noche, la configuración particular y errónea de la noche, se revolvía de repente contra mí, escupiéndome ignoradas frustraciones e inconfesados rencores. Comprendí que no era Jezabel sino yo quien, en realidad, merecía compasión y, por un momento, la habitación empezó a girar a una velocidad vertiginosa. Tan sólo por un momento. Pronto me di cuenta de que ninguno de los invitados había tomado la palabra para justificar la presencia de la pertinaz y festiva reidora. Se hallaban cabizbajos, enfrascados en oscuras cábalas que, al principio, me resistí a compartir. Pero el silencio era demasiado plomizo, asfixiante... Ya no podía engañarme por más tiempo. Porque nadie había oído el sonido de la llave contra la cerradura, el batir de la puerta o el rumor de un automóvil.

Como en tantas ocasiones en que uno se siente amenazado por la visita del terror, evité pronunciar en voz alta la causa de nuestra común inquietud y, al amparo de una vela, empecé por el final de cualquier actuación detectivesca. Subí al dormitorio, pero, por más que escudriñé en todos los rincones, no encontré las ropas empapadas a las que Laura había hecho referencia, horas atrás, en aquella misma habitación. Al bajar, nadie se interesó por el éxito de mis pesquisas. Conteniendo la respiración, nos internamos por el pasillo, retiramos el pesado sillón con que, al inicio de la noche, intentamos proteger la puerta de las embestidas de la tempestad, dimos vuelta a la llave y salimos al porche.

Algo, que en un principio creí un pájaro nocturno, acababa de aletear contra los cristales de una ventana. Nos volvimos con cautela. Suspendido de los alambres de un tendedero, se hallaba el liviano kimono de seda meciéndose con el viento. No pronunciamos palabra. Lo descolgué, arrojé las pinzas lejos de mí y, sin preguntarme por la verdadera razón de mi repentina necesidad de actividad, lo doblé con el mayor cuidado.

–Aquí –dijo Mortimer.

Todos miramos hacia el suelo y, a la luz de las velas, pudimos observar una inscripción garabateada sobre las enfangadas baldosas del porche: «GRACIAS POR TAN MAGNÍFICA NOCHE. NUNCA LA OLVIDARÉ». Una racha de viento y arena sepultó, en un abrir y cerrar de ojos, las primeras y últimas palabras. Por unos instantes, en los que el tiempo parecía haberse detenido, sólo quedó NUNCA. El kimono se me cayó de las manos. Una segunda ráfaga distorsionó las letras. Con la tercera, las baldosas del porche recuperaron su aspecto habitual en un día de tormenta: montoncitos de arena y barro, y las huellas recientes de nuestras propias pisadas.

Cuando entramos en la casa el fluido eléctrico se había restablecido y un manjar trepidaba en el interior del horno de la cocina. Nos volvimos a sentar en torno a la mesa. Mortimer temblaba como una hoja y había adquirido el aspecto de un niño asustado. No me costó esfuerzo alguno imaginarlo en el regazo de su madre. Un saludable rubor campesino había teñido de púrpura las lívidas mejillas del joven de mirada profunda. Jezabel, súbitamente demacrada, se apoyó en mi hombro. Me fijé en las sombras oscilantes de la pared y, por un extraño efecto que no me detuve en analizar, me pareció como si mi amiga y yo peináramos trenzas y ambas nos halláramos inclinadas sobre un pupitre en una de las largas y lejanas tardes de estudio.

Con el inesperado timbre del teléfono, una brisa de cotidianeidad refrescó la atmósfera. Arganza descolgó el auricular, invocó la tormenta, se excusó por la imprevisible avería y, con un total dominio de la voz, pronunció una dirección, un apellido y un número. Después recogió sus cosas y explicó:

–Es una urgencia.

Pero a nadie le preocupó lo más mínimo la remota posibilidad de que Arganza estuviera pensando: «Ojalá no sea nada». O todo lo contrario: «Ojalá esté muerto».

Al cabo de unos días me encontré con Mortimer en una de sus habituales correrías por la playa. Llevaba un zurrón repleto de conchitas y erizos y, al verme, me dirigió un saludo entre ceremonioso y distante: «*It's a nice day, isn't it?*». No volví a saber de él... Por un amigo común me enteré de que Arganza había adelantado sus vacaciones y se hallaba en un tranquilo balneario rodeado de lagos y montañas. También yo había decidido abandonar el pueblo. El alquiler de la casa, el precio exigido por cuatro paredes de madera y un desangelado mobiliario, me parecía, de repente, abusivo e inaceptable. Regresé a Barcelona y me alegró comprobar lo a gusto que me encontraba entre el bullicio y las gentes de una ciudad de la que, en un momento de debilidad, había querido huir. Una mañana reconocí el rostro del joven demacrado en una de las instantáneas del periódico. Se llamaba Óscar Pérez, era el oscuro batería de un modesto conjunto conocido como Los Irreductibles y su ocasional salto a la palestra no venía motivado por nada que hiciera alusión a sus posibles dotes musicales. Una orquesta rival, Los Perniciosos, había acogido su última actuación con bengalas y cohetes que a punto estuvieron, dada la angostura del local, de convertir la chanza en catástrofe. Aquella misma tarde, por caprichos del destino, me encontré con Jezabel en el supermercado. Instintivamente me aferré al carrito de la compra. Pero Jezabel me saludó con displicencia, recordó sus múltiples ocupaciones y desapareció por uno de los corredores entre montañas de productos enlatados.

Entonces decidí convencerme de algo de lo que, probablemente, ya todos se hallaban convencidos. Nunca alquilé una casa junto al mar, nunca recibí invitados en una noche de tormenta, ni nunca, en fin, asistí a la lenta desaparición de las cinco letras que configuran la palabra NUNCA.

El ángulo del horror

A M.B. de M.

Helicón

Si la memoria no me engaña y puedo considerarme aún un hombre cuerdo, con la normal capacidad para interpretar los signos del calendario y del reloj, precisaré que fue hace diez días y nueve horas *exactamente* cuando cometí el error.

El error, la torpeza, el desatino, pueden parecer nimios y excusables. Pero no lo son, y de poco me ha servido, en este fin de semana de absoluto retiro, achacar la culpa a otros, a los amigos, al azar, al temible helicón (del que hablaré luego) o a cierta irritante familiaridad que se crea en los bares. Porque el hecho es que conocí a Ángela, Ángela me gustó y, en lugar de invitarla a un lugar cualquiera, un café confortable y anodino, no se me ocurrió nada mejor que llevarla al menos anónimo de los antros: el bar en el que no me hace falta quedar con antelación para encontrarme con mi gente. Sí, digo bien, mi gente. Esa gente que sabe –o por lo menos cree saber– lo suficiente acerca de uno mismo como para, con la mayor naturalidad, hablar más de la cuenta en el momento menos oportuno. Pero, como he dicho antes, les excuso. La culpa es mía, sólo mía y de mi timidez. Quise llevar a Ángela al altillo del Griffith, el bar de encima de un cine en el que me reúno con mi gente, para demostrarle tal vez un par de cosas. Primero, que Aureliana, la encargada del local, me conoce. (¡Qué tontería!, podría pensar más de uno. Pero no, sabiendo de mi timidez, no les parecería ninguna tontería.) Ángela, pensé, esta chica fabulosa con la que me acabo de encontrar, se sentirá como en su casa en el bar del Griffith. Aureliana me conoce, sabe lo que bebo, la cantidad exacta de hielo con el whisky, el medio dedo de agua que unas veces necesito y otras no. Y luego aparecerán los amigos, pensé. Pensé en los amigos en abstracto y pensé también: «Me encantará que Ángela conozca a mis amigos y mis amigos a Ángela, después de un tiempo prudencial, cuando hayamos hablado ya de todo lo hablable y se acerque el momento de proponer otra copa en otro lugar, momento en que suelen asaltarme infinidad de dudas e inseguridades». De modo que llegamos a las once en punto, una hora discreta. Pedí un whisky con hielo y, mientras ella se preguntaba lo que iba a consumir, me propuse interrogarla sobre su vida, sobre su trabajo, sobre cualquier cosa.

–Un batido de plátano –dijo de pronto.

Me disgustó que Ángela no probara el alcohol. Eso ponía las cosas un poco difíciles. Yo diciendo tontería tras tontería, y ella, cada vez más sobria, más nutrida y vitaminada, observándome –observándonos, porque pronto llegarían los amigos– como un juez implacable y justiciero. Me había ocurrido en alguna ocasión y los resultados no podían haber sido más desalentadores. Pensé en aquellos momentos en hacerme con una guía nocturna de granjas y cafeterías, cuando Aureliana se aproximó con un vaso largo de color repulsivo y lo depositó sobre la mesa.

–Está muy cargado –dijo sonriendo.

Ángela no entendió el chiste, tal vez quien no lo entendiera fuese yo o, seguramente, había poco que entender. Pero Aureliana –¿por qué se me habría ocurrido acudir aquella noche al Griffith?– quiso mostrarse encantadora y añadió:

–Me refiero a que he utilizado un plátano doble. Espero que te guste.

A Ángela no le gustó. Aguardó a que Aureliana regresara canturreando a la barra y me miró con una extraña expresión entre divertida y nauseabunda.

–Un plátano gemelo –murmuró–. Ha querido decir *plátanos gemelos...*

Y enseguida, como accionada por un resorte, empezó a enumerar toda suerte de fenómenos, para ella repugnantes, con los que nos mortificaba la Madre Naturaleza. Primero estaba el plátano, aquellos plátanos siameses que Aureliana acababa de dejar sobre la mesa en forma de batido. Y ahora recordaba de pronto una ocasión, de pequeña, en el comedor del colegio... La monja le había servido de la cesta una fruta de esas características y ella se negó a probarla, a tocarla, a mirarla siquiera. En el mercado –porque a menudo, me contó, era ella quien se encargaba de hacer la compra para la familia– no permitía jamás que le vendieran los productos en bolsas precintadas. Todo lo contrario. Ella misma seleccionaba las piezas una a una –aunque en algunos puestos estuviera prohibido tocar el género y más de una vez hubiera sido reprendida por la vendedora–, no fuera que la monstruosidad apareciera luego en su casa en forma de patata, de tomate, de berenjena... Pero había algo peor. Le había ocurrido hacía muy poco y todavía no podía evocarlo sin estremecerse. (Le ofrecí un sorbito de whisky y Ángela lo bebió como una autómata.) Sí, existían algunos productos contra los que no valían precauciones ni cautelas. Porque el otro día, ese día aciago, acababa de adquirir como siempre una docena de huevos. Y luego, ya en la cocina, cuando se disponía a hacerse una tortilla, no tuvo más remedio que comprobar con horror que aquella inofensiva e inocente cáscara contenía en su interior nada menos que dos yemas. Dos. Exactamente iguales. Repulsiva e insospechadamente iguales.

En aquel mismo instante, supongo, hubiera debido reaccionar, dejar el importe de nuestras consumiciones sobre la mesa y llevarme a Ángela lo más lejos posible de Aureliana y del Griffith. Pero no fui lo suficientemente rápido. Oí mi nombre, me volví y reconocí consternado, a través del cristal, los mitones rojos de Violeta Imbert lanzándome un saludo desde el vestíbulo del cine. Demasiado tarde. Ya Violeta Imbert y Toni Pujol subían a toda prisa el tramo de escaleras que les separaba del bar. Me había puesto pálido. Ángela, para mi desgracia, no se daba cuenta de nada. Miraba hacia el vacío y proseguía impertérrita:

–He dicho «exactamente iguales». Pero no es del todo cierto. Mientras las dos yemas convivieron en el interior de la cáscara, es decir, toda su vida, estaban condenadas a contemplarse la una en la otra. Una, en cierta forma, era parte de la otra. Y su fin, el lógico fin para el que nacieron, para el que estaban destinadas, parecía todavía más angustioso: fundirse fatalmente en una tortilla, abandonar sus rasgos primigenios –iguales, idénticos, calcados–, entregarse a un abrazo mortal y reparador, y volver a lo que nunca fueron pero tenían que haber sido. Un Algo Único, Indivisible... O, tal vez, todo lo contrario –aquí Ángela bajó misteriosamente el tono–: reproducir, sobre la sartén, su dualidad congénita e inquietante.

No sé si me encogí de hombros, si asentí con la cabeza o si no hice nada en absoluto. Me sentía nervioso.

–Me refiero –continuó poniendo buen cuidado en medir sus palabras– a que, en lugar de una tortilla, podría haber estado pensando en un huevo frito. Sí, ¿por qué no? Un huevo frito. Y entonces las dos yemas hubieran perecido de la misma forma en la que siempre vivieron. Una al lado de la otra. Aprisionadas ahora por la clara. Dos hermanitas vestidas de organdí...

Mis amigos acababan de sentarse en aquel instante. Hice las presentaciones de rigor un poco alterado. Violeta, Toni, Ángela, Marcos... Marcos soy yo. Recurrí a esa estupidez con toda la intención del mundo. Había observado en algunos tímidos -y también en algunos imbéciles- cierta extraña obsesión por presentarse a sí mismos seguida de una media sonrisa de complicidad. En realidad era como decir: «Somos tan amigos...». O esperar a que los otros añadieran: «Mucho gusto. ¡Quién lo iba a sospechar!». Me daba igual que Violeta o Toni decidieran que me había vuelto idiota; que me hallaba azorado ante la belleza de mi nueva amiga y que intentaba disimular mi torpeza con semejante intervención. Lo único que pretendía era acabar con el amenazante monólogo de Ángela, desviarla cuanto antes del asunto. Y si ellos, los recién llegados, concluían lo que había imaginado antes, mejor que mejor. Violeta se las ingeniaría para dejarnos solos y las cosas no pasarían de ahí. Luego yo me llevaría a Ángela a cualquier discoteca.

-Me parece que interrumpimos -dijo Violeta.

-No, claro que no -intervino Ángela-. Hablábamos de tonterías.

Respiré aliviado. Ángela hurgaba ahora en el interior de su bolso. Supuse que buscaba una polvera, un pintalabios, una agenda... Sacó un recorte de prensa.

-Apareció en el periódico de ayer -dijo- y, no sé por qué, pero... en esta noticia hay algo que me impresiona.

Se caló unas gafas de montura metálica y arrugó la nariz. La encontré mucho más atractiva aún que horas antes, cuando todavía no se me había ocurrido la feliz idea de invitarla al Griffith. Hice un gesto a Aureliana para que me trajera otra copa.

-Veréis -dijo Ángela-, escuchadme. Venía en la sección de sucesos.

Y, acto seguido, me dirigió una mirada, que devolví con una sonrisa, y leyó:

DOS HERMANAS GEMELAS APARECEN MUERTAS EN EL DORMITORIO DE SU CASA

EL SUICIDIO SE PRODUJO HACE SIETE MESES

Los cadáveres de María Asunción y María de las Mercedes Puig Llofriu presentaban el aspecto de dos momias

Dejé exhausto la copa sobre la mesa.

«... Los cadáveres de María Asunción y María de las Mercedes Puig Llofriu presentaban el aspecto de dos momias cuando, en la mañana de ayer, fueron descubiertas por la policía tras forzar las puertas del piso. Hacía siete meses que no se sabía nada de ellas. Impresos y facturas se amontonaban en el buzón y las ventanas exteriores de la vivienda aparecían cerradas desde entonces. Esos extremos, sin embargo, no habían puesto en guardia a los vecinos. Las gemelas, solteras y de unos cincuenta años de edad, no solían relacionarse con nadie, apenas ventilaban la casa, y, en los últimos años, les había sido cortado el suministro de luz y de agua. Todo parece indicar que, incapaces de solventar su penosa situación económica, optaron, a mediados de agosto, por poner fin a sus vidas.»

Bien. Ángela se revelaba un tanto monotemática, era cierto, aunque ese pequeño detalle, en otras circunstancias, tal vez no hubiera dejado de tener su gracia. En otras circunstancias, desde luego. Ahora yo me sentía intranquilo y molesto, deseando con todas mis fuerzas que llegara alguien más, alguien completamente ebrio o alguien con mucho que contar. Un accidente, una película... Que Aureliana, ofendida, recogiera el batido despreciado y, entonces, antes de que se volviera sobre el motivo del rechazo, antes de que regresáramos a las verduras, a las frutas o a las yemas, yo aprovecharía para proponer un cambio, un lugar repleto de gente en el que no pudiésemos hacer otra cosa que beber. Pero Ángela seguía hablando. Acababa de doblar el recorte y se preguntaba en voz alta, con cierta soltura de especialista, por el medio empleado por las gemelas suicidas. ¿Veneno? ¿Corte de venas? ¿Inanición pretendida y constante? En todo caso, lo más probable es que murieran con escasos minutos de diferencia. El término de un ciclo fatal iniciado el mismo día de su nacimiento. La perfecta simetría: dos camas iguales, dos camisones vaporosos y amarillentos... Aunque tampoco resultaba aventurado sospechar que existiera una pequeña, casi imperceptible discrepancia. Porque la vida tenía que haber dejado forzosamente sus huellas en aquellas antiguas muñecas encantadoras, hoy cincuentonas momificadas. Ángela estaba dispuesta a jurar por su honor que no murieron en idéntica posición. Una de ellas –¿María Asunción acaso?–, rígida, perfecta, como en el fondo debió de haber sido siempre. La otra –¿María de las Mercedes?–, un tanto más desmadejada y omisa, como nunca pudo dejar de ser... En aquel momento mi amiga se tomó un respiro. Pero tampoco esta vez fui lo suficientemente rápido. Toni soltó una risita de complicidad.

–Habéis estado hablando de Cosme, claro.

No. No habíamos estado hablando de Cosme, ni veía la razón por la que tenía que haberle hablado a Ángela de Cosme. Pero ahora ya no había remedio.

–Cosme es mi hermano –dije sonriendo–. Mi hermano gemelo.

No recuerdo con demasiada precisión lo que sucedió después. Sé que me dediqué a consumir whisky tras whisky mientras Ángela, presa de una sed insaciable, deglutía refresco tras refresco. Todo lo que había temido estaba empezando a ocurrir. Pero Ángela no me miraba con ojos censores e implacables ni parecía ya demasiado interesada en proseguir con su interminable discurso. Violeta Imbert acababa de tomar el mando de la situación. En realidad, ahora me daba cuenta, debía de haberse sentido un tanto inquieta hasta aquel momento. En guardia, al acecho. Como siempre que se trataba de demostrar a un extraño su posición en el grupo de amigos. Violeta nos conocía a todos desde hacía años. Incluso a Cosme. Por eso ella, sólo ella, se permitía, sin temor a ofenderme, desvelar las rarezas de mi doble, relatar su secreta afición a las noches sin luna o compadecerse, en un fastidioso tono lastimero, de lo terrible que tenía que resultar para mí el hecho de que mi propio hermano hubiera perdido el juicio. No añadió: «en cierta forma es como si una parte de Marcos estuviera enloqueciendo...», pero adiviné enseguida que era eso precisamente lo que estaba pensando Ángela. Yo seguí sonriendo con cara de estúpido, intentando demostrar que me hallaba muy por encima del problema, de *mi* problema, hasta que llegaron otros amigos, cambiamos de tema y de bar, y al fin, olvidado de Cosme y de Ángela, y dominado por los vapores del alcohol, alcancé ese punto de brumas envidiable en el que uno ya no sabe si tiene un hermano o tiene cinco porque, para su felicidad, ni tan siquiera se acuerda demasiado de quién es él.

Al día siguiente desperté en mi cuarto con un tremendo dolor de cabeza y, al tiempo, una deliciosa sensación de placidez. Ángela, acostada a mi lado, me observaba con los ojos entreabiertos.

–¿En qué piensas? –preguntó.

No supe decirle en qué estaba pensando. Lo que hubiera podido ocurrir la noche anterior se me aparecía demasiado confuso, enmarañado y enigmático para atreverme a pronunciar palabra. Intenté atar cabos en silencio. Primero, el batido; después, sus precauciones en el mercado; luego...

–La historia de las dos pobres yemas –dije. Y me detuve en seco. Estaba empezando a recordar.

Ángela se incorporó levemente. Su aspecto era tan fresco y descansado como la noche anterior.

–Si es por eso –dijo–, no debes preocuparte. Terminaron bien.

Iba a abrazarme, pero se detuvo. Sus ojos volvieron a perderse en el vacío.

–Me olvidé de la tortilla, de la sartén... y las eché por el fregadero. Una tras otra. Una por el sumidero de la derecha; la otra por el de la izquierda. En ese punto culminante alcanzaron la felicidad. Venció la diferencia, ¿sabes?... Porque una, la primera, pereció burdamente aplastada contra la rejilla. La otra, en cambio, sinuosa, incitante, se deslizó con envidiable elegancia por la tubería.

Después me miró arrobada y acercó sus labios a los míos. Era obvio que, tras aquel desigual desfile de modelos en el fregadero, Ángela veía en mí la reencarnación de la yema B, la sinuosa maniquí del sumidero de la izquierda. Era obvio también que aquella maravillosa mujer que yacía en mi lecho estaba completamente chiflada.

Pero mi problema, el problema del que había llegado a olvidarme, resurgía de pronto, por obra y gracia de Toni, Violeta y el Griffith –por mi falta de previsión, vaya–, y a mí no me quedaba otra salida que afrontarlo de una vez por todas. Porque nunca he tenido un hermano, menos aún gemelo, ni nadie en la familia que se llame Cosme. La ciudad en la que vivo es grande, lo suficiente como para que los amigos de uno no hayan visto en su vida a los progenitores del otro, a sus tíos, a sus sobrinos, a sus hermanos. Pero también condenadamente pequeña para que a alguien, a menudo una persona comedida y prudente (no tiene nada que ver), se le escape, en el momento más inesperado, la información inoportuna y nefasta. Sin embargo, no desearía cargar las tintas en detrimento de Toni Pujol. Era casi imposible que, aquella noche, en el Griffith, no terminara diciendo lo que dijo. Ángela se lo había puesto en bandeja, es cierto. Y también, por una vez, excuso a Violeta. Porque ella, de todos los amigos, era la única que se permitía alardear de conocer *personalmente* a mi familia. Y entonces, ¿cómo iba a permanecer callada cuando Toni acababa de mencionar a Cosme, yo ratificaba con sonrisa de estúpido su existencia, y Ángela nos miraba a todos, ansiosa y radiante (porque Ángela había dejado de hablar para mirarnos a todos, ansiosa y radiante) con la noticia de las gemelas suicidas doblada aún cuidadosamente junto al batido de plátano? Sí, la excuso. Pero sólo por aquella noche. Porque la temible Violeta estaba, al igual que yo, empantanada hasta el fondo en el origen de la historia: el momento fatídico en el que (de eso hará tres o cuatro años) cometí la solemne estupidez de prestarle mis llaves.

Me explicaré. Cuando un hombre entrega las llaves de su piso a una mujer –la réplica de las llaves de su piso, para ser exactos– lo hace con la intención manifiesta de probar ciertos extremos. Amistad, generosidad, confianza... Pero, también, íntimamente convencido de que esa mujer, como contrapartida a tanta amistad, generosidad y confianza, llamará antes a la puerta, avisará a través del interfono, o se tomará el trabajo, por puro formulismo, de utilizar la cabina de la esquina para anunciar su llegada. Nunca alguien como Violeta Imbert. Jamás una mujer como Violeta Imbert... Las dos únicas veces que le rogué que me aguardara en casa, es más, que todo estaba listo para que así sucediera –mi mejor poema sobre la máquina de escribir, la enternecedora carta de una supuesta admiradora arrugada junto a la papelera, y otras pruebas menores de las cualidades de mi alma–, Violeta se empecinó en esperarme en la tasca de abajo. De poco me sirvió entonces invocar el mal tiempo reinante o la posibilidad de que me demorara. Sólo después, mucho después, cuando ocurrió lo inevitable, comprendería que la actitud de mi amiga no tenía nada de respetuosa o discreta. A Violeta le arrebataba irrumpir en las casas a las horas más peregrinas. Como aquel lunes por la mañana, en el que yo la hacía en la facultad o durmiendo plácidamente en el piso de sus padres, y sin embargo estaba allí, con los zapatos en una de las manos, el manojo de llaves tintineando en la otra, y una expresión de terror tal que me encontré, ante mi asombro, acogiendo su presencia con un aullido. Aquel día empezó la pesadilla.

¿Cómo pude incurrir en la insensatez de confiar en Violeta? ¿Cómo no pensé en introducir mi llave en la parte interior de la cerradura o echar, por lo menos, la cadena de seguridad? Poco importa. Estas y otras tantas preguntas no me las formularía hasta mucho después del terrible día de autos. Porque lo cierto es que por aquellas fechas yo me sentía un hombre relativamente feliz, sin interrogantes, sin dudas, y ciertos pasatiempos, a los que me entregaba muy de vez en cuando, no me parecían otra cosa que el encuentro obligado y saludable con uno mismo, la parcela de privacidad absolutamente necesaria para que *uno* disfrute, por unos momentos, de la insustituible compañía de *sí mismo.*

¿Tenía algo de raro, de inquietante, de espectacular que me gustara deambular desnudo por el piso? ¿Que dejara transcurrir los días sin darme un baño, observara complacido cómo la cerveza discurría por mi pecho o acumulara basuras y basuras durante semanas? Rotundamente no. Aquéllos no eran sino actos ineludibles y preparatorios, condiciones previas para que se produjera lo que yo deseaba. Porque cuando de algunas dependencias de la casa surgían, primero con timidez, como una breve insinuación, después con ánimo avasallador e implacable, ciertos efluvios putrefactos y pestilentes, cuando mi cuerpo empezaba a presentar el aspecto viscoso y el tacto imposible que me proponía, entonces sabía que había llegado el momento, que el ambiente no podía resultarme más favorecedor, y me disponía, sin mayores treguas ni aplazamientos, a regalarme con una sesión única, incompartible, deliciosamente privada. Mi helicón. El helicón al que antes hice referencia, despertado de su apacible letargo en el armario ropero, majestuoso, reluciente, recuerdo de tantas bandas y orquestas callejeras, admiración en todos los tiempos de los niños del mundo. Y ahora mío. El instrumento más gigantesco y fascinante de todos los desfiles obraba en mi poder, desde hacía ya unos años, adquirido a un chamarilero ignorante, aguardando a que me lo enrollara al cuerpo, lo apoyara en mi hombro y, tomando aliento, me decidiera a jugar con esos bajos amenazadores y sombríos a los que, tan sólo en ciertos estados, había logrado arrancarles lo que me proponía: las tonalidades más burdas, más tétricas, más impensables.

Era un extraño placer al que recurría muy rara vez, cuando notaba llegado el momento, que exigía una aplicada preparación y sobre el que, como he dicho, no me formulaba demasiadas preguntas. Pero ahora sé que era muy semejante a descender a los infiernos; que, sin proponérmelo, los gruñidos que brotaban del helicón, mi propio aspecto, las terribles miasmas que surgían del baño, de la cocina, de la ropa hedionda amontonada en cualquier rincón de la casa, operaban como invocaciones a elementales, a íncubos de la más baja estofa, a poderes de la peor categoría. Y ellos, los invocados, obedeciendo mis secretos mandatos, correteaban de aquí para allá, emborrachándome de delirio y de gozo, de vanidad y de soberbia. Todo esto lo supe de golpe. Supe lo que mi arte tenía de vil, rastrero, impresentable y bochornoso. Y comprendí también por qué después de aquellos trances me sentía renacido, puro, el Marcos amable y tímido que conocían los demás. El Marcos que acababa de regresar de las profundidades del abismo... Lo supe de golpe, he dicho. Cuando la palabra *abyección* fue la única que me escupieron aquellos ojos redondeados por el espanto, por la vergüenza, por el asco. Violeta me miraba consternada. Había entrado de puntillas en la habitación, tras abrir la puerta del piso con sumo cuidado, después de seguir por el pasillo la llamada de mi música infernal. Y al observarme, al sentirme observado, desnudo, despeinado y pringoso, al aspirar la atmósfera nauseabunda que señoreaba la casa, comprendí por primera vez que *abyección* era el término exacto, propio e insustituible. Entonces Violeta gritó, y yo, presa del terror frente a mí mismo, me uní como en un espejo a su alarido.

Afortunadamente el terror, la vergüenza ante la vergüenza, no duraron más que algunos segundos. Violeta se apoyó en la jamba de la puerta y me miró con incredulidad. Y yo supe aprovechar aquel instante. Porque no había dicho aún «Marcos...». Y a juzgar por su expresión, ahora que nos encontrábamos cara a cara, en el más absoluto silencio, no iba a decidirse a pronunciar mi nombre sin acompañarlo de una leve entonación de duda, de interrogante, de burla. Aquello me alarmó todavía más. Antes de que Violeta empezara a comprender, antes de que circulara por el Griffith mi particular interpretación de Jekyll-Hyde, antes de desmayarme o caer de bruces implorando piedad, antes, en fin, de perderme para siempre, una voz gutural, gangosa y desconocida acudió en mi ayuda.

–Marcos no está en casa –grité.

Y luego, algo más tranquilo, añadí:

–Soy su hermano. Y tengo todo el derecho del mundo a saber cómo has llegado hasta aquí.

Éste fue mi gran triunfo. El bochorno, la asfixiante vergüenza que me embargaba desde el instante en que me sentí descubierto, acababa de desplazarse hasta la intrusa. Seguía descalza, con los zapatos de tacón en una mano y las llaves tintineando en la otra. Ahora quien estaba en falso era ella, y su delito –su delito mayor– no consistía tanto en haber pasado por alto la existencia de un timbre, sino en sus pies desnudos, deslizantes, en los zapatos delatores que yo miraba fijamente –y ella no podía ocultar ya–, y que se erigían de pronto en la prueba irrefutable de su impudor y osadía. Violeta estaba roja como la grana. En otras circunstancias me hubiera deleitado con la visión. Pero no había tiempo que perder. Avancé unos pasos con resolución; ella retrocedió contrita y balbuceó un ingenuo: «Perdona. Marcos no me había dicho que tenía un hermano». Y asustada ante lo que acababa de insinuar –lo que corroboraba yo con mis ojos desorbitados–, es decir que a nadie, a nadie normal por lo menos, le gustaría hablar de *aquel* hermano, dejó caer las llaves sobre una mesa, desapareció por la puerta y bajó los escalones de dos en dos.

Lo demás apenas si tiene importancia: que me duchara con la rapidez del rayo, vistiera ropa limpia y planchada, me perfumara incluso, tomara un taxi y le prometiera al chófer el doble del importe si se saltaba todos los semáforos; que llegara al Griffith segundos antes de que ella lo hiciera o que Violeta me contara consternada lo que acababa de presenciar y omitiera, eso sí, el pequeño detalle de los pies descalzos. Lo único importante es que aquel triste día entre Violeta y yo nos inventamos a Cosme.

Ahora comprendo, con el saber inútil y tardío que suele conceder la distancia, que lo mejor que podía haber hecho era dejar las cosas como estaban. Después de todo, ¿quién no tiene algo que ocultar por mínimo que sea? ¿Quién no ha sido sorprendido alguna vez hablando solo por la calle, contemplándose embelesado ante el espejo o entregándose a astutas discusiones con interlocutores inexistentes? Sí, pero sé también que ellos, los sorprendidos, en una inverosímil pero comprensible alteración de valores, recurrirían de buen grado a toda serie de actos reprobables para borrar su falta. No estaba pensando en el asesinato (aunque, en verdad, la muerte accidental de Violeta, en aquellos momentos, me hubiera dejado indiferente), pero sí en paliar con un despliegue de locura mayor aquello que, en resumidas cuentas, no interesaba a nadie más que a mí mismo. Lo cierto es que un buen día me vestí de Cosme –es decir, me puse una gabardina polvorienta y arrugada, un calcetín a cuadros, otro a rayas, y un pastizal de alheña en la cabeza–, resolví oler a Cosme –no importaba tanto que los otros lo captaran como que yo lo percibiera– y decidí deambular por la ciudad, en una noche sin luna, tal y como, de existir, hubiera hecho Cosme. Pero, aunque la opacidad de las gafas tras las que me ocultaba me hacía, a ratos, tambalearme como un invidente, no vagué a ciegas por cualquier barrio. Mi itinerario tenía una finalidad, un recorrido preciso y un objeto. Dejarme ver a una hora determinada y frente a un lugar concreto. Y enseguida comprobé que había logrado mi propósito. Porque, pese a la deficiente información que me proporcionaban los ojos, no tardé en percatarme del efecto de mi espectral apariencia tras los cristales del Griffith. Tal como había calculado, ahí estaban todos, agrupados ahora en la ventana de nuestra mesa favorita, inmóviles, atónitos, y, aunque nada podía oír, sí adiviné a Violeta, como la maestra de ceremonias que había sido siempre, reafirmar, con mi paso dubitativo y mi aspecto estrambótico, la última de sus increíbles aventuras siniestras: «¿No os lo dije? Es Cosme. Anda buscando a su hermano. Disimulemos. Cosme es un perturbado peligroso».

Cosme, pues, entró en escena unas cuantas veces. Siempre en lugares puntuales, a horas convenidas. La aptitud fabuladora de Violeta, una cualidad que no había valorado lo suficiente, me ayudó a alcanzar mis objetivos. Pronto me enteré, no sin cierto deleite, de que mi monstruosa réplica no se había contentado con amenazar de palabra a la inocente intrusa. Un amago de estrangulamiento, desgarrones brutales en su delicado traje de seda, y una pasión y un deseo capaces de aterrorizar a la mujer más bregada componían ahora el cuadro de sufrimientos y penalidades por los que había pasado la dulce heroína. Porque si el hermano normal –es decir, Marcos– se sentía, como todos sabían, vigorosamente atraído por los encantos de Violeta, ¿qué no iba a manifestar aquella copia ruin y abyecta, aquel animal desbocado para quien no existía la convención, la moral o el freno a sus instintos? Resultaba gracioso. Violeta se estaba enfangando tanto como yo, y a mí no me quedaba más que dar por zanjado el asunto. Así que interné a Cosme en un sanatorio, condené al helicón al eterno ostracismo en la oscura soledad del armario ropero y me juré a mí mismo que aquellas extrañas sesiones que tanto me alborozaran no volverían a repetirse en la vida. Tampoco, aunque estaba plenamente convencido de lo intachable de mi futura conducta, permitiría en adelante que nadie, ni por asomo, se hiciera con las llaves del piso.

Pero ahora aparecía Ángela. Cuando ya a nadie, ni siquiera en los días de insoportable aburrimiento, se le ocurría interesarse por la salud o las desventuras de Cosme, aparecía Ángela. Y mi nueva amiga, asesorada por la complicidad de Violeta, lograba resucitar un problema que yo creía definitivamente enterrado. Tampoco esta vez, en honor a la verdad, podía culpar íntegramente a la sabuesa de pies descalzos. Ángela, junto a ciertas virtudes innegables, poseía un empecinamiento que todavía no me había atrevido a catalogar. Es cierto que en la tarde que siguió a la noche de nuestro encuentro se cuidó muy bien de mencionar a mi hermano, compadecerse de su suerte o recordar el destino de las odiosas yemas en desigual desfile por el fregadero. Pero su discurso, versara sobre lo que versara –y no me parece casualidad–, se hallaba indefectiblemente plagado de palabras como *binomio, dicotomía, dualidad, reflejo, bisección...* e incluso *fotocopia.* Sabía que, a la larga, su desmedida afición al tema podía convertirse en una pesadilla. Y de nuevo debía adelantarme. Pero en esta ocasión no incurriría en errores pasados ni veía motivo suficiente para cargar el resto de mis días con vergüenzas familiares que nunca tuvieron que existir. «En efecto», podría decirle, «la historia del helicón es cierta. Pero jamás he tenido un hermano.» Y acto seguido, antes de que mis carcajadas la pusieran sobre la pista de la que precisamente la quería desviar, añadiría: «No sabía cómo escarmentar a Violeta, ¿entiendes?». Sí, la adorable Ángela comprendería de inmediato. Una trampa, una estratagema inaudita para liberarme del acoso y de la asiduidad de una chica molesta. Y después reiríamos los dos. Reiríamos como ahora yo reía. Porque, visto con la debida distancia y al calor de las copas con las que en esos momentos me regalaba en una tabernucha del barrio antiguo, la magnífica interpretación de Cosme decía mucho de mi genialidad, de mi autosuficiencia. Y a Ángela, una auténtica teórica en la materia, no le quedaría otra salida que admirarme sin reservas.

Salí del tugurio tan feliz, sumido en estas o parecidas cavilaciones, que posiblemente, sin reparar en lo avanzado de la hora, debí de proferir un grito de júbilo, cantar, bailar o manifestar de algún modo ostentoso mi alegría. No sé lo que pude hacer. De repente un chorro de agua turbia y de olor nauseabundo cayó sobre mi cabeza y, cuando la alcé, sólo acerté a vislumbrar un cabello cano aguijoneado de bigudíes y una tosca pancarta: RESPETEN EL DESCANSO DE LOS VECINOS. En otra ocasión me hubiese puesto furioso. Pero aquella noche las callejas del barrio antiguo me parecieron de una lógica aplastante. El casco viejo –al que sólo acudía para beber y meditar en soledad– me garantizaba, con sus increíbles garrafones, una ebriedad segura. El casco viejo, por mano de los insomnes vecinos, me devolvía la lucidez. Miré con agradecimiento hacia el balcón del tercer piso donde se agazapaba la viejecita de los bigudíes regodeándose en su obra, deseé de todo corazón las buenas noches al vecindario y me sacudí los restos de acelgas, garbanzos y alubias que resbalaban ahora por mi gabardina. Después, con la intención de rematar mi felicidad a la salud de la incauta Violeta, me encaminé hacia un bar, pero mi imagen, reflejada en el cristal de la puerta, me aconsejó desistir del empeño. No traspasaría el umbral de aquel antro ni, muchísimo menos, cambiaría de barrio y me instalaría en el Griffith. Aquella noche concluiría como empezó, a solas conmigo mismo. Anduve eufórico hasta una avenida, pensé complacido en el baño reparador que me esperaba en casa y llamé a un taxi. El chófer se detuvo a medio metro, pero, al verme, arrancó de nuevo. Tampoco su actitud me alteró lo más mínimo. Aguardaría otro menos escrupuloso o emprendería la marcha a pie. No me importaba. Eché a andar canturreando por lo bajo.

–¡Cosme! –oí al rato. Sonreí. Casualidad, coincidencia, el famoso rey de Roma...

–¡Cosme! –oí de nuevo.

Dejé de cantar e, incrédulo, aminoré el paso.

–Cosme –susurró una voz a pocos centímetros de mi oreja.

No tuve más remedio que volverme, parpadear y retroceder unos pasos para convencerme de que lo que estaba viendo no era una alucinación. Ángela se hallaba junto a mí, sudorosa, despeinada, jadeante.

–Tenía muchas ganas de conocerte –dijo sonriendo.

Y enseguida, sin que yo pudiera hacer otra cosa que mirarla como a una aparición sin darme tiempo a desear fundirme en el asfalto, Ángela me rodeó con sus brazos y aprisionó mi boca con la suya. Ignoro cuánto duró aquel singular secuestro en el que no pude pensar, protestar o respirar siquiera. Pero sí recuerdo con precisión el momento liberador en que ella, con un brillo salvaje en las pupilas, apartó su rostro descompuesto y aflojó la presión de sus brazos en mi cuello.

–Nos veremos pronto –dijo como en un susurro–. Te lo prometo.

Y luego, mientras, atónito, me llevaba las manos a los labios sangrantes, ella repitió: «Nos veremos» y, apretando a correr, se perdió en la oscuridad de la noche.

La irritante evidencia de que, una vez más, acababa de meterme en un buen lío no dejó de atormentarme durante las largas horas en las que vanamente intenté conciliar el sueño. Pero, en contra de lo previsible, no amanecí agotado o confundido sino furioso. De todas las hipótesis barajadas en mi noche insomne sólo dos permanecían incólumes con las primeras luces del día. Era una señal, pensé. Sin lugar a dudas era una señal, me repetí. Porque en esta ocasión, por fin, la ira no iba ya contra mí mismo –contra la incapacidad de conocer los oscuros recovecos de las mujeres, contra el hecho, sin duda inquietante, de que un simple accidente fortuito (un caldo de hortalizas, por ejemplo) bastara para convertirme en Cosme a los ojos de los otros...–, sino contra Ángela. Y su incalificable actitud sólo podía interpretarse de acuerdo con dos supuestos. Supuesto uno: Ángela era el ser más morboso que había conocido en mi vida (y algunos rasgos de su carácter abonaban tal apreciación). Supuesto dos: Ángela era una psicóloga ejemplar, completamente obnubilada por su especialidad, por su inminente tesina (*Los gemelos cigóticos*, podría llamarse). Y también, para ser sincero, demasiados datos corroboraban esta sospecha. Tanto en la primera hipótesis –que me asustaba ligeramente, he de confesarlo– como en la segunda –que me reducía al humillante papel de conejillo de Indias–, Ángela, de mujer deseada, pasaba a convertirse en mujer odiada, y a su lado, en cambio, Violeta Imbert adquiría de pronto el aspecto de una pastorcilla atontolinada e ingenua. Tal vez, me decía ahora, el día en que irrumpió con los pies descalzos en mi intimidad tan sólo pretendía darme una inocente sorpresa.

Me estaba liando de nuevo, no es ningún secreto, pero había aprendido ya algo sobre ciertas mujeres para sucumbir a la estupidez, a la piedad o al remordimiento. En aquellos instantes detestaba a Ángela, pero, por primera vez en mucho tiempo, me sabía dueño absoluto e indesbancable de la situación. Esta vez dejaría las cosas tal como estaban, esperaría a que mi *amiga* mostrara primero sus cartas y luego obraría en consecuencia. Estaba empezando a divertirme, cierto, pero sabía también que esa sensación no solía conducirme a nada bueno. Me olvidé del pasado.

Mi agenda, en la que anotaba escrupulosamente cuanto se me ocurría, me confirmó lo que creía recordar. Era miércoles, día de mi cumpleaños, y en letras mayúsculas y de trazo firme venía escrito: «Comer en casa con Ángela». No anulé la cita por teléfono, pero tampoco me molesté en adquirir los ingredientes del almuerzo que detallaba a continuación y con el que posiblemente pretendía deslumbrar a mi invitada. Mi arma iba a ser el silencio. Y la indiferencia. Me envolví relajado entre las sábanas y dormí como un niño hasta las dos en punto. En aquel momento sonó el despertador y yo recordé que debía mantenerme alerta. Enseguida, tal como esperaba, oí el interfono.

–Soy yo –dijo Ángela.

Di paso a mi víctima sin pronunciar palabra, dejé la puerta abierta y me acosté de nuevo.

–Qué mala cara tienes –añadió al entrar.

Y luego, mientras se desprendía de una cazadora de cuero y me miraba indolentemente:

–¿Qué te ha pasado en la boca?

Ninguna de sus intervenciones había aportado hasta ahora el dato preciso para mi inminente ataque. Ni tan siquiera la tercera. Porque tras aquella aparente preocupación por el estado de mis labios podía ocultarse cualquiera de las dos hipótesis antes mencionadas. En el supuesto uno: Ángela no era consciente de la fogosidad de sus arrebatos. En el supuesto dos: *sí* era consciente pero esperaba de mí, de mis palabras, una confirmación a sus expectativas científicas. Que dijera por ejemplo: «No lo sé. Ayer debí de morderme sin darme cuenta». O quizá: «Fue muy extraño. A las tantas de la noche empecé a sangrar. No puedo explicármelo». Y ella consignaría mentalmente: S-I-N-T-O-N-I-Z-A-C-I-Ó-N. La tan traída y llevada sintonización entre los hermanos de nuestras características. A distancia. Una prueba más para su querido trabajo.

–No hay comida –dije simplemente.

Ángela no pareció afectarse por mi rudeza. Se quitó los zapatos y se acurrucó a los pies de la cama. Después me besó en la frente y empezó a ronronear como un gato. No recuerdo la sarta de estupideces con que me obsequiaba entre murmullo y murmullo, pero sí su beso. Un beso insípido, cortés, un beso de muchachita *bien rangée.* Un beso distante años luz de los que reservaba para mi hermano Cosme.

–¿No tenías que contarme algo? –dije repeliendo aquellas zalamerías molestas y ridículas.

Ángela me miró con sorpresa. Luego bajó la cara avergonzada. Yo me refugié en un silencio tenso.

–Te has enterado ya –dijo al rato.

No me molesté siquiera en asentir con un gesto. Ángela se había calzado los zapatos y paseaba inquieta por la habitación. De vez en cuando peinaba con las manos su impecable melena. Por un instante me olvidé de mi propósito y admiré sus andares felinos. Casi enseguida regresé al acecho. Ángela, de un momento a otro, iba a poner las cartas sobre la mesa.

–No pude impedirlo –dijo mientras sacudía su cazadora–. Pero, de todas formas, hubiese preferido que te enteraras por mí misma.

Había un deje de reproche en sus últimas palabras –hacia mí, hacia mi hermano, hacia el mundo–, y yo comprendí que me encontraba frente a una oponente de cierta envergadura. Si la dejaba continuar, si me limitaba a escucharla en silencio, ella no tardaría en crecerse. Sí, fuste, me dije. Temple. Tal vez todo podría reducirse a pura y simple caradura.

–Cometiste un error –añadió ante mi creciente admiración–. Si me hubieras contado que tu hermano ya no estaba en el manicomio...

–Sanatorio –corregí, pero no me paré a pensar por qué, de repente, acudía en defensa de la honorabilidad de Cosme. Estaba furioso.

–Comprendo que te sientas irritado. Tampoco para mí es fácil, entiéndelo. Aunque, si le damos la vuelta... –aquí sonrió tímidamente–, la cosa no deja de tener su gracia, ¿no crees?

No. No compartía su opinión acerca de lo jocoso de aquel imposible triángulo. Pero Ángela seguía sin decantarse hacia la hipótesis uno o hacia la dos. Me armé de paciencia durante un buen rato. «No pude impedirlo», seguía diciendo ella. Y también: «No querría por nada del mundo que algo tan insignificante estropee nuestra relación». Aquella serie de lamentos, aquellos vanos intentos exculpatorios, estaban empezando a marearme. Odiaba a Ángela, su hipocresía, su voz lastimera, a la inefable Violeta, al idiota de Toni Pujol y al tarado de mi hermano Cosme. Tal vez por eso decidí rematar la función con un exabrupto.

–¡Fuera! –grité levantándome de la cama.

Y al punto empecé con mi retahíla de exigencias. Discutiríamos este asunto en el momento y el lugar que yo quisiera: no había comida en la casa y no veía por qué su presencia tenía que prolongarse un segundo más; le concedía la caballerosidad de unas cuantas horas para hilvanar su defensa; acababa de decidir que el encuentro sería aquella misma tarde a las seis. Y así hasta que no supe qué decir. A la altura de la exigencia número quince me sorprendí añadiendo:

–Y, por si no ha quedado claro, apareceré con mi hermano Cosme.

Ángela bajó la cabeza. Yo le anoté la dirección de una cervecería cercana y ella recogió el papel y lo guardó en el bolso.

–Eres aficionado a las fotonovelas –dijo aún al desaparecer por la puerta. Su osadía era encomiable–. Pero bien, si éste es tu deseo...

La despedí con un cabeceo indiferente. Me sentía orgulloso, tremendamente orgulloso de mí mismo.

A las siete en punto, una hora después de lo acordado, me dirigí a la cervecería y me detuve en la puerta. Mi estrategia consistía precisamente en carecer de estrategia, en ceder la iniciativa a aquella mujer derrotada por la espera. Así y todo quise reservarme unos minutos para estudiar el rostro alterado de Ángela, su expresión azorada y recrearme en su creciente nerviosismo. La observé complacido. Su desaforada pasión por la simetría la había conducido a sentarse frente al espejo, junto a dos sillas vacías. ¿Qué podía hacer yo? ¿Ocupar la de la derecha, probablemente reservada a Marcos? ¿O acomodarme en la de la izquierda, con una media sonrisa entre inquietante y compasiva? Cedí el paso a una mujer entrada en carnes, después a su escuálido marido, más tarde a una caterva de niños malcriados y vociferantes, y me dispuse a no demorar ni un segundo más mi triunfante irrupción en el establecimiento. Pero no llegué a hacerlo. De pronto el rostro en el que me recreaba había adquirido un aspecto demasiado alterado, demasiado violento para no empezar a temer por el éxito de mi empresa. Y enseguida, mientras un sudor frío empezaba a deslizarse por mi frente, comprendí consternado que en aquella mesa del rincón, frente a Ángela y a las dos sillas que me aguardaban, no había existido jamás un espejo.

Hice a continuación lo único que mis piernas tambaleantes me permitieron hacer. Retrocedí unos pasos, me apoyé en algo que resultó ser una cabina telefónica y entré. Por fortuna llevaba la agenda en el bolsillo y no me costó, a pesar de mi estado, dar con el número del establecimiento en el que nunca iba a producirse el encuentro. Tampoco me iba a resultar difícil que el atareado camarero identificara al instante a Ángela. Indiqué su nombre, la mesa del rincón y el dato revelador de que se trataba de dos hermanas. No pronuncié la palabra fatal porque ya el camarero me la escupía con inocente desenvoltura. «Ah, las gemelas», oí. Saqué la cabeza fuera de la cabina hasta donde me permitía la longitud del cable. El camarero se había acercado a la mesa del rincón y Ángela acababa de ponerse en pie. Al volverse para cruzar el salón y dirigirse al teléfono, observé sus andares, la perfección de su atuendo, de su peinado, la serenidad de su porte. Hasta que desapareció de mi punto de mira y yo volví a introducirme en la cabina.

–Sabía que no vendrías –dijo–, que no te atreverías. Que todo esto es demasiado ridículo para que lo puedas aceptar. Pero entonces... ¿Por qué propusiste esta cita?

Mi respuesta fue una vez más el silencio. Pero esta vez un silencio obligado. No sabía qué decir. Me limité a carraspear.

–Insisto en que la culpa no fue mía. Te lo quise explicar esta mañana, pero estabas demasiado ofendido.

Y entonces empezó a deshacerse en excusas, a manifestarme su amor, a reprenderme -de nuevo se estaba creciendo- por mi falta de comprensión, por mi cobardía ante unos hechos que, aunque sorprendentes, no dejaban de ser normales, lógicos, previsibles. Después de todo, ¿qué tenía de extraño que ella, Ángela, se avergonzara de su doble, de ese reflejo distorsionado que se veía obligada a soportar a diario, de la posibilidad de que los demás detectaran en la otra lo que no habían podido percibir en ella? ¿No me ocurría a mí lo mismo con mi hermano Cosme? Y también, ¿no le quería yo a pesar de todo? ¿No había sido mi compañero de juegos infantiles, la persona con la que no hace falta hablar para compartir emociones, alegrías, estados de ánimo? Y luego la casualidad, el azar. No pudo hacer nada por evitarlo. Estaban las dos en un bar del casco antiguo contándose sus cosas. Porque, a pesar de vivir juntas, con la familia, solían en más de una ocasión rememorar viejos tiempos y salir solas, como dos amigas, como las hermanas inseparables que habían sido de pequeñas. Y esa noche se le había ocurrido hablarle de mí, de las afinidades que milagrosamente nos unían. Y también se había permitido una tímida referencia a mi hermano Cosme, tan sólo una breve alusión a su existencia, a su desequilibrio, a su internamiento, cuando, de pronto, descubrió a través de los cristales una inquietante y siniestra figura que al instante reconoció. Porque era yo y no era yo. Y entonces, sin poder contenerse, se llevó la mano a los labios y murmuró: «Cosme...». Era tanto su estupor que al principio no reparó en la expresión embelesada con que su hermana se incorporó del asiento y pegó la cabeza a la ventana. Y después, cuando quiso reaccionar, ya Eva había salido corriendo del local. Y más tarde, a su regreso, Eva estaba transportada, feliz como no la había visto en la vida. Eva se había enamorado. Eva...

Eva. Volví a asomarme fuera de la cabina y observé a Eva. Se estaba hurgando la nariz con toda la tranquilidad del mundo.

-Tómatelo como un chiste. No tiene por qué influir en nuestra historia.

Ángela seguía hablando, pero yo no oía más que un lejano murmullo. Me hallaba prácticamente fuera de la cabina, sujetando el auricular con la mano izquierda y observaba de nuevo a Eva. Su parecido tenía algo de indignante, indecente, obsceno. Un parecido cigótico, pensé. Pero ¿me hubiera podido interesar por Eva en el caso de haberla conocido antes que a su hermana? Me fijé en el tirante de color crudo o beige o crema que acababa de deslizarse por uno de sus brazos y decidí que ciertas mujeres, ciertas mujeres como Eva, por ejemplo, no podían permitirse el lujo de escoger su ropa interior a tientas y a ciegas. Ese engañoso color, por lo menos. Cuánto mejor un blanco nítido, un negro sobrio y discreto... ¿Y quién me aseguraba que Ángela, en algún momento, tras un disgusto, una jornada agotadora, una simple gripe, no adquiriría el aspecto de Eva? Ángela me había aleccionado espléndidamente durante todos aquellos días y ya no podía ignorar que Eva, entre otras cosas, era la cara oculta de su hermana.

–¿Estás ahí? –bramaba una voz metálica a través del teléfono.

No, no estaba ahí. El auricular se balanceaba de un lado a otro de la cabina y yo acababa de emprender una loca carrera hasta mi casa.

¿Qué interés puede tener lo que sucediera luego? Que desconectara teléfonos y timbres o desoyera los golpes a la puerta. Que me sumergiera en profundos ejercicios de meditación y fuera visitado en sueños por espantosas imágenes en las que aparecía mi cuerpo demediado, dos hermanas enfebrecidas disputándose el botín, la estupefacción primera y alegría posterior de Violeta Imbert o las imparables carcajadas de Aureliana, tras la barra del Griffith, recordando el histórico batido de plátano. Fue hace diez días y nueve horas *exactamente* cuando cometí el error, eso ya lo he dicho. Pero hace veinticuatro horas escasas decidí enmendarlo. Me permitiría unos días de descanso. En el mar, en el campo, en la montaña. Y me aceptaría tal como soy. Sin tapujos ni simulaciones. Con la verdad por delante.

Alcancé una maleta y me puse a hacer el equipaje. Todo me parecía superfluo, innecesario. Revolví un cajón olvidado, me hice con una llave herrumbrosa y la introduje en la cerradura del armario ropero. ¿Me atrevería? Lo abrí. Helicón, el causante de todos mis desafueros, seguía allí, desterrado desde el día en que cobardemente me asusté ante el mundo, ante los amigos, ante mí mismo. Ahora o nunca, me dije. Terminemos con esta odiosa pesadilla.

Y marqué un número. Un número que conocía de memoria. Un número para el que no necesitaba papeles ni agendas.

–¿Sí? –dijo Ángela al otro lado del auricular.

Parecía triste y abatida. No supe por dónde empezar y, como tantas veces en los últimos tiempos, me refugié en el silencio.

–¿Marcos? –ahora en su voz había un deje de ilusión–. Porque eres Marcos, ¿verdad?

–No –dije con voz firme.

Y pregunté por Eva.

El legado del abuelo

El día en que murió el abuelo, aunque nadie se preocupó de mí ni nadie se molestó en explicarme nada, comprendí enseguida que la vida en poco se parecía a lo que en mi ignorancia había creído hasta entonces. Mi madre lloraba, los tíos paseaban a grandes zancadas por el comedor, las tías suspiraban, y hasta la Nati, refrotándose las manos en el delantal, alzaba los ojos al cielo, decía: «Pobre señor» y *gemía*. El desconsuelo de la Nati fue lo que más me sorprendió al principio. Estaba cansado de oírla rezongar en la cocina cada vez que el abuelo hacía sonar la campanilla de su cuarto o el timbre de la cama, de escucharla gritar: «¿Qué mosca le ha picado ahora a ese tipo?». O llamarlo «tiña», «peste», soltar un «ya vooooy» que hacía estremecer los muros de la casa y acudir con la tisana, la tila o la bolsa de agua caliente, murmurando entre dientes: «Mal rayo te parta» o «Así te pudras de una vez, zoquete». Pero al abuelo no lo partió un rayo ni se pudrió de golpe. Murió de un ataque al corazón a los ochenta años de edad, cosa que, aquel día y en vista del revuelo que se había levantado en la casa, parecía un hecho insólito y extraordinario. «Pobre señor», repetía la Nati. «Tan de repente...» Hasta que uno de mis tíos, cansado de sus lamentos, de su presencia o de su delantal, le espetó en el límite de la paciencia:

–Todas las muertes repentinas ocurren de repente, Nati.

Y luego, a media voz, le agradeció atenciones y desvelos para indicarle a continuación la conveniencia de que, por unas horas, dejara a solas a la familia. «La familia tiene mucho de que hablar», oí.

Porque era la primera vez en mucho tiempo que los veía a todos reunidos. Sin embargo, cuando la Nati desapareció por la puerta, esperé inútilmente a que los tíos o mi madre hablasen de algo más de lo que habían hablado hasta entonces. «Pobre papá», dijo una tía. «No me hago aún a la idea», añadió mi madre. «El hombre más bueno del mundo.» Y yo me preguntaba qué es lo que debía de estar pensando el abuelo, si es que podía pensar aún, echado en la cama con la misma cara iracunda que mostrara en vida, sólo que más afilada, más reducida, más amarillenta. Y luego, después de largos silencios, alguien contó lo que en una ocasión le había relatado el abuelo; otro recordó sus magníficas aventuras en la guerra de África; mi madre, entre lágrimas, se confesó autora de un pequeño error, de una ligereza. Porque tal vez, quién sabe, si a la hora en que se produjo lo inevitable ella hubiera estado allí, junto a él, en lugar de encontrarse en un cine, bien podría haberle acercado las pastillas, las mismas pastillas que ahora sostenía entre las manos y que, en dos ocasiones por lo menos, le habían salvado del infarto. Aunque él, su padre, se lo había repetido hasta la saciedad: «Sal por ahí, hija, diviértete». Y también acariciándole la mejilla: «Bastante haces con tenerme aquí, a tu lado, al lado de mi nieto».

Aquello era de lo más curioso. Todos recordaban frases del abuelo, anécdotas del abuelo, confidencias del abuelo, y el abuelo era el hombre más callado y menos amable del mundo. No hablaba nunca y, si lo hacía, era sólo para exigir, reñir o protestar por algo. Pero ahora, desde que ya no estaba entre nosotros, nada en la casa era como había sido hasta entonces. Me di cuenta enseguida y comprendí que, de las muchas desgracias que podían suceder en vida, la peor de todas era la Muerte.

«En domingo», había dicho mi madre horas atrás, cuando los pasos del médico se escuchaban aún en la escalera. «En domingo.» Y parecía que el hecho de que el abuelo hubiera escogido aquel día para pasar a mejor vida añadía un montón de problemas inesperados e irresolubles. Mi madre había cambiado de aspecto y sus ojos, a ratos, recordaban los de una niña, sorprendida e indefensa, perdida en un laberinto frondoso del que no se confía en encontrar la salida. Corría de un lado a otro, daba órdenes y contraórdenes, tan pronto me abrazaba como me suplicaba que me quitara de en medio o me tendía unos números de teléfono y repetía, palabra por palabra, lo que debía decir a tío Raúl, tía Marta, tía Josefina. «Que vengan pronto», añadía. «Ahora mismo.» Y luego me arrancaba el auricular de las manos.

«Todavía no», decía. «El médico. Llamemos a otro médico. ¿No podría ser que el médico se hubiera equivocado?»

La Nati, en cambio, a pesar de que musitara continuamente lo de «pobre señor», se había entregado a una actividad frenética. En pocos minutos arregló la antesala y el comedor, cambió el agua de las flores, sacó las fundas del diván y de los sillones, se recogió el cabello en un apretado moño –y yo me quedé con la duda de si lo hacía porque era domingo o porque se había muerto el abuelo– y refrotándose las manos en el delantal, de manera enérgica, como quien se dispone a acometer la parte más importante de su tarea, dijo a mi madre con voz serena:

–Perdone, señora, pero tendríamos que ir pensando en vestir al difunto.

Lo de vestir al abuelo, aquel día, a aquella hora y en aquellas circunstancias, me pareció lo más extraño que había escuchado hasta entonces. Porque, por más que me esforzara, recordaba al abuelo siempre igual, embutido en un pijama de rayas, arrastrando las zapatillas desde su dormitorio hasta el comedor, abriéndose los botones de la chaqueta en verano y mostrando unos pelillos blancos moteados de gotitas de sudor, o enfundándose en invierno un batín color granate ceñido por un cinturón largo, rematado por dos borlas, con las que, cuando era tan pequeño que casi no me acordaba, habíamos jugado los dos al teléfono. O tal vez no había jugado nunca y tan sólo hubiese querido jugar. O algún amigo mío, quizá, me habló de otro batín, de otro abuelo y de unas borlas como aquéllas con las que él y su abuelo hacían como si se llamasen por teléfono. Al abuelo no le gustaba jugar, tampoco vestirse ni afeitarse, y un día, hacía mucho tiempo, que tuvo que salir –un funeral seguramente o algo relacionado con un amigo muerto– y lo vi por primera vez con abrigo y sombrero, la barba rasurada y una bufanda de lana, me pareció mucho más alto, fuerte y terrible que de ordinario. Tuve entonces la impresión de que el abuelo era en realidad así, como aquel día, y que los otros, es decir, toda la parte de su vida que yo conocía, no había hecho más que fingir, que andar encorvado para ocultar su verdadera estatura y arrastrar las zapatillas de fieltro como si fuera un inválido, cuando, ahora se veía, era capaz de andar a grandes zancadas, y hasta sus cabellos blancos, fijados con gomina, recordaban a los de un hombre resuelto y repleto de energía. Pero aquella sensación, que ignoro si los años han agigantado en la memoria, se desvaneció muy pronto. O, para ser exacto, no duró más que el tiempo en que el abuelo salió de la casa y permaneció en el funeral del amigo. O tal vez cobró vida desde el mismo momento en que se hizo ausente y yo le imaginé en el funeral del amigo. Porque enseguida, cuando regresó a casa y colocó el sombrero en el perchero del recibidor, vimos con estupor, a través del abrigo entreabierto, las consabidas rayas de la chaqueta del pijama, y no tardamos en adivinar que el resto de la prenda se ocultaba tras las perneras del impecable pantalón que la Nati había planchado aquella misma mañana. Mi madre no podía salir de su asombro. ¿Cómo se había atrevido a salir a la calle vestido de esa forma? ¿Es que no tenía dignidad, orgullo, un atisbo de decoro o decencia? Pero ya el abuelo se había encorvado de nuevo, gruñía frases ininteligibles y se encerraba en su dormitorio. Y luego, como cada día, la campanilla o el timbre no dejaban de fastidiar a la Nati con la petición de tilas, tisanas o bolsas de agua caliente.

–El sudario –dijo la Nati.

Mi madre no daba muestras de haber comprendido.

–La mortaja, señora. No pretenderá enterrar a su padre en pijama...

No, mi madre, ahora se daba cuenta, no pretendía eso ni tampoco nada en concreto. Se había quedado muda, absorta, muy cansada, como si las palabras *sudario* o *mortaja* hubiesen llenado de repente la habitación. «Sudario», murmuró.

–Pero, señora –insistió la Nati–, un sudario no es más que una sábana con la que se envuelve al cadáver.

Mi madre dio un respingo. Yo, desde la distancia a la que me hallaba, pegado al teléfono, intentando inútilmente localizar a los tíos en aquella tarde de domingo, creí que iba a protestar, a enfadarse, a reprender a la Nati por hablar con aquella claridad impertinente delante de un niño. Pero mi madre se limitó a repetir: «Una sábana».

–Una sábana –dijo la Nati y tomó asiento junto a mi madre en el sofá–. Pero si no le gusta una sábana puede vestirlo de cualquier otra cosa.

Y entonces, en un tono de voz muy fuerte, un tono que nunca había empleado antes en la casa, empezó a enumerar las múltiples posibilidades con las que uno se encontraba a la hora de vestir a un difunto. Pero había que hacerlo rápido, antes de que el *rigor mortis* se adueñara de los miembros del abuelo, porque ella, le decía, tenía cierta experiencia en el asunto. Había enterrado a sus padres, a una tía lejana y, además, uno de sus parientes del pueblo, el Juan, trabajaba desde hacía unos cuantos años en la ciudad, en Pompas Fúnebres, y le había contado más de una vez –porque ella lo veía todas las navidades y todas las nocheviejas–, que ahora eran muchas las familias que vestían a sus deudos con lo que les hubiese gustado llevar en vida. Que si uno había manifestado, por ejemplo, su deseo de abandonar el siglo e ingresar en un convento, pues la familia no se lo pensaba dos veces y le ponía un hábito de monje. O que si el finado pasaba a mejor vida sin haber tenido tiempo de estrenar un terno de gala, pues lo vestían así, con chaleco y todo, para que por lo menos en el día del tránsito –ya que otra ocasión, el pobre, no iba a tenerse fuera al más allá ataviado con sus mejores galas. Y quien decía un traje de fiesta podía decir perfectamente un traje de diario, en buen estado, eso sí. Porque debíamos tener en cuenta que cuando sucedía una desgracia como la que acababa de ocurrir las casas se llenaban de parientes, amigos, visitas de cumplido, y no fueran a pensar que no se guardaba el debido respeto al muerto o, algo peor, que ella, su hija, que tan bien le había tratado, no era todo lo cuidadosa que cabía ser con un padre. Y mi madre asentía en silencio, como una alumna ante su profesora, admirada del temple y de la sabiduría de la Nati. Y luego, tímidamente, reconocía su ignorancia en la materia porque, a pesar de haber perdido a una madre y a un marido, nunca se había visto en estos trances. En realidad, se excusaba, era como si hasta ahora se lo hubieran dado todo hecho. Su madre, la abuela, falleció en un hospital tras una intervención quirúrgica que su delicado corazón no pudo resistir. Y mucho después, cuando le llegó el turno a su pobre marido, era ella la que precisamente se encontraba en la clínica dando a luz a su único hijo. Y entonces se volvía hacia mí, como si durante todo aquel rato se hubiera olvidado de mi existencia y la recordara de súbito: «¿No has localizado a nadie todavía? Insiste, hijo, insiste». Y me repetía una vez más las palabras exactas que debía pronunciar, como si quisiera convencerse de que yo era aún muy pequeño o como si sólo a mi lado se sintiera ella algo menos desvalida. Pero era domingo, claro, ¿cómo iban a estar sus hermanos en sus casas? Y enseguida, devolviéndome a la invisibilidad de la que me había sustraído, volvía a preguntarse por sudarios, vestidos y mortajas.

–Tengo unas sábanas muy bonitas –decía, y yo notaba en su voz cierto orgullo de poder al fin colaborar–. Pero no sé... Siempre pensé en guardarlas para cuando se case mi hijo.

–¿Y un traje? –preguntaba la Nati–, algo que no tenga tanto valor. Porque, después de todo... ya me entiende, señora.

–Un traje... –ahora los ojos le brillaban como si hubiera hecho un verdadero descubrimiento–. ¡El uniforme de la guerra de África! Papá estaba muy orgulloso de su guerra.

–¿No le quedará un poco estrecho? Han pasado muchos años, señora. Aunque, quién sabe, los cadáveres se achican y lo que no les entraba en vida puede ser que les quepa en muerte.

–Claro –dijo mi madre. Pero a mí aquello no me parecía tan claro–. ¿Y el traje que llevó el señor la última vez que salió a la calle?

–No se preocupe. Algo encontraremos.

Y mientras las dos mujeres se internaban en el pasillo y hasta el comedor llegaba el chirriar de puertas de armarios y altillos, yo seguía aferrado al auricular, marcando número tras número, hasta que caí en la cuenta de que, si bien era domingo, tío Raúl solía decirnos siempre con una irritante ostentación que él trabajaba incluso los domingos. Marqué el número del despacho, que se encontraba allí mismo, junto al que horas antes había subrayado mi madre, y no tardé en escuchar la voz fastidiada y ronca de mi tío.

–Ven enseguida –dije.

Y entonces podía haber hablado de mortajas, cadáveres y sudarios, pero mi madre me había repetido hasta la saciedad lo que tenía que decir y en aquellos instantes, en los que por nada del mundo quería disgustarla, transmití el mensaje palabra por palabra, como si se tratara de una contraseña secreta, sabedor de que el único cometido que se me había encargado hasta el momento era precisamente ése, y que toda mi colaboración consistía en obedecer y comunicar lo que se me había pedido que comunicara.

–El abuelo está con la abuela –dije.

Al otro lado se produjo el silencio.

–Con la a-bu-e-la –insistí.

Ahora oí con toda nitidez el carraspeo que solía preceder a sus intervenciones y que tanto me hubiera molestado en otra ocasión.

–Pero, niño –dijo al fin–, ¿qué tonterías son ésas?

No me enfadé, ni por esta vez tomaría en cuenta el «¿te has vuelto loco?» con el que remató la frase y que, media hora más tarde, volvería a oír de labios de tía Josefina y tía Marta. También a mí, en un momento, se me había ocurrido la posibilidad de que mi madre hubiera perdido el juicio y también, como ahora mi tío, pensé durante unos segundos en algo peor. No tanto en que el abuelo se hubiera ido a no sé dónde a reunirse con la abuela, sino en que la abuela, desde ese lugar situado en no-se-sabe-dónde, hubiera decidido de repente venirse a pasar unos días con nosotros.

–Ahora mismo voy –dijo tío Raúl. Y colgó.

No tardó más de veinte minutos en llegar. Pero para entonces ya en la casa reinaba una extraña serenidad que tenía algo de preparativos de fiesta o celebración importante. El comedor estaba más limpio y ordenado que nunca, y mi madre, vestida con un traje negro, sin perder la mirada aniñada que tanto me gustaba y que conservaría aún durante algunos días, parecía más alta y delgada. «Demasiado escotado», decía. Pero yo la encontraba muy guapa así. Me senté a su lado, en el extremo del sofá, sin atreverme a pronunciar palabra. «Estás muy bien, Tere», le decía tío Raúl. «Ya te preocuparás mañana de llevar los vestidos al tinte.» Porque aquella tarde la ropa parecía cobrar una importancia capital. El tío se excusó por no llevar una corbata adecuada. Había venido tan deprisa, explicó, que ni siquiera se le había ocurrido pasar antes por su casa. Y luego estaba yo, el hijo. Mi madre se preguntaba si en las tiendas venderían ropa negra para niño. Pero la Nati, que había dispuesto licores y café sobre la mesa camilla, insistía en que no hacía ninguna falta, que yo era muy pequeño aún y que con un botoncito o una tira de *grogrén* en la solapa del abrigo para el día del funeral, bastaba y sobraba. Y, sobre todo, estaba el abuelo.

–¿Dónde...? –preguntó tío Raúl con voz grave cuando creía ya que todos se habían olvidado de él.

–En su cuarto –dijo mi madre.

Y se hizo con el cigarrillo que, humeante aún, acababa de aplastar tío Raúl contra el cenicero.

Era la primera vez que veía fumar a mi madre, y la forma en que sostenía el pitillo, la dedicación que ponía en aspirar y expulsar el humo me recordaban a las artistas de cine y de la televisión, las fotografías de las revistas de moda que compraba todos los domingos como aquél a la salida de misa, y que hojeaba luego por la tarde, sentada junto a la mesa camilla, la misma mesa que aparecía ahora repleta de tazas, copas y botellas. Como en Nochebuena. Como en las raras ocasiones en que se reunía la familia y en la casa se respiraba una atmósfera de fiesta. Me sentía muy a gusto allí, en el sofá, al lado de mi madre, envueltos en humo, en aroma de café, y deseé que aquel momento en que nos habían dejado solos no acabara nunca. Pero ya en el pasillo resonaban las pisadas de tío Raúl y el enérgico «María Teresa» con el que solía dirigírsele cuando el asunto que debía tratar era serio e importante o, simplemente, cuando quería dejar clara su condición de hermano mayor frente a la menor de las hermanas.

–María Teresa –repitió en el umbral de la puerta, y en sus ojos brillaba una chispa de indignación, de sobresalto, de asombro–. ¿Se puede saber qué hace nuestro padre vestido de moro?

Y entonces mamá se derrumbó completamente. Empezó a llorar, se atragantó con el humo del tabaco, dejó caer el cigarrillo sobre la alfombra y, al rato, entre toses, sollozos e hipos, explicó que sólo habían hecho lo que habían podido. Que el uniforme militar le quedaba estrecho, que el traje de calle estaba apolillado y que las sábanas bordadas por la abuela eran para mí, para cuando me casara. Que de todo lo que habían logrado reunir únicamente aquella túnica les había parecido decorosa y discreta. Y aunque ella sabía muy bien que no era una túnica, sino una chilaba de beduino que se había traído su padre de cuando la guerra de África, en resumidas cuentas daba igual, porque, para quien no lo supiera, podía pasar por una túnica. Y, además, el abuelo en los últimos años, en los que apenas se movía, fuera de breves recorridos del cuarto al baño y del baño al comedor, había acumulado muchos kilos. Y era muy difícil vestir a un hombre tan gordo. Y encima –aquí mi madre lloraba con verdadera furia– había ciertas cosas que una hija no podía hacer. Porque no se debía olvidar que tanto la Nati como ella eran mujeres y que el abuelo, su padre, era, al fin y al cabo, un hombre. Por eso, debajo de la túnica, le habían dejado el pantalón a rayas del pijama. Por pudor, por respeto. Y si no estaba de acuerdo no tenía más que vestirlo él. O algo mucho mejor, aunque ya imposible: haberlo tenido en su casa en los últimos años. O en la de tía Marta o tía Josefina. Porque ahora se preguntaba la razón por la que había tenido que ser ella, precisamente ella, la menor de las hermanas y para colmo viuda, quien se hiciera cargo del abuelo en una casa tan pequeña, entregándole su juventud, cuidándolo como se merecía, para que luego llegaran otros y le achacaran de cualquier manera un error, un pequeño error sin importancia y, por si esto fuera poco, se atrevieran a decirle que su padre iba vestido de moro, cuando todos sabían que el abuelo no podía ver a los moros. Y ya no se sentía capaz de añadir nada más. Porque las lágrimas le corrían por las mejillas, tío Raúl volvía a llamarla «Tere» y a mí me parecía como si acabase de asistir a una escena obligada en casos como aquéllos, en películas como aquéllas, y mi madre –que ahora, enjugándose los ojos, volvía a parecer una actriz– tomara aliento para pasar al segundo acto.

–Cálmate, por favor. Si yo hubiera estado aquí...

Pero lo que decía tío Raúl no tenía el menor sentido. Porque ahora que estaba allí no hacía absolutamente nada. Y era de nuevo la Nati quien tomaba las riendas de la situación y explicaba que ella siempre se había dado mucha maña con los lazos, nudos y pliegues, que la señora estaba muy afectada y que, dado que había sido tan costoso vestir al difunto, mucho más difícil resultaría desnudarlo ahora, con el rato que había pasado. Por lo que –y ya no se dirigía a mi madre sino directa y llanamente a tío Raúl– lo mejor sería dejar al pobre señor como estaba y cubrirlo, eso sí, con una sábana limpia y planchada aunque fuera de tergal y no estuviera bordada como las de la abuela. Y que no había razón para preocuparse, ya que ella iba a encargarse de todo. Como también de afeitarle en la medida de lo posible, porque el abuelo llevaba una vistosa barba de quince días y esos detalles, como todos sabían, podían causar muy mal efecto. Y luego ya no dijo nada más. La oímos trajinar de aquí para allá, hacerse con alfileres e imperdibles, con brochas, jabón y cuchillas, hasta que dio por terminado su trabajo, se sacó el delantal y el uniforme de diario y se puso un traje negro y otro delantal, blanco y almidonado, con el que sólo la había visto en días muy señalados. Ahora también ella iba de fiesta. Como poco después tía Marta, tía Josefina y la mujer de tío Raúl. Y algo más tarde los maridos de tía Josefina y tía Marta. Y mientras todos lloraban, gemían, suspiraban y se deshacían en elogios acerca de la bondad del abuelo, yo lo miraba a él, a la misma cara iracunda que mostrara en vida –más afilada, más reducida, más amarillenta–, y a ratos me parecía que respiraba, y a ratos que algo extraño iba a suceder. Algo que tenía relación con la voluminosa tripa del abuelo. Algo así como que la sábana iba a explotar, también la chilaba, y que, aunque sólo fuera por un momento, aparecería otra vez el inevitable pantalón del pijama y los pelillos blancos de su pecho moteados de pequeñas gotas de sudor. Pero, por más que esperé junto a la puerta, nada ocurrió de todo lo temido. Y me quedé sin saber si el abuelo estaba ahogándose de calor o si un hombre puede sudar después de muerto. Nadie me lo explicó ni yo me atreví a preguntarlo.

A pesar de que cuando enterraron al abuelo hacía ya unos meses que había empezado el curso y aquel año teníamos un profesor nuevo, mi madre decidió que, por unos días, sería mejor que me quedara en casa. No logré averiguar la razón, ni durante todas aquellas horas que pasé jugando en mi cuarto parecía que mi madre me necesitara para algo más que no fuera mirarme de vez en cuando, acariciarme el cabello o mostrarme, con esa dulzura que seguía emanando de sus ojos de niña, a las numerosas visitas que ahora, al caer la tarde, llenaban cada día el comedor y, hablaran de lo que hablaran, empezaban preguntando por mi abuelo para terminar recordando al suyo. Nunca hasta aquellas tardes había podido yo sospechar que en el mundo hubiera tal cantidad de muertos ni nunca, como entonces, había escuchado tantas historias de difuntos. Pensé que mi madre tenía miedo. Miedo de lo que acababa de ocurrir, miedo de lo que le contaban las visitas o miedo, en fin, de un misterioso acontecimiento que podría producirse de un momento a otro. Ahí debía de estar la explicación a su deseo de que no me apartara de su lado; era como si mi pequeñez, lógica y natural, la relevara de la suya, ridícula, exagerada y secretamente cobarde. Pero había algo en aquellas interminables veladas que no acababa de gustarme: la eterna retahíla de méritos del abuelo que mi madre, apoyada a alguna distancia por la Nati, se empeñaba en enumerar como si fuera cierta, y la consabida frase, pronunciada con una sonrisa, en cuanto me veía asomar por la puerta: «Los ancianos y los niños, ya se sabe. Mi padre adoraba a su nieto, y mi hijo es su vivo retrato». Y aquello no era verdad. Ni yo me parecía al abuelo, ni el abuelo me adoraba, ni entendía por qué tenían que preocuparse por mi entereza, mi valentía o lo bien que me estaba portando a pesar de mis escasos ocho años. Y entonces me moría de ganas de contar que el día antes de que le diera el ataque sorprendí al abuelo hurgando con una navaja en mi hucha, y que luego, al sentirse descubierto, me había golpeado en el pescuezo con los nudillos, con toda su furia, como hacía a menudo cuando encontraba el baño ocupado o se cruzaba conmigo por el pasillo. Pero ya mi madre me abrazaba de nuevo y yo lamentaba que hubiera abandonado el vestido de seda del día en que disfrazaron al abuelo de moro en favor de un jersey rasposo que olía a naftalina y una falda muy ancha recién traída del tinte. Pero esto no fue lo peor. A los tres días mi madre empezó a quejarse de tantas amigas y de tanta conversación, y tío Raúl, que volvía a llamarla María Teresa, indicó que era hora ya de espaciar las visitas y pasar de una vez a los asuntos desagradables. Y enseguida, por primera vez, se pusieron a hablar de abogados, herencias, notarios y testamentos, y, de alguna manera que no podría precisar, adiviné que ese asunto, «el asunto desagradable», era lo que había estado flotando en el ambiente desde aquel domingo que ahora parecía tan lejano, desde el mismo momento en que tío Raúl indicara a la Nati la conveniencia de dejar sola a la familia. Y supe entonces que lo que yo había atribuido al miedo, al puro temor ante un acontecimiento por producirse aún, no era más que expectación. Porque ahora los ojos de mi madre se parecían tremendamente a los de tío Raúl, tía Marta y tía Josefina. Mirándose con recelo, acusándose unos a otros, aguardando a que alguien rompiera el silencio con el dato preciso, definitivo, revelador.

–He estado en el registro esta misma mañana –dijo con voz grave tío Raúl–, y por raro que pueda parecernos, papá no dejó hecho testamento.

Aquello, en verdad y a juzgar por la cara de mi madre y de mis tías, resultaba bastante extraño. Como también el hecho de que en la cuenta bancaria del abuelo no hubiera más que doscientas mil pesetas, cifra insignificante con la que apenas se cubrirían los gastos del entierro, y de que no apareciera por ningún lado otra cuenta, una cartilla, algún documento que justificara una inversión, el destino de sus ahorros, la compra de una casa, bonos del Estado... cualquier cosa. Porque, aunque el abuelo no hubiera sido jamás un lince para los negocios y le disgustara comentar lo que poseía, todos sabían que *poseía algo*. Y aquí, en este punto, comprobé con alivio que la misma familia que días atrás no hacía más que hablar, repetir frases o palabras que el abuelo nunca pronunció, se había quedado muda. Y no sería hasta un buen rato después cuando reconocería que, en realidad, su padre no solía ser demasiado explícito ni en esta ni en otras cuestiones, y que más que decir, decir, había *dado a entender.* Y eso era cierto. Por primera vez los hermanos dejaban de urdir historias y evocaban al abuelo como había sido en vida. Arisco, gruñón, perennemente enfadado. Pero también recordaban –y también eso era cierto– cómo disfrutaba leyendo cada mañana en *La Vanguardia* su sección favorita. Cómo sonreía cada vez que encontraba el nombre de un conocido, cómo se calaba las gafas y devoraba con verdadera fruición todos los datos: edad, causa de la muerte, lugar del sepelio... Y cómo reía, reía con verdaderas ganas cada vez que se hablaba allí de un asilo, de una institución benéfica, de una residencia para ancianos.

–Estúpidos –decía entonces sin dejar de reír–, les está bien empleado por estúpidos. Qué les hubiera costado ahorrar, invertir, guardarse parte de sus bienes para sus últimos días...

O bien cuando leía todo lo contrario. Que el amigo o conocido había fallecido en su hogar, confortado por los santos sacramentos, rodeado del calor y del pesar de sus allegados.

–Y del interés –añadía–. Del interés. Porque la vida es repugnante. Vales lo que tienes y tienes lo que vales.

A mí me molestaba verle reír así y mi madre hacía como que no le oía. «Cosas de viejos», decía a veces. «Manías de viejos.» Pero ahora todos entendían con claridad lo que había querido decir con aquellas palabras. El único problema estaba en averiguar en qué se materializaba su previsión, en qué consistían sus bienes y por qué se mostraba tan seguro –cariño y honor de la familia aparte– de que él no iba a terminar en un asilo o en una de esas residencias para la tercera edad de las que parecía abominar con todas sus fuerzas. A no ser, sugirió una de las tías, que hubiese hecho depositaria en vida a una persona en concreto. Y entonces, después de un silencio, todas las miradas frías se posaron en mi madre.

Pero mamá no sabía nada. Lo aseguró con energía frente a sus hermanos y lo repitió por la noche, a punto de llorar otra vez, cuando ya los tíos se habían ido a sus casas y ella y la Nati se encontraban sentadas en torno a la mesa camilla ordenando papeles, agendas y libretas. Por ningún lado aparecía lo que estaban esperando, y los papeles, las agendas, las libretas, pasaban de las manos de mi madre a las de la Nati, y de las de la Nati a las de mi madre, porque «cuatro ojos ven más que dos» y a lo mejor, en su primera inspección, por culpa del cansancio o de los nervios, se les había pasado algún dato por alto.

–El abuelo no tenía dinero– dije de pronto. Y me sentí muy orgulloso de lo que acababa de revelar y de la expectación que habían levantado mis palabras.

»Ni un duro –añadí.

»Por eso el otro día le descubrí robando monedas de mi hucha.

Ahora mi madre había fruncido el ceño y me miraba con auténtica indignación. Tal vez no debía haber pronunciado la palabra «robar». Tal vez, al referirme al abuelo, tenía, como todos, que haber añadido «el pobre».

–¿Por qué dices mentiras? –dijo al fin.

Aquella pregunta me cayó como una bofetada. No, yo no decía mentiras. El abuelo había intentado robarme y yo se lo había impedido. Pero estaba claro que a los difuntos, por el hecho de serlo, se les perdonaban todos los pecados.

–Y aún cómo no lo has soltado delante de tus tíos. Sólo faltaba eso. Que creyeran que no tuvo lo que quiso mientras vivió en esta casa.

Ahí estaba lo importante. Que los tíos creyeran o dejaran de creer. Pero aunque yo no dijera mentiras tampoco sabía cómo defenderme de aquella acusación. Sentía ganas de llorar, una rabia desconocida que me formaba un nudo en la garganta, y al mismo tiempo deseaba no llorar. Porque en aquellos momentos detestaba a mi madre y, muy a pesar mío, tenía que reconocer que la única que me creía era la Nati, la única que a su manera me apoyaba. «A veces los chicos tienen razón», decía. O bien: «Cosas de viejos. Manías de ancianos». La Nati hablaba como mi madre, con la misma voz de mi madre y, al verlas así, sentadas las dos en torno a la mesa, parecían dos amigas de verdad y era como si yo me hubiera vuelto invisible otra vez a pesar de que la Nati siguiera hablando de mí o que mamá cerrara la caja de cartón en la que guardaba los papeles y se pusiera a bordar un pañuelo con mis iniciales.

–Y además –decía la Nati–, una cosa no tiene nada que ver con la otra. Es posible que al señor le diera por curiosear en el cuarto del chico y tal vez se hiciera con algunas monedas. Cosas de viejos, ya se sabe. Pero –repetía– eso no quiere decir que no tuviera *lo otro* escondido, bien escondido.

Y entonces contó algo muy extraño que había sucedido en su pueblo. Una anciana, la mujer más pobre de la comarca, que vivía con sus hijos y nietos en la cabaña más mísera. Y cada mañana, puntualmente, mandaba a los pequeños a pedir. «Anda», les decía, «a la calle. Y no volváis hasta que la bolsa esté repleta.» Y un buen día la anciana murió, tan pobre como había vivido, y la familia la enterró en una caja muy modesta, llena de clavos y hierros, y lloraron sinceramente sobre su tumba porque la querían de verdad. Hasta tal punto que, a pesar de que aquel invierno fuera uno de los más fríos que se recuerdan y apenas tenían leña con que calentarse, no se decidían a echar una sillita muy rota al fuego, la misma sillita en la que siempre se había sentado la vieja. Era como si la tuviesen aún allí, decían. Pero una noche el viento o la nieve les obligó a hacer lo que no querían haber hecho. Astillaron la silla, aserraron aquí y allí, y entonces ¿a que no sabíamos lo que ocurrió?

–¿Monedas de oro? –preguntó mi madre sin apartar los ojos de su labor.

–Monedas de oro –repitió la Nati–. Montañas y montañas de doblones, onzas, maravedíes...

–Cuentos y leyendas del pueblo –atajó mi madre.

Luego meneó la cabeza y sin mirarme a los ojos añadió:

–Y tú siempre en medio. Mañana vuelves al colegio.

Ahora que había perdido su expresión de niña era obvio que no me necesitaba para nada.

En el colegio, por suerte, todo seguía igual. El pupitre con manchas de tinta, los recreos, los amigos, los gritos del profesor viejo y el desespero del nuevo, del más joven, por hacerse oír y reclamar silencio. A la salida solía quedarme a jugar en casa de algún compañero. Nunca antes lo había intentado ni tampoco creo que me hubieran dado permiso. Pero ahora bastaba una llamada por teléfono, asegurar que me acompañarían hasta la puerta –decir lo mismo a la familia del amigo– y nadie, ni la Nati ni mi madre, me oponía la menor objeción. Fue así como me acostumbré a andar solo por la calle, a tomar el metro o el autobús, y a comprobar que hasta esas operaciones resultaban sumamente sencillas y no peligrosas o complicadas como se me había dicho siempre. Pero ni en el colegio ni en casa de los amigos me libraba de hablar del abuelo. Ninguno de ellos había visto a un muerto, todos querían saber lo que era un muerto e invariablemente, jugáramos a lo que jugáramos, terminaba relatando cómo se había quedado tieso y pálido, y cómo a mí, en un momento, me pareció que oía y respiraba. No tuve más remedio, pues, que invitarles a casa y decidí que lo mejor sería el sábado por la tarde, cuando mi madre se iba al cine y la Nati, encerrada en la cocina escuchando la radio, no se molestaría en averiguar si estábamos jugando en el cuarto o curioseando los enseres del difunto. Fue mejor que lo planeado. Mamá se encontraba en el cine y la Nati, que olía a perfume y cada vez se parecía más a mi madre, nos dijo sonriendo que tenía que salir a unos recados, que nos portáramos bien y que enseguida estaría de vuelta.

–Nos hemos quedado solos –dije en tono de misterio.

Mis amigos parecían a la vez impacientes y asustados. Me subí a una silla, alcancé el manojo de llaves y, llevándome un dedo a los labios, les rogué silencio. Durante el camino habíamos hablado de la vida, de la muerte, del más allá. De la posibilidad de que en el cuarto, aunque el abuelo no se hallase allí, se escuchara el eco de su tos, su respiración, sus risas... Yo no creía en aquellas patrañas pero me sentía muy halagado escuchándoles antes u observando ahora el leve temblor de sus piernas mientras nos internábamos por el pasillo.

–*Chang, chang* –entoné estúpidamente mientras daba vuelta a la llave.

Y luego, con intención de dejar clara mi superioridad y resguardarme de paso de una probable decepción, iba a añadir: «No os hagáis muchas ilusiones. Después de todo es una habitación normal y corriente».

Pero no llegué a concluir la frase. El dormitorio del abuelo no se parecía en nada a una habitación normal y corriente. La tapicería de las sillas había sido desgarrada, una butaca destrozada y las tripas del colchón se mezclaban en el suelo, sobre la alfombra, con el relleno del sofá, del que sólo quedaba ahora un esqueleto metálico por el que asomaban muelles y hierros de todos los tamaños. Me había quedado mudo. Mis amigos se pusieron a temblar como una hoja.

–¿Será que *él* se ha enfadado porque hemos entrado aquí? –dijo uno de ellos.

No pude contestar, pero sabía que no había sido *él.* Y pensé en ellas, en las dos, en la Nati y en mi madre, armadas con enormes cuchillos, permitiendo que me quedara a jugar en casa de quien fuera o que vagara solo por la calle. Y en el cuento de la vieja. En la silla de la vieja avara. Pero aquí no habrían encontrado nada. Deseaba que no hubieran encontrado nada. Me sentía rojo de ira y de rabia, incapaz de improvisar, de urdir una excusa aceptable para aquel bochornoso espectáculo. Y volví a dar una vuelta a la llave, pero ya sin palabras, sin misterios, sin broma alguna, y cerré la puerta.

–A lo mejor murió de una enfermedad contagiosa –murmuró alguien con voz entrecortada a mis espaldas.

El lunes encontraría una explicación. Una falsa explicación para convencer a los amigos y disculpar mi sorpresa. Porque ahora ya ninguno quería jugar. Y yo seguía rojo. De ira, de vergüenza, de rabia.

Aquella noche, en la cama, no podía conciliar el sueño. Las veía a ellas, aguardando a que me fuera al colegio, aprovechando mis ausencias para destrozar, saquear, entregarse a una búsqueda febril de los tesoros del abuelo, tomándose un respiro y afilando unos cuchillos largos, amenazantes, asesinos. En un momento me sorprendí chillando. Una pesadilla, me dije. No era más que una pesadilla. Pero yo mismo me tapé la boca. Porque lo que me asustaba aún más, si cabe, era que, alertada por mis gritos, apareciera una de aquellas dos mujeres en mi cuarto y descubriera que lo sabía todo.

Al día siguiente, domingo, me enviaron a casa de tío Raúl a jugar con las primas. En otras circunstancias me hubiera resistido, inventado deberes por hacer o simulado un fuerte dolor de garganta. Pero todo era mejor que permanecer en casa, aunque tío Raúl tuviera mal carácter y las primas, las dos hijas de tío Raúl y la hija de tía Marta, que también de repente se había unido a sus juegos, no supieran hacer otra cosa que vestir y desvestir a una docena de muñecas, hablar por los codos o imitar las voces de sus madres. Pero la casa de tío Raúl tenía jardín y la merienda que nos servía una señora anciana, mucho más amable y cariñosa que la Nati, era lo más parecido a una fiesta. A aquel domingo siguieron muchos otros, largos y aburridos hasta la hora de la merienda, hasta que a las siete de la tarde regresaba tío Raúl de su despacho –«Trabajo incluso en domingo», seguía diciendo con orgullo– y nos acompañaba en coche a nuestras casas. Primero a la hija de tía Marta y luego a mí, a pesar de que viviéramos muy cerca, a sólo una manzana de distancia.

No sabía por qué de pronto tenía que jugar cada semana con mis primas ni tampoco la razón por la que ellas hubieran dejado de hacer excursiones y permanecieran en casa todos los domingos. Pero poco a poco me fui abriendo a la idea de que yo era enviado allí con una misión concreta. Como cuando me hicieron transmitir: *«El abuelo está con la abuela...»*. Sólo que ahora mi cometido se reducía a hacer acto de presencia en casa de los tíos. Una función de la que nadie me pedía cuentas pero, intuía, tenía algo que ver con las conversaciones de la Nati y mi madre junto a la mesa camilla.

–Los viejos –dijo en una ocasión la Nati– pueden ser muy injustos. A menudo se olvidan de la persona que les ha cuidado hasta la muerte en favor de los otros, los demás, aquellos a los que sólo han visto tres o cuatro días al año. No sería la primera vez.

Pero la Nati estaba completamente equivocada. Porque uno de aquellos domingos, cuando faltaba ya poco para que me acompañaran a casa, entré de improviso en el comedor buscando una bufanda y me encontré con tío Raúl, su mujer, tía Marta y tía Josefina.

–No es que ninguno de nosotros se encuentre necesitado, precisamente –decía la mujer de tío Raúl–, pero tengo la sensación de que vuestra hermana Tere nos oculta algo...

Y al instante se hizo el silencio. Un silencio incómodo y tenso que tenía su razón de ser en mi presencia allí, con la bufanda en la mano, una presencia que los cuatro detectaron a un tiempo y un silencio que rompió tía Marta en un tono festivo y afectado, demasiado artificial para que no me diera cuenta de que, a pesar de que no me mirara, sus palabras iban dirigidas únicamente a mí.

–Claro que se *calla* algo –dijo–. Nadie sino ella puede saber lo que es aguantar a un viejo arruinado y para colmo enfermo.

Y fue entonces, sólo entonces, cuando estas palabras me hicieron registrar las anteriores, el «Tere nos oculta algo» que yo había oído sin prestar atención. Una frase que adquirió de pronto la solemnidad de una acusación en toda regla. Una acusación injuriosa, malvada, injusta. Porque, aunque detestara a mi madre, a ellos los odiaba todavía más. Y aquel día, de regreso a casa, dije que no pensaba volver a jugar con las primas, y mi madre, sentada como siempre frente a la Nati, asintió vagamente con la cabeza. Porque estaba cavilando ya otras posibilidades y lo que menos le importaba en aquellos momentos era que a mí me gustara o no acudir cada domingo a casa de los tíos.

–La caja –dijo de súbito–. La caja de laca china.

Sentí un escalofrío que me recorrió el cuerpo, seguido inmediatamente de un terror concreto: que empezaran otra vez con sus expediciones de busca y captura, destrozaran la casa y terminaran castigándome a mí. Porque ahora, de repente, las dos recordaban la caja de laca china. Una caja descascarillada que representaba una pagoda, un mandarín y un arrogante junco deslizándose por el Río Azul y en la que sabe Dios lo que el abuelo guardaría. Y también recordaban con precisión la llavecita de níquel. Un llavín que el abuelo solía llevar al cuello, suspendido de una cadena. Pero lo que no podían asegurar, lo que inexplicablemente habían pasado por alto hasta el momento, era si el abuelo había muerto con la llave puesta, si se la habían quitado en el momento de vestirlo o si, por el contrario, con las prisas y los nervios, lo habían dejado bajo tierra con la cadena al cuello. Pero eso, decidían enseguida, no tenía demasiada importancia. Porque ¿para qué querían la llave si la caja había desaparecido? Y ahora mi madre, por fin, lo comprendía todo. Allí dentro, allí precisamente, debía de encontrarse algún papel, un documento, la expresión de su última voluntad, la relación exacta de sus bienes. Algo.

–En la caja no había ningún papel –dije–. Sólo una pipa vieja y unas fotografías amarillas de cuando el abuelo era joven.

Ahora las dos me miraban con incredulidad y yo me arrepentí enseguida de haber hablado.

–¿Una pipa? –dijo mi madre–. ¡Qué tontería! Si el abuelo no había fumado nunca.

Pero ni siquiera se interesó por las fotografías.

–Además –intervino la Nati–, no pretenderás que el abuelo te la enseñó. Al señor no le gustaba que rondases por su cuarto.

Era cierto. El abuelo se enfadaba cada vez que me veía entrar en su dormitorio. Pero eso no impedía que yo apareciera de vez en cuando y le espiase. Lo mismo que él hacía en mi cuarto y con mi hucha. Pero ya estaba cansado de todas estas historias. De que dijeran «¡qué tontería!» cuando de nuevo les estaba contando la verdad. Ellas, que no hacían más que mentir. Que hablar de cariño, de dolor, de las razones sentimentales por las que habían tapizado a grandes flores los sillones, las sillas, el sofá del abuelo... Pero de mi boca no surgiría una palabra. Y escondería la caja. Callaría el que durante aquellos días la había tenido yo, en mi cuarto, a la vista de todos, no fuera que la destrozaran también, que creyeran que había perdido un papel, un documento, ese *algo* que, ahora estaba seguro, nunca había existido.

–¿Y la caja? –preguntó de pronto la Nati con voz de policía de película–. ¿No podría ser que lo que tan celosamente custodiaba el señor fuera la caja en sí misma? ¿Esa caja china?

Mi madre negó con la cabeza.

–No era más que un recuerdo. Una *chinoiserie* como tantas otras. Sin ninguna importancia. Fuera, naturalmente –añadió en un tono muy bajo–, del valor sentimental que se le quiera dar.

La Nati se encogió de hombros y yo respiré aliviado. Sabía desde hacía tiempo que palabras como «recuerdo» y «valor sentimental» no significaban absolutamente nada.

No volví a ver a los tíos ni a las primas durante todo el invierno, ni tampoco en la casa se volvió a hablar de documentos, bonos, cuentas bancarias o testamentos. Mi madre había adquirido una mirada ausente pero no recordaba ya a una niña, perdida y desvalida, sino a una anciana a la que no parecía importarle ni el misterioso destino de la caja china ni nada que tuviera relación con la familia, el dinero, ni siquiera conmigo. Se pasaba el día sentada frente a la Nati junto a la mesa camilla, había dejado de arreglarse, de perfumarse, de hojear aquellas revistas de moda que tanto le gustaban, de preguntarme por las notas del colegio. La Nati, en cambio, se maquillaba, peinaba y vestía como si siempre estuviéramos de fiesta. Le pedía prestados los trajes a mi madre, seguía usando su perfume y ya no salía los jueves y algunos domingos sino casi cada tarde. La Nati, según me enteraría pronto, tenía novio y, en lo sucesivo –como me indicaría mi madre en una de las raras ocasiones en que me dirigía la palabra–, no debería, al referirme a ella, llamarla *la Nati,* sino Nati a secas. Porque después de todo era como una amiga, decía. La persona con la que mejor se había llevado en los últimos tiempos. Pero yo sabía que tampoco en esa ocasión era sincera. Que la Nati, por más que vistiera, hablara o fumara como una vez lo había hecho mi madre, no podría ser nunca amiga de mi madre. Y mucho menos el Juan, el pariente lejano que trabajaba en Pompas Fúnebres, que ahora aparecía de tanto en tanto por la casa a buscar a su novia y, al igual que ella, se sentaba en el comedor, fumaba pitillo tras pitillo y llamaba a mi madre «María Teresa» en un tono insufrible que me recordaba al de tío Raúl, y que ella, María Teresa, acogía siempre con una sonrisa humilde que yo sabía también falsa. Porque de reojo no dejaba de consultar el reloj, de indicar a la pareja que si no se decidían iban a llegar tarde al cine, de insistir hasta la saciedad en que cincuenta años era una edad como otra cualquiera para fundar un hogar. Y después, cuando por fin el Juan y la Nati se despegaban de los sillones y se iban al cine, mi madre suspiraba agotada, recogía las tazas de café, las copas de licor, y pasaba delante de mí sin mirarme, avergonzada de su falta de autoridad, de las visitas que se veía obligada a recibir, de la dependencia cada vez más irritante a la que le habían conducido las circunstancias. O mejor, ella misma. Porque la Nati no era el único testigo incómodo de una conducta que ahora lamentaba. Estaba yo también. Y a mí no se me podía acallar con vestidos, joyas o perfumes. Yo estaba allí, siempre al acecho, acusándola con mi presencia de su pecado, llenándola de remordimientos. Mi madre lo sabía muy bien. Por eso no opuso ningún obstáculo cuando, en vacaciones, preferí las colonias de verano a su compañía. Por eso también, poco después de que se casara la Nati y el Juan dejara de atormentarnos con sus visitas, cayó en un estado de melancolía que me hizo detestarla todavía más. Y por las noches, en mi cuarto, abría la caja china, jugaba con la pipa y contemplaba las fotografías una a una. El abuelo de uniforme, mi madre recién nacida, tía Josefina, tía Marta, tío Raúl vestido de marinero. Una instantánea borrosa de la abuela joven, casi niña, en la que se leía: «*Para ti...*». Y, casi sin darme cuenta, todo el odio que sentía hacia aquella mujer que vagaba por la casa con cara de vieja se convirtió en cariño por un hombre a quien en realidad no había conocido nunca. Porque allí, entre mis manos, no sólo estaba su tesoro, sino sus recelos, su miedo, su sabiduría. La familia era su tesoro, había sido su tesoro, pero con su muerte lo que tanto había querido iba a quedar reducido simplemente a eso: unas pocas fotografías desgastadas por las que nadie demostraría el menor interés. Y dentro de la caja, aunque no se viera, estaba lo más importante de su herencia: la desconfianza, el miedo cerval a acabar sus días en un asilo, el conocimiento precoz de cómo podían reaccionar sus hijos en determinadas situaciones. Por eso nos mintió a todos. Por eso hablaba de la imprevisión de algunos amigos, de la codicia de ciertas familias. Por eso se volvió huraño y maleducado para el mundo exterior y sólo en la intimidad de su dormitorio daba vuelta al llavín y contemplaba en secreto lo que había sido la razón de su vida. Porque allí estaba, y no a su alrededor. Tío Raúl, tía Marta, tía Josefina y mi madre hacía tiempo que habían dejado de ser sus hijos.

«Los viejos y los niños, ya se sabe...», había dicho mi madre en los días lejanos que sucedieron a su muerte. Pero ahora yo pensaba que, sin proponérselo, sus palabras encerraban una gran verdad. Y a medida que pasaba el tiempo iba ganándome la certeza de que el único destinatario de aquel legado era yo, su nieto. No podía ser de otra forma. Todo lo que el abuelo no se había molestado en enseñarme en vida lo aprendí de golpe a los pocos días de su muerte.

Y recordaba cómo aquel domingo, molesto aún por la historia de la hucha y las monedas, había entrado yo de puntillas en su cuarto; cómo me encontré al abuelo sentado en su sillón con la caja en las manos y la llavecita de níquel suspendida del cuello; cómo de pronto su rostro se desencajó y, al verme, me pidió con voz entrecortada que le acercara las pastillas. Pero no lo hice. Cogí el tubo que quedaba a dos palmos escasos del abuelo, lo agité ante sus ojos y le exigí que me dejara jugar con la caja china. El abuelo estaba cada vez más congestionado y furioso. Hasta que, ante mi asombro, su cabeza se desplomó sobre la mesa y sus ojos perdieron cualquier asomo de estupor o ira. Y entonces decidí escarmentarle, vengarme de su manía de pegarme con los nudillos en el cogote. Desabroché con todo cuidado la cadenita que le rodeaba el cuello, me hice con la caja y la escondí en mi cuarto. Sólo después, horas después, oí los gritos de la Nati y comprendí que el abuelo no se había quedado dormido.

Pero eso no eran más que historias de viejos y niños. Cosas sin importancia, bromas y juegos de viejos y niños. Hasta que, un día, mucho después de lo que estoy relatando, descubrí un detalle que me dejó perplejo y me enfrentó por primera vez a la magnitud de mi asesinato inconsciente, a la imposibilidad de dar marcha atrás y recuperar lo irremisiblemente perdido. Mi madre, el cariño, su dulzura... Ocurrió la tarde en que cumplía dieciocho años, un día de julio en vísperas de vacaciones –esas vacaciones que significaban colonias de verano primero, casas de amigos después y viajes de estudios ahora–, y mi madre, residente por voluntad propia en un balneario repleto de ancianos, me envió una postal. Iba a colocarla junto a las otras en un rincón del armario, en el desorden de ropas, jerséis y libros, cuando reparé en la caja olvidada, la caja de la pagoda, el mandarín y el junco y, como hiciera tantas veces de niño, la abrí. Fue entonces cuando me di cuenta de que aquella caja descascarillada no me pertenecía. Ni la caja, ni las fotografías, ni la pesada y mugrienta pipa que no servía para fumar. Porque la pipa que ahora sostenía entre las manos, la pipa que ahora limpiaba y no servía para fumar, la supuesta guardiana de los «tesoros» del abuelo, era de oro macizo. Y a medida que frotaba con una gamuza iban apareciendo en la embocadura unas letras que dejaban muy claro quién era el destinatario de aquel objeto: «Para María Teresa, mi hija». Y fue precisamente esta inscripción lo que me hizo dudar de todo lo que hasta entonces había dado por cierto. Y empecé a pensar que el abuelo, por más desapego e indiferencia que aparentara en los últimos años de su vida, a quien amaba realmente era a la menor de sus hijas, María Teresa, mi madre. Y que ella tal vez, en las operaciones de busca y captura, tan sólo pretendiera algo especial, un distintivo, una preferencia, un *«para ti...»*, como en las fotografías. O que acaso actuara como lo hizo movida por el recelo y la desconfianza de sus hermanos. Pero sobre todo me veía a mí. Veía mi mirada de rey destronado, escrutando a mi madre, acusándola en silencio, convirtiéndome en el juez de una situación que únicamente los nervios, las circunstancias y mi obsesiva presencia podían provocar. Y me sorprendí murmurando: «Pobre mamá», en idéntico tono al que ella empleaba para referirse a su padre, el abuelo. Pero era ya demasiado tarde. Telefoneé a mi madre, le conté el hallazgo, me excusé por mi silencio y le propuse, con cierta timidez, la posibilidad de cambiar nuestros planes y terminar el verano juntos. Pero ella sólo dijo:

–¡Qué tontería! Si el abuelo no había fumado nunca...

Y me sentí como lo que entonces yo era. Un completo extraño en su vida hecha de partidas de naipes, amigas que le doblaban la edad, ancianos decrépitos y baños de salud. Y constaté que de nada me había servido creerme el receptor del legado del abuelo. Porque había hecho precisamente de mi madre lo que él siempre temió que hicieran consigo.

El ángulo del horror

Ahora, cuando golpeaba la puerta por tercera vez, miraba por el ojo de la cerradura sin alcanzar a ver, o paseaba enfurruñada por la azotea, Julia se daba cuenta de que debía haber actuado días atrás, desde el mismo momento en que descubrió que su hermano le ocultaba un secreto, antes de que la familia tomara cartas en el asunto y estableciera un cerco de interrogatorios y amonestaciones. Porque Carlos seguía ahí. Encerrado con llave en una habitación oscura, fingiendo hallarse ligeramente indispuesto, abandonando la soledad de la buhardilla tan sólo para comer, siempre a disgusto, oculto tras unas opacas gafas de sol, refugiándose en un silencio exasperante e insólito. «Está enamorado», había dicho su madre. Pero Julia sabía que su extraña actitud nada tenía que ver con los avatares del amor o del desengaño. Por eso había decidido montar guardia en el último piso, junto a la puerta del dormitorio, escrutando a través de la cerradura el menor indicio de movimiento, aguardando a que el calor de la estación le obligara a abrir la ventana que asomaba a la azotea. Una ventana larga y estrecha por la que ella entraría de un salto, como un gato perseguido, la sombra de cualquiera de las sábanas secándose al sol, una aparición tan rápida e inesperada que Carlos, vencido por la sorpresa, no tendría más remedio que hablar, que preguntar por lo menos: «¿Quién te ha dado permiso para irrumpir de esta forma?». O bien: «¡Lárgate! ¿No ves que estoy ocupado?». Y ella vería. Vería al fin en qué consistían las misteriosas ocupaciones de su hermano, comprendería su extrema palidez y se apresuraría a ofrecerle su ayuda. Pero llevaba más de dos horas de estricta vigilancia y empezaba a sentirse ridícula y humillada. Abandonó su posición de espía junto a la puerta, salió a la azotea y volvió a contar, como tantas veces a lo largo de la tarde, el número de baldosas defectuosas y resquebrajadas, las pinzas de plástico y las de madera, los pasos exactos que la separaban de la ventana larga y estrecha. Golpeó con los nudillos el cristal y se oyó decir a sí misma con voz fatigada: «Soy Julia». En realidad tendría que haber dicho: «Sigo siendo yo, Julia». Pero ¡qué podía importar ya! Esta vez, sin embargo, aguzó el oído. Le pareció percibir un lejano gemido, el chasquido de los muelles oxidados de la cama, unos pasos arrastrados, un sonido metálico, de nuevo un chasquido y un nítido e inesperado: «Entra. Está abierto». Y Julia, en aquel instante, sintió un estremecimiento muy parecido al extraño temblor que recorrió su cuerpo días atrás, cuando comprendió, de pronto, que a su hermano le ocurría *algo*.

Hacía ya un par de semanas que Carlos había regresado de su primer viaje de estudios. El día 2 de septiembre, la fecha que ella había coloreado de rojo en el calendario de su cuarto y que ahora le parecía cada vez más lejana e imposible. Lo recordaba al pie de la escalerilla del jumbo de la British Airways, agitando uno de sus brazos, y se veía a sí misma, admirada de que a los dieciocho años se pudiera crecer aún, saltando con entusiasmo en la terraza del aeropuerto, devolviéndole besos y saludos, abriéndose camino a empujones para darle la bienvenida en el vestíbulo. Carlos había regresado. Un poco más delgado, bastante más alto y ostensiblemente pálido. Pero Julia le encontró más guapo aún que a su partida y no prestó atención a los comentarios de su madre acerca de la deficiente alimentación de los ingleses o las excelencias incomparables del clima mediterráneo. Tampoco, al subir al coche, cuando su hermano se mostró encantado ante la perspectiva de disfrutar unas cuantas semanas en la casa de la playa y su padre le asaeteó a inocentes preguntas sobre las rubias jovencitas de Brighton, Julia rió las ocurrencias de la familia. Se hallaba demasiado emocionada y su cabeza bullía de planes y proyectos. Al día siguiente, cuando sus padres dejaran de preguntar y avasallar, ella y Carlos se contarían en secreto las incidencias del verano, en el tejado, como siempre, con los pies oscilantes en el extremo del alero, como cuando eran pequeños y Carlos le enseñaba a dibujar y ella le mostraba su colección de cromos. Al llegar al jardín, Marta les salió al encuentro dando saltos y Julia se admiró por segunda vez de lo mucho que había crecido su hermano. «A los dieciocho años», pensó. «¡Qué absurdo!» Pero no pronunció palabra.

Carlos se había quedado ensimismado contemplando la fachada de la casa como si la viera por vez primera. Tenía la cabeza ladeada hacia la derecha, el ceño fruncido, los labios contraídos en un extraño rictus que Julia no supo interpretar. Permaneció unos instantes inmóvil, mirando hacia el frente con ojos de hipnotizado, ajeno a los movimientos de la familia, al trajín de las maletas, a la proximidad de la propia Julia. Después, sin modificar apenas su postura, apoyó la cabeza en el hombro izquierdo, sus ojos reflejaron estupor, el extraño rictus de la boca dejó paso a una inequívoca expresión de lasitud y abatimiento, se pasó la mano por la frente y, concentrando la vista en el suelo, cruzó cabizbajo el empedrado camino del jardín.

Durante la cena el padre siguió interesándose por sus conquistas y la madre preocupándose por su mal color. Marta soltó un par de ocurrencias que Carlos acogió con una sonrisa. Parecía cansado y soñoliento. El viaje, tal vez. Besó a la familia y se retiró a dormir.

Al día siguiente Julia se levantó muy temprano, repasó la lista de lecturas que Carlos le había recomendado al partir, reunió las cuartillas en las que había anotado sus impresiones y se encaramó al tejado. Al cabo de un buen rato, cansada de esperar, saltó a la azotea. La ventana de su hermano se hallaba entornada, pero no parecía que hubiese nadie en el interior del dormitorio. Se asomó a la balaustrada y miró hacia el jardín.

Carlos estaba allí, en la misma posición que la noche anterior, contemplando la casa con una mezcla de estupor y consternación, inclinando la cabeza, primero a la derecha, luego a la izquierda, clavando la mirada en el suelo y cruzando abatido el empedrado camino que le separaba de la casa. Fue entonces cuando Julia comprendió, de pronto, que a su hermano le ocurría *algo.*

La hipótesis de un amor imposible fue cobrando fuerza en los tensos almuerzos de la casa. Una inglesa, una rubia y pálida jovencita de Brighton. La melancolía del primer amor, la tristeza de la distancia, la apatía con la que los jóvenes de su edad suelen contemplar todo lo que no haga referencia al objeto de su pasión. Pero eso fue al principio. Cuando Carlos se limitaba a mostrarse huraño y esquivo, a sobresaltarse ante cualquier pregunta, a evitar su mirada, a rechazar las caricias de la pequeña Marta. Tal vez, en aquel momento, debía haber actuado con firmeza. Pero ahora Carlos acababa de pronunciar: «Entra. Está abierto», y ella, armándose de valor, no tenía más remedio que empujar la puerta.

Al principio no acertó a percibir otra cosa que un calor sofocante y una respiración entrecortada y lastimera. Al rato, aprendió a distinguir entre las sombras: Carlos se hallaba sentado a los pies de la cama y en sus ojos parecían concentrarse los únicos destellos de luz que habían logrado atravesar su fortaleza. ¿O no eran sus ojos? Julia abrió ligeramente uno de los postigos de la ventana y suspiró aliviada. Sí, aquel muchacho abatido, oculto tras unas inexpugnables gafas de sol, con la frente salpicada de relucientes gotitas de sudor, era su hermano. Sólo que su palidez le parecía ahora demasiado alarmante, su actitud demasiado inexplicable, para que pudiera justificarlo en lo sucesivo a los ojos de la familia.

–Van a llamar a un médico –dijo.

Carlos no se inmutó. Siguió durante unos minutos con la cabeza inclinada hacia el suelo, entrechocando las rodillas, jugueteando con sus dedos como si interpretara una pieza infantil sobre el teclado de un piano inexistente.

–Quieren obligarte a comer... A que abandones de una vez esta habitación inmunda.

A Julia le pareció que su hermano se estremecía. «La habitación», pensó, «¿qué encontrará en esta habitación para permanecer aquí durante tanto tiempo?» Miró a su alrededor y se sorprendió de que no estuviera todo lo desordenada que cabía esperar. Carlos, desde la cama, respiraba con fuerza. «Va a hablar», se dijo y, sofocada por la agobiante atmósfera, empujó tímidamente uno de los postigos y entreabrió la ventana.

–Julia –oyó–. Sé que no vas a entender nada de lo que te pueda contar. Pero necesito hablar con alguien.

Un destello de orgullo iluminó sus ojos. Carlos, como en otros tiempos, iba a hacerla partícipe de sus secretos, convertirla en su más fiel aliada, pedirle una ayuda que ella se apresuraría a conceder. Ahora comprendía que había obrado rectamente al montar guardia junto a aquella habitación en sombras, actuando como una ridícula espía aficionada, soportando silencios, midiendo hasta la saciedad las dimensiones de la tórrida y solitaria azotea. Porque Carlos había dicho: «necesito hablar con alguien...». Y ella estaba allí, junto a la ventana entreabierta, dispuesta a registrar atentamente todo cuanto él decidiera confiarle, sin atreverse a intervenir, sin importarle que le hablara en un tono bajo, de difícil comprensión, como si temiera escuchar de sus propios labios el secreto motivo de su desazón. «Todo se reduce a una cuestión de...» Julia no pudo entender la última palabra pronunciada entre dientes, a media voz, pero prefirió no interrumpir.

Sacó un arrugado cigarrillo del bolsillo y se lo tendió a su hermano. Carlos, sin levantar la vista, lo rechazó.

–Todo empezó en Brighton, en un día como tantos otros –continuó–. Me eché en la cama, cerré la ventana para olvidarme de la lluvia, y me dormí. Eso fue en Brighton... ¿no te lo he dicho ya?

Julia asintió con un carraspeo.

–Soñé que había concluido los exámenes con gran éxito, que me llenaban de diplomas y medallas, que, de repente, deseaba encontrarme aquí entre vosotros y, sin pensarlo dos veces, decidía aparecer por sorpresa. Me subía entonces a un tren, un tren increíblemente largo y estrecho, y, casi sin darme cuenta, llegaba hasta aquí. «Es un sueño», me dije y, enormemente complacido, hice lo posible por no despertarme. Bajé del tren y me encaminé cantando hacia la casa. Era de madrugada y las calles estaban desiertas. De pronto me di cuenta de que me había olvidado la maleta en el compartimento, los regalos que os había comprado, los diplomas y las medallas, y que debía regresar a la estación antes de que el tren partiera de nuevo para Brighton. «Es un sueño», me repetí. «Figura que he enviado el equipaje por correo. No perdamos tiempo. Luego, a lo peor, la historia se complica.» Y me detuve ante la fachada de la casa.

Julia tuvo que hacer un esfuerzo para no intervenir. También a ella le ocurrían esas cosas y nunca les había concedido la menor importancia. Desde pequeña se supo capaz de regir algunos de sus sueños, de comprender súbitamente, en medio de la peor pesadilla, que ella, y sólo ella, era la dueña absoluta de aquella mágica sucesión de imágenes y que podía, con sólo proponérselo, eliminar a determinados personajes, invocar a otros o acelerar el ritmo de lo que ocurría. No siempre lo lograba –para ello era necesario adquirir la conciencia de la propiedad sobre el sueño– y, además, no lo consideraba especialmente divertido. Prefería dejarse embarcar por extrañas historias, como si sucedieran de verdad y ella fuera simplemente la protagonista, pero no la dueña, de aquellas imprevisibles aventuras. Una vez su hermana Marta, a pesar de sus pocos años, le contó algo similar. «Hoy he mandado en mi sueño», había dicho. Y ahora recordaba de pronto ciertas conversaciones sobre el asunto con los compañeros del instituto e, incluso, le parecía haber leído algo semejante en las memorias de una baronesa o condesa que le prestó una amiga. Encendió el arrugado cigarrillo que sostenía aún en la mano, aspiró una bocanada de humo, y sintió algo áspero y ardiente que le quemaba la garganta. Al escuchar su propia tos se dio cuenta de que en la habitación reinaba el más absoluto silencio y que debía de hacer ya un buen rato que Carlos había dejado de hablar y que ella se había entregado a estúpidas elucubraciones.

–Sigue, por favor –dijo al fin.

Carlos, después de un titubeo, prosiguió:

–Era la casa, la casa en la que estamos ahora tú y yo, la casa en la que hemos pasado todos los veranos desde que nacimos. Y, sin embargo, había algo muy extraño en ella. Algo tremendamente desagradable y angustioso que al principio no supe precisar. Porque era exactamente *esta casa,* sólo que, por un extraño don o castigo, yo la contemplaba desde un insólito ángulo de visión. Me desperté sudoroso y agitado, e intenté tranquilizarme recordando que sólo había sido un sueño.

Carlos se cubrió la cara con las manos y ahogó un gemido. A su hermana le pareció que musitaba un innecesario «hasta llegar aquí...» y revivió, con cierta decepción, la transformación a la que había asistido días atrás en la puerta del jardín. «De modo que era eso», iba a decir, «simplemente eso.» Pero tampoco esta vez pronunció palabra. Carlos se había puesto en pie.

–Es un ángulo –continuó–. Un extraño ángulo que no por el horror que me produce deja de ser real... Y lo peor es que ya no hay remedio. Sé que no podré librarme de él en toda la vida...

Los últimos sollozos la obligaron a desviar la mirada en dirección a la azotea. De repente le incomodaba encontrarse allí, sin acertar a entender gran cosa de lo que estaba escuchando, sintiéndose definitivamente alarmada ante el desmoronamiento de aquel ser a quien siempre había creído fuerte, sano y envidiable. Quizá sus padres estuvieran en lo cierto y lo de Carlos no se remediase con atenciones ni confidencias. Necesitaba un médico. Y su labor iba a consistir en algo tan sencillo como abandonar cuanto antes aquella habitación asfixiante y unirse a la preocupación del resto de la familia. «Bueno», dijo con decisión, «había prometido llevar a Marta al cine...» Pero enseguida reparó en que su semblante desmentía su fingida tranquilidad. Las gafas de Carlos la enfrentaron por partida doble a su propio rostro. Dos cabezas de cabello revuelto y ojos muy abiertos y asustados. Así debía de verla él: una niña atrapada en la guarida de un ogro, inventando excusas para salir quedamente de la habitación, aguardando el momento de traspasar el umbral de la puerta, respirar hondo y echar a correr escaleras abajo. Y ahora, además, Carlos, desde el otro lado de los oscuros cristales, parecía haberse quedado embobado escrutándola, y ella sentía debajo de aquellas dos cabezas de cabello revuelto y ojos espantados dos pares de piernas que empezaban a temblar, demasiado para que pudiera seguir hablando de Marta o del cine, como si aquella tarde fuera una tarde cualquiera en que importaran Marta o la vaga promesa de llevarla al cine. La sombra de una sábana agitada por el viento le privó por unos instantes de la visión de su hermano. Cuando de nuevo se hizo la luz, Julia reparó en que Carlos se le había aproximado aún más. Sostenía las gafas en una mano y mostraba unos párpados hinchados y una expresión alucinada. «Es maravilloso», dijo con un hilo de voz. «A ti, Julia, a ti aún puedo mirarte.» Y de nuevo esa preferencia, esa singularidad que le otorgaba por segunda vez en la tarde, terminó con sus propósitos con inverosímil rapidez. «Está enamorado», dijo durante la cena, y comió sin apetito un plato de insípidas verduras que olvidó salar y sazonar.

No tardó en darse cuenta de que había obrado de forma estúpida. Aquella noche y las que siguieron a la primera visita a la buhardilla. Cuando se erigió en mediadora entre su hermano y el mundo; cuando se encargó de hacer desaparecer de su alcoba los platos intocados; cuando reveló a Carlos, como la fiel aliada que había sido siempre, el diagnóstico del médico –depresión aguda– y la decisión de la familia de internarlo en una casa de reposo. Pero ya era demasiado tarde para volverse atrás. Carlos acogió la noticia de su inmediato internamiento con sorprendente dejadez. Se caló las gafas oscuras –aquellas gafas impenetrables de las que sólo en su presencia osaba desprenderse–, manifestó su deseo de abandonar la buhardilla, paseó del brazo de Julia por algunas dependencias de la casa, saludó a la familia, contestó a sus preguntas con frases tranquilizadoras. Sí, se encontraba bien, mucho mejor, lo peor había pasado ya, no tenían por qué preocuparse. Se encerró unos minutos en el baño de sus padres. Julia, a través de la puerta, oyó el clic-clac del armarito metálico, el chasquido de un papel, el goteo del agua de colonia. Al salir le encontró peinado y aseado, y le pareció mucho más apacible y sereno. Le acompañó hasta su cuarto, le ayudó a echarse en la cama y bajó al comedor.

Fue algo después cuando Julia se sintió súbitamente asustada. Recordó la cerradura de la buhardilla arrancada de cuajo por su padre hacía ya unos días, la preocupación de su madre, el gesto significativo del médico al declararse incompetente ante los dolores del alma, el clic-clac del armarito metálico... Un armario blanco y ordenado en el que nunca se le había ocurrido curiosear, el botiquín, el orgullo de su madre, nadie en tan poco espacio podía haber reunido tal cantidad de remedios para afrontar cualquier situación. Subió los escalones de dos en dos, jadeando como un galgo, aterrorizada ante la posibilidad de nombrar lo que no podía tener nombre. Al llegar al dormitorio empujó la puerta, abrió los postigos y se precipitó sobre el lecho. Carlos dormía plácidamente, desprovisto de sus inseparables gafas oscuras, olvidado de tormentos y angustias. Ni todo el sol de la azotea que ahora se filtraba a raudales por la ventana, ni los esfuerzos de Julia por despertarle, consiguieron hacerle mover un músculo. Se sorprendió a sí misma gimiendo, gritando, asomándose a la escalera y voceando los nombres de la familia. Después todo sucedió con inaudita rapidez. La respiración de Carlos fue haciéndose débil, casi imperceptible, su rostro recobró por momentos la belleza reposada y tranquila de otros tiempos, su boca dibujó una media sonrisa beatífica y plácida. Ahora ya no podía negar evidencias: Carlos dormía por primera vez desde que regresara de Brighton, aquel 2 de septiembre, la fecha que ella había coloreado de rojo en su calendario.

No tuvo tiempo para lamentarse de su estúpida actuación ni para desear con todas sus fuerzas que el tiempo girase sobre sí mismo, que todavía fuera agosto y que ella, sentada en el alero del tejado, esperase ansiosamente, junto a un montón de cuartillas, la llegada de su hermano. Pero cerró los ojos e intentó convencerse de que era aún pequeña, una niña que durante el día jugaba a las muñecas y coleccionaba cromos, y que, a veces, por las noches, sufría tremendas pesadillas. «Soy la dueña del sueño», se dijo. «Es sólo un sueño.» Pero cuando abrió los ojos no se sintió capaz de continuar con el engaño. Aquella terrible pesadilla no era un sueño ni ella poseía poder alguno para rebobinar imágenes, alterar situaciones o lograr siquiera que aquel rostro hermoso y apacible recuperase la angustia de la enfermedad. De nuevo la sombra de una sábana agitada por el viento se señoreó unos instantes de la habitación. Julia volvió la mirada hacia su hermano. Por primera vez en la vida comprendía lo que era la muerte. Inexplicable, inaprehensible, oculta tras una apariencia de fingido descanso. Veía a la Muerte, lo que tiene la muerte de horror y de destrucción, de putrefacción y abismo. Porque ya no era Carlos quien yacía en el lecho sino Ella, la gran ladrona, burdamente disfrazada con rasgos ajenos, riéndose a carcajadas tras aquellos párpados enrojecidos e hinchados, mostrando a todos el engaño de la vida, proclamando su oscuro reino, su caprichosa voluntad, sus inquebrantables y crueles designios. Se restregó los ojos y miró a su padre. Era su padre. Aquel hombre sentado en la cabecera de la cama era su padre. Pero había algo enormemente desagradable en sus facciones. Como si una calavera hubiese sido maquillada con chorros de cera, empolvada e iluminada con pinturas de teatro. Un payaso, pensó, un *clown* de la peor especie... Se asió del brazo de su madre y una repugnancia súbita la obligó a apartarse. ¿Por qué de repente tenía la piel tan pálida, el tacto tan viscoso? Salió corriendo a la azotea y se apoyó en la balaustrada.

–El ángulo –gimió–. Dios mío... ¡he descubierto el ángulo!

Y fue entonces cuando notó que Marta estaba junto a ella, con uno de sus muñecos en los brazos y un caramelo mordisqueado entre sus dedos. Marta seguía siendo una criatura preciosa. «A ti, Marta», pensó, «a ti todavía puedo mirarte.» Y aunque la frase le golpeó el cerebro con otra voz, con otra entonación, con el recuerdo de un ser querido que no podría ya volver a ver en la vida, no fue esto lo que más la sobresaltó ni lo que le hizo echarse a tierra y golpear las baldosas con los puños. Había visto a Marta, la mirada expectante de Marta, y en el fondo de sus ojos oscuros, la súbita comprensión de que a ella, Julia, le estaba ocurriendo *algo*.

La Flor de España

Hacía un frío pelón; yo paseaba arriba y abajo por la avenida principal y me preguntaba, como cada día, qué diablos estaba haciendo allí, en una ciudad de idioma incomprensible en la que anochece a las tres de la tarde y no se ve un alma por la calle a partir de las cuatro. Pero aquella mañana no era como todas las mañanas. Era peor. Olav me había abandonado y, aunque en definitiva no supiera aún muy bien si me importaba o no me importaba que Olav me hubiera abandonado, yo paseaba arriba y abajo, pensaba que aquella mañana era todavía peor que las otras y me preguntaba (además de lo de siempre) *por qué* Olav me había abandonado. Fue así como, enfrascada en tales meditaciones, varié sin proponérmelo el recorrido habitual de mis paseos matutinos y enfilé por una calleja estrecha, rebosante de nieve sucia, en la que el paso de los escasos transeúntes había abierto algo semejante a un camino. La notable distancia entre huella y huella me recordó una vez más el acusado gigantismo de los aborígenes (Olav entre ellos), pero al tiempo, el miedo a perder el equilibrio y resbalar me mantuvo sanamente ocupada, con la mente en blanco, pendiente de evitar las partes heladas y acertar con mis saltos. La calle no tendría más de unos veinte metros y desembocaba en una avenida casi tan ancha y anodina como la que acababa de abandonar, sólo que ahora, quizá por haber accedido a través de aquel pasaje angosto, me pareció inesperadamente luminosa y llena de vida. La alcancé de un salto, sacudí mis botas sobre la acera y me disponía ya a seguir arriba y abajo, esta vez a lo largo de la segunda avenida, cuando, obedeciendo a un impulso que no me molesté en analizar, volví sobre mis pasos y me adentré de nuevo en el pasaje. Entonces lo vi: La Flor de España.

No serían más de las ocho, pero ya en la calle los rótulos aparecían encendidos y los colores se reflejaban en la nieve. A medida que me aproximaba me pareció que el de La Flor era de todos el más vistoso, no tanto por su tamaño, obligadamente reducido dadas las dimensiones del local, sino por los curiosos guiños a los que se entregaba la tilde y que supuse no del todo preconcebidos. Aquélla no era una tilde normal y corriente. Tampoco una onda apenas esbozada, un signo ligero, sugerente, sino un auténtico disparate, un trazo desmesurado, toscamente añadido a una inocente e indefensa ene. Pensé en el prurito de los propietarios de La Flor, en su deseo de hacer las cosas bien hechas, pero también en su evidente sentido del ahorro para acudir a un apaño casero como aquél y aprovechar una B, una S, un trozo de cualquier letra hecha en serie que, tal vez por las manipulaciones y no por otra causa, sólo accedía a mostrarse con intermitencias. Cuando me hallaba a escasos pasos de mi destino, la letra mutilada, fuere cual fuere, emitió su último quejido y toda La Flor de España quedó en sombras.

No estaba soñando. Sentía mis miembros demasiado entumecidos bajo el abrigo para suponer que estaba soñando. Pero la leve sensación de irrealidad que me había llevado hasta allí y a la que me había aferrado aunque sólo fuera para escapar a la rutina se convirtió, con la nariz pegada al escaparate y nieve hasta las rodillas, en el más absoluto desconcierto. No era la primera vez que veía una tienda como aquélla. Naturalmente que a lo largo de mi vida había visto cantidad de tiendas como aquélla. Pero allí, en medio de una calle desierta, en el país del frío, donde los días acaban a las tres de la tarde y no se ve un alma a partir de las cuatro... Contabilicé tres cabezas de toro, dos trajes de faralaes, innumerables peinetas, algunas barretinas, un montón de chapelas, panderetas, castañuelas, abanicos, vírgenes del Pilar de todos los tamaños, vírgenes de Montserrat de varios tamaños, una virgen de Covadonga empecinada en mostrarse siempre en el mismo tamaño... Hasta que el vaho levantado por mi proximidad terminó por empañar completamente el cristal y ya no fui capaz de distinguir nada.

Lo que acababa de contemplar era lo más semejante a un museo de horrores; una vitrina de ídolos extraños arrancados de su origen; un altar de ofrendas destinado a aplacar las iras de una caprichosa divinidad. Me pregunté a quién se le podía haber ocurrido la idea de montar un negocio tan grotesco e imaginé a algunos padres rubios y de ojos azules amenazando a sus hijos, también rubios y de ojos azules, con llevarles a La Flor de España si no se acababan la sopa. Después ya no imaginé nada. Empujé la puerta y entré.

El sonido de la campanilla se confundió con el timbre del teléfono y una rubia de mirada desvaída atendía ahora la llamada sin prestarme la menor atención. Miré de nuevo hacia el escaparate, esta vez desde el interior, y de nuevo a la mujer desvaída. Contaría unos cuarenta y tantos años de edad, peinaba la media melena y el inevitable flequillo de la mayoría de las nativas, y anotaba, con grandes signos de aprobación, algo que, por raro que me pudiera parecer, tenía todo el aspecto de un pedido. Sonreí. En la tienda se respiraba un calor agradable, volvía a sentir las manos dentro de los guantes y, de repente, en medio de algo muy semejante a una iluminación, creí comprender el porqué del insólito negocio. Aquella mujer había conocido tiempos mejores –no hacía falta ser muy sagaz para averiguar *dónde*–, tiempos irrepetibles y lejanos, dorándose al sol, bebiendo ingentes cantidades de sangría, enamorándose sucesivamente del guía, del portero, del chófer del autocar. De cualquier hombre de piel curtida que se le pusiera por delante. Y ella, más obstinada y emprendedora que muchas otras, no se resignaba –o en su día no se resignó, porque la tienda ofrecía un aspecto algo vetusto– a archivar sus recuerdos en el baúl de la memoria. Ahora estaba casi segura. Ante la imposibilidad de traerse al muchacho moreno –el guía, el portero, el conductor del autocar–, se había traído el resto.

Me aproximé, saludé con una frase hecha y pregunté, mitad con gestos, mitad con palabras, si podía seguir observando. Estaba acostumbrada a que mis intentos por expresarme en aquel idioma levantaran invariablemente una corriente de simpatía, pero éste no parecía ser el caso. La mujer registró mi saludo con la más absoluta indiferencia, cubrió por un instante el auricular y dijo algo que, aunque no podía traducir con fidelidad, sabía, a fuerza de oírlo, que significaba «Pase usted. Entrada libre». Luego pronunció un par de frases más y comprobé con alivio que no se dirigía a mí, sino a su invisible interlocutor de quien probablemente se estaba despidiendo. Cuando colgó ya no me hallaba tan convencida de que aquélla fuera la mujer que tan precipitadamente yo había fabulado –a lo más, una amiga, una sustituta, una empleada–, pero sí del hecho evidente de que entre ella y los indiscriminados objetos que abarrotaban el aparador no existía otra cosa que una relación ocasional, desapasionada y fría.

O tal vez, pensé enseguida, me estaba equivocando de nuevo. Porque me encontraba ahora en el centro mismo de La Flor y me daba cuenta de que el escaparate que tanto me deslumbrara no era más que la antesala, el anuncio, la introducción espectacular a lo que venía luego. Y si al escaparate se le podía achacar, entre otras muchas cosas, su dudoso gusto, no ocurría lo mismo con la serie de productos cuidadosamente ordenados y clasificados en pulcros anaqueles que ahora yo, cansada de los insulsos alimentos del país del frío, contemplaba con verdadera fascinación. Acababa de hacer un descubrimiento que suponía un importante avance en mi rutinaria dieta, y me alegró comprobar el rigor en la selección, la opción precisa de la marca adecuada, la búsqueda de la calidad por encima de todo. La rubia desvaída, decidí, sería además de desvaída un tanto apática, pero se revelaba inesperadamente como una auténtica gastrónoma o, en todo caso, estaba informada, muy bien informada. En aquel momento sonó de nuevo el teléfono.

–La Flor –escuché y, estúpidamente, sonreí frente a una conserva de espléndidos morrones.

–Ah –añadió luego. Y enseguida–: Pepe, échame una mano, anda. La calle está llena de nieve y me están poniendo la tienda perdida...

No me hizo falta mirar a mi alrededor para recordar que estábamos solas y que aquel plural irritante no podía hacer referencia a otra persona más que a mí. Pero había algo que me parecía aún peor. La patente indiferencia con la que había acogido mis ridículos balbuceos en un idioma que yo creía el suyo y el hecho –mi acento era inconfundible– de que no se hubiera molestado en sacarme del error y responderme en el nuestro. A no ser, me dije para tranquilizarme, que enfrascada en sus ocupaciones no se hubiera dado cuenta... Esperé a que terminara de dar órdenes al tal Pepe y me acerqué con un par de botellas de Rioja de una marca que no conocía.

–¿Qué tal es este vino? –pregunté con una sonrisa.

Ella no dio signo alguno de sorpresa.

–Bien –dijo–. Nadie se ha quejado.

Se había puesto en pie, y observé que, además de desvaída y seca, era fondona e increíblemente baja. Me pregunté cómo podía haberla confundido con una autóctona. Porque la verdad es que se había puesto en pie, pero se diría que seguía sentada.

–Bueno, lo probaremos –dije yo.

Pero no estaba pensando en Olav, de quien milagrosamente había llegado a olvidarme, ni tampoco, como en un partido de tenis, le devolvía su desafortunado plural en forma de pelota. De repente sentía unas ganas tremendas de hablar. Le expliqué que vivía algo lejos

–y ella me escuchó como si lo que le estaba contando fuera lo que menos le interesara del mundo–, que no siempre podría desplazarme hasta La Flor de España y que, en el supuesto de que aquel vino que me llevaba a modo de prueba me gustase (lo cual parecía probable dado que, como muy bien había dicho, nadie se había quejado), lo sensato sería que lo encargara por cajas, les llamase por teléfono y ellos me lo hicieran llegar hasta mi domicilio.

–No –dijo.

Bien. No podía retirarme con aquella negativa zumbándome en los oídos. Esperé más allá de un tiempo prudencial hasta que comprendí que el resto de la frase que se resistía a aparecer no iba a llegar nunca, porque allí no había ninguna frase. Su respuesta era: «NO». La miré por encima del hombro sin importarme si seguía de pie o había aprovechado mi estupor para sentarse de nuevo.

–Vaya –dije exagerando mi sorpresa–. Así que no disponen de servicio de reparto...

En los ojos de la rubia acababa de encenderse un fulgor especial, una llamita apenas perceptible que no duraría más de unos segundos, lapso suficiente como para darme cuenta de que había dado en el clavo. Me felicité por mi astucia. Del rotundo e impertinente «NO» apenas quedaba el recuerdo. Ahora eran mis palabras las que flotaban en el aire y asumían por momentos el papel de dedo acusador. ¡Mira que no tener servicio de reparto! Aquello, si no un escándalo, era por lo menos una carencia, un error, un fallo. Sí: le estaba devolviendo la pelota.

–Claro que tenemos –dijo entonces–. Pero sólo para encargos de más de...

La cifra era a todas luces exorbitante. La comparé con mi sueldo de lectora de español en la universidad y me pareció improbable que alguien, en aquel país, se dedicara a consumir productos tan especializados en cantidades ingentes. A no ser que el pedido comprendiera... una cabeza de toro. Ignoraba lo que podía costar una cabeza de toro (aunque la suponía cara) pero tampoco resultaba verosímil que en la mayoría de encargos, junto a alubias, vino o chorizo, se incluyera una cabeza de toro. Lo único evidente, resolví, es que *carecían de servicio de reparto,* y ese detalle, que en realidad me traía sin cuidado, parecía cobrar para ella cierta importancia. Pagué el importe de las dos botellas y cuando me hallaba ya junto a la puerta reparé de repente en que aquella negativa –en el supuesto de que la rubia no hubiera improvisado– tenía mucho de insultante y grosera. ¿De dónde había sacado que yo no podía pagar ese importe?

–Por cierto –dije dedicándole una última sonrisa–, tienen el luminoso estropeado, ¿se había dado cuenta?

Esta vez el esperado fulgor no encendió sus pupilas. Accionó un interruptor sin moverse de la mesa, como si mi información no le sorprendiera lo más mínimo, el percance ocurriera con frecuencia o fuera ella misma, avara no sólo de palabras, quien desconectara el luminoso de vez en cuando.

Al salir recibí una bofetada de aire gélido en el rostro. Todo estaba igual. La nieve sucia, la calle desierta y la oscilante tilde, ya recuperada, bailando sobre La Flor, a ratos de España y otros de *Espana.*

Aquella noche asistí a una fiesta en casa del doctor Arganza. Lo decidí en el último instante, cuando caí en la cuenta de que era viernes y recordé las palabras del médico navarro tendiéndome una tarjeta e instándome a participar en sus reuniones. «Pásese cualquier viernes por casa», había dicho. «Le presentaré a Gudrun, mi mujer, y conocerá a parte de la colonia.» La perspectiva no me pareció entonces demasiado halagüeña, pero la sola idea de aguardar a que me llegara el sueño ante el televisor (o sucumbir al desespero y marcar el número de Olav) me empujó a considerar la invitación y convencerme de que, aunque la velada resultara un fiasco, tampoco se perdía nada con intentarlo. Así que confirmé mi presencia por teléfono, metí las botellas de tinto en una bolsa y me dirigí al hogar del doctor Arganza.

Gudrun me recibió con una inmensa sonrisa, se interesó por mi última faringitis, me preguntó si los consejos de su marido habían resultado útiles, se hizo con las dos botellas y emitió un prolongado *ooooh* de júbilo y sorpresa. Luego las colocó sobre una repisa y enseguida me di cuenta de que el pequeño revuelo que había provocado mi aportación no debía de tratarse más que de un cumplido. Porque la casa estaba llena de riojas e incluso, la mayoría, de la misma marca que hasta aquella mañana yo desconocía. Arganza, con aspecto de gran anfitrión, había pasado directamente al tuteo y me introducía ahora en un salón en el que se hallaba parte de «la colonia». Algunos invitados se pusieron en pie. «Estás en tu casa», dijo el médico.

Conocí a una pintora valenciana, a un químico enjuto, no sé si de León o de Gijón, a un tenor de Salamanca, a una enfermera (de no recuerdo dónde) y a un funcionario, ya entrado en años, de cierta asociación internacional cuyos objetivos tampoco entendí con claridad. Arganza me los iba presentando uno a uno, sin olvidarse de precisar nombre, apellidos, profesión, años de residencia y lugar de origen. Eso último, el lugar de origen, parecía un requisito ineludible. Todos –yo misma desde que entrara por la puerta– teníamos nuestro *lugar de origen* marcado a hierro en la frente, como si se tratara de dejar las cartas sobre la mesa, evitar confusiones o propiciar de antemano afinidades, enfrentamientos o chistes. Me acordé de algunas películas de mi infancia, de diálogos inefables a los que se entregaban soldados, marinos o boxeadores *(«Oye, tú, Minnesota», «¿Qué quieres, Ohio?»)* y, como si un fundido en la vida real resultara posible, deseé con todas mis fuerzas encontrarme de vuelta en casa. Pero acababa de llegar. Arganza dejó para el final (tal vez porque se hallaban algo alejadas del grupo) la presentación de Svietta e Ingeborg, mujeres ambas de dos de los presentes, aunque en aquel instante, con tantos nombres, autonomías y profesiones en la cabeza, no hubiese sido capaz de asegurar de quiénes. Me excusé como pude por lo tremendamente mal que hablaba su idioma. «No te preocupes», dijo Ingeborg. «A nosotras nos pasa lo mismo con el tuyo.»

Enseguida apareció la pintora de Valencia, me arrancó del rincón y me condujo de nuevo al centro de la sala donde «la colonia» se dispuso a examinarme, catalogarme y contarme su vida. Me sentí un poco en el exilio. Ninguno de los presentes se encontraba allí por razones forzosas; ganaban sueldos espléndidos y no parecía que se plantearan ni por asomo deshacer sus pisos y regresar a su «lugar de origen». Pero sus intervenciones mostraban a las claras un deje de desprecio hacia el país del frío, una queja, cierto indisimulado aire de suficiencia, un *«no saben vivir...»* que no puedo afirmar que llegara a sacarme de quicio –en el fondo yo participaba de muchas de sus conclusiones– pero sí que, en aquellas circunstancias, me hacía sentir más y más incómoda. Miré a Gudrun, atareada en rellenar las copas, y a Ingeborg y Svietta que, por indicación del ama de casa, acababan de tomar asiento junto a nosotros. No se las veía crispadas, pero tampoco tranquilas; a lo más, resignadas, sumisas. Entendí que la intervención, gramaticalmente intachable, con la que me había obsequiado Ingeborg o los saludos que me había prodigado la anfitriona no eran más que fórmulas aprendidas y que, si se las sacaba de ahí, debían realizar un ímprobo esfuerzo para seguir la conversación o participar de vez en cuando. Svietta, además, parecía desentenderse olímpicamente de todo lo que allí se dijera. Tenía la mirada ausente, como si permaneciera encerrada en su mundo y hubiera desconectado por voluntad propia de toda aquella barahúnda de la que nadie, ni siquiera su marido –que ahora ya sabía que era el químico–, se molestaba en traducirle algunas frases. No cabía la menor duda: los encuentros de los viernes serían para Ingeborg o Gudrun un aburrimiento, un peaje obligado en su situación personal. Pero para la pobre Svietta reunían todas las características de un suplicio.

Había llegado la hora de pasar al comedor. Me sentaron entre el tenor y el químico, y el funcionario del organismo internacional de objetivos imprecisos se interesó por mi trabajo, por mis problemas, por mi vida cotidiana.

–El frío –dije. Y no estaba recurriendo a ningún tópico–. Si no fuera por el clima...

–Y la gente –intervino la enfermera–. La gente de aquí no es como nosotros.

Otra vez. Había olvidado el lugar de origen que la enfermera ostentara antes en la frente pero aquello, además de una solemne estupidez, me pareció una aseveración un tanto discutible. Primero: ¿cómo éramos nosotros? O mejor: ¿era bueno o malo ser como nosotros? No seguí por ese camino porque resultaba evidente de qué lado se hallaba lo correcto, positivo y envidiable, pero evité mirarlas a ellas, a las que tampoco eran como nosotros. De pronto, con gran alegría, me acordé de La Flor de España.

–Bueno, eso de que seamos tan amables, tan encantadores, tan comunicativos...

Y conté cómo, aquella misma mañana, en el lugar más impredecible, me había topado con aquel sorprendente negocio.

–Pero lo más increíble era la mujer. La mujer que me atendía...

–Rosita –atajó el químico a mi izquierda sin levantar los ojos del plato.

Vaya. De modo que la rubia se llamaba Rosita y era ella, *ella* precisamente, la *Flor* de España. Reviví mis primeras impresiones ante el escaparate. Un altar, sí. Se trataba de un altar... Pero un altar que Rosita se había erigido a sí misma. Me puse a reír.

–No se burle usted –siguió el químico sin molestarse en variar la dirección de su mirada–. Rosita es una buena chica.

Acababa de cometer una imprudencia imperdonable. ¿Cómo se me había podido ocurrir que «la colonia» desconociera aquel negocio? ¿Quién podía asegurarme que Rosita no formaba parte del grupo y que sólo aquel viernes, por excepción, se había permitido faltar a la cita? La enfermera intervino de nuevo, pero, en esta ocasión, sólo Dios sabe hasta qué punto agradecí sus palabras.

–De todas formas –dijo–, no es familia de ninguno de nosotros.

Respiré aliviada. A mi izquierda el químico de León o de Gijón seguía imperturbable sorbiendo su sopa.

–Además –añadió de pronto–, tiene unos congelados estupendos.

No veía qué relación podía existir entre los supuestos congelados estupendos y la tranquilidad con la que aquel hombre se atrevía a desautorizar lo que yo todavía no había pronunciado. Observé que todos –y Svietta en mayor medida– se hallaban pendientes de mi persona.

–Nadie ha dicho lo contrario –repliqué amablemente–. No he tenido ocasión aún de probar esos congelados pero sí puedo afirmar que todos los productos exhibidos parecen de una calidad excelente. Únicamente pretendía hablarles de mi sorpresa. La lógica sorpresa al toparme con una tienda así en una calleja perdida, y luego...

–Es una buena calle –interrumpió una vez más el vecino de mesa.

Aquél no era mi día, estaba claro. Mejor hubiera hecho quedándome en casa, fingiendo otra faringitis ante el personal de la universidad, dejando de pasear como un perro sin amo y olvidándome de Arganza y de sus cenas. Compadecí a Svietta, condenada a soportar no sólo el suplicio de los viernes, sino el infierno de todos los días, pero ese pensamiento no me ocupó más allá de unos segundos.

–Tiene usted razón –dije–, la calle está muy bien situada, en pleno centro, entre dos grandes avenidas. Y en el fondo, ¿qué importancia puede tener un poco de nieve más, o un poco de nieve menos, en el país de la nieve? Lo único cierto es que esa señora cuyo nombre desconocía hasta hace un momento me parece, se mire como se mire –y aquí intenté esbozar la más ingenua de las sonrisas–, una solemne maleducada.

Arganza se apresuró a rellenar las copas de vino. Ignoro cuál pudo ser en aquellos momentos la expresión de mi vecino de mesa. No lo miré. Todos, de repente, habían encontrado algo que observar, algo que decir, algo que proponer. La enfermera recomendó con efusión el título de una película, el tenor se embarcó en un discurso interminable acerca de una dieta, conocida como «la antidieta», que le había hecho perder más de diez kilos, y la pintora hizo públicas sus dudas sobre la posibilidad de pasar las navidades en Mallorca, Tenerife o Lisboa. En un momento me pareció que las tres autóctonas me dirigían, desde su distante situación en torno a la mesa, una mirada única, uniforme. Pero no tuve tiempo de ahondar en la extraña sensación. Svietta se refugió enseguida en su mundo secreto, recuperó la expresión indiferente con la que la había conocido y perdió a ojos vistas el menor atisbo de interés por lo que se dijera o dejara de decir a partir de aquel instante. Yo intenté hacer lo mismo. No tenía ninguna razón de peso para asegurarlo, pero empezaba a sospechar que no era la primera vez que en las reuniones semanales se sacaba a colación el maldito comercio de productos peninsulares. O tal vez no. Tal vez sólo una recién llegada como yo, una novata, podía haber cometido aquel desliz. Alabé como todos la pata de cordero que Gudrun acababa de depositar sobre la mesa y esa breve intervención me permitió regresar con toda tranquilidad a mis meditaciones.

A lo largo de mi vida había conocido bastantes matrimonios mixtos. A unos se les consideraba felices, a otros no; a muchos absolutamente desgraciados. En todos ellos sin embargo se daba, con fastidiosa insistencia, la misma, terca e inevitable constante. La fascinación primera por el mundo del otro, la familia del otro, el país del otro, y la subida de tono, a medida que el amor dejaba paso a la rutina, en las afrentas, ataques e insultos dirigidos contra el país, la familia, las costumbres o las tradiciones del otro. Rosita, pues, sin excesivo mérito por su parte, se había convertido en un comodín. Un joker recurrente que aquellas tres mujeres, quizá no tan sumisas y resignadas como aparentaban los viernes, movían, utilizaban, mostraban u ocultaban a su antojo. Bien. Sin querer había removido viejas disputas. Y reí. Pero no de lo que estaba pensando (tan obvio como la evidencia misma), sino de la última ocurrencia del químico enjuto que ahora, completamente distendido, se revelaba como un conversador ejemplar. La velada estaba experimentando un giro vertiginoso. Empezaba a encontrarme a gusto y entoné, para mis adentros, un discreto *mea culpa* por la facilidad con la que todos –en ese caso yo misma– solemos precipitarnos en nuestros juicios.

Cuando me despedí volví a sentir la mirada de Gudrun, Ingeborg y Svietta como un bloque compacto. Y ahora sí. Ahora sí comprendí lo que aquellos seis ojos de expresión uniforme habían intentado comunicarme en silencio: «Gracias. Muchas gracias», me decían. «A nosotras *tampoco* nos gusta Rosa de España».

Aunque ¿no eran ahora ellas quienes se habían precipitado en su juicio?

A los pocos días conocí a Gert. Gert me invitó a una fiesta, yo acepté, y esa tarde –otro viernes precisamente– recordé el excelente Rioja, la carencia de servicio de reparto, y me encaminé hacia La Flor de España.

No quedaba rastro de nieve en el pasaje, pero sí charcos, enormes charcos de agua que la persistente lluvia amenazaba con convertir en lagos, mares u océanos. No me amilané (ahora sabía que aquella calle era «una buena calle»), alcancé la tienda en una corrida y entré.

Rosita no estaba sola. Conversaba animadamente con una mujer de parecida estatura, calcetines enrollados en los tobillos y enérgicos brazos dispuestos en la más ortodoxa posición «jarras». Parecía un ánfora. ¿Romana?, ¿griega?, ¿fenicia? En todo caso un ánfora indestructible. Rosita sonreía complacida.

–Como te decía... –explicaba la mujer en jarras. Pero al oír la campanilla se detuvo en seco.

La sonrisa de la flor había dejado paso a un extraño rictus. Saludé, me desembaracé del paraguas y, como la otra vez, me dirigí a la estantería de los vinos.

Ellas, poco a poco, reanudaron su charla. Era una conversación tediosa y anodina, claramente condicionada por mi presencia, desprovista de vivacidad, y en la que, más que hablar de algo, se diría que *fingían* hablar de algo. Me incliné, por pura curiosidad, sobre la vitrina de los congelados y comprobé que mi impresión no era del todo errónea. El cristal me devolvió un reflejo, un gesto apenas perceptible, el mentón de la visitante proyectado súbitamente hacia adelante –hacia mí, hacia mi espalda encorvada sobre la vitrina– en una interrogación exagerada que sólo podía interpretarse como un «¿Quién es ésa?», «¿Qué quiere?». Y aunque no hubo respuesta, adiviné enseguida la expresión de Rosita encogiéndose de hombros, una leve contracción en sus labios, un simulado mohín de indiferencia. Y ahora, mientras yo iniciaba un paseo por otras secciones y me detenía ante otros productos, la mujer que no era Rosita volvía a su interrumpido parlamento en un tono demasiado alto para no resultarme sospechoso.

–Por cierto –dijo–, aquella chica morena, bajita, tan simpática, ¿sabes si sigue trabajando en el consulado?

–Supongo –contestó Rosita con su apatía característica.

Pero el tiempo empleado en responder, los segundos de silencio que habían caído a plomo entre la sección de enlatados, donde yo me hallaba, y el pequeño mostrador junto al que ellas conversaban, me reafirmaron en mis suspicacias. Aquellas palabras no eran más que un lazo, una trampa ingeniosa para hacerme intervenir; para estrechar un círculo; para arrancarme de una vez por todas mi tarjeta de visita. Entendí que se trataba de un pequeño ritual, una obligada ceremonia a la que las dos mujeres acudían con regularidad cada vez que alguien aún no catalogado, alguien perteneciente a la colonia o susceptible de pertenecer a la colonia, aparecía por La Flor de España.

Pagué el importe de la compra y reparé en un pequeño panel, justo al lado de la caja registradora, en el que se ofrecían clases, se anunciaban coches de segunda mano o se proponían intercambios y viajes compartidos. Decidí que en cierta forma La Flor cumplía las funciones de un consulado paralelo, y que ella, Rosita, era la Gran Consulesa.

–¿Van a recibir turrón estas navidades? –pregunté por preguntar algo, y también porque se estaba muy bien allí y afuera seguía lloviendo.

–Sí –dijo.

Y de nuevo me ocurrió lo de la otra vez. La parquedad de la propietaria de La Flor operaba en mí como un resorte, un incentivo para seguir hablando, preguntando, aunque fuera sobre el turrón (por el que nunca me he sentido especialmente inclinada) y no hubiera decidido aún dónde pasar las próximas fiestas.

–¿En qué variedades? –añadí.

Rosita me devolvió el cambio con afectada parsimonia. A su lado el ánfora me escrutaba ahora sin ningún disimulo.

–En las normales –dijo Rosita.

Muy bien. ¿Cuáles eran las normales y cuáles las *anormales*? Aquello empezaba a ponerse interesante.

–Pero ¿y de coco? –dije obedeciendo a una súbita inspiración–. ¿Van a recibir turrón de coco?

No sé cómo mis labios llegaron a formar aquel círculo perfecto, un c-o-c-o que, si algo podía sugerir, además de la fruta en versión reducida, era el anuncio de un pintalabios o, mejor, la pose de una modelo aficionada imitando a las profesionales cuando anuncian un pintalabios. Y lo más curioso: me sentía a gusto dentro de aquel gesto, del coo-coo que ignoraba cómo había logrado componer, pero del que no pensaba desprenderme tan fácilmente. Tal como supuse, no iba a ser yo quien rompiera el silencio.

–Este año no –dijo Rosita.

Ajá. La flor seguía sensible a sus carencias. Pero ¿qué podía decirle? ¿Mirarla con perplejidad? ¿Darle a entender que no conseguiría engañarme, que nunca entre sus productos había contado con el indispensable turrón al que acababa de hacer referencia? Había llegado el momento de descomponer la figura. Pero no lo hice de cualquier manera, sino lenta, muy lentamente, tanto que tuve tiempo de sobra para que se me ocurriera algo mejor, algo capaz de sustituir con dignidad al coo-coo que acaba de desaparecer de mis labios.

–¡Qué contratiempo! –dije simplemente.

Y cabeceé con disgusto.

La palabra *contratiempo* nunca dejará de fascinarme. Se escucha en películas, se lee en novelas, los personajes de ficción hacen uso y abuso de ella con una naturalidad pasmosa. Sí, pero en la vida real... ¿Quién es capaz de decir en la vida real *¡qué contratiempo!* con la decisión y el aplomo de los que acababa de hacer gala? La Flor de España se estaba revelando como un magnífico campo de pruebas. Me había atrevido a pronunciar *¡qué contratiempo!*, y ahora me daba cuenta de que una de las constantes de esa magnífica y engañosa expresión estaba precisamente en la superioridad arrogante, el tono de conmiseración o distancia con que la persona que dice *¡qué contratiempo!*, califica unos hechos –la carencia de turrón de coco, por ejemplo– y coloca a los responsables en una posición dudosa e imprecisa, pero una posición, en resumidas cuentas, de simples siervos. No me importó que en aquel momento la campanilla de la puerta sonara con insistencia y una familia entera –altos, rubios, exhibiendo un castellano de manual– irrumpiera en las reducidas dimensiones de La Flor de España.

Cuando salí, la mujer en jarras seguía recordando a un ánfora (¿griega?, ¿fenicia?, ¿romana?), pero ya no un ánfora indestructible, sino lo que quedaba de aquella pieza siglos después, tras haber sufrido pillaje, manipulaciones y atropellos.

A Rosita no la miré. Pero la supe –¡y qué infantil tranquilidad me invadió entonces!– más desvaída que nunca, con los ojos perdidos en el vacío y deseando con todas sus fuerzas que, me llamara como me llamara o viniera de donde viniera, no resultara más que una contingencia, un mal menor perfectamente olvidable, una pura y simple ave de paso.

¿Y no era eso precisamente lo que yo pretendía? Al cabo de dos meses terminé con Gert. Lo hice de un soberbio portazo que debió de despertar a más de un vecino, recordando que el «medio gesto» en el teatro no sirve de nada y que mi relación con Gert había tenido mucho de teatro. Pero, de nuevo, ¿qué estaba haciendo yo allí, en el país del frío? Pensé en presentar mi renuncia, conseguir un sustituto, viajar a lugares más cálidos y menos aburridos, y no pasé de anotar en una cuartilla los nombres de cuatro conocidos y la dirección de un par de universidades. Olav y Gert, ¿existía en el fondo alguna diferencia entre abandonar o ser abandonado? Me puse el abrigo y me dirigí a La Flor de España.

Rosita estaba en su puesto, firme ante el mostrador, atendiendo el teléfono, anotando pedidos, dando órdenes a un hombre moreno –¿Pepe?– que la miraba arrobado, y sumando, restando, multiplicando y dividiendo. Admiré su febril actividad. Yo, en cambio... El cristal de una de las vitrinas me devolvió la imagen de una mujer desaseada y deprimida. No, no debía abandonarme, pero tampoco –y observé el flequillo de Rosita– cometer errores.

–A propósito –dije recordando sus funciones de Gran Consulesa–, ¿sabría usted por casualidad de algún peluquero español...?

–No –respondió.

Y enseguida:

–De quien sí sé es de un oftalmólogo.

¿Qué había querido sugerir con semejante intervención? Tras un momento de duda (nunca hasta ese día se había mostrado tan generosa con sus informaciones) recordé que Rosita era «una buena chica» y decidí que sólo el amor al prójimo y la grandeza de sentimientos le habían conducido a revelarme un dato tan esclarecedor. La colonia contaba con un oftalmólogo y ya nadie, nadie en absoluto, podría ser acusado impunemente de miopía, astigmatismo o ceguera. La incomprensión del idioma, la dificultad de pronunciar algunas letras, no iban a jugarnos en lo sucesivo la menor mala pasada. Una tranquilizadora perspectiva, sí. Pero éste era otro asunto.

–¡Qué raro! –dije–. Siempre hay un peluquero español en el extranjero y, a menudo –añadí–, se llama Paco...

Pepe se había aproximado al mostrador asintiendo con su cabeza morena.

–Ahora que lo dice... –pero no agregó nada más.

Rosita acababa de fulminarle con la mirada y Pepe bajaba los ojos avergonzado y contrito. Parecía enamorado, muy enamorado.

–El oftalmólogo –concluyó la Consulesa con satisfacción– tampoco se llama Paco.

A partir de aquel día no dejé pasar más de una semana sin darme una vuelta por La Flor, saludar a la propietaria e interesarme por la marcha del negocio.

Me preocupaba, por ejemplo, averiguar la curiosa razón por la que los productos exhibidos en la parte derecha del establecimiento se agotaban antes que los de la izquierda, si ello obedecía sólo a la casualidad o si se trataba de una práctica común entre los comerciantes: situar las marcas de mayor aceptación en las vitrinas más desguarnecidas (en este caso ubicadas a la derecha) y conservar las otras, las que no gozaban del favor de la clientela –y amenazaban por tanto con eternizarse, descomponerse o malograrse–, en modernos aparadores refrigerados y herméticos como los que (en este caso también) aparecían, desafiantes y lustrosos, en la parte izquierda.

Rosita, a pesar de que yo había tomado su mostrador como punto de referencia en mis orientaciones, no parecía demasiado dispuesta a sacarme de mis dudas. Había vuelto a refugiarse en el provocador laconismo de los primeros días y, aunque majestuosa en su puesto de Gran Consulesa o distante en sus labores de flor de España, se la veía cansada, muy cansada, como si hubiera perdido interés por todo lo que la rodeaba o como si, por razones que se me escapaban, estuviera pasando por un período de introspección o de tedio. Pero yo..., ¿qué debía hacer yo? Y además, ¿cómo podía asegurar, sin riesgo a equivocarme, que estaba pasando por un período de introspección y tedio?

Es cierto que más de una vez la sorprendí suspirando, alzando los ojos hacia el techo, apretando los labios o, simplemente, haciendo como que no me veía. Pero también lo es que, con harta paciencia y obstinación, logré arrancarle los secretos del genuino arroz a banda, algunos trucos para salvar *in extremis* un buen número de guisos, y otras confidencias menores –siempre gastronómicas por supuesto– que yo, ante sus ojos desvaídos, anotaba, con todo cuidado y letra por letra, en un flamante cuaderno bautizado, por cierto, con el nombre completo de la tienda. Uno de aquellos días me presenté en La Flor con un termo bajo el brazo.

–Pruebe –le dije–. Es una buena sopa.

Rosita apretó los labios y suspiró. Me pareció adivinar que se sentía molesta, que no había contado con la eventualidad de que le instara a saborear mis hallazgos culinarios, o que lo que le contrariaba, por encima de todo, era rendirse a la evidencia, verse obligada a admitir la superioridad de cualquier sopa de rabo de buey hecha en casa sobre el caldo del mismo nombre que aparecía machaconamente repetido y enlatado en uno de los anaqueles del establecimiento. O tal vez no. Tal vez el ya consabido mohín obedecía a otras causas.

–No suelo comer entre horas –dijo.

Me alegré. No tanto porque sus hábitos alimenticios me parecieran ejemplares o extraordinarios, sino porque, de repente, la flor volvía a mostrarse tan extrovertida y locuaz como en viejas ocasiones. Rosita no comía entre horas. Un nuevo dato para mi cuaderno.

–Así –dije– que usted no come nunca entre horas. ¿Cómo lo consigue?

La flor se entregó a un curioso parpadeo y yo, sonriendo, acerqué una silla al mostrador. Pero enseguida me di cuenta de que me había precipitado. Porque durante unos segundos el azul de sus ojos había dejado paso a un blanco espectacular. No se trataba de un tic, de un gesto involuntario, de un movimiento compulsivo al estilo de los muchos que me había parecido detectar en cuanto me veía asomar por la puerta o atendía alguna de mis preguntas, ni menos aún una invitación a tomar asiento junto al mostrador, como erróneamente había interpretado. Aquel blanco –aunque fugaz, pasajero, inaprehensible– era demasiado blanco. El blanco más blanco de todos los ojos que, a lo largo de mi vida, había visto ponerse fugazmente en blanco.

–¿Se encuentra bien? –pregunté alarmada.

–Sí –dijo.

Y, suspirando, se internó en la trastienda.

Pero Rosita no se encontraba bien. Al día siguiente la mujer-ánfora y un hombre que no era Pepe, pero que se parecía enormemente a Pepe, me comunicaron la noticia. «Está indispuesta», dijo la sustituta. Y enseguida el hombre que no era Pepe (pero que se parecía mucho a Pepe) añadió: «Sí, muy indispuesta. No vendrá por aquí en algunos meses».

Todo aquello me pareció raro, afectado, incongruente. ¿No entendemos normalmente por «indisposición» un malestar leve y efímero, un trastorno sin importancia, un achaque aislado y olvidable? Entonces, ¿cómo se puede decir de alguien que se halla *muy* indispuesto? O mucho peor, ¿qué es lo que lleva a la víctima de tan ligera afección a prever, ya de antemano, un tiempo de reposo, el abandono de sus obligaciones, un período de convalecencia, no de unos pocos días, sino de *algunos meses*? ¿Y si nos encontráramos ante una dolencia mucho más grave? ¿Ante una auténtica enfermedad?

–Además –intervino la mujer–, está muy ocupada.

Y eso sí era ya del todo imposible. ¿Cómo alguien *muy indispuesto* puede encontrarse al tiempo *muy ocupado*?

–No entiendo –dije.

La mujer y el hombre intercambiaron una mirada de connivencia. «Muy ocupada», repitió uno de los dos. «E indispuesta», añadió el otro. Me pareció que se estaban armando un lío y que Rosita, postrada en su lecho de enferma o muy atareada despachando asuntos de importancia tras una mesa de alta ejecutiva, no podía ignorar que sus acólitos se estaban armando un lío. Porque aunque la propietaria se hallara ausente –enferma y ocupada– había algo en el ambiente de

La Flor que producía la ilusión de que *ella* seguía estando allí. En aquel momento se oyó un ruido seco procedente de la trastienda.

–Este establecimiento –dijo la mujer afirmando la posición de las manos sobre las caderas– ha estudiado la posibilidad de ampliar el servicio de reparto.

Me encogí de hombros: ¿qué me podía importar a mí? A no ser, decidí enseguida, que con aquellas palabras se intentara reconciliar dos extremos en principio antagónicos. Rosita, a pesar de sentirse indispuesta, seguía al frente de su negocio (contratando personal, alquilando furgonetas, cotejando itinerarios) para conseguir la perfecta ampliación del servicio de reparto.

–A partir de mañana –prosiguió triunfante, como quien ha conseguido recitar una lección especialmente enrevesada–. Desde mañana mismo podrá usted, si lo desea, realizar sus encargos por teléfono. No importa la cuantía ni hará ya falta que se desplace hasta aquí con tanta asiduidad. ¿Qué le parece?

No me pareció ni bien ni mal. Me hice con la tarjeta que me tendía el hombre y, sospechando que no iba a tener el menor interés en comprobar las excelencias de los nuevos servicios, me despedí y me fui a casa.

Llegó la primavera, corregí exámenes y más exámenes, me saqué un sobresueldo como profesora particular de un ayudante del doctor Arganza, escribí cartas a otras universidades, me impacienté ante la tardanza de las respuestas y me convertí en una habitual de las tertulias de los viernes. Pero no me sumé a los comentarios de los eternos detractores del país del frío. Gudrun, Ingeborg y Svietta me habían recibido con los brazos abiertos y no tardé en formar parte de su pequeño círculo, ese grupo dentro de un grupo, aquella colonia dentro de una colonia, que, ante la contrariedad de algunos contertulios, empezó a agrandarse semana tras semana. Primero fueron unas amigas de Gudrun, después unos compañeros de trabajo de Ingeborg, un día –sólo un día– una tía lejana de Svietta. En una de aquellas cenas Ingeborg me propuso que pasara el verano con ellas en una casa de campo. Me encogí de hombros. Todavía no sabía qué hacer con mis vacaciones. En otra, uno de sus invitados habló repetidas veces de un tal Gert, después de un cierto Olav, hasta que comprendí que el tal Gert y el cierto Olav eran los mismos Gert y Olav que yo conocía y que, por curiosos designios del destino –y ahora me enteraba en casa de Arganza–, se habían convertido en amigos inseparables. ¿Cómo debía encajar aquella inesperada noticia? O mejor: ¿tenía que encajarla de algún modo? Gert y Olav inseparables. El lunes, recordando viejas aficiones, volví a pasear arriba y abajo de la avenida principal, medité sobre el pasado, me planteé el futuro y me dirigí a donde tenía que dirigirme.

La tienda estaba cerrada. Por un enorme letrero (había hecho ciertos progresos en la lengua) me enteré de las razones esenciales de aquella insólita deserción: *Nos vamos... Nuevos productos... queridos clientes... Reapertura: 24 de agosto...*

Me acordé de Gudrun, Ingeborg y la silenciosa Svietta. «Sí», me dije. «Unos días en el campo me sentarán bien.»

A veces se vestían de no-sé-qué. Gudrun, Ingeborg y Svietta aprovechaban la menor ocasión para vestirse de no-sé-qué. En cuanto se enfadaban con sus maridos o cuando, como ahora, ellos se hallaban de viaje y nos encontrábamos las cuatro en una casa de campo, a una treintena de kilómetros de la ciudad, junto a varias hijas de Gudrun y algunos sobrinos de Ingeborg. Svietta no tenía hijos ni sobrinos. Pobre Svietta. Pero de todas ellas era, sin lugar a dudas, la que con mayor empecinamiento lucía aquellas prendas tan difíciles de definir, a medio camino entre un traje regional y un vestido de calle, pródigas en puntillas, gasas y adornos floreados, acompañadas invariablemente de un mandil y sólo en algunas ocasiones de un accesorio capilar que recordaba una cofia. Sus maridos (lo intuí de inmediato) nunca compartieron su afición por tan autóctonas vestiduras, pero ellas (me lo confesaron al segundo día) empezaban a estar más que hartas de sus maridos. Aquel verano se habían mostrado firmes. No irían a la playa, no visitarían a sus suegras, se olvidarían del sol y permanecerían allí, en el campo, vistiéndose como les viniera en gana, horneando tartas de arándanos y frambuesas y destilando licores de patata, manzana o pera. Me adherí de inmediato a su decisión. Aquello era más que un plante, un capricho, una vulgar venganza por las tertulias de los viernes. Disfruté de compotas y pasteles, engordé tres kilos, avancé prodigiosamente en el idioma y asistí indiferente a la enumeración metódica, diaria y exhaustiva del cúmulo de defectos y atrocidades que –y en eso se mostraban más acordes que nunca– irradiaba cierta península del sur en la que casualmente yo había nacido. Pero entonces, ¿por qué se preocupaban tanto por mí? Les mostré el borrador de mi carta de renuncia, les hablé de mis contactos con posibles sustitutos, de otras universidades, de otros países... Y ellas se pusieron tristes, sinceramente tristes. El último día me emocioné. Ingeborg dejó junto a la bandeja del desayuno un misterioso paquete envuelto en papel de seda. Lo abrí. Era un cuello. Uno de aquellos cuellos, blancos y vaporosos, que –estuvieran o no estuvieran sus maridos– lucían con ostentación sobre un suéter, una blusa o un vestido. Pero aquel cuello era más que un cuello. Llevaba ya demasiado tiempo en el país del frío para ignorar que se trataba sobre todo de un distintivo. Un implacable *quién es quién.* Una frontera o aduana entre las aborígenes y las extranjeras, las integradas y las turistas, las mujeres de bien, en definitiva... y las otras. Y supe, aunque nada dijeron, captar la profundidad de su mensaje: «Ahora sí, por fin, ahora sí... Ahora empiezas a ser un poco de las nuestras».

Un poco, sí, era cierto. Pero ¿y ellas? ¿Serían alguna vez como yo, como *nosotros?*

El 24 de agosto, a primeras horas de la mañana, monté guardia frente a determinado negocio de cierta calle angosta. La espera se me hizo larga y angustiosa. ¿Aparecería? A los veinte minutos (con diez de retraso sobre lo previsto), distinguí la ansiada silueta en el extremo de la calle. Ahí estaba ella, avanzando hacia mí con un curioso contoneo de caderas que le desconocía, seguida a pocos pasos de su Pepe, de dos Pepes, de una corte de Pepes que arrastraban cajas de madera, bultos de todos los tamaños y sudaban, sudaban como condenados mientras ella, fresca y relajada, impartía órdenes, sugerencias, consejos. «Más deprisa», «¡despacio!», «no vamos a llegar nunca», «¡cuidado!» Me oculté en un portal, aguardé a que el grupo se situara frente al comercio y la observé con detenimiento. Lucía un bronceado espléndido, se había ondulado el cabello y, encaramada sobre unas increíbles sandalias de tacón de aguja, parecía aún más menuda que de ordinario. Enseguida comprendí la verdadera función de aquellos accesorios desmesurados: acentuar una enanez de la que íntima y secretamente se sentía orgullosa. Y sonreía. Rosita no dejaba de sonreír. Aguardé a que tomara posesión de su feudo, ordenara cajas y paquetes, ocultara el odioso CERRADO y entré.

–Usted... –dijo.

Me pregunté si me habría reconocido al momento, o si el cansino *usted...* con el que me había recibido no era más que una estratagema de comerciante, una astuta argucia para ganar tiempo y poner en orden, tras un largo y agitado verano, un amasijo de nombres, rostros y recuerdos. Porque ahora era yo quien peinaba la media melena y el flequillo recto de las autóctonas, y aquella mañana, por excepción, había alegrado un viejo vestido con el cuello vaporoso y blanco, regalo de mi amiga Ingeborg.

–¡Cuántas novedades! –dije asistiendo a los intentos de uno de los esclavos por deshacer el precinto de una caja–. ¿Qué hay ahí dentro?

–Pimientos del pico –respondió a mis espaldas la voz de siempre.

Sí, muy bien, pero... ¿y del piquillo? Aquélla era una buena ocasión para aclarar una duda súbita. ¿Había en realidad alguna diferencia entre los unos y los otros? Porque si (como su silencio parecía indicar) no hubiera ninguna en absoluto, ¿no le resultaba extraño que cultivadores, envasadores y comerciantes se empecinaran en fomentar la confusión, en provocar el caos, en llamarlos ora «del pico», ora «del piquillo», en reproducir el error, la distinción inexistente en agresivas letras de molde y etiquetas? Aunque quizá su mutismo obedeciera a la convicción opuesta. Una cosa eran los pimientos del pico y otra, muy distinta, los del piquillo. Sí, ahora, de repente, comprendía que nos encontrábamos ante sutiles pero importantes diferencias –carnosidad, tamaño, precio...– y que ella (y esperaba que no se lo tomase a mal) había incurrido en una curiosa ligereza: olvidarse de incluir en sus flamantes vitrinas una pequeña muestra de ciertos frutos de cierta solanácea conocidos como «del piquillo». Pero ¿se trataba de un olvido? ¿De una ligereza? ¿O nos hallábamos frente a un rechazo inconsciente, un trauma infantil, una aversión personal e inexplicable?

El asunto prometía un diálogo consistente y arduo –o todo lo contrario: anodino y breve–, pero adiviné enseguida que no debía precipitarme. Rosita se había puesto pálida. Del deslumbrante bronceado apenas quedaba el recuerdo, y sus ojos, de un azul transparente, se hallaban fijos en un punto lejano. Entre los congelados y los arroces de Valencia.

–Usted –dijo sin mirarme–, usted... ¿no toma vacaciones nunca?

–En septiembre –me apresuré a contestar con voz cantarina.

Y entonces se me ocurrió:

–En septiembre... del año que viene. He veraneado ya. En el campo.

Y salí despacito, cruzando la puerta con sumo cuidado, procurando que el tintineo de la campanilla no distrajera a Rosita de sus elucubraciones. Ya en la calle, miré a través de los cristales. Se había desprendido de las sandalias de tacón de aguja y, aunque estaba de espaldas y no podía ver su rostro, supe que sus ojos seguían fijos en un punto lejano.

Entonces lo que había anunciado antes como una broma, una ocurrencia sin importancia, un simple hablar por hablar o completar una frase, se convirtió en una decisión tajante. No entregaría la carta de renuncia ni tomaría en cuenta la disponibilidad de posibles sustitutos. Tenía amigas –Gudrun, Ingeborg, Svietta–, antiguos conocidos –¿no era maravilloso que Olav y Gert se hubieran hecho novios?–, pero sobre todo la tenía a *ella*. Y ella, Rosita, golpeaba ahora la mesa con el puño, en un gesto enérgico, desusado, inexplicable. Porque, a pesar de que estuviéramos en verano y en un día especialmente soleado, acababa de encender –quizá sin darse cuenta– el rótulo anunciador de su delicioso comercio. Y yo, ¿qué tenía que hacer yo? ¿Entrar otra vez y ponerla sobre aviso? ¿Recordarle los crecientes rumores acerca de una subida en el precio del suministro eléctrico? ¿O cruzarme de brazos y contemplar impávida aquel despilfarro escandaloso? Me encogí de hombros. ¿Por qué no pensar en un mensaje, un guiño, un reto, un «aquí estoy», encantador y desafiante? Miré hacia arriba. La inolvidable tilde volvía a hacer de las suyas sobre la ene. Con una pequeña diferencia. Una ligera, pero tal vez significativa diferencia.

–¿Cómo puede ser –dije entrando de nuevo– que nuestra querida tilde, tan islámica, tan cumplidora y equitativa en sus deberes conyugales, se haya decantado por una de sus esposas con el consabido perjuicio para la otra?

Rosita me miraba con estupor, como si –y eso parecía improbable en alguien tan sagaz– no me hubiera comprendido, o, al revés, me hubiera comprendido demasiado bien y se hallara horrorizada ante la crudeza de mis palabras. Salí a la calle y volví a alzar la mirada. No, no me había equivocado. La Flor era *sólo* en algunos momentos La Flor de España y en otros, los más, La Flor de *Espana.* Aporreé el cristal y agité la mano a modo de despedida. «Hasta mañana», dije. Pero no me moví. ¿Cómo podía abandonar a Rosita en aquel estado? Acababa de desplomarse sobre el mostrador, uno de los Pepes la obligaba a oler Agua del Carmen y los otros tres le daban aire con un abanico.

Sin embargo no me decidía a entrar. «Está *muy* indispuesta», concluí. Y recordando viejas y entrañables anécdotas me encaminé hacia casa. El día era espléndido, me sentía bien en mi piel y ante nosotras, sobre todo, se abría un largo, frío, imprevisible invierno.

Con Agatha en Estambul

A Storkwinkel

Mundo

Yo tenía quince años cuando me enteré de que el demonio se llamaba *nylon* y a él, y sólo a él, deberíamos achacar los malos tiempos que se avecinaban. Me dijeron también que el mundo era cruel y pernicioso. Pero eso lo sabía ya, mucho antes de atravesar la herrumbrosa verja del jardín, escuchar sorprendida el lamento de los goznes oxidados y preguntarme, bajo un sol de plomo y con el cuerpo magullado por el viaje, cuántas chicas de mi edad habrían franqueado aquella misma verja y escuchado el chirriante y sostenido *auuuu...*, un saludo que tenía algo de consejo o advertencia.

El conductor del coche de alquiler acababa de enjugarse el sudor de la frente con un pañuelo a cuadros y miraba hacia la abultada baca del Ford como si tomara aliento para emprender la parte más molesta de su cometido. Mi padre había apalabrado hasta el último detalle. Me conduciría a mi destino, acarrearía el equipaje a través del jardín hasta el portón de madera y entonces, sólo entonces, podía volver al coche y regresar al pueblo. Y aunque al principio el chófer protestó –se necesitaba por lo menos la fuerza de dos hombres para mover la pesada carga–, el tintineo de unas monedas primero y un expectante silencio después –el momento, imagino, en que mi padre tras rebuscar en sus bolsillos daba al fin con uno de esos billetes que por las noches gustaba de contar, doblar, desdoblar o mirar al trasluz– terminaron por disipar sus reticencias. Yo no asistí al pacto. Me hallaba en la habitación de al lado, en el dormitorio, sentada sobre la cama, sin acertar a pensar en nada en concreto, acariciando –aunque es posible que tampoco me diera cuenta– el traje de novia que había pertenecido a mi madre, y evitando mirar hacia la pared, donde estaban las fotografías de la boda, algunos grabados, un espejo. Pero sí podía oírlos. Y el propietario del coche terminó diciendo: «Bueno. Por tratarse de usted». Y luego: «Saldremos temprano, a las siete. No me gustaría sufrir una avería en la carretera bajo este sol de justicia».

No sufrimos ninguna avería pero tampoco nos libramos del sol, que cayó a plomo sobre el coche durante las cuatro horas que duró el trayecto. Yo iba detrás, tal y como había dispuesto mi padre, mirando a ratos a través de la ventanilla abierta pero contemplándome sobre todo en el retrovisor, el pelo despeinado por el aire, la cara bañada en sudor y los ojos vidriosos, pestañeando ante el polvo del camino, hasta que alcanzamos la carretera y el conductor, después de advertirme de que a partir de ahí la calzada no presentaba ningún problema y muy pronto entraríamos en la ciudad, encendió un cigarrillo y despreocupadamente empezó a cantar: *Yo me quería casar...* Pero se interrumpió de golpe y volvió a su mutismo. A través del espejo le noté confuso, molesto consigo mismo, sin saber si excusarse o no, fingiendo un ataque de tos que nos salvó a los dos de cualquier comentario. Estaba sudando, casi tanto como horas después, cuando acababa de acarrear mis enseres hasta el portón de madera, yo accionaba la campanilla y él, sabiendo que no tenía por qué permanecer allí un minuto más, pero al tiempo buscando una frase adecuada a las circunstancias, sólo acertó a pronunciar: «Bueno, pues nada, que le vaya bien». Y de nuevo confuso, molesto ante su redoblada torpeza, cabeceó a modo de despedida, deshizo el camino del jardín y, fuera ya de mi alcance, cerró la verja de golpe. Lo oí todo con nitidez. El golpe, los pasos, pero sobre todo el eco de los goznes oxidados. Un chirrido que ahora se traducía en palabras. Porque aquel *auuuu* que momentos atrás me pareciera un saludo, un consejo, una advertencia, se había transformado en *adióoos*. Un adiós sostenido, irrevocable, contundente.

Pero no tuve tiempo de preguntarme nada. De admirarme de que las verjas herrumbrosas pudieran hablar o de atribuir al calor una ilusión de los sentidos. Enseguida la despedida que me espetaba la cancela se mezcló con el saludo que una voz, desde lo alto, se empeñaba en repetir, y al que yo contesté con una frase aprendida. Y, tal como se me había dicho que iba a ocurrir, no vi a nadie, pero sí tuve la sensación de sentirme observada, no por un par de ojos, sino por cientos, por miles de ojos ocultos tras las celosías de las ventanas. Y esperé. No mucho. Sólo unos segundos. Pero el pesado portón no se abrió como yo había imaginado –con una llave también herrumbrosa, una vuelta, dos, tal vez hasta quince vueltas–, sino que de pronto me encontré ante un corredor fresco y umbrío, un juego de poleas maniobrando en silencio, y, al fondo, una silueta oscura que avanzaba hacia mí, con la frente muy alta y los brazos extendidos.

–Bienvenida, hija. Bienvenida seas.

Y enseguida, como también yo avanzara hacia ella, olvidada del viaje, del bochorno, de cualquier otra cosa que no fuera el agradable frescor que se respiraba en el pasillo, la voz añadió:

–Pero, Carolina, ¿cómo has venido tan ligera? ¿No has traído nada contigo?

Y fue entonces cuando contesté algo que durante mucho tiempo me sería celebrado, algo a lo que, en aquellos momentos, no concedí la menor importancia, pero que aún ahora, a pesar de los años, recuerdo como si fuera ayer y no puedo menos que reírme.

–Afuera –dije ingenuamente– he dejado el mundo.

Se lo había oído muchas veces a mi padre. Lo importante en la vida era entrar con buen pie. En el trabajo, en el matrimonio, en cualquier empresa que se acometiera. Pero, ¡oh amigos! (porque a mi padre, que casi nunca hablaba conmigo, le gustaba perorar algunas noches de invierno al calor de la lumbre, junto al párroco, la bibliotecaria, el farmacéutico, cualquiera de las escasas visitas que se decidían a atravesar los campos y llegar hasta La Carolina, la casa más alejada del pueblo), ¿cómo se conseguía tan rara y especial habilidad? Y entonces, después de remover las ascuas en silencio, recordaba en voz alta algunas ocasiones de su vida en las que había conseguido lo que había conseguido gracias a ese don, a ese aprovechamiento de la oportunidad, para terminar enumerando (y se refería a peones, a jornaleros, a vecinos) una larga lista de todos aquellos que jamás conseguirían lo que se propusiesen. Pero de reojo me miraba a mí. Y yo sabía entonces lo que el farmacéutico, el párroco o la bibliotecaria estaban pensando (porque de lo que no había ninguna duda es que no se entra en la vida con buen pie cuando tu nacimiento trae consigo la muerte de tu madre) y me apresuraba a rellenar las copas, a dejar la botella a su alcance y a retirarme al dormitorio.

Pero aquel día caluroso de agosto yo había entrado en mi nueva vida con buen pie. A madre Angélica le había hecho mucha gracia mi respuesta. No tuvo ningún reparo en confesármelo enseguida cuando, con ayuda de otras hermanas, entramos el baúl y, poco después, ya solas ella y yo, en su despacho de superiora: «Hacía tanto tiempo que no escuchaba esa palabra, que por un momento pensé...». Y se puso a reír. «Nunca hubiera creído que los jóvenes de hoy usaran aún ese término. Pero mira, aquí debe de estar...» Acababa de calarse unas gruesas gafas de carey y extendía sobre la mesa un manojo de llaves sujeto a un cordón que llevaba prendido de la cintura. Las pasó una a una hasta dar con la que estaba buscando. Una llave plana, achatada, muy semejante a otras, pero que no debía de usar con frecuencia porque ahora su rostro se había iluminado y, sin dejar de sonreír, abría un armario macizo y tosco, y se hacía con un libro.

–Mundo, mundo... Aquí está: «Baúl». Así de simple. Veamos ahora en una enciclopedia. Mundo: «Orbe»... No interesa...

Al principio no entendí muy bien por qué la abadesa se tomaba tanto trabajo en verificar algo tan sencillo. Pero con el tiempo, con aquellos años que tan lentamente transcurrieron, comprendería que a madre Angélica le gustaba leer, trajinar con libros, acariciar sus cubiertas y aprovechar cualquier ocasión para darle la vuelta a la llave y hacerse con aquellos tesoros que la vida de oración y recogimiento aconsejaba guardar sobre seguro. Entonces no podía saberlo. Entonces apenas si sabía que no debía dejarme impresionar por la vida de durezas y privaciones, que las superioras suelen exagerar para medir el ánimo de novicias y postulantes, que la vida en el convento no sería peor que un retorno a La Carolina, y que tenía que mostrarme dispuesta y obedecer en todo, no fuera que madre Angélica se arrepintiera de su decisión y a mí no me quedara más remedio que deshacer el viaje. Por eso recuerdo tan bien mi primer día en el convento. Palabra por palabra, silencio por silencio. La expresión de madre Angélica cuando le entregué el sobre. El leve temblor de sus manos y la rápida composición de su figura. Un ligero estremecimiento cuando, con los dedos jugueteando aún con el papel, la superiora mencionó al padre José. «El padre José», dijo lentamente, «nos ha hablado mucho de ti.» Y, en el breve silencio que siguió luego, mis mejillas encendidas, los ojos bajos, un remolino interior que amenazaba con delatarme, un nudo en la garganta que sólo se deshizo cuando la superiora prosiguió impertérrita. «De tu vocación.» Y entonces, súbitamente tranquilizada, asistí a la enumeración de privaciones y sacrificios, de horarios y tareas, tal como esperaba, tal como se me había dicho que sucedería. Pero la voz de la superiora era mucho más amable que la del padre José imitando la voz de la superiora. Y, fuera de aquel instante en el que sus manos temblaron levemente al tomar contacto con el sobre –con un temblor que yo conocía bien, el mismo con el que mi padre la noche anterior había contado billete tras billete o untado de cola el ribete del envoltorio–, todo en sus maneras parecía celebrar mi llegada. «Esto no es el castillo de irás y no volverás», decía ahora, risueña, como si durante largo tiempo hubiera esperado a pronunciar esta frase o recordara una vez, hacía ya mucho, cuando otra superiora pronunció esta frase. Y después: «Eres muy joven y te quedan algunos años para profesar. Pero no vamos a hacer ningún distingo. Tu vida será exactamente igual que la nuestra. Es mejor así. Desde el principio. Y si cunde el desánimo, ya sabes. Para ti las puertas están aún abiertas». Y yo asentía. Y ahora seguía la mirada de madre Angélica a través de una ventana entornada que daba a un huerto y observaba a una monja con mandil, arrodillada, recogiendo tomates, arrancando lechugas. Como doña Eulalia. De pronto me acordé de doña Eulalia y sus palabras al despedirme junto al coche. «Pobre niña, a ti también te han engañado.» Pero qué podía saber doña Eulalia de quién engañaba a quién, de cómo era yo, de lo que era capaz de imaginar aunque fuera en sueños.

–Sí. Eres muy joven aún... O tal vez no. Tal vez hayas llegado a la edad adecuada. Aquí no se envejece, ¿sabes?

La abadesa no esperaba ninguna respuesta. Acababa de abrir la ventana de par en par y parecía como si aquel huerto recoleto, rodeado de un muro, invadiera de pronto el oscuro despacho. En aquel momento la monja del mandil se había puesto a saltar. Ahora madre Angélica sonreía.

–Es madre Concepción. ¿Cuántos años dirías que tiene? Ni ella misma lo sabe. Entró aquí muy jovencita, como tú, mucho antes de que me hiciera cargo del convento. Por eso todas la llaman madre Pequeña.

Y luego, como si el exceso de luz la desviara de su cometido, volvió a entornar la ventana y me pidió la llave del mundo.

Hacía tiempo que no le prestaba demasiada atención. Estaba siempre allí, en un rincón del planchador de La Carolina, custodiando mantas, juegos de cama, retales, piezas de tapicería. Había pertenecido a mi madre, a la madre de mi madre y ésta, posiblemente, lo había heredado de la suya. Y tal vez sólo por eso, porque el viejo baúl pasaba de madre a hija, yo lo había traído conmigo. Pero ahora, cuando la abadesa, detrás de sus gafas, miraba admirada el dibujo de la tapa de madera, yo me alegraba de que mi mundo estuviera ahí, aunque sólo fuera por su sorpresa. Y me revivía de niña recorriendo con los dedos la tapa abovedada y hablando con el marino del dibujo. Un marino apoyado en una balaustrada, esperando el momento de embarcar en un velero, el mismo que se veía a lo lejos, en alta mar, un velero al que le puse un nombre que ahora no recuerdo, preguntándose quizá si el tiempo le sería favorable, como apuntaba un esplendoroso sol a su izquierda, o tendría que enfrentarse a una tenebrosa tormenta como la que asomaba justo a su derecha. Había también una calavera, una espada y otros objetos que el tiempo había desdibujado. Pero, sobre todo, lo que más me impresionaba era que el marino no miraba hacia el mar ni hacia el velero, sino hacia el frente, mostrando, a todo aquel que quisiera verlo, un cuadro que sujetaba con la mano derecha y que no era otro que él mismo, de espaldas al mar, al velero, al sol y a la tormenta y mostrando, a todo el que lo quisiera ver, de nuevo un cuadro, ahora más pequeño, con todo lo que acabo de mencionar, y que remitía a un tercero, y éste a un cuarto, y éste a un punto minúsculo en el que sabía, aunque ya nada se podía distinguir –y ahora madre Angélica, que de pronto parecía una niña, estaría pensando lo mismo–, que no era más que un eslabón en la larga cadena de veleros, soles, tormentas y marinos sujetando cuadros.

–Es un arca muy bonita, Carolina. Pero, como ya sabes, no podemos poseer nada en propiedad. La pondremos en el vestíbulo. Nos servirá para guardar los encargos –y aquí se encogió de hombros y bajó la voz–, si es que llegan, claro...

Madre Angélica parecía preocupada. Dio la vuelta a la llave y fue sacando, una a una, las prendas que no muy segura me había traído del campo. Sandalias, botas de lluvia, un jersey grueso de lana... La lana era buena y el jersey podía deshacerse y volverse a tejer para que en todo resultara igual al de las demás hermanas. El resto apenas me serviría en el convento. Y luego, al final, después de admirarse del fino trabajo de ebanistería, de los cajones secretos, de las distintas dependencias que encerraba el mundo, llegó a un paquete de papel de seda y yo me estremecí. Porque el traje de boda de mi madre, amarilleado por el tiempo, con algunas manchas de orín, acababa de interponerse entre la abadesa y yo, como un solemne despropósito, crujiendo con el eco de unas voces que deseaba olvidar, llenándome súbitamente de vergüenza. Y sin embargo había leído, me habían contado... Ahora la abadesa meneaba afectuosa la cabeza por encima del cuello del traje de novia y lo dejaba caer sobre el papel de seda que se retorcía al contacto con el almidón, ahogando mis palabras, las explicaciones que no llegaba a farfullar. Pero madre Angélica también había oído, le habían contado, sabía, en fin, que en algunas órdenes, en ciertas comunidades, las novicias, el día de la profesión, vestían blancos trajes de novia como en el siglo, tal vez no tan recargados e historiados como en el siglo, quizá sólo túnicas blancas que recordaran a un matrimonio mundano. Pero allí, en la orden que deseaba abrazar, tales costumbres habían sido erradicadas hacía tiempo. Y aunque la profesión se trataba de una entrega, de un matrimonio como no podría haber parangón en el mundo, lo importante no estaba en el vestido, sino en el alma, en el ropaje interior con el que se acudía a la gran cita. Pero tampoco la abadesa podía apartar los ojos del traje de mi madre. Los bordados eran de una perfección inimaginable, decía. Probablemente obra de religiosas, concluyó. Ahora ya no se hacían trabajos así. Y de nuevo una nube ensombreció su mirada, como cuando acababa de decidir el destino del arca. «Y no se hacen», añadió, «porque no hay nadie dispuesto a pagar por ellos.» Porque si el Señor tenía a bien enviarles pruebas (y bienvenidas fueran), la última no parecía obra del Señor, sino del Diablo. Porque el mundo era cruel y pernicioso, y se las ingeniaba siempre para atacar por donde menos se esperaba, incluso a ellas, pobres siervas de Dios. Y su última acometida era ésta. Un emisario infernal que amenazaba con perturbar su vida de oración y recogimiento. Y fue entonces cuando dijo con un hilo de voz:

–Viene del otro lado de la frontera y se llama nylon.

Pero tampoco esta vez esperaba mi asentimiento. Madre Angélica se había quedado ensimismada, ajena a mi presencia, indiferente incluso al traje de mi madre que volvía ahora a acartonarse sobre el papel de seda. El tictac de un reloj se mezcló con el zumbido de una abeja. Afuera madre Pequeña seguía saltando. «Bichos del infierno», oí. Me fijé mejor. Agitaba los brazos y su cabeza estaba rodeada de una nube de insectos. No llegué a decir nada. Ya la abadesa, como recordando algo ineludible o deseando olvidarse de todo lo que le apenaba, volvía a buscar afanosamente entre el manojo de llaves hasta dar con un llavín, también plano y achatado, introducirlo en la cerradura del pequeño cajón de una consola, forcejear durante un rato, conseguir que el cajón cediera y hacerse al fin con un objeto envuelto en una funda. Parecía tranquila, de nuevo relajada y tranquila.

–Toma, hija, y sal al huerto. Allí verás tu rostro por última vez. Un rostro que te va a acompañar toda la vida.

Salí al huerto. Para hacerlo tuve que cruzar por un claustro umbrío con un surtidor en el centro. Por un instante dudé en quedarme allí. Pero la superiora había indicado «al huerto» y yo sabía, porque así se me había dicho, que la obediencia en un convento negaba el capricho, la opinión, la más pequeña de las decisiones personales. En el huerto hacía calor. Casi tanto como en el jardín en que tan sólo unas horas antes había accionado la campanilla y despedido al chófer. Me senté en un banco de piedra junto al muro y liberé el objeto de su funda. Era un espejo de mano, con mango de plata. Un espejo de cuento, pensé. La luna estaba llena de polvo, como si fueran tantos los años en que había estado bajo llave que el estuche de gamuza hubiera terminado por olvidarse de su función. Lo limpié con un pañuelo y lo acerqué a mi cara.

Hacía demasiado sol y lo primero que vi fue un guiño. Después, ladeando ligeramente el espejo, me observé con sorpresa. Era yo, claro está. La misma cara del retrovisor del auto, algo más descansada, más fresca, sólo que el moño en el que había recogido el cabello aquella mañana para aparentar seriedad, para hacerme mayor por unas horas, y con el que, durante el viaje, había llegado a familiarizarme, me parecía de pronto ajeno, desconocido, extraño... Aquél no era mi aspecto habitual. Me solté el cabello. Ahora la luna me devolvía la imagen esperada, la de siempre, encerrando en un paréntesis el severo moño del retrovisor del auto, los mechones pugnando por escaparse de la prisión de horquillas y agujas, unas gotas de sudor reluciendo en la frente. Y de nuevo, por segunda vez en aquel día, me sentí observada. Miré hacia la ventana del despacho de la superiora, pero sólo alcancé a ver una imagen encorvada sobre la mesa. Estará contando, pensé. Y deseé que mi padre, por una vez en la vida, se hubiese decidido a ser generoso. Para contrarrestar el nylon, para contribuir sobre todo a que mi llegada fuera un acontecimiento. Pero seguía sintiéndome observada, y la melena suelta, las agujas y horquillas en la boca, me miraban también con una pregunta en los labios apretados que yo me veía incapaz de responder. Entonces la vi. El revuelo de un hábito negro, un mandil a mis espaldas, una mano enguantada que se posó en mi hombro, y la evidencia de que frente a mí, allí, en el huerto, ya no faenaba nadie. Era madre Pequeña. Quise volverme y saludar, pero el espejo se me adelantó y por unos momentos la luna se llenó de un rostro viejo, el rostro más viejo y arrugado que había visto en mi vida, unos ojos sin luz, una sonrisa desdentada, inmensa. Y enseguida, con un movimiento casi imperceptible, volví a ser yo. Las horquillas se me habían caído de la boca y jadeaba. Pero no era el calor ni el cansancio, sino un grito. Aquélla fue la primera vez que grité en silencio.

Digo que recuerdo perfectamente aquel día, pero también la noche. Por la noche volví a La Carolina, al padre José, a su mirada dura, al farmacéutico, a mi padre. Quizá fue la última vez que pensé en ellos. Que pensé de verdad en ellos. Porque luego, las otras, no recordaría ya La Carolina o las veladas junto al fuego, sino el desamparo de aquella noche recordando La Carolina y las veladas junto al fuego. Y como el sueño, a pesar de la fatiga del viaje o las sorpresas del día, no acababa de vencerme, subí a la cama y observé la noche a través de la celosía. Vi el jardín, la verja habladora, y, por encima de los setos, ventanas encendidas y azoteas desiertas. Quiénes vivirían allí, qué pensarían de nosotras... Porque éramos como sombras en el centro de una ciudad bulliciosa. Seres invisibles, muertas en vida. Y entonces me hubiera gustado tener aún el espejo entre las manos, contemplar una vez más mi cara y hacerle guiños a la luna. Pero ya lo había dicho madre Angélica. Aquél era mi rostro. Iba a ser mi rostro para siempre. E intenté fijarlo en la memoria. La expresión de sorpresa en el huerto. Las mejillas sudorosas en el retrovisor del auto. Y la canción del chófer. La tonadilla que tantas veces había cantado de niña jugando al corro y que ahora, por primera vez, no me parecía alegre, sino triste, demasiado triste para cantarla de niña jugando al corro: *Yo me quería casar / con un mocito barbero / y mis padres me metie-*

ron / monjita en un monasterio... Pero no podía recordar la segunda estrofa. Y me puse a llorar. Porque mis labios pegados a la celosía se habían quedado detenidos en «monasterio», por no sentir pena alguna por haber abandonado La Carolina o, simplemente, por sospechar que tal vez no había una segunda estrofa. Lloré con todas mis fuerzas hasta que las ventanas se fueron apagando, la luna se desvaneció y las primeras luces del alba me devolvieron a lo que iba a ser mi vida: una celda estrecha, un camastro, una mesa de roble y ahí, en lo alto, un ventanuco que me protegía de todo lo que había conocido hasta entonces.

«Era de alegría», dijo al día siguiente madre Pequeña en el refectorio mientras llenaba las tazas de leche aguada, y poco después en la sala de labores cuando probaba con el dedo el calor de la plancha, se lo llevaba a los labios, y echaba agua y almidón sobre una colcha de lino. «De alegría. A veces se llora de alegría.» Y aunque desviaba la mirada, y los ojos de las demás monjas desaparecían dentro del tazón, primero, o se concentraban en sus bordados después, yo sabía que se estaba refiriendo a mí, que las paredes de la celda no debían de ser tan gruesas como había creído o que madre Pequeña, o cualquier otra madre, había escuchado pegada a la puerta reviviendo tal vez una primera noche en la que también se habría alzado sobre la cama y contemplado la luna. Pero en un convento no queda mucho tiempo para recordar. Los días se suceden implacables, repletos de obligaciones, de tareas. Las horas están medidas. Los minutos, los segundos. Y cuando acaba la jornada y cae la noche a nadie le quedan fuerzas ya para esperar a la luna de pie sobre el lecho. Sobre todo porque muy pronto llegará el nuevo día. Una mañana oscura en la que se amanece antes de que lo haga el sol. Y, enseguida, la frugal taza de leche, los rezos, las tareas, las lecturas. Antes, según madre Angélica, los trabajos en un convento eran asignados desde el primer día. Había una madre tornera, otra cocinera, otra jardinera... Pero ahora no era así y todas, por orden, por turno o porque la abadesa así lo disponía, nos encontrábamos regentando el huerto, la cocina, el torno (que ya casi nunca giraba) o bordando. Manteles, sábanas, camisones de seda. Almidonando enaguas, trajes de cristianar, ajuares para chicas casaderas. O simplemente aprendiendo, practicando para no perder mano porque los tiempos (desde la aparición del nylon) estaban experimentando un giro vertiginoso y las madres de familia ya no pensaban en encargarnos ajuares para sus hijas, sino tan sólo en escaparse a Andorra y adquirir unas prendas que ni se planchaban ni se arrugaban ni necesitaban de nuestros cuidados. Pero no debía cundir la desesperanza. Teníamos que bordar como si nada ocurriera. O cocinar, o atender el torno, o cuidar del huerto. Porque en los conventos acecha un mal, el mal de todos los males. Una mezcla de malhumor, angustia, desazón, aburrimiento que suele atacar a las más jóvenes o a las más viejas. Algo que viene de antiguo, que los padres de la Iglesia conocen como «acedía» y contra lo que no valen médicos ni remedios, sino tan sólo rezos y jaculatorias. En aquel mismo lugar la acedía había atacado en tiempos a alguna monja. Y cuando madre Angélica por las noches nos hablaba de la «tristeza mala», ellas, las veteranas, bajaban los ojos para evitar mirarse entre sí. Porque ese desaliento temido convierte a la que lo padece en una sombra en vida. Sombra entre sombras. Pero en nuestro convento madre Pequeña, la más anciana, no parecía afectada por el mal, ni yo, la más joven, podía imaginarme siquiera en qué consistía. Aquella vida era mejor que la que se me ofrecía en La Carolina. Allí se me trataba como a una mujer a medias. Aquí se me hacía el regalo de sentirme niña. Pero tal vez por eso, para prevenir la terrorífica acedía, se me permitía, sólo a mí, ocuparme de la limpieza y del cuidado del arca. Y ella, madre Pequeña, era la encargada, cuando la situación así lo requería, de algo por lo que mostraba una gran habilidad y un denostado empeño: eliminar gatos por asfixia.

«Pero no tienes que asustarte», me dijeron. «Por favor, no *debes* asustarte.»

Todo, me contaron, había empezado por una casualidad, un imprevisto. Hacía años, cuando el jardín del convento era mucho más grande, las casas colindantes más pequeñas y el huerto no necesitaba aún del alto muro para defenderse de miradas ajenas, un buen día aparecieron media docena de gatos recién nacidos y medio muertos de hambre. Los descubrió la hermana que en aquel tiempo se ocupaba del huerto. Vio una cesta, pensó que alguien había acudido a una forma singular de ofrecer su limosna (porque en aquel tiempo el torno giraba de continuo) y, con gran curiosidad, levantó el pañuelo que la recubría y cuyas ondulaciones había atribuido al viento. Dicen que la hermana se quedó boquiabierta. Y como si aquello fuera una bendición, un signo del más allá destinado sólo a ella –o porque temía, quizá, que el cuidado de unos gatos no estuviera contemplado en la rigurosa regla–, los bautizó en secreto, les dio un nombre, y desde entonces pasó a considerarlos como a unos hijos. Pero como las raciones de pan y leche están estrictamente controladas en un convento y la comida no sobra, en la cocina empezaron a detectarse inexplicables faltas, y la hermana en cuestión no tardó en sentir remordimientos por privar a la comunidad de lo poco que, a escondidas, apartaba diariamente para sus gatos. Con lo cual decidió alimentarlos únicamente a sus expensas y, mientras los animales crecían, ella, cada vez más demacrada, empezó a menguar, a sentir náuseas y mareos, a encontrarse tan debilitada y decaída que pronto las faenas de la huerta se revelaron una carga insostenible. Cayó enferma, pero, aun así, fingía en su celda comer las colaciones que otras hermanas llevaban hasta su lecho, las guardaba en cucuruchos de papel de estraza y esperaba –porque así lo había manifestado en noches de delirio– a encontrarse mejor y acudir en socorro de los que llamaba sus hijos. La abadesa de entonces, que al principio había sospechado la acedía, pasó a plantearse la locura, para luego, a los pocos días, olvidarse casi completamente de la hermana enferma. Porque pronto los gatos, incapaces aún de trepar por el muro, se encontraron de la noche a la mañana sin protectora y buscaron alimento donde su buen instinto les dio a entender. Atacaron la cocina y arañaron a la espantada madre cocinera. Y mientras la monja enferma, postrada en la cama, seguía gritando en sueños el nombre de sus hijos y de la celda surgía un hedor insufrible, ellos, los hijos, no tardaron en registrar la llamada de su protectora y en acudir en tropel a los pies de su lecho. Y así los encontraron. En una celda hedionda junto a la madre muerta, rodeados de alimentos en descomposición y cucuruchos de estraza destrozados. Pero eso, dicen –porque había ocurrido hacía tanto tiempo que parecía una historia ajena–, no fue lo peor. Nadie recuerda lo que pasó con los gatos salvajes, cómo se desembarazaron de ellos, o a qué argucia recurrieron para que abandonaran por sus propias fuerzas el convento. Lo único cierto es que a aquella camada siguieron otras, cestas de mimbre deslizadas con cuerdas por las noches, como si entre el vecindario hubiera corrido el rumor de que las monjas sabían qué hacer con ellos, cuidarlos, alimentarlos, dejarlos vagar por sus escuetas posesiones o, tal vez, eliminarlos. Y en esa transferencia desdichada de responsabilidades surgió de pronto la voz de una postulante. Madre Pequeña, la más joven de la comunidad, casi una niña. Ella sabía cómo actuar, en su pueblo lo había visto muchas veces. A los gatos se les podía escaldar, envenenar o ahogar de una forma limpia, incruenta. Y así, mientras la dejaban hacer en el huerto –con las ventanas cerradas para no verlo, para no oírlo–, la superiora daba voces a través de la celosía y la madre tornera a través del torno por si alguna familia quisiera hacerse cargo de aquellos animales. Pero no sólo nadie quiso, sino que pronto cundió otro rumor. Por una limosna, un óbolo, las monjas se encargaban de la desaparición de las crías no deseadas. Y aunque eso no fuera exacto en un principio, no tardó en convertirse en práctica habitual. Una vez al año, por lo menos, las camadas malditas entraban en el convento, ahora por la puerta, por el torno, sin necesidad de recurrir a improvisadas poleas o cuerdas. Y, antes o después, una limosna, un donativo. La madre Pequeña había terminado con el problema.

Yo nunca pude soportarlo, y la primera vez –hará de eso tantos años– me puse a llorar. Pero aquel día nadie dijo: «Es de alegría». Y metí a madre Pequeña en el mundo, mi baúl de caoba y bisagras de hierro, en uno de los cajoncitos secretos. El de la rabia. Donde podía insultarla a mi antojo. Muy cerca del padre José. Porque hacía ya mucho tiempo que el padre José vivía encerrado en el interior del arca. En el cajón más deteriorado, más angosto. Y ahora, mientras insultaba a madre Pequeña, me acordaba del padre José, de sus palabras, de la gran idea que me brindó sin darse cuenta. De la tarde, en fin, en que madre Angélica me llamó a su despacho y dijo sonriendo: «Carolina, querida, tienes visita».

Por un momento pensé que se trataba de doña Eulalia. Pero la abadesa no me condujo hasta la celosía del vestíbulo, sino a la del oratorio y, una vez allí, de rodillas, antes de distinguir la silueta encorvada del padre José, reconocí con disgusto el olor acre de su sotana mezclado con otros aromas familiares. Olor a campo, a heno, olor a lluvia. Me sentí desfallecer, pero nada dije. Fue él quien preguntó y contestó a sus preguntas. Estaba bien, la comunidad era como una gran familia, mi padre se había mostrado generoso, y mi llegada era recibida como una bendición. No habló de los años que me quedaban aún para profesar –como si ya hubieran transcurrido, como si el convento fuera realmente el castillo de irás y no volverás– y me pareció, a pesar de la penumbra que reinaba en el oratorio, que evitaba mi mirada, que daba por concluida la entrevista, ahora, cuando ya sabía qué decir a mi padre. «Está bien, la comunidad es como una gran familia, sus donativos, en estos tiempos, han sido recibidos como una bendición.» Pero antes de que se incorporara, antes de que interrumpiera el balanceo nervioso que imprimía a la silla, una voz que no era mía, pero que salía de mí, empezó a hablar. Y me escuché atónita. «Padre, yo no hice nada. No tuve tiempo siquiera de hacer nada.» Y después, asustada, bajé los ojos, imaginando la expresión crispada del sacerdote, aspirando el tufo acre de su sotana, el olor a tierra, a heno, el olor a lluvia.

–¿Te refieres aún al muchacho rubio? No está bien que le menciones en este lugar. Y además –y aquí se interrumpió– está lo otro...

Sí, estaba lo otro. Pero a veces –y seguía sin atreverme a alzar la mirada– hay pensamientos que acuden de pronto, sin que una pueda hacer nada por remediarlo, pensamientos que no son más que eso: pensamientos. Una voz interior que susurra despropósitos. «Ojalá se mueran», había pensado yo. Y cuando has caído en la cuenta, ya es demasiado tarde. Como ahora –pero eso no me atreví a decírselo–, cuando el sacerdote acercó su rostro a la celosía y yo pensé: «Huele a cerdo, a establo, a porquerizo». Por eso seguí hablando. De los pensamientos que asoman de pronto para olvidarme del último pensamiento que había asomado de pronto. Y después, cuando él dijo: «Luego, más tarde, creíste ver lo que sólo existía en tu imaginación enferma», ya no pude responder. ¿Era posible que yo estuviera enferma? Y de nuevo un pensamiento: «Se están librando de mí», que no desapareció enseguida como los otros porque yo no le ordené que se desvaneciera. Y al instante una pregunta que tenía algo de amenaza: «¿No me estarás explicando que te encuentras mal aquí, después de lo que me ha costado que te aceptaran a pesar de tu edad? ¿No desearás volver a La Carolina?». Y antes de que mi cabeza negara con vehemencia, el padre José había acudido ya a un tono amable, conciliador: «Olvídate. No te atormentes más y reza». Y dijo entonces:

–Deja las cosas del mundo para el mundo.

Atravesé el claustro, contesté a las jaculatorias de las hermanas, corrí hasta la entrada y acaricié al marino, el velero, el sol resplandeciente, la nube negra y tormentosa. Y abrí el arca. Como si fuera la primera vez. Una primera vez que no podía recordar porque había estado siempre allí, en el planchador de una casa a la que no deseaba regresar. Pero había algo en la lentitud, en la emoción, que, me hacía pensar, se parecía a la primera vez. Y enseguida me encontré con el traje de mi madre, en la misma posición en que lo había dejado la abadesa. «Se lo enseñaremos a la señora Ardevol, a la señora Font... Tal vez así se decidan a encargarnos algo.» Y también con el eco de las voces de unas niñas, voces chirriantes de una tarde fría en el patio de un colegio. *No se casará, Carolina no se casará...* Pero ya nada iba a ser como antes. Ordené a aquellas voces que desaparecieran e invoqué de nuevo la de madre Angélica: «Y, si no, podemos hacer cortinas, tapetes, vestir el altar del oratorio...». Sí, se podían hacer un montón de cosas con aquellos bordados, pero todavía, por fortuna, seguían allí. Y mis manos recorrieron el interior del arca, del mundo, de mi mundo. Y casi sin darme cuenta abrí uno de los cajoncitos secretos, el más deteriorado, el más angosto. Lo abrí y lo cerré de golpe, con rabia. Pero al hacerlo fue como si metiera también allí al padre José, su sotana mugrienta, su aliento fétido. «Cerdo, cochino, puerco», murmuré. Y esta vez no fue un pensamiento de los que después deseara olvidarme. «Hueles a mierda», añadí. Y súbitamente tranquila, como si para mí empezara en aquel momento una nueva vida, cerré con toda suavidad el arca, acaricié al marino, di la vuelta a la llave y, muy despacio, muy despacio, la guardé en el bolsillo.

De algunas de estas cosas hablaría con madre Perú. Hablaríamos casi sin palabras. Pero todavía faltaban muchos años para que la que iba a ser mi gran amiga entrara en el convento. Y ahora me parece curioso, muy curioso. Porque entre que encerré a madre Pequeña en el cajón de la rabia, junto al padre José, y la llegada de mi amiga, no logro rescatar apenas nada que me haga distinguir un día de otro. Y sin embargo fueron largos años. Años en los que la sorpresa dio paso a la rutina, los bordados se acumulaban en el cuarto de costura, el torno continuaba sin girar y por las noches, las mañanas, o en las pláticas del oratorio y la capilla, se nos seguía hablando de acedía, de la vida de los santos eremitas, de las madres del desierto... Y también del nylon. Pero no recuerdo una emoción especial el día de la profesión de votos –que ahora queda muy lejos, como si nunca hubiera existido, como un simple eslabón en la cadena de ritos y ceremonias en que consistía mi vida–, tan sólo que aquel día, más esperado por todas que por mí misma, la comida en el refectorio tuvo aires de fiesta. Y la felicidad de madre Angélica, cada día más olvidadiza, tanto que ni siquiera me llamó a su despacho, como se debe hacer (como dicen todas las monjas que les sucedió cuando eran novicias), para asegurarse de mi decisión, para recordar a la postulante que las puertas hasta aquel día están abiertas, que un momento de duda y se traspasa el umbral. Y nadie puede guardarte rencor. Porque la profesión es libre, es una entrega libre, una decisión libre. Y yo fui libre. ¡Qué mayor libertad para no plantearme siquiera la posibilidad de cambiar mi destino! Hacía tanto tiempo que no miraba a través de la celosía, que no me encaramaba al ventanuco de la celda para ver los terrados, que había llegado a olvidarme de que existiera algo más fuera del convento. O no podía haberme olvidado porque sí sabía. (Mi padre se había vuelto a casar. Doña Eulalia se había ido a vivir a casa del cura, del padre José, a cuidarle, a limpiarle la casa. Y después, cuando murió el padre José, doña Eulalia se quedó en su vivienda y me escribió dos cartas que nunca respondí, dos cartas que también enseguida olvidé, en las que pedía permiso para visitarme, para hablar conmigo, para tranquilizar su conciencia, decía. Pero todos ellos quedaban ya muy lejos. Inmóviles como estatuas. Sentados junto a la chimenea de La Carolina. Seguían allí, detenidos en el tiempo, como en una fotografía en la que hasta el fuego parecía de mentira, incapaz de crepitar, de dar calor. ¡El gélido fuego de La Carolina!) Pero todo en un convento es a la vez reciente, a la vez antiguo. Los días se suceden implacables, empeñados en repetirse, en copiarse, en parecerse tanto unos a otros que hasta los pequeños cambios, las pequeñas novedades, son admitidas sin sorpresa, como si siempre hubiese sido así, como si no pudiera ser de otra manera. Los frecuentes achaques de madre Pequeña, la progresiva pérdida de visión de madre Angélica, la evidencia, en fin, de que el mal venido del otro lado de la frontera se estaba desvaneciendo... «No es magia», había dicho madre Angélica. «Han sido nuestras oraciones.» Porque el demonio del nylon, después de su triunfo, había sufrido una terrible derrota. Y ya la señora Font, la señora Ardevol, o mejor, las hijas de la señora Font, de la señora Ardevol, de cualquiera de nuestras escasas benefactoras, volvían a visitarnos con frecuencia. A encargarnos cortinas, sábanas, mantelerías. Y, aunque las manos de las mejores bordadoras se habían hecho ya viejas, contábamos aún con un arsenal de trabajos de los tiempos en que practicábamos para no olvidar. Tiempos que también eran ya historia, pero seguían allí, como todo en el convento. Confundidos unos con otros. Presentes en su ausencia. Un círculo más de aquel plácido remolino en que consistía nuestra vida. Hasta que llegó madre Perú. Y los días, de pronto, dejaron de parecerse unos a otros.

«Viene de muy lejos», dijo madre Angélica. «Del Perú.» Y muy alegre, como siempre que acababa de consultar un libro, una enciclopedia, un diccionario, nos instruyó acerca de las dimensiones del país, del número de habitantes, de sus tres regiones naturales: costa, sierra, selva; de la peculiaridad -y eso parecía fascinarla- de que en una de esas tres regiones, la sierra, se dieran a lo largo de un solo día todos los climas del mundo. Invierno, primavera, verano, otoño. Y al caer la noche, de nuevo el invierno... «¡Las cuatro estaciones!», exclamó varias veces. No sabíamos todavía si madre Perú era blanca, india o mestiza, pero eso, aclaró enseguida, no tenía que importarnos a nosotras, hijas de Dios, esposas, esclavas. Y luego añadió: «Dios aprieta, pero no ahoga». Y también: «Una se va y otra viene». Porque hacía ya una semana que madre Pequeña agonizaba en su celda, sujeta a terribles pesadillas, visitada por ánimas maullantes, rechazando remedios, pidiéndonos perdón, espantándose ante nuestra presencia. «¡Fuera gatos!» Como si, en su delirio, nos hubiéramos convertido todas en gigantescos gatos negros rodeando su lecho, exigiéndole una vida que no podía devolvernos. Y a veces, por las noches, recordábamos la historia de la bondadosa madre jardinera. La historia que ninguna habíamos vivido, pero que quedaba ahí, impresa en las paredes del convento. Como pronto quedaría la de madre Pequeña. Dos caras de la misma moneda. Pero los chillidos de la agonizante se nos hacían insoportables. Y sentíamos pena. Yo también sentía pena. Y me arrepentía de haberla encerrado tiempo atrás en el cajón de la rabia. Porque debíamos ser misericordiosos, perdonar a nuestros semejantes. Además, hacía ya mucho que nadie traía gatos al convento y ahora sólo pensábamos en nuestra nueva hermana, en la monja que venía de tan lejos. Y contábamos los días que faltaban para su llegada. Hasta que sonó la campanilla de madre Angélica y todas nos reunimos en su despacho.

No parecía una monja, más bien una campesina. Tenía la piel tostada y sonreía con timidez. A la abadesa, en cambio, se la veía triste, confusa. «Aquí está nuestra nueva hermana», dijo. Pero no añadió: «Una se va y otra viene». Después, cuando de la garganta de la recién llegada surgió un extraño sonido a modo de saludo, todas comprendimos el desengaño de la superiora. Sí, madre Pequeña se iba a ir, era cierto, pero, a primera vista por lo menos, no estaba claro que ganáramos con el cambio.

¿Por qué, sin embargo, le tomaría tanto cariño? Madre Perú no podía hablar. Contestaba a nuestras preguntas garabateando sobre un papel, con mala letra, frases breves repletas de faltas de ortografía. Apenas podía contarnos algo de su remoto país, el de las tres regiones, los cuatro climas, el recuadro verde que la abadesa nos había mostrado en un atlas días antes de su llegada y que ahora todas deseábamos conocer. Por eso, como concesión, se nos permitió durante algunos días consultar libros, mapas, enciclopedias. Y tal vez esté ahí la razón de que le tomara cariño. Porque su llegada me permitió acceder a aquellos tesoros custodiados en el despacho de la abadesa. Y así, mientras la instruía en nuestras costumbres, aprovechaba para recordarle las suyas. Y le leí vidas de frailes, de santos, de monjas visionarias, de niños milagreros. Leyendas de aparecidos, almas en pena, monasterios benditos y malditos... Y aunque a menudo confundía países, curaciones o milagros, no dejaba de felicitarme por mi suerte, por poder acceder al armario de los libros y repetir en voz alta todo lo que había aprendido. Y a ratos me hubiera gustado que el convento contara con alguna leyenda parecida. Para admirarla, para sorprenderla, para que se encontrara a gusto entre nosotras. Pero el día en que la introduje en el cuarto de la moribunda, y madre Pequeña, con la desesperación a la que ya me había acostumbrado, gritó con más fuerza que nunca: «¡Fuera gatos!», yo percibí un estremecimiento en la recién llegada y me di cuenta de que también teníamos nuestras pequeñas, modestas historias. Y después de explicarle las antiguas habilidades de la agonizante, me remonté a la otra, a la monja de aquellos tiempos en que el jardín era mucho más grande, las casas colindantes más pequeñas y el huerto no necesitaba aún de tan alto muro para defenderse de las miradas de extraños. Ella me escuchó con mucha atención. Ella siempre me escuchaba con atención. Como si supiera que en mí tenía desde el principio a una aliada, que contaba con mi apoyo para vencer las reticencias de la abadesa, cada día más mustia, más desconcertada. ¿Cómo se les había ocurrido enviarnos a aquella hermana? Aquí había una confusión, un error, decía. Porque madre Perú significaba una carga. No sólo no hablaba, no sólo era muda, sino que tampoco hacía nada de provecho. No sabía bordar, y en estos momentos bordar, una vez devastado y vencido el demonio del nylon, había recuperado su importancia. Ella había solicitado una mano, pero no una boca, que no sólo era incapaz de hablar, sino que había que alimentar. Como a las otras. Aunque reconocía que madre Perú era, de todas nosotras, la que mejor respetaba el precepto del silencio y por ese lado, al menos, no había nada que reprocharle. Pero ahora, por ejemplo, ¿qué estaba haciendo ahora? Y yo, en su despacho, junto a la ventana que daba al huerto, le explicaba que madre Perú estaba recogiendo calabazas. Porque en su país existía un arte muy raro que aquí no conocíamos. No era un arte de monjas ni tampoco se practicaba en las ciudades, sino sólo en algunos lugares de la sierra –¿no se acordaba la abadesa de los cuatro climas?–. Lugares con nombres muy difíciles de pronunciar, pero que ella, madre Perú, me había escrito en un papel y que luego yo, con alguna letra cambiada, había encontrado en los libros. (Y ahora me parecía que madre Angélica me miraba con admiración, que se felicitaba por la idea de haberme dado acceso a la biblioteca.) Pero esto no era todo. Las campesinas de aquellos pueblos de nombres raros vendían sus productos a coleccionistas, a extranjeros, a todo aquel que supiera apreciarlo. Y madre Perú, que antes de ser monja había sido campesina, sabía algo de eso. «¿De calabazas?» No, no eran exactamente calabazas, sino mates. No podía explicarle muy bien lo que eran mates, pero sí que aquí, al no tener mates, teníamos calabazas. Y madre Perú llevaba ya varios días entrenándose en hacer dibujos en las calabazas. En bordarlas, por decirlo de alguna manera. Tenía un punzón y, con ayuda de unas tintas que ella misma fabricaba, labraba figuras, jugaba con los oscuros y los huecos. Y aunque yo no sabía del todo de qué se trataba –el arte extraño se llamaba «burilar», me lo había dicho ella con su letra redonda–, sí sospechaba que no nos lo quería enseñar hasta que estuviera terminado, y que era ésa una forma de mostrarnos, ya que las palabras no le acompañaban, lo que era capaz de hacer. Y si en su país aquello, fuera lo que fuera, se vendía, a lo mejor –y ahora en los ojos de la abadesa se encendió una pequeña chispa– aquí podía ocurrir lo mismo. Y no sé si fue esto lo que terminó con su reticencia o lo que le oí decir poco después como para sí misma: «Por lo menos, mientras lo hace, puede rezar. Rezar con el corazón». Pero lo cierto es que desde aquel día todas respetamos el trabajo de madre Perú. Y aunque nos moríamos de curiosidad, la dejábamos hacer en silencio. Hasta que, al cabo de un mes, su obra estuvo terminada.

Yo fui la primera en aprender a leer. Al principio no vi más que una calabaza repleta de figuras, de dibujos. Pero la autora, paciente, muy paciente, me explicó con gestos, ayudándose ocasionalmente de la libreta, la relación entre ellos. No eran sólo dibujos, tampoco escenas aisladas, sino que allí se contaba toda una historia. Y después, cuando debió de pensar que ya estaba preparada, señaló con el punzón unas figuras situadas abajo, casi en la base, y me indicó que no debía moverme, sino que era ella, la calabaza, quien debía girar. Siempre hacia la izquierda. Y, colocándola sobre la mesa de planchar y moviéndola muy despacio, me pareció como si me encontrara subiendo por una escalera de caracol en la que, poco a poco, todo me resultaba familiar, conocido, comprensible. Porque allí estaba el convento. Cuando el jardín era muy grande y no hacía falta un alto muro para proteger el huerto. Allí estaban los gatos, el bautismo, la madre cuidando de sus hijos, alimentándolos a escondidas; la enfermedad, su postración en el lecho. Y luego, el alboroto, el motín. La pobre monja cocinera caída en el suelo con los pies en alto, los gatos introduciéndose por altillos y alacenas. Pero, sobre todo, la monja cocinera caída en el suelo con los pies en alto... Y aquí todas nos pusimos a reír. Incluso la abadesa se puso a reír. Pero luego, al rato, su rostro se contrajo en una actitud sombría, una actitud ya habitual desde que al convento llegara madre Perú. Y eso que el final era muy hermoso, no cabía duda. El lecho de la fallecida rodeado de monjas y gatos. Y, enseguida, sólo rodeado de monjas. Porque la fallecida subía a los cielos como una santa, como una Virgen, como cualquiera de las muchas estampas que teníamos todas en los misales, como algunos de los cuadros que adornaban los pasillos del convento. Pero, en lugar de ángeles, los que ayudaban a la monja santa en la subida eran sus hijos, los gatos. Y aunque era muy hermoso –sí, la abadesa reconocía que era muy hermoso y que a punto había estado de que se le saltaran las lágrimas–, ¿cómo nos atrevíamos a decidir el destino de la madre benefactora? ¿No correspondía a las autoridades eclesiásticas y sólo a ellas elevarla a categoría de santa? Y lo que era peor: ¿dónde quedaba entonces madre Pequeña? Porque ¿no era lo mismo santificar a la primera que condenar al fuego eterno a la segunda? Y entonces por un momento reviví mis primeros días en el convento, los aullidos de las víctimas inocentes, el extraño brillo de los ojos de madre Pequeña, y fue como si la viera estampada en otra calabaza, en otro mate, como si los gatos angélicos, ahora rabiosos, la estiraran de los pies y la precipitaran en el infierno. Y algo parecido debían de haber pensado mis hermanas. Porque de pronto todas miraban con ojos acusadores a madre Perú y la abadesa con voz enérgica nos recordaba las virtudes y la bondad de la fallecida, su terrible agonía, pero, sobre todo, sus virtudes. Los gatos eran una plaga –¿cómo podíamos haberlo olvidado?– y ella, madre Pequeña, con valor y decisión, había liberado al convento del problema. Por eso aquella calabaza vaciada y reseca –o mate, qué más daba– repleta de monigotes, aunque graciosa –y ahora miraba de nuevo a la madre cocinera caída de espaldas con los pies en alto–, no tenía justificación alguna a no ser que la hermana buriladora se empeñase de inmediato en decorar otra con la vida y bondades de nuestra querida madre Pequeña. Y entonces se produjo un silencio. Unos instantes en que se podía escuchar el zumbido de las abejas en el huerto, nuestra respiración o el tintineo de las cuentas de los rosarios contra los hábitos. Unos segundos que me devolvieron a lo que había sido nuestra vida durante años y años. Había sido, pero ya no era. Porque lo cierto es que desde la llegada de madre Perú no parábamos de hablar. Como si su mudez irremediable nos relevara de nuestro sacrificio voluntario. Como si siempre hubiera algo que aclarar, que discutir. Y por eso yo de nuevo tomaba la voz cantante, en mi cometido de intermediaria entre la recién llegada y la comunidad, con la autoridad que me confería el moverme a mis anchas en las estanterías del despacho de la abadesa, por mis conocimientos del país de las tres regiones, de las costumbres de ciertos conventos del mundo, de sus milagros, de sus leyendas... Y eso era exactamente lo que había ocurrido aquí. Ninguna de nosotras había conocido a la madre prohijadora de gatos ni era capaz tampoco, sin acudir a los archivos, de fijar con exactitud las fechas en que sucedieron los hechos citados. Con lo cual madre Perú no había hecho otra cosa que narrar una leyenda (la historia de las primeras camadas de gatos era ya una leyenda). En cambio entre la muerte de madre Pequeña y el año del Señor en el que nos hallábamos no había transcurrido aún el tiempo suficiente, y otras serían las encargadas, si así lo estimaban conveniente, de rendirle el debido homenaje. En su momento. Quizás en el próximo siglo o quizá nunca. Porque lo que no podíamos hacer era meternos en la mente de nuestras sucesoras. Es más, ni siquiera podíamos aventurar si tendríamos sucesoras. Y aquí la abadesa, recogiendo el rosario, como todas hacíamos cuando nos desplazábamos por el convento, impidiendo que las gruesas cuentas colgadas de la cintura rompieran un silencio que ya no existía, dijo: «Sí las habrá. Pero aún es pronto». Y nos contó que dos futuras postulantes habían solicitado el ingreso en la comunidad. Pero eran demasiado jóvenes todavía –y yo me sorprendí: ¿más jóvenes que yo? ¿Eran acaso niñas? ¿Volvíamos a los tiempos en que en los conventos (y lo había leído en los libros de la abadesa) se aceptaban niñas, se las instruía, aprendían a bordar, a escribir, educaban su voz en el coro de la iglesia, y luego salían al siglo y contraían matrimonio?–. «Tienen que estar seguras de su vocación.» Y de nuevo me sentí confundida. ¿Me habían preguntado a mí si estaba segura de mi vocación? Sólo algo parecía claro, muy claro. Madre Angélica no se encontraba bien. Porque ahora, cuando abandonaba la sala de labores y se disponía a entrar en el claustro, dejaba caer indolentemente el rosario sujeto a la cintura, sin importarle que el grueso crucifijo golpeara con fuerza sus rodillas. Se la veía preocupada y al tiempo ausente. Angustiada, desalentada, abatida. Y aunque ninguna de nosotras pronunció palabra, fue como si supiéramos de pronto que nos encontrábamos frente a la terrible enfermedad, el mal de todos los males, la dolencia contra la que no valen médicos ni remedios, sino tan sólo rezos y jaculatorias. «Acedía», murmuré para mí misma. Pero no debí de ser yo sola. Porque al instante nos concentramos todas en la calabaza, recordando que el terrible mal es contagioso, se expande como la peste, devasta, asola, se adueña de comunidades y conventos. Por eso, con el punzón en la mano, indiqué el punto de partida, hice girar el mate hacia la izquierda y fui desvelando por segunda vez, ante los ojos de mis hermanas, la historia que ya conocían. Pero ellas, no muy duchas aún en el arte de la lectura, me pedían ayuda, me hacían volver hacia atrás, de nuevo hacia adelante, me rogaban que me detuviera un poco más en alguna casilla, que explicara, en fin, lo que la monja muda no podía explicar. Y ella, madre Perú, agradecía con la mirada tanto interés, tanto apoyo. Porque era como si le dijéramos: «Sigue trabajando, grabando. Dibuja historias y más historias. Háblanos a través de tus mates». Y así lo entendió y así lo hizo. Porque desde aquel día, cuando entrada la noche nos recogíamos en las celdas, podíamos escuchar junto a su puerta el inconfundible rasgueo del buril, de los buriles. Y, aunque nos enseñó alguno de sus nuevos trabajos, yo siempre sospeché que había otro. El importante, el único, el que le hacía permanecer en vela hasta la madrugada, retocando y retocando, puliendo y puliendo, a la espera tal vez de un acontecimiento, una fecha señalada. Un regalo. Una sorpresa. Una obra maestra.

Madre Angélica no estaba enferma, sino cansada, simplemente cansada. No había contraído el mal, la «tristeza mala», pero, así y todo, no tenía más remedio que preocuparme por su salud. Cada día veía peor, el pulso le temblaba y era yo quien me encargaba de contestar sus cartas, cartas y más cartas, de hacer las cuentas, de reparar errores y olvidos. Pasaba la mayor parte del día en su despacho y, muy a menudo (porque había terminado por acostumbrarse a mi presencia o porque sus ojos a veces se le nublaban y se creía sola), la escuchaba lamentarse, suspirar, sostener conversaciones con interlocutores invisibles. «Antes, por lo menos, el enemigo tenía un nombre y las cosas estaban claras.» O también: «Estos tiempos... No logro entender estos tiempos». Y de repente, como despertando de un sueño, caía en la cuenta de que yo estaba allí. «Contesta al obispo», decía. «Dile que respetamos sus consejos pero que no deseamos romper la clausura. Ni siquiera para votar, como nos pide.» Entonces yo la obedecía en silencio y pensaba que, en algunas cosas por lo menos, la abadesa tenía mucha razón. Eran otros tiempos. Tiempos en que se nos permitía, si así lo hubiéramos deseado, salir del convento, pasear, acudir al médico, visitar a familiares. Nuestro fuerte no era tan inaccesible como antes ni la regla tan estricta. Sí, todo había cambiado... O, quizá, no tanto. Porque la sola idea de salir al siglo nos producía malestar, desconcierto, un agudo escozor en el estómago, y era sin embargo el siglo el que, como siempre, se aprestaba a abrir la cancela herrumbrosa, a cruzar el pesado portón, a recordarnos incansable: «Estoy aquí. Sigo estando aquí». Y fue así como un día, al poco de morir mi padre, se presentó en el convento un abogado del pueblo –de nuevo aquel pueblo al que no deseaba regresar ni con la memoria–. «No lo reconocería usted. No puede imaginarse lo que ha cambiado.» Y habló de mejoras, de hoteles, de fábricas, de campos de deporte. Luego me mostró unos papeles, me pidió otros, hizo algunas preguntas, se admiró de la edad en la que había ingresado en el convento, volvió sobre los papeles y meneó comprensivo la cabeza.

–Pero, madre Carolina –dijo–, la han estado engañando durante toda su vida.

Aunque ¿qué podía saber él de engaños? ¿Qué podía saber del pueblo si él mismo confesaba que no lo reconocería? ¿Cómo explicarle que las cosas entonces fueron así, de aquella manera? ¿Por qué no preguntaba a su madre, a sus tías, a las ancianas del lugar...?

Por la noche me subí a la cama y miré a través de la celosía. Como tantos años atrás, como la primera vez. Sí, me habían engañado. Pero ¿a quién podía importarle eso ahora? Y me sorprendí mirando los balcones cerrados, las azoteas desiertas, tarareando una canción, enjugándome una lágrima, recordando al muchacho rubio, el que trabajaba en los campos de mi padre –y que ahora, por el abogado, me enteraba de que siempre fueron míos–, repitiendo infatigable una palabra: *monasterio, monasterio, monasterio...* Pero ya no estaba allí. Entre las paredes de una celda. Sino en el campo, al aire libre.

El muchacho y yo, cogidos de la mano. La mañana en que acercó sus labios a mis mejillas, yo le acaricié el cabello y mi corazón latió como nunca después volvería a ocurrirme. Y era hermoso sentirse así. Recuerdo muy bien que era muy hermoso. Pero no estábamos solos. No sé quién pudo vernos, quién pudo explicar lo que nunca había sucedido. Al poco las chicas de la escuela murmuraban en corros a mi paso, el muchacho se fue –o tal vez le despidieron–, mi padre me reprendió. Y yo deseé matarles a todos, planeé matarles a todos, y les maté, aunque fuera en sueños. ¿Por qué se había ido? ¿Por qué no le mandaban llamar para que contara la verdad? «Ya la ha contado», diría más tarde el padre José. Pero yo no podía creerle. Porque un día, buscando a doña Eulalia, la mujer que cuidaba de La Carolina, la única que podía comprenderme, la encontré en los brazos del padre José. Como años antes la había sorprendido en los del mío. Pero no fue mi imaginación. Yo les vi, y él, el padre José, se dio cuenta de que les veía. Pero ella, pobre doña Eulalia, sí debía de saber de engaños. Ella había bajado los ojos, me había advertido, ella quiso al final de sus días poner en orden su conciencia. Todo esto lo sabía yo desde hacía tiempo. Pero las cosas así eran entonces. Y cuando se decidió que mi única salida era abandonar el pueblo e ingresar, por un tiempo al menos, en una orden, yo acogí aliviada la idea. Les odiaba a todos. Sólo deseaba que desaparecieran. ¿Y cómo se puede matar a todo un pueblo?

–Pero no se preocupe –había dicho el abogado–. Todavía es rica. Recuperaremos lo que se pueda. No tienen por qué vivir ustedes con tantas privaciones.

Ahora, sin embargo, yo no quería pensar en eso. El frío del invierno, la leche aguada, las modestas colaciones en el refectorio, la alegría incontenible de madre Angélica... Había vuelto a La Carolina, a una de las veladas junto al fuego, siempre a la misma, aquella que en mi pensamiento había quedado congelada, inmóvil, como una fotografía. Pero hoy iba a permitir que volase el recuerdo. Y aunque ellos siguieran rígidos como estatuas, frente a un fuego que no calentaba, dejaría que una piedra atravesara el cristal de la ventana y rompiera la noche. Una piedra con un papel atado, un mensaje. «Carolina no se casará.» El mismo que cantaban algunos corros en el patio de la escuela. *No. No se casará. Carolina no se casará...* Pero era extraño, curioso. Ni siquiera la piedra, tanto tiempo retenida en la memoria, lograba alterar la inmovilidad del grupo frente al fuego. Era sólo una piedra. Una piedra sin poder. Un fósil. Voces de otros tiempos incapaces ya de producirme la menor emoción. Ni siquiera rabia.

«Se lo enseñaremos a la señora Font, a la señora Ardevol...», recordé. Y también: «Tapetes, cortinas, faldas para el altar del oratorio...». Sí, todavía, por fortuna, se podían hacer muchas cosas con aquellos bordados.

Pero ya lo dije antes. Desde que llegó madre Perú ningún día se parecería al otro. Ni tampoco las noches serían noches. Porque estaba yo pensando en estas cosas cuando alguien golpeó mi puerta y de fuera me llegaron murmullos, pasos apretados, risas... Al salir sólo alcancé a escuchar: «¡Milagro!». Ahora corrían todas por los pasillos, por las escaleras, olvidadas de rezos, reumatismos, dolencias, sin molestarse en sujetar los rosarios, como siempre hacíamos, como se nos decía que debíamos hacer. Y el grupo jubiloso se congregaba en la cocina, donde se encontraban la abadesa y madre Perú, envueltas en olor de fruta fermentada, y a la que llegué jadeando, con la respiración entrecortada, sin entender apenas nada de lo que estaba ocurriendo. Sólo que madre Angélica había recuperado su mirada decidida. Como en aquellos tiempos en que el mal tenía un nombre y venía de otro lado de la frontera. Ella no hablaba de milagros, no parecía emocionada como las demás hermanas. Ni tampoco cerraba los ojos, ni se llevaba el crucifijo a los labios. «¡Farsante!», dijo de pronto. Y era tanta su energía que madre Perú se puso a llorar, a negar con la cabeza, a gemir. Sí, madre Perú lloraba, gemía, pero también... ¡hablaba! «Era un voto», decía entre sollozos. «Un voto de silencio.» Y entonces, estupefacta, fui yo la que me quedé muda.

Pero yo no podía creerla. ¿Por qué no nos había dicho con su letra redonda: «Es un voto»? A mí por lo menos, a su amiga, su protectora. Y ahora, mientras escuchaba cómo había empezado todo, cómo a una de las hermanas en mitad de la noche le había parecido escuchar unos cantos procedentes de la cocina, me daba cuenta de que había muchas cosas más que yo ignoraba de madre Perú. Por ejemplo, ¿qué significaba aquella palangana en la que flotaban trozos de calabaza, que despedía un olor fuerte, mareante, y que señalaba repentinamente la abadesa con un dedo acusador, con los ojos muy abiertos detrás de sus gafas de carey? «Es un remedio», se apresuraba a aclarar ante mi sorpresa la hermana que en los últimos tiempos se ocupaba de la cocina. «El remedio de madre Perú.» Y ella, con la voz muy ronca, explicó, de nuevo ante mi sorpresa, que su salud era delicada, que a menudo sufría mareos e indisposiciones y que la palangana no contenía otra cosa que un digestivo. Calabaza hervida con agua y azúcar, y dejada macerar, muy bien tapada, durante días y días. Pero ya la abadesa probaba con un cazo el líquido amarillento y lo escupía con disgusto.

–Su remedio –dijo. ¡Y qué firme se la veía otra vez!–. Permítame que le diga que el remedio se le ha subido a la cabeza.

Y yo no podía intervenir. Sugerir que madre Perú tenía los ojos rojos porque había llorado, o que la voz ronca con la que nos hablaba no era más que la consecuencia de haber permanecido durante mucho tiempo en silencio. Ahora, desde que había dejado de ser muda, ya no podría defenderla como antes. Porque así lo dice la regla: «No cabe la protección, ni tan siquiera entre miembros de la misma familia». Y si hasta entonces la abadesa había dejado que la ayudara era porque, creíamos, no podía hablar, y yo era su intérprete, la encargada de integrarla en nuestra pequeña comunidad. Pero no me encontraba a gusto allí, en la cocina, aspirando el tufo a calabaza fermentada. Salí con sigilo, subí las escaleras sujetando el rosario, conteniendo la respiración. Y me metí en su celda. Ahí estaban los buriles, las tintas, el mismo olor a calabaza fermentada. Pero, sobre todo, estaba el mate. Un mate grande, el mayor de todos, en el que desde hacía tanto tiempo trabajaba en silencio. Por las noches. La obra maestra que ninguna de nosotras había visto aún. Un mate secreto, difícil de comprender, como si la historia que allí se narraba no tuviera otro destinatario más que ella misma. Pero yo podía leerlo, descifrarlo, mondarlo como una naranja, obligarle a hablar. Y así hice hasta detenerme en la última casilla. Una monja, que ahora sabía que era ella, madre Perú, tras la celosía de un convento, con una lágrima discurriendo por las mejillas. Y después una nube. El mate no estaba terminado. O quizá sí, quizás en aquella nube, que ocupaba un espacio exagerado, se encontraba lo que podía pasar aún, lo que todavía no había ocurrido. Y entonces lo entendí. Aquello era el final. Una historia abierta. O una historia que –de momento– terminaba en punta.

La primera carta llegó de Lima. La segunda de Arequipa. En las dos se nos decía lo mismo: nuestras preguntas les habían desconcertado. No estaban sobradas de vocaciones y ninguna de las dos comunidades había enviado a un lugar tan remoto a una madre muda. Eran respuestas a una carta antigua, parecía claro. Una misiva que debía de haber escrito la superiora casi en secreto, cuando se la veía mustia y angustiada y todavía madre Perú no había roto la promesa de silencio. Había una tercera, pero ésta sí había llegado hacía tiempo. Era, en realidad, la primera de todas. Venía también del Perú y en ella se informaba de que iban a enviarnos en breve a una hija de Dios. Y madre Angélica, que había pedido una mano a conventos y más conventos, se alegró tanto en su día con la respuesta que ni siquiera reparó en que el membrete, el lugar donde debía figurar el nombre y la dirección del convento, tenía la tinta corrida. Y no quiso preguntarle nada a madre Perú –por si acaso, porque desde el principio le había parecido notar algo raro–, pero sí me preguntaba a mí, a la que había sido su intérprete, su traductora. Y yo vi una letra redonda –que al momento reconocí–, pero me limité a encogerme de hombros. «No, no puede ser», dije. «Aquí no hay una sola falta de ortografía.» Y enseguida me di cuenta de lo lista que era madre Perú, pero también de que a madre Angélica, ahora que había recuperado todos sus arrestos, no se la podía confundir fácilmente. Por eso durante muchos días apenas hablé con mi amiga, para que la abadesa no sospechara de mí, para seguir al tanto de todo lo que ocurriera y, llegada la ocasión, ofrecerle mi ayuda. Y enviamos cartas y más cartas. La superiora dictaba, yo las escribía, y luego, juntas, leíamos las respuestas. Ahora venían del Ecuador, de Bolivia, de Chile... Pero a madre Angélica le interesó especialmente la del Ecuador. Allí, en un convento de Quito, vivía una monja peruana. No es que fuera muda, pero apenas hablaba y tenía la voz muy ronca (se decía que desde muy jovencita había hecho el voto de silencio). Y lo que era más raro aún: esa monja peruana, que antes había sido campesina, sabía burilar. (Aquí me estremecí: ¿no se parecía demasiado a nuestra historia? Pero madre Angélica me ordenó que siguiera.) Hubo también en tiempos una novicia que aprendió el arte de la anciana matera. Era española, no recordaban de qué ciudad, de qué provincia, ni tampoco podían decir a ciencia cierta dónde se encontraba ahora, porque el día antes de tomar los hábitos –de eso hacía ya mucho– desapareció. O no tenía vocación o se asustó, quién sabe.

–¿No te parece raro? Carolina, hija, ¿no te parece que todo esto es muy raro?

No. No me lo parecía. Como tampoco que en otra carta de Cochabamba (Bolivia) se nos hablara de una monja, esta vez portuguesa, que asimismo desapareció. No era muda, más bien muy habladora, demasiado, pero sufría frecuentes indisposiciones que solventaba con un remedio antiguo. Piña fermentada. Un licor digestivo, un tónico.

–¿Y esto? ¿Qué me dices, Carolina, de esto?

Pero ¿había desaparecido o la habían expulsado? Ahora era yo la que me calaba las gafas de la abadesa porque la letra era muy menuda y no entendía bien lo que allí se decía. Lo repetí varias veces. No llegaron a expulsarla, ni siquiera a reprenderla. Ella, sin decir nada, se fue primero. A los pocos días de su partida, sin embargo, se presentaron en el convento unos caballeros muy importantes, muy distinguidos, que se dieron a conocer como familiares de la desaparecida y se interesaron por su paradero. Y una semana después –nunca la comunidad había recibido tantas visitas en tan poco tiempo– se personaron otros asaeteándolas a preguntas sobre los primeros. Y estos últimos –que ya no parecían importantes, ni tampoco eran distinguidos, ni siquiera, en fin, se molestaron en dejar un sobre, una limosna, un óbolo– dijeron pertenecer a la Interpol. «Sí, Interpol», repetí. Y la superiora y yo nos miramos sorprendidas. Interpol, ¿qué quería decir exactamente Interpol? No sé lo que debió de pensar madre Angélica, pero a mí, desde el primer momento, aquella palabra no me gustó nada.

Yo no quería otra cosa que avisarla. Contarle que las pesquisas de la abadesa estaban cerrando un círculo. Que todo, de pronto, concordaba, encajaba a la perfección, que tal vez la única salida sería confesarle a madre Angélica la verdad. Y aunque la verdad –eso lo sabía yo– no siempre significaba el camino más corto, ella me tendría a su lado, como antes, dispuesta a aclarar las cosas, a explicar la historia que con tanto dolor había ido escribiendo por las noches en un mate secreto. Porque ¿cuál había sido su delito, pobre madre Perú? Presenciar un crimen, un asesinato. Y huir. Verse obligada a escapar, correr de un lado a otro, refugiarse en conventos hasta que los verdaderos culpables la olvidaran. Allí estaba todo explicado. Paso a paso, casilla a casilla. Sus penalidades, la huida, el acoso implacable de sus perseguidores... ¡Pobre madre Perú! Ahora que hablaba era cuando más necesitaba de mi ayuda... Pero yo iba a prevenirla, a avisarla. A decirle: «Estoy enterada». Y sobre todo: «No sólo te persiguen los asesinos. También la policía». Por eso esperé el momento en que las hermanas estuvieran ocupadas en sus tareas y ella recogida en la soledad de su celda. Llamé con los nudillos, suavemente, con miedo a asustarla, y, sin esperar respuesta, entré. Pero madre Perú, una vez más, había abusado del remedio.

La celda estaba en penumbra y al principio sólo distinguí una silueta, sentada en el taburete, inclinada sobre la mesa de roble, sujetándose la cabeza con las manos. Parecía que meditaba; que, atenta, muy atentamente, leía un libro, un misal; que admiraba una vez más el mate burilado cuyo secreto tan sólo ella y yo conocíamos. Pero mis ojos se acostumbraron pronto a la oscuridad y a punto estuve de salir, de volver sobre mis pasos. Porque madre Perú estaba, en efecto, sentada en el taburete, inclinada sobre la mesa. Pero tenía el cabello largo. Y lo que observaba con tanta dedicación no era una calabaza, un misal, un libro, sino un cuadrado brillante, muy brillante. ¡El cabello largo! ¡Un objeto brillante! Madre Perú tenía una larga melena y se contemplaba ante un objeto brillante... Pero no fui lo suficientemente rápida. Ahora ella se había vuelto hacia mí, sorprendida, turbada, furiosa. De su boca surgía el tufillo a calabaza fermentada y sus ojos estaban enrojecidos. Pero eso no era importante, no tenía por qué serlo. Si no fuera porque hizo lo que hizo y dijo lo que nunca hubiera debido decir, yo habría terminado por olvidarlo. Mas las cosas sucedieron así y no de otra manera.

–Meticona –gruñó de pronto–. ¿Qué haces aquí?

Lo dijo con su voz ronca, con estas o con otras palabras, no lo recuerdo. Me hallaba paralizada en el umbral, sorprendida aún ante su melena, ante el brillo que emitía la mesa de roble. Un cuadrado muy pequeño en el mismo centro de la mesa de roble.

–Sí. Es un espejo, ¿qué pasa?

Pero dijo también:

–Y deja de mirarme con esa estúpida expresión de niña. Vieja, revieja. Eso es lo que eres. Una meticona vieja.

Apenas se mantenía erguida. Pero mi confusión debió de encolerizarla todavía más. Me agarró del rosario con fuerza y me obligó a inclinar la cabeza sobre el espejo. «Mírate ya. Vieja revieja», gruñó aún. Y entonces, por segunda vez en mi vida, grité en silencio. Porque, aunque cerrase enseguida los ojos, aunque apretara los párpados para no ver, hubo una fracción de segundo, apenas un instante, en que el azogue me devolvió un rostro arrugado, sorprendido, aterrado. Y aunque todavía no puedo explicarme cómo ocurrió, sí sé que de inmediato lo reconocí. Allí estaba ella. Su rostro olvidado. Allí estaba –¡otra vez!– madre Pequeña.

«Debemos ser misericordiosos. Perdonar a nuestros semejantes.» Eso fue lo que dije. Al día siguiente. Al otro. Siempre que madre Perú se acercaba contrita y bajaba los ojos. Pero no tenía tiempo para atender excusas. Seguía escribiendo, contestando cartas. Cuando la abadesa daba por concluida su correspondencia, me dedicaba a limpiar el arca. Con lejía, con arena. Frotando fuerte. Al marino se le estaba desdibujando la boca, pero tal vez me gustaba más así. Porque si entornaba los ojos, parecía que el marino me sonreía, que aprobaba mi conducta, que no le importaba permanecer la mayor parte del día boca abajo, de cara a la pared, con tal de que yo prosiguiera con mi trabajo. Todos los cajones estaban vacíos y abiertos, incluso los secretos, los que en otros tiempos cobijaron recuerdos y que ahora no parecían sino celdas de un convento desierto, abandonado tal vez a causa de la peste, de una epidemia, de un mal desconocido, que yo desinfectaba, fregaba, oreaba, para que no quedase nada de sus antiguos moradores. Ni tan siquiera voces, murmullos. Y a menudo cantaba, tarareaba antiguas melodías que de pronto me venían a la cabeza. En silencio. Porque todo lo que hacía en aquellos días lo hacía en silencio. Días de mucho trabajo. Las cartas en el despacho, la limpieza del arca, el traje de novia... Una tela enmohecida, con olor a encierro, que se empeñaba en desgarrarse por los cuatro costados, que se retorcía al calor de la plancha, y con la que, ahora me daba cuenta, no se podía hacer nada de provecho más que engrosar la cesta de los trapos viejos. Y luego estaba la noche. Porque el trabajo más importante empezaba de noche. A puerta cerrada. En secreto.

–Madre Carolina, tengo que hablarle. Por favor, déjeme entrar.

Pero yo no quería escucharla. No deseaba olvidarme de su melena, del espejo, de todo lo que había ocurrido en la penumbra de su celda.

–Paciencia, madre Perú –le decía–. Paciencia.

No tuvo que esperar siquiera un mes. Al cabo de este tiempo vinieron a buscarla y entonces sí habló, claro que pudo hablar, Dios mío cómo habló. Contó que durante mucho tiempo había escrito la historia de su vida en un mate, año tras año, un mate que llevaba en su huida allí donde fuera. Porque los asesinos eran gente poderosa, sabían que había presenciado el crimen y juraron en su día que no pararían hasta dar con ella. Pero ahora pedía protección y confesaba que sus únicos delitos eran éstos: pequeñas mentiras, faltas sin importancia. No era monja, ni tampoco peruana. Cambiaba de nacionalidad a medida que se veía obligada a proseguir su huida. Para despistar a sus perseguidores. Y volvió a hablar del crimen (ya no recuerdo en qué país, en qué año), de bandas internacionales, de un montón de cosas que ninguna de nosotras entendió demasiado bien. Y de nuevo de su sufrimiento, de las amenazas, de su terrible periplo. Pero todo estaba grabado, escrito, a la espera quizá de un momento como éste. Sin embargo, la calabaza que ahora la abadesa hacía girar sobre la mesa del despacho, ante la curiosidad de las hermanas o la indiferencia de la policía, no corroboraba en nada su pretendida historia de penalidades y desdichas. Los dibujos eran grandes, un tanto toscos, pero, así y todo, se entendían muy bien. El crimen paso a paso. Y, casi al final, el rostro de una monja que no parecía triste, sino feliz, contenta. Una monja que... reía. Reía a carcajadas. Alzando una copa de la que surgía una nube. Tal vez esperanzadora, tal vez no. Porque la nube ocupaba, por lo menos, el espacio de cuatro casillas y la historia, de momento (¿y no era eso lo que ella quería?), terminaba en punta.

–¿Qué significa esto? –vociferó madre Perú.

No pude reparar en su expresión. Me había asomado a la ventana y contemplaba el huerto. Pero era imposible desoír sus gritos. «¡Echen esta chapuza a la basura! ¡Busquen mi mate! ¡Registren el convento! ¡No me iré de aquí sin mi mate!» Porque de pronto parecía como si madre Perú se hubiera olvidado del crimen, de la defensa vehemente de su inocencia, de la gravedad de la situación, y centrara, en cambio, toda su ira en salvaguardar un prestigio, una habilidad, un arte. Ahora negaba con su voz ronca cualquier relación con aquellos dibujos a los que llamaba «ridículos», «simplones», «zafios». Y, sin dejar de chillar, exigía la devolución de su obra –«mi obra maestra», decía–, un auténtico mate burilado, la historia en la que había trabajado durante años y años, la calabaza que le acompañaba en su huida allí donde fuera.

–¡Miren en el arca! –Y su voz sonó más ronca y desgarrada que nunca–. ¡Seguro que está en el arca!

Y aunque los policías no demostraron el menor interés por ver más calabazas, estudiar monigotes, o perder, en fin, como dijeron, más tiempo aún del que llevaban tras sus pasos, yo cerré lentamente la ventana y me ofrecí gustosa a mostrarles el mundo. Acaricié la tapa abovedada, di la vuelta a la llave muy despacio, y abrí. Pero allí no había nada. Ni en el fondo, ni en los rincones, ni en los cajones secretos que iba desvelando uno a uno. Sólo olor a lejía, olor a limpio. Un aroma refrescante que se extendía ahora por el vestíbulo, los pasillos, subía las escaleras y se colaba por cerraduras y rendijas. Y que permanecería allí un largo rato, hasta horas después de que la verja herrumbrosa dijera *adióooos*, y todas nos recogiéramos en silencio.

De nuevo los días empezaron a parecerse unos a otros, a copiarse entre sí, a repetirse implacablemente. Los quehaceres eran asignados por turno, por orden, o porque así yo lo disponía. Había una monja al cuidado del huerto, otra de la cocina, otra del torno que seguía sin girar, pero que había dejado de preocuparnos. Porque no desayunábamos leche aguada, ni pan reseco. Sino bollos, mermelada, chocolate deshecho. Y yo, desde la mesa del despacho, firmaba los papeles que me hacía llegar el abogado y, aunque no era mucho dinero –no tanto, al menos, como él había dado a entender–, en algo sí, aquel buen hombre, tenía razón. No vivíamos con tantas privaciones y sacrificios. Quizá por eso madre Angélica se abandonó en la comodidad, se desentendió de sus obligaciones, me fue pasando, poco a poco, todas sus prerrogativas y poderes. Porque ella (que apenas veía ya, que casi no podía andar) se pasaba los días recluida en su celda, mientras yo escribía, contestaba cartas, atendía los asuntos del convento. Y por las noches yo le daba el parte de lo que había ocurrido. Las visitas de la señora Font, de la señora Ardevol (de sus hijas o nietas, a las que seguíamos llamando señora Font, señora Ardevol), lo que nos contaban a través de la celosía, los cambios que seguían sucediéndose en lo que ellas llamaban mundo... Y aunque madre Angélica solía dormitar mientras le hablaba (o asentir ligeramente o cabecear disgustada, como si nada de lo que le contara pudiera despertar su interés), seguía siendo, a efectos oficiales, la abadesa. Y ésa era la forma de recabar su consentimiento, su aprobación, la conformidad a todo cuanto yo hiciera. Por eso la mañana en que encontramos un inesperado visitante en el huerto –un gatito negro de apenas unos días, quién sabe si perdido o abandonado como en otros tiempos– lo alimenté en la cocina, le dije: «Te quedarás aquí, con nosotras», y después, al caer la noche, como siempre, subí a su celda.

–¿Quién es? –dijo con voz soñolienta, incorporándose y calándose unas gafas que ya apenas le servían–. ¿Qué quiere?

–Vivirá aquí –me apresuré a informarle–. En el arca. Le sacaremos la tapa del marino para que no se asfixie.

–Ah –dijo–. El marino...

Y me pareció que revivía el momento en que por primera vez contempló la tapa abovedada del mundo. El marino mirando hacia el frente, con el sol a su izquierda, la tormenta a la derecha. El cuadro que llevaba a otro cuadro. Y éste a otro, y a otro, y a otro... Y ahora, mientras se recostaba sobre la almohada con los ojos entornados, adiviné que se había quedado detenida en el punto minúsculo. El último eslabón visible de la larga cadena de veleros, tormentas, soles, marinos sujetando cuadros... O quizá no. Quizás había logrado introducirse a través del agujero y veía mucho más allá de todo lo que pudiera contarnos el mundo.

–Madre Angélica... –murmuré.

Pero ella había despertado ya y, de nuevo incorporada, se quitaba aquellas gafas que no servían y, pestañeando, se ponía a escudriñar al gato.

–Tienes los ojos rojos y eres feo –dijo–. Feo y negro como un demonio.

Y enseguida, sonriendo, recuperando la alegría perdida, le acarició y le dio un nombre.

–*Nylon* –dijo muy lentamente–. Yo sé que te llamas *Nylon*.

A menudo, al despertarme, pienso en eso. En las últimas palabras de madre Angélica, en sus ojos sin luz, en un montón de historias que se arremolinan en mi cabeza, entremezclan, confunden y a ratos, incluso, olvido. Pero no tengo más que esperar a la noche para intentar poner en orden los recuerdos. Cuando como ahora recorro el convento silencioso, con un grueso manojo de llaves en la cintura, sujetando el rosario para no hacer ruido, rozando con los dedos paredes y puertas. El vestíbulo, la cocina, mi despacho. El claustro, la sala de labores, el oratorio. Los recintos de las hermanas que ya duermen, meditan, rezan, o quizá revivan su primera noche contemplando azoteas desde un ventanuco. Y me desprendo de la memoria paso a paso; archivándola, dejándola en seguro; recontando pomos y manijas; admirándome de que las celdas de un convento no sean más que cajones secretos de un gran mundo. Porque tiempo tendré para rescatar lo que allí ocurre, lo que voy encerrando poco a poco. Cuando las cartas que escribo encuentren respuesta y las que contesto se materialicen al fin en una llamada tímida, el sonido de la campanilla tras el que reconoceré enseguida a una nueva postulante, a una novicia... Y entonces acariciando a *Nylon* –cada día más gordo, más perezoso– sí podré narrar los desvelos de la monja santa, el arrepentimiento de madre Pequeña, la azarosa vida de una prófuga que se hacía llamar madre Perú, la llegada al convento de una niña con un traje de boda... Historias y más historias. Leyendas.

–Toma y sal al huerto. Allí verás tu rostro por última vez. El rostro que te va a acompañar hasta el final de tus días.

Y ellas atravesarán el claustro umbrío, contestarán a las jaculatorias de las hermanas, saldrán al huerto y se sentarán a la sombra de un limonero, de un naranjo, en el lugar tal vez que en otros tiempos crecieron calabazas. Y se contemplarán en el espejo de mango de plata. El espejo de cuento. Y yo desde mi despacho las observaré en silencio. Sabiendo que aquél es el momento más importante de sus vidas, que nada debe perturbarlas, distraerlas. Ni siquiera el rumor de las hojas, el silbido del viento, la voz que a veces parece surgir de las adelfas, precisamente allí, junto al banco en el que ahora se han sentado, cerca de donde, hace ya mucho, alguien –dice la leyenda– enterró las cenizas de un mate burilado. Pero no debemos engañarnos. La adelfa es una planta venenosa, y nada tiene de raro que el murmullo que a ratos creo apreciar también lo sea. «Meticona, vieja, revieja. No eres más que una vieja...»

La mujer de verde

–Lo siento –dice la chica–. Se ha confundido usted.

La he escuchado sin pestañear, asintiendo con la cabeza, como si la cosa más natural del mundo fuera ésta: confundirse. Porque no cabe ya otra explicación. Me he equivocado. Y por un momento repaso mentalmente la lista de pequeñas confusiones que haya podido cometer en mi vida sin encontrar ninguna que se le parezca. Pero no debo culparme. Me encuentro cansada, agobiada de trabajo y, para colmo, sin poder dormir. Esta misma mañana a punto he estado de telefonear a mi casero. ¿Cómo ha podido alquilar el piso de arriba a una familia tan ruidosa? Pero lo que importa ahora no son los vecinos ni tampoco el casero ni mi cansancio, sino el extraño espejismo que, por lo visto, he debido de sufrir hace apenas media hora. Una mezcla de turbación y certeza que me ha llevado a abandonar precipitadamente una zapatería, y correr por la calle tras una mujer a la que me he empeñado en llamar Dina. Y la mujer, sin prestarme atención, ha seguido indiferente su camino. Porque no era Dina. O por lo menos eso es lo que me está afirmando la verdadera Dina Dachs, sentada frente a su ordenada mesa de trabajo, con la misma sonrisa inocente con la que, hace apenas una semana, acogió la noticia de su incorporación a la empresa. «No», me dice. «No me he movido de aquí desde las nueve.» Y después, meneando comprensivamente la cabeza: «Lo siento. Se ha confundido usted».

Sí. Ahora comprendo que por fuerza se trata de un error. Porque, aunque el parecido me siga resultando asombroso, la chica que tengo delante no es más que una muchacha educada, cortés, una secretaria eficiente. Y la mujer, la desconocida tras la que acabo de correr en la calle, mostraba en su rostro las huellas de toda una vida, el sufrimiento, una mirada enigmática y fría que ni siquiera alteró una sola vez, a pesar de mis llamadas, de los empujones de la gente, del bullicio de una avenida comercial en vísperas de fiestas. Y fue seguramente eso lo que me llamó la atención, lo que me había llevado a pensar que aquella mujer –Dina, creía– sufría un trastorno, una ausencia, una momentánea pérdida de identidad. Pero ahora sé que mi error es tan sólo un error a medias. Porque la desconocida, fuera quien fuera, necesitaba ayuda. Y vuelvo a mirar a Dina, su jersey de angora y el abrigo de paño colgado del perchero, y de nuevo recuerdo a la mujer. Vestida con un traje de seda verde en pleno mes de diciembre. Un traje de fiesta, escotado, liviano... Y un collar violeta. Indiferente al frío, al tráfico, a la gente. No digo nada más. La evidencia de que he confundido a aquella chica con una demente me hace sonreír. Y me encierro en mi despacho, dejo las compras sobre una silla y empiezo a revisar la correspondencia. Será un mes agotador, sólo un mes. Y luego Roma, Roma y Eduardo. Me siento feliz. Tengo todos los motivos del mundo para sentirme feliz.

Ninguno de los dos pares de zapatos se ajusta a mis medidas. Unos me quedan demasiado estrechos, me oprimen. Para soportarlos debo contraer los dedos en forma de piña. Con los otros me ocurre justamente lo contrario. Mis pies se encogen también en forma de piña, pero la finalidad es muy distinta. Hacerme con el timón de esas barcas que se resisten a ser conducidas, que se rebelan, escapan... Es ya muy tarde para pasar por casa, con lo cual, me digo, no tendré más remedio que escoger entre dos sufrimientos. Opto por el segundo, pero no lo hago a la ligera. Dentro de media hora debo asistir a una cena de trabajo. Por eso he venido ya arreglada a la oficina y por eso también me he detenido antes en una zapatería. Una compra absurda, apresurada. Mañana devolveré los que me quedan estrechos. Porque ahora me doy cuenta de que no siento el menor apetito y dentro de media hora me veré obligada a comer. Conozco este martirio desde que me he convertido en una ejecutiva respetada. Un suplicio que no tiene nada que ver con su contrario –morirse de hambre y no poder saciarla– y del que suelo avergonzarme a menudo. Me decido, pues, por los zapatos deslizantes como góndolas (no podría explicarlo: me parecen más adecuados a lo que me espera) y aparezco así en el restaurante, a la hora en punto, arrastrando los pies y sin una pizca de apetito. La lectura del menú me produce náuseas. Es una sensación grosera, ridícula. Como groseros me parecen los diez comensales, hablando con un deje de complicidad de sus secretarias, con cierta respetuosa admiración de sus esposas, o ridículos los zapatos que hace rato he abandonado sobre la moqueta. Sólo espero que la cena acabe de una vez, que en algún momento de la noche se hable de Eduardo, de la última ocasión en que vieron a Eduardo, de lo bien que le van las cosas a Eduardo. Por fortuna no tardan en hacerlo. Me preguntan por la sucursal que la empresa acaba de abrir en Roma y yo, aunque al referirme a Eduardo diga «el jefe», siento un ligero alivio al poder pensar en él, pensar en voz alta, a pesar de que lo que digo no tenga, en realidad, nada que ver con lo que imagino. Pero ellos no pueden saberlo. Nadie, ni siquiera en la oficina, puede sospechar remotamente mi relación con Eduardo. Ni en la oficina ni, menos aún, en su casa, y a ratos me gusta decidir que tampoco el propio Eduardo tiene demasiado claras nuestras relaciones. No me importa lo que, de saberlo, pudiera decir su esposa, pero sí, y ésta es mi mejor arma, lo que pueda pensar Eduardo. Y Eduardo no piensa. No piensa en mí como en una amante, a pesar de que ésa es la palabra que mejor definiría nuestra situación, y no me conviene que piense en mí como en una amante. A Eduardo las palabras le dan miedo. Las palabras y su mujer. Por eso, por una vez en la vida, se ha atrevido a engañarla, sin tener tan siquiera que llegar a decirse: «La engaño». Para los comensales no soy más que la antigua compañera de estudios del jefe, su brazo derecho. Para su mujer también. Y así quiero que sigan creyéndolo. Además, tengo el papel bien aprendido. Cuando me preguntan quién se hará cargo de la oficina en Roma, me encojo de hombros. Eduardo está allí, seleccionando personal... Eduardo supervisará el trabajo durante el primer año, irá y volverá. Después, cuando encuentre a la persona adecuada, lo dejará en sus manos. Un italiano seguramente... Y pienso en un apartamento en el Trastevere. En una vida libre, sin horarios, sin familia, con su mujer a miles de kilómetros. Alguien me dice que me encuentra desganada, que apenas pruebo bocado, que «la mujer que no disfruta en la mesa...», y yo aprovecho para recordar de pronto una llamada importante. Una llamada de negocios, naturalmente. Busco con los pies los zapatos olvidados, aprieto los dedos como una piña y abandono la mesa. Pero no me dirijo al teléfono sino al baño. Me mojo la cara, me seco con una toalla de papel, y entonces, cuando me dispongo a retocar el maquillaje, la veo otra vez.

Cierto. Durante la cena apenas he comido y, en cambio, he bebido en abundancia. Pero, por un momento, unos segundos, ella ha estado allí. La he visto con toda nitidez. Su vestido verde, el collar violeta, la mirada fría y enigmática. No sé si ha abierto la puerta y, al verme, ha salido enseguida. No sé si estaba allí cuando yo he entrado. Todo ha sucedido con extrema rapidez. Yo secándome la cara con la toalla de papel, jugando mecánicamente con las posibilidades de un espejo de tres caras, comprobando mi peinado, mi perfil, y ella, una sombra verde, pasando como una exhalación por el espejo. Rectifico la posición de las lunas, las abro, las cierro y, atónita aún, logro aprisionarla por unos segundos. La mujer está allí. Detrás de mí, junto a mí, no lo sé muy bien. Me vuelvo enseguida, pero sólo acierto a sorprender el vaivén de la puerta. «Se ha escapado al verme», pienso. Y no puedo hacer otra cosa que recordar sus ojos. Una mirada fría, enigmática. Pero también, ahora me doy cuenta, una mirada de odio.

Dina Dachs es una chica como tantas otras. Me lo digo por la mañana, lo repito por la tarde. Por la noche me llevo a casa la carpeta con los datos de las nuevas empleadas. Cinco en total. Todas con un currículum semejante, la misma edad, idénticas expectativas de promoción en la empresa. Con una ligera ventaja a favor de Dina. Tres idiomas a la perfección, excelentes referencias, una notable habilidad a la hora de rellenar el cuestionario de la casa. Por eso fue la primera aspirante que seleccioné. Por eso, me explico asimismo ahora, recordaba tan bien su nombre el día en que corrí por la calle tras la mujer de verde. Aunque Dina Dachs es un nombre difícil de olvidar, tal vez porque no parece un auténtico nombre. Pienso en un pseudónimo, en un nombre artístico, en DINA DACHS anunciado en grandes caracteres en un teatro de variedades, en *vedettes* de revista... No sé ya en lo que pienso. El perpetuo trajín de los inquilinos de arriba me impide ordenar ideas. Mañana protestaré, hablaré con el casero o me mudaré de piso. Mañana, también, interrogaré sutilmente a Dina.

Llevo todo el día observándola, escrutándola, controlando sus llamadas telefónicas, sin que hasta ahora haya aparecido nada especial, nada que me incite a sospechar una doble vida, a explicar sus extrañas apariciones en la calle primero, en el restaurante después. Dina me dice que no sale por las noches. Lo dice muy tranquila, sin saber que mi pregunta encierra una trampa. No le importa permanecer hasta tarde en el despacho, hacer horas extras, poner al día el trabajo. En la ciudad no conoce a casi nadie. No tiene hermanos ni hermanas, ni siquiera padres. ¿No tiene hermanas? No, no tiene. Luego le pido que haga una reserva para esta noche en cierto restaurante del que, curiosamente, he olvidado el nombre. Le indico la calle, la situación exacta, el dato revelador de que las paredes están totalmente tapizadas de moqueta y los lavabos disponen de espejos de tres hojas. Dina no suele cenar en restaurantes pero, se le ocurre de pronto, puede consultar con alguna compañera. La dejo hacer y, discretamente, escucho tras la puerta. No parece que esté fingiendo. Después le dicto una carta, dos, tres. Son cartas improvisadas que nadie va a recibir y cuyo único objeto es estudiar a Dina, acorralarla, pescarla en una duda, un traspié. La chica se da cuenta de que lo que le estoy dictando es completamente absurdo. Se da cuenta también de que no dejo de observarla. En un momento, azorada, se baja instintivamente la falda y descruza la pierna. Con la excusa de que la habitación está llena de humo, abro la ventana. Hace frío afuera, un frío casi tan cortante como el silencio que acaba de establecerse entre Dina y yo. La situación se me hace embarazosa. Voy a volverme, decirle que se retire, que ya está bien por hoy, que se marche a su casa. Pero no logro pronunciar palabra. Por primera vez en mi vida he sentido el vértigo de un quinto piso. Porque *ella* está allí. Aunque no dé crédito a mis ojos, la mujer está allí, en la esquina de enfrente. Veo el traje verde, la mancha violeta, su figura indecisa destacándose entre el bullicio de la calle. Parece una mendiga. El tirante del vestido cae sobre uno de sus hombros. Está despeinada, encogida, se diría que de un momento a otro va a morirse de frío. Y tiene el brazo alzado, inmóvil. Su actitud, sin embargo, no es la de alguien que pida limosna. Salvo que esté loca. O ebria. O que la mano no apunte hacia nadie más que hacia mí. Aquí, en el quinto piso, asomada a la ventana de mi despacho.

–¿Algo más? –dice una voz cansada a mis espaldas.

Ruego a Dina que se acerque. Le hago sitio junto a la ventana e indico con el brazo el lugar exacto adonde debe mirar. «La mendiga», le digo. «Aquella mendiga.» Un autobús se detiene justo enfrente de la mujer de verde. Aguardo a que se ponga de nuevo en marcha. Su figura aparece con intermitencias tras los coches. «Fíjese bien. Allí, está allí. No, ya no. Espere...» Sin darme cuenta la he cogido por el hombro. Ella, contrariada, se aparta de la ventana.

–No veo absolutamente nada –dice.

Está molesta, irritada. Al salir hace lo que ninguna otra secretaria se hubiera atrevido a hacer. Cierra enérgicamente. Casi de un portazo.

No puedo hablar con nadie de lo que me preocupa. Eduardo sigue en Roma, con su mujer. Sé que se trata de un premio de consolación, de un acto sin consecuencias, una estratagema ingenua para asumir inminentes proyectos sin mala conciencia. Pero sé también que no debo llamarle. Su mujer estará con él. En el hotel, en la oficina, en todas partes. Tampoco puedo confiarme a cualquiera porque ignoro del todo los términos en los que podría confiarme a cualquiera. Por un momento pienso en Cesca, la empleada más antigua de la empresa. Cesca me quiere y me respeta. Pero a Cesca le gusta curiosear, meter las narices en los asuntos de los otros, comentar, charlar... Aunque, si mañana vuelve a aparecer la mujer de verde, ¿qué puede tener de alarmante que llame a Cesca y le haga un lugar en la ventana? «Mire a esa mujer. Hace días que ronda por aquí. Parece como si le ocurriera algo extraño.» Y que ella, Cesca, calándose las gafas, me asegure que se trata tan sólo de una mendiga, una de tantas pordioseras que llenan las calles por estas fechas, tal vez una loca, una borracha, una prostituta. Las tres cosas a un tiempo... Y que luego, aguzando la mirada, Cesca reconozca que le recuerda a alguien. No puede precisar quién, pero le recuerda a alguien... O que llame al conserje. Y que el conserje salga a la calle para cerciorarse. O quizá no haga falta. «Es una perturbada», puede decirme. «Una perturbada o una farsante. Siempre aparece por el barrio en navidades. La gente le da dinero porque le tiene miedo.» Pero yo no he visto a nadie que se detenga junto a ella y le dé dinero. La verdad es que, desde la altura del quinto piso, no he visto nada más que su presencia verde y un brazo alzado hacia mí, pidiéndome algo, avisándome de algo. Y también he visto a Dina. A mi lado, apoyada en el alféizar de la ventana mientras yo señalaba en dirección a la pordiosera. Me lo repito varias veces. La pordiosera abajo, en la calle; Dina a mi lado. Un dato tranquilizador que debería bastarme para hablar de puro azar, de coincidencia, de un parecido acusado. De la imposibilidad de que la misma mujer se encuentre en dos lugares a un tiempo. Pero está también su mirada. Apartando mi brazo de su hombro, enrojeciendo de fastidio, cerrando enérgicamente la puerta. Todo es cuestión de grados, pienso. Porque a la mirada de irritación de Dina Dachs le falta muy poco para convertirse en la de la mujer de verde. Una mirada fría, enigmática. Una mirada de odio.

Pero no puedo culparla. En los últimos días no hago más que llenarla de trabajo, darle órdenes y contraórdenes, convocarla a mi despacho o irrumpir en el suyo y cerciorarme de que sigue allí, parapetada tras una montaña de papeles, luchando con cuentas, documentos, informes. Me tranquiliza saberla ocupada, comprobar que tardará aún mucho en terminar con sus tareas del día, que posiblemente será la última en abandonar por la noche la oficina. Y yo, mientras, pienso en la mujer de verde. Espero la aparición de la mujer de verde, asomada a la ventana, con el teléfono en la mano, dispuesta a llamar a Cesca o al conserje. Pero no a Dina. Dina no es una chica como las otras. En tantas horas de observación he podido darme cuenta. Dina tiene orgullo, dignidad, y sólo Dios sabe hasta cuándo va a permitir el acoso al que la someto sin plantarme cara. Sé que estoy empezando a disgustarla seriamente y sé ahora también que Dina es mucho más agraciada de lo que me había parecido al principio. Una de esas mujeres discretas, serenas, que ganan con el trato, con las horas, con los días. Confino pues a Dina en su despacho y espero. Con los ojos pegados al cristal de la ventana, espero.

Ni al día siguiente ni al otro se produce la ansiada aparición. Todo el trabajo del que no puedo hacerme cargo se lo confío a Dina. Desde la ventana oigo el frenético tecleo del cuarto contiguo, pero ya no pienso en ella ni me preocupa lo que pueda opinar de mi comportamiento. Todos mis sentidos están pendientes de la posible aparición de la mujer de verde. Tal vez, me digo, esa pobre amnésica ha recuperado la memoria. O se ha muerto de frío. O las patrullas urbanas han terminado por recogerla. Me siento en la butaca y me dispongo a llamar a Cesca. «No me encuentro bien», voy a decirle. «Hágase cargo de todo hasta mañana.» Pero no llego a marcar el número. De pronto he sentido frío. Un frío húmedo y penetrante a mis espaldas que me hace reaccionar, darme cuenta de que realmente me siento enferma y que en el mes de diciembre es una auténtica locura mantener la ventana abierta. Una ráfaga de viento pone en danza el montón de papeles a los que hace días no presto la menor atención y que tampoco me van a desviar ahora de mi cometido. Me vuelvo apresuradamente, aunque sospecho ya que aquel frío repentino poco tiene que ver con las inclemencias de la estación o con el estado de mis nervios. Allí abajo está la mujer. En la esquina de enfrente. Parece resuelta, decidida, dispuesta a cruzar la calle en dirección hacia donde me encuentro. Sortea los coches como por milagro. Con el brazo alzado, siempre hacia mí. El deterioro es patético. Los restos del traje verde dejan su pecho al descubierto y, repentinamente, su forma de andar se convierte en tambaleante, insegura, grotesca. ¿Qué es lo que me pudo conducir a pensar que ese fantoche se parecía a Dina? Intento fijarme mejor, me inclino aún más sobre el alféizar, distingo una mancha verde en uno de los pies, sólo en uno, y enseguida comprendo su ocasional cojera. El otro zapato ha quedado olvidado en el bordillo de la acera. Pero nadie lo recoge, nadie lo aparta de un puntapié, nadie tropieza, nadie, en fin, se compadece de esa pobre desgraciada y la conduce a un asilo. La vida en las ciudades es inhumana, cruel, despiadada... Aterida de frío cierro la ventana y marco el número de Cesca. «Estoy muy cansada. Hágase cargo de todo hasta mañana, por favor.» Y me voy a casa, acudo a un somnífero y, por una vez, ni los vecinos del piso de arriba pueden impedir mi sueño.

Todos los 23 de diciembre el mismo rito. «Me siento muy cansada, Cesca. Mañana no apareceré por la oficina.» Y cada 24 las mismas correrías, la misma búsqueda, el mismo deambular por comercios y grandes almacenes con la lista completa de los empleados en la mano.

Es una costumbre de la empresa. Una ceremonia infantil cuyo primer eslabón está en Cesca, en su fingida alarma ante mi supuesto malestar, en el guiño de ojos que adivino desde el otro lado del teléfono, en el «¿Qué será esta vez?» que voy detectando en todo aquel con quien me cruzo en cuanto abandono el despacho, me pongo el abrigo y dejo que el conserje me abra la puerta. El día 27, en su mesa, encontrarán un regalo. Un detalle personal, un acierto inesperado tras el que se encuentran mis buenos oficios, pero que todos sin excepción agradecerán a Eduardo, como si supieran que en este juego de niños el más ilusionado es siempre él, aunque se encuentre, como ahora, a miles de kilómetros o ignore, como de costumbre, cuáles son sus gustos, sus necesidades, sus aficiones. Recuerdo las gafas de Cesca, eternamente esquivas, dispuestas a esconderse en cualquier rincón, a desplazarse a los lugares más inverosímiles, y le compro una cadena de plata. Le siguen el portero, el conserje, la mujer de la limpieza, el chico de los recados, el jefe de personal, las nuevas administrativas... De pronto me doy cuenta de que apenas si sé algo de ellas, pendiente como he estado de tan sólo una de ellas. Y pienso en Dina. Me pregunto si tal vez merecería un regalo mejor. Un detalle añadido para hacerme perdonar mis abusos, el acoso al que la he tenido sometida, el trato apremiante, injusto. Aunque ¿no conseguiría con esto confundirla todavía más? Decido que las funciones de las cinco chicas en la oficina son muy parecidas y todas van a recibir un obsequio similar. Entro en perfumerías, almacenes, tiendas de discos. En el bolso llevo las tarjetas con la firma de Eduardo y los nombres de los empleados. Es mejor colocarlas ya ahora, a medida que voy comprando, para que no haya lugar a confusión alguna y dentro de dos días todos puedan admirarse, sorprenderse, agradecer la atención a Eduardo como si fuera la primera vez. Como cada año.

El frío de esta tarde de diciembre es intenso pero a mí siempre me ha gustado el frío de las tardes de diciembre. A pesar de la fecha, a pesar de la luminosidad de los comercios, de los cantos navideños o de la profusión de los árboles adornados, no hay demasiada gente en las calles. Puedo así pasear, contemplar los escaparates con cierta tranquilidad, con el mismo ánimo sereno con el que me he levantado esta mañana. Píldoras para dormir. Ahí estaba el remedio. Un sueño artificial que me ha repuesto de tantos días de agitación y cansancio. Ahora empiezo a ver las cosas de otra manera. Eduardo se excedió al dejarme por tres semanas al mando de la oficina. No estoy capacitada ni poseo el temple necesario. Mis nervios estaban destrozados, quién sabe qué desatinos hubiese podido cometer. Pero ahora estoy contenta. Por primera vez en tantos días me siento alegre y me sorprendo coreando un villancico que escupe un altavoz cualquiera de un comercio cualquiera. Debo de parecer loca. Me pongo a reír. Y entonces, con la recurrencia de una pesadilla, la veo otra vez.

No tengo miedo ya ni me siento cansada. Tan sólo harta, completamente harta. Voy a seguirla, a mirarla de cerca, a convencerme de que no es más que una desarrapada, a preguntarle si necesita ayuda. Ella abandona ahora la avenida luminosa y se interna por un pasaje oscuro. Casi la alcanzo de una corrida, luego me detengo, guardo prudentemente las distancias y observo sus pasos. Camina descalza, deslizándose como un gato por el empedrado. Su cabello parece una maraña de grillos. Su vestido está hecho jirones. Ya no la llamo por su nombre porque ignoro cuál es su nombre. De repente se detiene en seco, como si me aguardara. A pesar de la oscuridad caigo en la cuenta de que no estamos en un pasaje como había creído, sino en un callejón sin salida. Pero es demasiado tarde para retroceder. La inercia de mi carrera me ha hecho rozar su espalda. «Oiga», le digo. «Un momento, por favor. Escuche.» Y entonces, mientras me descubro perpleja con un trozo de seda verde en la mano, un tejido apolillado que se pulveriza al contacto con mis dedos, ella se vuelve y sonríe. Pero no es una sonrisa, sino una mueca. Un rictus terrible. Y sobre todo un aliento. Una fetidez que me envuelve, me marea, me nubla los sentidos. Cuando recupero el conocimiento estoy sola, apoyada contra un muro, con los paquetes de las compras desparramados por el suelo. No me sorprende que estén todavía allí. Los recojo uno a uno. Con cuidado, casi con cariño. Ahora ya sé quién es esa mujer. Y vuelvo a pensar en Dina. Pobre Dina Dachs. Encerrada en su despacho, regresando a su piso, paseando por la calle. Porque Dina, se encuentre donde se encuentre en estos momentos, ignora todavía que está muerta desde hace mucho tiempo.

O tal vez pueda aún impedirlo. Me olvido de los dictados de la razón, esa razón que se ha revelado inútil y escucho por primera vez en mi vida una voz que surge de algún lugar de mí misma. Dina, aunque tal vez no haya muerto aún, está muerta. La mujer de verde es Dina muerta. He asistido a su proceso de descomposición, a sus apariciones imposibles en calles concurridas, en lunas de espejos, en callejones sin salida. Pienso en espejismos de una playa cálida. Acaso no haya ocurrido aún, pero va a ocurrir. Y a mí, por inexpugnables designios del destino, me ha correspondido ser testigo de tan extrañas secuencias. No me parece aventurado concluir que sólo yo puedo hacer algo. Y no me siento asustada. Es extraño, pero no me siento asustada, sino resuelta. Hago, pues, lo que suelo hacer cada 24 de diciembre. Dejar los regalos para el personal en la garita del portero, comprobar que no se ha desprendido ninguna tarjeta, recordarle la disposición exacta para dentro de dos días. El portero, como siempre, me indica que no me preocupe, se despide de mí, hace como si no supiera que uno de los paquetes le está destinado, cierra la garita y se marcha a su casa. Pero yo no me he ido. Es cierto que he salido a la calle y he avanzado unos pasos. Pero en el quinto piso del edificio hay luz y yo sé quién está allí, tecleando en la máquina, ordenando ficheros, cumpliendo con esas horas extraordinarias a las que le han obligado mi ignorancia y mi confusión. Abro con mi llave y llamo al ascensor. Al llegar al quinto rellano dudo un instante. Pero no toco el timbre. Todas las luces están apagadas salvo las de un despacho. He entrado con sigilo, con cautela, porque por nada del mundo desearía asustarla. Por eso golpeo con los nudillos y espero.

–¿Usted? –pregunta Dina. Pero en realidad está pensando: «Usted. Usted otra vez».

Dina lleva puesto el abrigo y sobre su mesa aparecen montañas de papeles, de cartas, de fichas, de carpetas. «Iba a irme ya», añade. Abre el bolso, introduce un par de cartas, lo cierra con energía y después, como yo sigo inmóvil junto a la puerta: «Le recuerdo que hoy es Nochebuena».

Hago acopio de todas mis fuerzas y le suplico que aguarde un instante. Que se siente. Que me conceda unos minutos para lo que tengo que decirle. Dina me obedece de mala gana. Con un suspiro de fastidio, de cansancio, de asco. Sus dedos repiquetean sobre el tablero de la mesa.

–Dentro de un cuarto de hora me esperan al otro lado de la ciudad. Le ruego que sea breve.

No me molesta su altanería. Nada de lo que haga o diga la pobre Dina puede contrariarme ya. Sin embargo no encuentro las palabras. ¿Cómo explicarle que no vale la pena que se apresure? ¿Cómo hacerle entender que el tiempo, a veces, no se rige por los cómputos habituales? Quizá todo sea un engaño. Vemos las cosas como nos han enseñado a verlas. Su mesa de trabajo, por ejemplo... ¿Podemos estar seguros de que es una mesa, con cuatro patas y un tablero? ¿Quién podría afirmar que dentro de un cuarto de hora estará ella al otro lado de la ciudad? ¿Qué son quince minutos sino una convención? Una forma de medir, encasillar, sujetar o dominar lo que se nos escapa, lo que no comprendemos. Un ardid para tranquilizarnos, para no formularnos demasiadas preguntas...

–Le agradecería –interrumpe con visible fastidio– que intente ser más concreta, por favor.

Pero no puedo. Le digo que acabo de verla en la calle. «¿Otra vez?» Ahora me dirige una media sonrisa burlona. «¿No será que está usted realmente obsesionada?» De un momento a otro estallará, me obligará a abandonar su despacho, amenazará con llamar a la policía. Por eso debo darme prisa. Sí, la he visto. Hoy y también ayer, y el otro día en el restaurante, y la primera vez en una calle populosa. Al principio pensé que tenía algo contra mí, que me perseguía, que me buscaba... Después, que no era ella, sino alguien que se le parecía de forma asombrosa...

–¿Y al final?

Dina me mira al borde de su paciencia. Insisto en que aguarde unos segundos más. Me quito un guante. Me lo vuelvo a poner. De nuevo las palabras fallan. No sé cómo avisarla. No sé cómo decirle que el proceso es irreversible. Que hace apenas una hora, en el callejón, he visto la mueca de la muerte en su boca sin labios, en su fetidez, en su carne descompuesta. Sólo acierto a balbucear:

–Tenga mucho cuidado, por favor. A lo mejor aún podemos evitarlo. O retrasarlo... Retrasarlo al máximo.

Dina acaba de ponerse en pie.

–Lo siento. Todo lo que me está contando es muy interesante. Pero ahora debo irme. Tal vez no tenga usted planes para esta noche, pero yo sí.

Dina me detesta. Me aborrece o me toma por loca. No puedo hacer nada más que dejar que las cosas sigan su curso. Me levanto también, convencida de la inutilidad de cualquier explicación, de cualquier advertencia. Me siento pequeña, insignificante y al tiempo pretenciosa, soberbia. He querido cambiar las páginas del destino, pero el destino de esta pobre chica está trazado.

–¿Por qué me mira así, si puede saberse?

Dina está indignada, erguida frente a mí, con el bolso colgado al hombro y las llaves de la oficina tintineando en una de sus manos. Tal vez me haya equivocado. Pero al colgarse el bolso con gesto enérgico el abrigo de paño se ha entreabierto unos segundos y he visto lo que por nada del mundo hubiera deseado ver.

–Lleva usted un traje verde. Un traje verde de seda.

Los ojos de Dina Dachs lanzan llamas.

–Le advierto que su posición en la casa no le da derecho a...

Ya no sé lo que dice. Hay algo en su voz, en su tono, que no admite réplica.

–Deje ya de observarme, de seguirme a todas horas, de mortificarme con su presencia... No se crea que no me he dado cuenta.

Ahora habla atropellada, compulsivamente.

–Si pretende algo de mí no va a conseguirlo, y si se interesa por mi vestuario, aquí lo tiene. Un traje de seda verde. Recién comprado. Espero que lo apruebe.

Dina se ha quitado enérgicamente el abrigo. Ahora es la misma mujer con la que me encuentro continuamente en los últimos días. Sólo le falta un detalle: un pequeño accesorio que debe de tener guardado en algún lugar. La imagino en el ascensor colocándose el collar ante el espejo. En el taxi. En el baño de la oficina.

–El bolso –le digo–. Déjeme ver su bolso.

Ahora, por primera vez, parece asustada. Intento lo imposible. Convencerla de que no debe salir vestida así a la calle. Que todo lo que estoy haciendo es por su bien. Pero las palabras no sirven, ahora, más que nunca, sé que no sirven. Ignoro si enloquezco u obedezco la voz del destino. Porque la zarandeo. Y ella se resiste. Aferrada a su bolso se resiste e intenta hacerse con un cortaplumas. Está asustada, no atiende a razones. Por eso yo, firmemente decidida, no tengo más remedio que inmovilizarla, revelarle la terrible verdad, decirle gimiendo: «Está usted muerta. ¿No lo comprende aún? ¡Está muerta!». Pero Dina no ofrece ya resistencia. Sus ojos me miran redondeados por el espanto y su cuerpo se desliza junto al mío hasta caer al suelo, impotente, aterrorizada. No tengo tiempo que perder y le arrebato el bolso. Busco con ansiedad un estuche, un paquete, el collar sin el cual es posible que nada de lo previsto suceda. Sólo encuentro papeles. Papeles que no me importan, que paso por alto, que arrojo lejos de mí. Papeles de los que, sin embargo, dos días después, conoceré, al igual que el resto de la oficina, su contenido exacto.

Y entonces Cesca cabeceará con tristeza. Y oiré rumores, pasos, sentiré frío. La factura de la luz, un bloc de notas, una carta... *Querido Eduardo...* Palabras que recuerdo bien porque son de Dina. *No deja de observarme, de seguirme a todas horas, de mortificarme con su presencia...* Y otras que reconozco aún más porque son mías, aunque la carta lleve la firma de Dina Dachs y yo no me haya atrevido jamás a formularlas por escrito. *Pienso en el Trastevere. En nuestro piso en el Trastevere, en los días que faltan para que nos encontremos en Roma...* Recuerdos que no recuerdo. *Nunca olvidaré la primera noche, en el hotel frente al mar...* Frases absurdas, ridículas, obscenas. Promesas de amor entremezcladas con ruidos de pasos, llaves, puertas que se abren, que se cierran, los vecinos del piso de arriba arrastrando muebles, un hombre con bata blanca diciéndome: «Está usted agotada. Serénese». Y, sobre todo, Cesca. La mirada compasiva de Cesca.

Pero esto no ocurrirá hasta dentro de dos días. Ahora estoy de rodillas, resuelta a evitar lo inevitable, con el bolso vacío en la mano y rodeada de papeles que no tengo el menor interés en leer, que aparto con rabia de un manotazo. Recuerdo: «Un cuarto de hora, al otro lado de la ciudad». Y entonces se me hace la luz. Es como si estuviera allí, en una fiesta, una reunión, las doce de la noche y el intercambio de regalos. Pero Dina no llegará a aceptar el obsequio fatídico. He logrado asustarla, prevenirla. «Lo he impedido», digo. Y miro mis manos enguantadas. Aún temblorosas, aún poseídas por una fuerza de la que nunca me hubiera creído capaz. Y luego a Dina, en el suelo, con los mismos ojos desorbitados por el terror, por el espanto, por lo que ella ha debido de creer la visión de la locura. Pero Dina está inmóvil. Vestida de verde. Traje verde, zapatos verdes... Y sólo ahora, incorporándome despacio, observo un cerco amoratado en torno a su garganta y comprendo con frialdad que no le falta nada. «Todavía es pronto», digo en voz alta a pesar de que nadie pueda escucharme. «Pero mañana, pasado mañana, será un collar violeta.»

El lugar

No hacía ni tres horas que nos habíamos casado. Yo estaba en la cocina preparando un último combinado de mi invención; había oscurecido y los escasos invitados –compañeros de la facultad en su mayoría– hacía rato que se habían retirado. La ceremonia no podía haber sido más sencilla. (Y yo estaba pensando: «Me gusta que haya sido así. Tan sencilla».) Un juez amigo, antiguo profesor nuestro, fue el encargado de casarnos. Y lo hizo deprisa, sin dilaciones ni rodeos, reservándose el discurso emocionado –o aquí entraron quizá los combinados de mi invención– para el momento de las despedidas. «Afortunado», dijo entonces. «Te llevas a Clarisa. Tu mujer, en la vida, llegará muy lejos.» Parecía achispado. Lo digo por el tono de la voz, por el sospechoso balanceo que se empeñaba en disimular, no por sus palabras. Porque yo era el primero en compartir su opinión. En Clarisa se daba –y así lo apreciábamos muchos– una curiosa mezcla de dulzura y tenacidad, de suavidad y firmeza. Un cóctel explosivo, desarmante. Sí, Clarisa, en el trabajo, en la vida, conseguiría cuanto se propusiese. Pero ahora yo no estaba pensando en eso, sino en la boda. «Una ceremonia breve, discreta. Muy a nuestro estilo.» Y de pronto me pareció escuchar un suspiro, un lloriqueo, algo extrañamente parecido al ronroneo de un gato. Un tanto sorprendido, con un vaso en cada mano, salí al comedor.

No había nadie allí, sólo Clarisa. Vestía aún el traje de boda –un traje malva, su color favorito, algo arrugado ya, salpicado de pequeñas motitas de vino–, se había descalzado y ocupaba un sillón de un tono parecido a su vestido. Me apoyé en la pared en silencio, intentando acallar el tintineo de los hielos en los vasos. Nunca la había visto así. Con los ojos entornados, emitiendo aquel murmullo de complacencia. No se sabía dónde acababa su vestido y empezaba el sillón, pero lo mismo se podía afirmar de sus cabellos, de su piel, de los pies descalzos. Tuve la impresión de que Clarisa se había confundido con su entorno, y también que aquella escena iba a permanecer durante mucho tiempo en mi memoria. Clarisa frente a mí. Como si siempre hubiese vestido igual –con un traje malva algo arrugado, salpicado de manchitas y en el que ahora apreciaba una pequeña rasgadura–, extrañamente acomodada en un sillón que parecía formar parte de sí misma. Y yo junto a la pared, con los combinados en la mano, temeroso de romper la magia del instante. Pero Clarisa había abierto ya los ojos y me miraba con su admirable mezcla de firmeza y ternura. «Éste es mi hogar», dijo. «Aquí está mi sitio.» Entonces, hipnotizado aún, no podía ni imaginar el verdadero alcance de sus palabras.

A los pocos días, sin embargo, algo en nuestra relación empezó a resultarme extraño, exagerado. Clarisa se estaba revelando un ama de casa ejemplar. Hablaba con pasión de cocinas, planchados, limpiezas, cortinajes, alfombras, restauración de muebles. Pero eso –que al principio me produjo cierta hilaridad, no voy a negarlo– era prácticamente lo único que hacía. Su inesperada entrega a los quehaceres domésticos parecía total, sin fisuras, excluyente. En un momento, quizá tan sólo para tranquilizarme, pensé que se trataba de una actitud pasajera. Que a muchas recién casadas debía de haberles ocurrido lo mismo, y que Clarisa, al cabo de una semana, a lo sumo dos, volvería a interesarse por el mundo, por sus estudios, por mi trabajo. Pero no tuve que esperar tanto para que mis esperanzas se desvanecieran. «Voy a dejar la universidad», dijo alegremente uno de esos días. Y entonces, sin saber muy bien por qué, me encontré mirando hacia el sillón malva, ahora vacío, y me pareció comprender que la clave de todo aquel absurdo se encontraba precisamente allí, la misma tarde de nuestra boda, en el momento en que la sorprendí extrañamente sentada, diluida en su entorno, con la expresión –y sólo ahora encontraba las palabras adecuadas– de la iluminada que acaba de vislumbrar el camino. Y el tiempo se encargaría de confirmar mis sospechas. Porque era como si Clarisa hubiera abrazado una nueva religión, unas normas de vida a las que se aferraba con la fuerza de una conversa, y que sólo me serían reveladas poco a poco, a medida que nos transformábamos en un matrimonio convencional, sólido, ejemplar, con un reparto estricto de funciones, y nuestros viejos proyectos –compartir problemas, trabajar juntos, hacernos cargo, en fin, del antiguo bufete de mi padre– se desvanecían uno a uno, día a día, sin dejar rastro, con la más absoluta naturalidad, como si nunca, en fin, hubieran existido.

No tuvimos hijos. Clarisa se empeñó en que éramos felices así, tal como estábamos, y que la llegada de un tercero (indefenso, llorón, necesitado de atenciones), lejos de reforzar nuestra unión, no haría más que conducirla al desastre. «Seríamos como todas las parejas», afirmaba. «¿Para qué un intruso en nuestra vida?» Y es posible que no le faltara razón. Pero ese pequeño detalle no acababa de cuadrar, al parecer, con la idea que se habían formado muchos de nuestro matrimonio. Y, aunque nadie se tomó la molestia de comunicármelo abiertamente, pronto comprendí que nuestra decisión había sido recibida como una incapacidad, una carencia, una desgracia. Todavía recuerdo la irritante insistencia de algunas de sus antiguas compañeras con las que, en ocasiones, coincidía en juzgados o reuniones de trabajo. Y era curioso. Porque por más atareadas que estuvieran, por más pendientes que me parecieran de sus obligaciones o del reloj, tenían siempre unas palabras para Clarisa, un interés súbito por saber cómo se encontraba. Y un aire de suficiencia, cierta conmiseración, al enterarse de que mi mujer seguía bien, en casa, y que, de momento, no habíamos pensado en la posibilidad de tener hijos. No lo creían. No querían creerlo. Pero esa mezcla de desprecio hacia Clarisa (¿cómo una estudiante tan prometedora podía haberse convertido en una simple ama de casa?) y el deje de lástima que a menudo se reflejaba en sus ojos (por no haber sido capaz, según ellas, de darme descendencia) contrastaban aparatosamente con la franca carcajada con que mi mujer recibía la noticia de sus comentarios. «Pobres», decía, «a lo mejor todavía no han encontrado su lugar.» Yo, por aquel entonces, ya lo había comprendido todo.

El *lugar*, para Clarisa, era algo semejante a un talismán, un amuleto; la palabra mágica en la que se concretaba el secreto de la felicidad en el mundo. A veces era sinónimo de «sitio»; otras no. Acudía con frecuencia a una retahíla de frases hechas que, en su boca, parecían de pronto cargadas de significado, contundentes, definitivas. Encontrar el lugar, estar en su lugar, poner en su lugar, hallarse fuera de lugar... No había inocencia en su voz. Lejos del lugar –en sentido espacial o en cualquier otro sentido– se hallaba el abismo, las arenas movedizas, la inconcreción, el desasosiego. ¿Cómo no dar palos de ciego cuando alguien no se halla firme en su puesto? Pero Clarisa no tenía el menor problema al respecto. Su lugar éramos la casa y yo, su marido. Mi mujer era feliz, y lo cierto es que, vencida mi primitiva sorpresa y renunciando a proyectos que tal vez no hubieran cuajado con fortuna, yo también aprendí a serlo.

Sin embargo, cuando recuerdo aquellos años, aquella convivencia tranquila y alegre, no puedo dejar de referirme a un día aciago, sólo a un día, en que, de pronto, toda nuestra felicidad amenazó con venirse abajo. Una mañana soleada de un otoño especialmente frío. Un día, muy parecido a muchos otros, en que debía desplazarme a una localidad cercana y Clarisa, como en tantas ocasiones, se ofreció a acompañarme. Aprovecharía para pasear, para ir de compras, y más tarde, cuando yo hubiera terminado con mis gestiones, almorzaríamos en un buen restaurante, junto al mar. Pero al abandonar la ciudad y enfilar por la autopista, me volví hacia la derecha y observé un cerro.

–¿Qué miras? –preguntó Clarisa.

Y yo respondí:

–El cementerio. A veces en días tan claros como hoy se alcanza a ver el panteón de la familia.

Sonó un claxon, comprendí que me había desviado temerariamente del arcén y sólo después, cuando ya había recuperado el dominio del volante, me atreví a decir:

–Hemos estado a punto de morir. De no contarlo.

Y en más de una ocasión, a lo largo de mi vida, me he sorprendido pensando que quizás hubiera sido mejor así. Aquel día, en la carretera. Morir los dos a la vez. Los dos a un tiempo.

Clarisa y yo casi nunca hablábamos de nuestras familias. No veíamos la razón, no sentíamos esa necesidad o, simplemente, no nos apetecía. Alguna que otra vez, sin embargo, debí de mencionarle el nombre de tía Ricarda. Fue seguramente cuando proyectábamos un viaje a Cuba que nunca llegó a realizarse. O tal vez antes. O quizá después. No puedo precisarlo. Es probable asimismo que, en cualquiera de los numerosos pueblos a los que a menudo nos desplazábamos, la visión de una mujer silenciosa, pendiente de sus labores, jugueteando con bolillos, o mirando hacia el infinito con una débil sonrisa, me hubiera hecho evocar fugazmente a mi madre. Tan melancólica, tan secreta, tan silenciosa. De lo que no tengo ninguna duda es de haber acudido, en más de una oportunidad, a la expresión: «Parece un Roig-Miró». Y todavía me parece ver a Clarisa sonriendo, asintiendo con la cabeza. Porque, a pesar de que éste fuera mi apellido –y el suyo, en cierta forma, desde que nos habíamos casado–, no podía ignorar que me estaba refiriendo a mi padre, o mejor, al ya mítico mal genio que, generación tras generación, se atribuía a la familia de mi padre. Eso era todo. O por lo menos así fue hasta aquella mañana.

Concluí las gestiones en el juzgado mucho antes de lo que habíamos previsto. Pero no almorzamos junto al mar. Lo hicimos ya de regreso en uno de tantos establecimientos sin historia que bordean las carreteras, no puedo recordar si porque el día se había nublado inopinadamente o porque a alguno de los dos se le ocurrió aprovechar las últimas horas de luz para visitar el cementerio. Supongo que fue a mí. No veo ahora por más que me esfuerce qué interés podía tener mi mujer en conocer un lugar tan lúgubre, pero sí –y el eco de mis propias palabras en la memoria me produce aún un profundo desasosiego– me oigo a mí mismo, en el restaurante sin nombre en el que almorzamos aprisa y corriendo, relatando esplendores pasados de mi familia, rememorando a padres, abuelos, parientes lejanos, preparándola en fin para conocer el panteón, un monumento que contaba con más de un siglo de antigüedad, recargado, imponente, muy al gusto de los indianos enriquecidos que habían sido mis antepasados. Y también, cuando remontábamos el cerro, rescatando anécdotas olvidadas que de repente me parecían curiosas, fascinantes, deliciosamente ridículas. Empecé por hablarle de tía Ricarda, la hermana mayor de mi abuelo, y Clarisa me escuchó con atención, con el inevitable interés que provocaba el relato de las andanzas de mi tía abuela, la misma atención con que yo, de pequeño, debí de escuchar por primera vez su historia. Porque tía Ricarda era una mujer fuera de lo común. Tiránica, soberbia, dotada de una extraña belleza. Una mujer que había llegado a casarse hasta cuatro veces, a enviudar otras tantas, y entre cuyas disposiciones testamentarias, de las que se hablaría durante mucho tiempo, había una cuyos efectos no tardaríamos en presenciar. Entonces, con cierto aire de misterio, señalé hacia lo alto del cerro.

–Escucha –dije.

Y aquí, para mi desdicha, empezó todo.

Ricarda falleció en 1890, a avanzada edad, y a sus herederos no les quedó otro remedio que acatar su última voluntad, sus grotescos caprichos, si querían acceder a su copiosa fortuna. Porque los bienes nada despreciables que había acumulado mi tía abuela tras el fallecimiento de sus cuatro maridos resultaban irrisorios si se comparaban con los suyos propios, la riqueza que Ricarda había logrado reunir a lo largo de su vida y de la que no debía rendir cuentas a nadie, con excepción quizá de su propia conciencia. Aunque ¿tenía conciencia tía Ricarda? Los herederos no tardaron en concluir que no tenía, y en lamentarse de haber hecho oídos sordos a la leyenda que la rodeara en vida. Porque de Ricarda –cuyo tesón, belleza o capacidad de mando nadie ponía en cuarentena– se afirmaban algunos extremos a los que, obcecados por el interés, no habían prestado la debida atención, y si mi tía había sido cruel durante los ochenta años que duró su paso por este mundo, justo era sospechar que no iba a cambiar en el último instante, cuando se disponía a abandonarlo.

Clarisa me miró con el rabillo del ojo y yo decidí postergar la revelación final.

–Mi tía abuela –proseguí– fue una mujer fuera de lo común, eso parece probado.

Con apenas veinte años había tomado a su cargo la explotación de una hacienda azucarera en Cuba, heredada de su padre y a la que su energía, vitalidad y dotes de mando sacaron de un estado de práctico abandono para convertirla en una industria floreciente. Me gustaba imaginar la insólita figura que debía de componer Ricarda, con la melena al viento, recorriendo a caballo sus dominios, admirada como mujer, obedecida como a un hombre, envidiada, idolatrada, temida. Porque entre sus muchas capacidades la fuerza de la muñeca para manejar el látigo, el pulso certero para asestar el golpe no se contaban entre las menores y, a decir de mi madre (que posiblemente lo habría oído de boca de la suya), todavía años después, cuando millonaria y cansada había regresado a Europa y del ingenio sólo quedaba el recuerdo, los lugareños, antiguos peones, o hijos de hijos de peones, creían en las noches desapacibles oír los cascos de su caballo y el amenazante restallido del látigo. Y entonces se encerraban en sus casas, hasta que alguien, el más joven, el más descreído, tal vez el más supersticioso, comunicaba que sólo había sido el viento, que no tenían por qué atemorizarse. Ricarda no se encontraba allí, quizás hubiera fallecido, y era únicamente el aire, para el que los cómputos del tiempo obedecían a leyes insondables, quien se divertía de tanto en tanto con esparcir rumores, voces o sonidos, producidos sabe Dios cuántos años atrás, y a los que no se debía prestar más atención que la que merecían. Ráfagas de viento. Aire.

–Pero eso –añadí enseguida, halagado ante el creciente interés de Clarisa– no son más que leyendas.

Lo cierto es que la fortuna de Ricarda –construida a base de tesón y a fuerza de látigo– no era una leyenda, sino una realidad tangible con la que soñaban los que luego serían designados herederos. Por lo cual, seguramente, en el momento de la lectura del testamento, no concedieron demasiada importancia al último capricho de la finada, una cláusula extravagante, de obligado cumplimiento y ejecución inmediata, si no querían ser desprovistos de todo derecho al legado. Y la fallecida había establecido de forma clara y tajante su condición. El panteón de la familia (que dentro de muy poco podríamos admirar) estaba rematado por cuatro ángeles de casi dos metros de alzada cada uno y de rostros apacibles y anodinos. Pues bien, Ricarda quiso ser ángel. O, como así dedujeron los ansiosos deudos, dejar de ser demonio. Lo curioso es que el retrato designado por la testante, el óleo en el que el escultor debería inspirarse para reproducir sus rasgos y colocarlos en lugar de una de aquellas faces celestiales, no era un rostro de juventud, sino de madurez. Y aunque nadie ignoraba que la armonía del conjunto iba a resentirse irremisiblemente tras aquel añadido, nadie tampoco se atrevió a corregir los designios de la testante. Después de todo, ¿no parecía lógico que una octogenaria recordase como los mejores años de su vida, no ya los veinte o los cuarenta, sino épocas mucho más cercanas? Ricarda, pues, la mujer del látigo cuya presencia había provocado pánico en este mundo, se convertía en ceñudo y enérgico ángel al alcanzar el otro. Un ángel malvado, como pronto decidirían los numerosos beneficiarios del testamento. Porque, pasadas las primeras emociones y llegada la hora de la distribución de bienes, se encontraron con la desagradable sorpresa de que la gran herencia estaba dispuesta de tal modo que todos –y eran muchos los designados– dependían estrictamente de todos. Y entonces comprendieron la razón por la que la fallecida había empleado los últimos años de su vida en recabar consejo de notarios, abogados o administradores. Ricarda había gastado parte de su fortuna en diseñar aquel jeroglífico por el cual nadie, en definitiva, pudiera gozar de la herencia.

–Qué historia –dijo Clarisa.

Pero no puedo reproducir el tono de su voz ni aventurar si había dicho «qué historia» por decir algo o si se hallaba sorprendida, aburrida o interesada. La verdad es que aquella tarde en que súbitamente me sentí compelido a recordar anécdotas de familia apenas presté atención al estado de ánimo de mi mujer. Habíamos llegado a lo alto del cerro, bajamos del coche, cruzamos la verja del cementerio y yo retomé su última frase con el único propósito, supongo, de seguir hablando.

–¿Historia? Todos estos panteones deben de estar repletos de parecidas historias. Además, fuera de la pretensión de convertirse en ángel, los líos de herencia han sido siempre una constante en la familia.

Y aquí podía haberme callado y limitarme a pasear, a contemplar otras tumbas, otros nichos, otros panteones hasta llegar al nuestro o seguir especulando sobre la belleza y maldad de mi tía abuela. Pero no lo hice. Suponía que Clarisa estaba al corriente de algunas de las anécdotas que iba a relatar a continuación y tampoco este detalle me detuvo. Proseguí.

Porque no debíamos olvidar que Ricarda, al igual que el abuelo, al igual que mi padre, era una Roig-Miró y ese apellido, durante mucho tiempo, significó codicia, soberbia, un carácter irascible y un compulsivo deseo de fastidiar al prójimo. Y tal vez por eso mi padre, colérico e imprevisible como todos ellos –y desheredado a su vez por el suyo, mi abuelo–, quiso, desde que alcanzó el uso de razón, desligarse en lo posible de esa carga suprimiendo el guión que unía los dos apellidos y convirtiéndose en un Roig a secas. Aunque, ironías de la vida –y aquí me puse a reír–, de poco le sirvió. Su mujer, mi madre, se llamaba Casilda Miró Roig, y el nefasto apellido volvió así a reunirse en mi persona, con el agravante, seguí explicando (aunque Clarisa debía de estar informada de sobra), de que no se trató tanto de una burla del destino como de una fatalidad. El Miró que aportaba mi madre y el Miró del que se había desprendido su esposo procedían de un tronco común, los Miró Miró, una gente sencilla y bondadosa cuyos cuerpos, cuando se construyó el glorioso monumento con el dinero de América, fueron exhumados de sus modestos nichos y acomodados con todos los honores en el panteón de la familia.

–Es impresionante –comentó Clarisa.

Pero no me paré a pensar si lo que despertaba su atención era el gesto de los indianos enriquecidos, la cantidad de nombres obligados a convivir en la eternidad o el monumento mismo que ahora acabábamos de alcanzar y en el que tía Ricarda, en funciones de improbable ángel, no era, como yo pretendía, la única nota grotesca o carente de sentido. Lo que estábamos contemplando era lo más parecido a un homenaje a la ampulosidad, a la ostentación, al mal gusto. Recorrí las cuatro esquinas dedicadas a las cuatro postrimerías, y rematadas por los cuatro ángeles, y me detuve en la que se leía «Infierno». En lo alto, el rostro de tía Ricarda me devolvió una mirada pétrea.

–Sí, es impresionante –repetí.

Y entonces caí en la cuenta de que aquélla era probablemente la única vez que contemplaba el mausoleo con ojos desdramatizados y fríos. Porque, en las dos únicas ocasiones que había visitado aquel lugar, otro había sido mi estado de ánimo y otras mis preocupaciones. Acudí por vez primera a los siete años de la mano de mi madre, asistiendo a sus gemidos sordos, a un lloriqueo para mí incomprensible, mientras contemplaba fascinado el trabajo de un par de hombres fornidos, los vaivenes del ataúd, el silencio que embargó a la reducida comitiva en cuanto se cerró la losa, un albañil dio el último brochazo de cemento y alguien pronunció un «ya está» que durante mucho tiempo acompañó mis sueños infantiles y que ahora resurgía con toda su fuerza. O tal vez era el silencio. El silencio que se respiraba aquella tarde en el cementerio o el silencio de Clarisa, quien resucitaba el «ya está» con la fuerza de aquel viento del otro lado del océano al que, no hacía demasiado, había atribuido el carácter de leyenda. Porque no se puede decir que yo, en aquel tiempo, sintiera una especial emoción ante la muerte de mi padre, el Roig-Miró que quiso ser simplemente Roig, pero que, bromas del destino aparte, había heredado el genio y la irascibilidad del apellido que iba a legarme. Mi padre era un ser distante, un auténtico capitán de barco con el que nunca tuve la menor intimidad ya que mi madre se encargó siempre de hacerme llegar sus órdenes, de convertirse en sumisa intermediaria entre el capitán y el grumete. O, quizá, no había tales órdenes ni el fatídico mal genio, pero ella, la mediadora, temía que sin su intervención se desatara aquel proverbial mal carácter, la ira o la furia que a lo mejor sólo existían en su imaginación. O en la de su propia madre. «Te vas a casar con un Roig-Miró», le podría haber dicho la abuela. «Dulzura, sumisión, hija.» Y es así como no recuerdo jamás una subida de tono, una orden, un castigo, porque mi madre, tal vez antes de que al capitán se le ocurriera la orden, la subida de tono o el castigo, se anticipaba a tal probabilidad con: «No juegues aquí, hijo» (o «no cantes», «no escuches la radio», «estate quieto»), «¿No ves que estás molestando a tu padre?». Pero, desaparecido el capitán, mi madre no asumió el gobierno del buque. Y era curioso (ahora por lo menos me parecía curioso) que la segunda vez que visité el panteón –ya adulto, con ocasión del entierro de mi madre– tampoco se pudiera decir que me sintiera triste, afectado, pero sí vacío. Tremendamente vacío. Aunque no como consecuencia de la pérdida a la que en aquel momento se estaba dando sepultura, sino por haber sido incapaz de conocer algo más de aquella mujer a la que no volvería a ver en la vida. En realidad –y entonces lo comprendí con la claridad de una revelación tardía–, era como si mi madre hubiera fallecido muchos años atrás, cuando yo observaba embelesado el trabajo de los sepultureros y alguien pronunció aquel «ya está» que ahora me devolvía el viento de la memoria. Porque, con la muerte de su esposo, parecía como si mi madre hubiera perdido automáticamente la razón de ser en este mundo. Ya no tenía que filtrar, suavizar, repetir: «¿No ves, hijo, que tu padre está ocupado?», o aplacar los terribles designios de un hombre a quien no se le dio tiempo de pronunciar palabra. Y mientras yo jugaba en el salón, en el comedor o en lo que había sido el inaccesible despacho de mi padre, ella, sin terrenos ya que proteger o resguardar, se encerraba cada vez más en el gabinete, junto a su caja de costura. Y bordaba. Bordaba con verdadera dedicación, preguntándome a través de la puerta por mis notas, relatándome historias de la familia cuando me sentaba a su lado, rememorando a sus padres, a tía Ricarda, a los buenos de los Miró Miró, a quien fuera, con tal –comprendía ahora– de engañar al silencio, de hacer como si en aquella casa se hablara y conversara como en tantas otras, repitiendo anécdotas con la misma entonación, las mismas palabras, como quien recita una lección aprendida o canta una tonadilla sin reparar en la letra. Y mantener la mente libre, lo más libre posible, para entregarse a las figuras que sus dedos daban vida sobre el bastidor. Aves fabulosas, plantas increíbles, caballos alados, planetas, estrellas, constelaciones improbables. No conservaba un solo mantel, un solo pañuelo, de aquellos largos años de trabajo al que yo no concedí entonces demasiada importancia, pero que ahora, por un momento, me hubiera gustado contemplar, leer como quien lee un diario íntimo, acceder a su mundo de ensueños y fantasía. De repente me sentí triste. O mejor, conseguí por primera vez sentirme felizmente triste. Porque ¿no buscan las personas en un lugar como aquél tranquilizar sus conciencias, recordar a los fallecidos, entregarse por unos momentos al placer de la melancolía? ¿No sería únicamente esa necesidad tanto tiempo acallada la que me había conducido hasta allí, a los pies del panteón de la familia? Había conseguido transformar el vacío en una emoción desconocida. «Con unos años de retraso», me dije. No importaba. La visita al cementerio había cumplido su función.

–Pero yo... –oí de pronto a mis espaldas–. Yo no les conozco.

Y fue entonces, al volverme, cuando caí en la cuenta de que había estado durante largo rato hablando sólo para mí mismo, y me encontré con el rostro lívido de Clarisa, los ojos perdidos en un punto lejano, y sus manos. Unas manos frías como la Muerte.

Regresamos al coche y Clarisa, envuelta en la americana que le había colocado sobre los hombros, se acurrucó a mi lado, como un ovillo, hundida en un tenso silencio que por un momento, tal vez sólo para tranquilizarme, atribuí al frío, al viento repentino que se había levantado en lo alto del cerro, aún sospechando que también ese viento tenía que ver con otros vientos, vientos olvidados o viejas heridas que yo, con mi actuación petulante y estúpida, no había hecho más que resucitar en la mente de Clarisa. Porque, en aquel absurdo deseo de mostrarle antiguos esplendores o contarle anécdotas e historias de familia, no había logrado otra cosa que enfrentarla a lo que ella carecía. Recuerdos, familia, ni siquiera una lista de nombres grabados en las frías losas de un panteón ridículo y grotesco. Miré a Clarisa y le acaricié el cabello. Se diría que había perdido pie, que, por primera vez en su vida, se hallaba desorientada y que se encontraba allí, a mi lado, mientras abandonábamos la autopista y nos acercábamos a la ciudad, como podía encontrarse en cualquier otro lugar o en cualquier otro automóvil. Y es posible que fuera entonces cuando la reviví en el sillón, el día de nuestra boda, en su posición al tiempo erguida y abandonada, firme y tranquila, a gusto con su entorno, con sus pensamientos, consigo misma. Y pensé en su familia. En lo poco que me había contado Clarisa de su familia. Unos padres obligados para sostenerla a trabajar en países extraños y la noticia de un fatal accidente, siendo ella muy niña y estando al cuidado de una tía lejana. Posiblemente ignorara incluso dónde estaban enterrados, quiénes habían sido, de qué color eran sus ojos y su cabello. Clarisa, a mi lado, me pareció de pronto indefensa como una recién nacida. Y la recordé en la facultad, cuando nos conocimos. Una excelente estudiante. Sus padres, me contó entonces, le habían dejado algunos medios, pero ella se vanagloriaba de haber conseguido una beca, de estudiar por méritos propios. O tal vez los magníficos resultados que cosechaba invariablemente a final de curso no eran más que la condición inconfesada para seguir disfrutando de una beca. En realidad, ahora me daba cuenta, Clarisa siempre se mostró reacia a hablar de sí misma o de su pasado y era más que posible que, ahora, por un momento, echara en falta lo que nunca tuvo. O tal vez, decidí ya frente a la casa, al abrir la portezuela del coche, se trataba sólo de una impresión pasajera. Ella, que tan feliz se encontraba en la vida, había pensado de pronto en la inevitabilidad de la muerte.

Clarisa no quiso cenar. Se retiró pronto a la cama, dijo hallarse indispuesta y, algo más tranquila –como si la visión de los objetos entre los que transcurrían sus días hubiera actuado como un sedante–, me besó en la mejilla y me dio las buenas noches. Pero no conseguí conciliar el sueño hasta bien entrada el alba. También a mí la visita al panteón me había en cierto modo desasosegado y confundido. O quizá todo se debiera al frío, al largo rato que, movido por aquella extraña necesidad de rememorar, habíamos pasado a la intemperie, inmóviles, a la breve emoción al evocar a mis padres, las labores de mi madre –o tal vez únicamente a mí mismo, de niño, observando las labores de mi madre–, al tardío descubrimiento de la ausencia de recuerdos de la pobre Clarisa. Aunque ¿qué podía importarnos? Si yo significaba tanto para mi mujer como ella para mí, no necesitábamos de recuerdos, de familias, de ningún pasado. ¿No habíamos contemplado la llegada de un hipotético hijo como un intruso? Y, pensando en estas cosas, en que la vida era un regalo sobre el que no debíamos hacernos demasiadas preguntas, sino apurarlo a fondo, me sentí de repente dominado por un dulce cansancio y dormí como un niño.

Cuando desperté, el desayuno estaba preparado, las tazas dispuestas sobre la mesa y el inconfundible aroma a café recién hecho inundando la cocina. Me senté frente a Clarisa y unté una tostada con mantequilla.

–¿Cómo te encuentras? –pregunté.

Parecía cansada, como si hubiera pasado una mala noche o no se hubiera repuesto completamente de su indisposición. Untó a su vez una tostada que no llegó a probar.

–Ayer –dijo de pronto– me comporté como una estúpida.

–El imbécil fui yo –atajé de inmediato.

Y enseguida me explayé sobre las engañosas tardes de otoño, los cambios súbitos de temperatura, el despertar del viento... Mi mujer me miró con resolución.

–No era el frío –dijo.

El tono de Clarisa me sorprendió. Es cierto que mis oídos habían escuchado simplemente «no era el frío», pero sus ojos, la inmovilidad de su mano sosteniendo la taza de café, a medio camino entre la mesa y su rostro, me habían dado a entender algo bien distinto: «Cállate. No interrumpas. No me vengas con rodeos. Deja de tratarme como a una niña».

–Ayer –dijo al fin (y a mí me pareció que había preparado su intervención durante la noche)– se me ocurrieron cosas fuera de toda lógica.

Me limité a interrogarla con la mirada. Mi mujer había depositado la taza sobre el mantel, junto a una tostada que no se decidía a probar, como si realmente se hallara desganada o –y esa sensación opacó la anterior– hubiera almorzado ya y sólo pretendiera, con ese remedo de desayuno, abordar un tema extravagante con la naturalidad de una conversación trivial en un marco cotidiano.

–Aquellas historias que me contaste. La expresión de los ángeles... No sé. Me pareció que allí dentro había *vida* y que, de alguna manera, era como si... –tomó aliento para proseguir–, como si nos estuvieran esperando.

Me encogí de hombros y sonreí. También a mí se me había ocurrido algo parecido, pero no en el cementerio, sino en el lecho, aquella misma noche. Le hablé de que la existencia era un regalo y que no debíamos malgastarla obsesionándonos con la muerte. De nuevo me sentí taladrado por los ojos de Clarisa. Callé. Mi mujer, comprendí enseguida, estaba haciendo acopio de arrestos para revelarme algo.

–Si yo muero... –y al momento se corrigió–, quiero decir, cuando yo muera... ¿Me enterrarás en el panteón de tu familia?

La pregunta me pilló de sorpresa. Así y todo me apresuré a contestar:

–Mi familia es la tuya.

Pero enseguida me di cuenta de que lo que buscaba Clarisa era una respuesta, no un rodeo.

–Bueno –dije soportando su mirada–, eso sería lo normal, ¿no crees?

–No lo sé. –Y la resolución de momentos atrás dejó paso a una desconocida expresión de abatimiento.

–A no ser –añadí enseguida– que tengas previstas otras disposiciones.

Había intentado dotar a mis palabras de la mayor naturalidad del mundo cuando de nuevo me asaltó la sensación de que lo que realmente asustaba a Clarisa era la simple idea de la muerte. Por ello me extendí en la inevitabilidad de ciertos trámites, en las dificultades con las que a menudo se encuentran las personas que no han tenido la precaución de prever ciertos extremos, y en la evidencia de que, hoy en día, contar con un panteón –aunque fuera desmesurado y grotesco como aquél– resolvía muchos problemas o, por lo menos, ahorraba a sus propietarios la necesidad de planteárselos. Incluso me permití alguna broma que Clarisa no celebró.

–Supongo que no querrás convertirte en ángel, como Ricarda.

No. Clarisa no quería convertirse en ángel. Lo que quería Clarisa era no morirse. ¿O había algo más? La miré de reojo mientras terminaba con la segunda taza de café y me pareció como si, otra vez, intentara reunir fuerzas para hablar, para dar forma a oscuros pensamientos que le hubieran rondado por la cabeza el día anterior y que ahora le parecieran ridículos, irracionales o absurdos.

–Ayer, de repente –dijo imitando mi tono despreocupado–, me imaginé muerta, entrando en un panteón repleto de desconocidos, como una intrusa... Ya sé que es una tontería. Pero me vi desarmada, sola... Un volver a empezar, ¿entiendes?

–Sí –respondí–. Te entiendo perfectamente.

No era del todo cierto. Pero Clarisa había desvelado por fin el motivo de su inquietud y de nada hubiera servido evocar de nuevo el frío o insistir en culpabilizarme de algo que, mirado ahora, en la apacibilidad de un desayuno cotidiano, no parecía revestir la menor importancia. Así que entré de lleno en la propuesta de mi esposa. ¿Era únicamente eso lo que le preocupaba? Y entonces, acudiendo a un tono paternal (que en aquellos momentos no pareció desagradarle), pregunté a mi vez de dónde había podido inferir que, llegado el día inevitable –porque algún día moriría, eso sí, no debía hacerse ilusiones–, iba a encontrarse desasistida, sola, rodeada de desconocidos. Le recordé además su fantástica salud de hierro y cierta conversación –que más de una vez habíamos traído a la memoria– sostenida en la cafetería de la facultad, siendo ella una estudiante de primero y yo de cuarto, y hallándome yo aquel día fuertemente acatarrado. «¿Qué se siente», preguntó ella, «cuando se tiene fiebre?» Al principio pensé que bromeaba pero, con el tiempo, con los sucesivos encuentros que pronto trascenderían el estrecho marco de la facultad, comprobé admirado que Clarisa era una absoluta y feliz ignorante en todo lo que hiciera referencia a dolor o enfermedad. Muy pocas veces se había sentido indispuesta, jamás, hasta donde su memoria alcanzaba, se había visto obligada a guardar cama y no tenía la menor idea de en qué podía consistir aquello a lo que los demás se referían cuando hablaban de «fiebre». Además –no debíamos olvidarlo– yo le llevaba cuatro años, mi salud era normal y corriente –precaria, si la comparábamos con la suya– y la mortalidad femenina, según las encuestas, iba muy por debajo de la masculina. Con lo cual –y ahora empezaba a sospechar que lo que le había ocurrido frente al panteón no era sino el efecto de unas décimas de más en un cuerpo acostumbrado a una temperatura constante– ¿por qué descartar de entrada el que yo falleciera con anterioridad o, por lo menos, muriéramos los dos a un tiempo?

–Ayer, sin ir más lejos –añadí–, ¿no estuvimos a punto de morir a la vez, de morir a un tiempo?

No ignoro que en aquella conversación absurda nos estábamos saltando la premisa fundamental, el preguntarnos si había vida después de la vida o, en caso afirmativo, si debíamos aceptar un más allá perfectamente reglamentado, ese mundo de derechos adquiridos que, aunque sólo fuera por efecto de la fiebre, había prefigurado Clarisa con el regusto amargo de una pesadilla. Pero de lo que se trataba en aquel momento no era de discutir el más allá ni la verosimilitud de una pesadilla. Y así, como en las narraciones de ciencia ficción en las que lo que menos se cuestiona es el entorno, me encontré ofreciendo mis servicios de cicerone en aquel mundo oscuro, presentándole a los miembros de mi familia e introduciéndola debidamente, con todos los honores. No sé de dónde saqué tanta elocuencia, pero mi poder de convicción fue total. Clarisa, como si fueran precisamente aquellas explicaciones y no otras las que estaba esperando, me miró agradecida.

–Es cierto –dijo sonriendo–. No tengo por qué preocuparme. Te sobreviviré.

Y como si todo aquello no hubiera sido más que un juego, me besó en la mejilla, recordó de pronto que tenía mucho que hacer y se entregó a una actividad frenética. Y mientras yo observaba cómo tazas y platos eran llevados al fregadero, las tostadas ya frías a la basura o los botes de mermelada y miel a las estanterías de la despensa, me dije complacido que no sólo eran los restos de aquel extraño desayuno los que ocupaban su lugar, sino que ella, Clarisa, intentaba por todos los medios recuperar el suyo.

No volvimos a hablar de la muerte en los términos en que lo habíamos hecho aquella mañana, ni tampoco a recordar ni de pasada la excursión al cementerio. Una vez a lo sumo se mencionó en la casa el nombre de tía Ricarda, pero tan pronto como fue pronunciado cayó en el olvido. Fue una casualidad sin consecuencias. Clarisa había decidido introducir algunas mejoras en el piso y nos estábamos preguntando por la verdadera utilidad de algunos muebles y la posibilidad de adquirir otros. Nos detuvimos así frente a una vitrina atiborrada de objetos, regalos de boda y recuerdos de familia que años atrás habíamos guardado allí de forma provisional y a los que hasta entonces no habíamos sabido encontrar un mejor destino. Hicimos un recuento, decidimos conservar algunos, desprendernos de otros y guardar unos pocos en una caja de seguridad. Al llegar a un recargado collar de topacios y preguntar mi mujer por su procedencia, me encontré citando a tía Ricarda y recordando su total fascinación por la plata, el oro y las piedras preciosas. Pero Clarisa, a la que nunca le habían interesado las joyas, no le prestó mayor atención. Eso fue todo. A los pocos días la vitrina se transformó en alacena, y Clarisa, con todo amor y cuidado, acomodó en su interior su vajilla favorita, un par de saleros de plata y diversos objetos de uso cotidiano que, como me haría notar, hicieron de un absurdo escaparate una pieza completamente integrada en nuestra vida. Eso era lo único que importaba: «nuestra vida», y aquella felicidad de la que me encuentro falto de palabras a la hora de describirla y que sólo aparece en toda su magnificencia cuando se da por perdida. Porque Clarisa, en contra de sus predicciones, no llegó a sobrevivirme.

La enfermedad apareció en la casa de repente, de un día para otro, con una rapidez y tenacidad que no dejaba dudas sobre el inminente desenlace ni siquiera para un hombre enamorado como yo, deseoso de aferrarse al más leve síntoma de mejoría, a los más descabellados sueños, a la posibilidad de un milagro. Clarisa soportó su dolencia con entereza de ánimo, con valentía, con tanta serenidad que el médico, al que apenas conocíamos por no haber tenido hasta entonces que recabar sus servicios, se comportó como un amigo de toda la vida, robándoles horas a otros pacientes, acudiendo diariamente al lecho de la enferma, confortándome en cuanto Clarisa conciliaba el sueño y confesando abiertamente su admiración. Nunca, en el ejercicio de su carrera, había conocido a alguien que, a dos pasos de la muerte, se comportara con tanta resignación y entereza. Aunque ¿sabía Clarisa que se hallaba realmente a las puertas de la muerte? El último día de aquella semana de intensos dolores redoblamos la dosis de morfina y, aunque la moribunda cayó en un pesado letargo, curiosamente su rostro se contrajo como no lo había hecho hasta entonces. Ahora Clarisa sufría, sufría de verdad, como si abatida por el sueño hiciera suyos de pronto todos aquellos dolores que su mente se negaba a aceptar, retorciéndose, gimiendo, musitando palabras incomprensibles.

–Está delirando –dijo el doctor.

Y salió de la alcoba.

Pero Clarisa no deliraba ni profería sonidos ininteligibles ni tampoco frases sin sentido. Me aproximé a la cabecera, sujeté su rostro entre las manos y escuché:

–Ricarda, Roig-Miró, Miró Roig, Miró Miró.

Y al rato, porque ignoro cuánto tiempo pude pasar junto a la cama, noté su mano gélida, pétrea, como ya la había conocido una vez. Y, sin saber por qué, sin encontrar palabras, me sorprendí repitiendo:

–No te preocupes, amor mío, no te preocupes.

Ahora sé que ante los agonizantes o ante los muertos se profieren infinidad de tonterías y despropósitos, entre los cuales, aquellos vanos intentos por liberar a Clarisa de toda preocupación no deben de contarse como los más absurdos. Y también que en las horas que siguen al fallecimiento del ser querido, esas horas en las que un remedo de lo que fue el cuerpo sigue ahí y se empieza a prefigurar con fuerza el vacío de lo que va a ser la Ausencia, la gente se dedica a realizar los actos más insólitos y extravagantes. Consumir alcohol los abstemios, hablar compulsivamente los reservados, encerrarse en un mutismo alarmante los charlatanes, o acometer actividades inútiles que en la desazón del momento parecen prudentes, definitivas, inaplazables. Yo no fui una excepción.

Con las primeras horas de la mañana, cuando ya en la calle se escuchaba el rumor del tráfico y la casa empezaba a llenarse de amigos y vecinos, me vestí apresuradamente, cogí una cesta y me dirigí al mercado. No estuve allí más que unos minutos. Los suficientes para adquirir algunas frutas, que escogí entre las más apetitosas, y enseguida, sin importarme lo desastrado de mi atuendo, la barba de dos días o los alimentos que asomaban por el capazo, me fui al banco. La puerta estaba cerrada y, aunque se percibía el trasiego de los empleados en el interior, tuve que esperar un buen cuarto de hora a que se diera paso a los clientes. Después, con la cesta aún más abultada, me dirigí a una mercería. El establecimiento estaba repleto, pero tal vez porque era poco lo que pensaba adquirir, porque mi aspecto debía en buena lógica sobresaltar a las dependientas, o quizá, tan sólo, porque en los lugares de clientela femenina un hombre suele ser tratado con preferencia, fui atendido de inmediato. Al salir redoblé el paso y dudé un momento frente a otra tienda. Leí: ÓPTICA. RELOJES. APARATOS DE PRECISIÓN. Pero no entré. Alcancé mi portal de una corrida, no tuve paciencia para esperar el ascensor y subí hasta el piso saltando los escalones de dos en dos.

Al entrar me encontré con los amigos que había dejado al partir y a los que yo había llamado la noche anterior, más otros muchos a los que debían de haber llamado los primeros, y dos hombres de gesto sombrío e íntegramente vestidos de negro que, aun antes de reparar en el ataúd de caoba que aguardaba en el comedor, reconocí de inmediato como empleados de la funeraria. Di mi autorización para que procedieran a su trabajo, pero les rogué que antes de cerrar para siempre la caja me permitieran permanecer un rato a solas con la que fue mi esposa.

Supongo que nadie puede asombrarse ante semejante deseo, ni menos aún atreverse a interrumpir un momento como éste, el último adiós, en el que quien permanece con vida suele expresar con palabras su amor, su petición de perdón, sus ansias de reunirse lo más pronto posible con el ser querido. Y lo hace en voz alta. Como si los cuerpos de cera pudieran oír o los labios amoratados pronunciar una respuesta. Así y todo cerré la puerta con llave. Y después, solo frente a Clarisa, la besé en los labios.

Pero eso no fue lo único que hice. Había entrado en la alcoba con el producto de mis gestiones matutinas, con la cesta de la compra en la que nadie había reparado –después de todo, ¿no suelen entregarse ciertos viudos a las extravagancias más inauditas?– y con todo cuidado escogí algunas frutas, las más pequeñas, quizá las más sabrosas. Un aguacate, una chirimoya, un kiwi. Las coloqué amorosamente entre los pliegues del sudario. Después, con mucha cautela, alcé los pies cubiertos de Clarisa y comprobé que había espacio de sobra para lo que me proponía. Volví a depositarlos en su lugar y busqué en el fondo de la cesta el estuche que momentos antes reposara en la caja de seguridad de un banco y lo abrí. El collar de tía Ricarda emitió un brillo desacostumbrado, poderoso, como si en lugar de regresar de un encierro surgiera de las manos de un pulidor de metales o de un restaurador de joyas. No fue más que una sensación efímera, pero me aferré a ella con toda emoción. Oculté el collar bajo los pies de Clarisa y acomodé de nuevo un minúsculo kiwi que, con el inevitable movimiento, acababa de asomar por entre los pliegues del sudario. El resto resultó muy fácil. Despeiné los cabellos que alguien –una amiga, tal vez una vecina– había recogido en la nuca y camuflé entre los rizos hebras de hilo azul, rojo, dorado, plateado, naranja y siena, muy parecidas a aquéllas con las que, según me obsequiaba la memoria, mi madre bordaba aves fabulosas y paisajes imposibles. Por último, muy cerca del pecho escondí una polvera de plata y un reloj. Era un reloj de bolsillo que ignoraba a quién había pertenecido, deteriorado, fuera de uso, pero de tal belleza que, cuando convertimos la vitrina en alacena, había conservado junto a mí, en una de las mesitas de la alcoba. «A su propietario», me dije, «sea quien sea, le gustaría recuperarlo.» Pero no me estaba entregando a un ritual antiguo, ni menos aún creía seriamente que los objetos allí depositados cumplieran otro fin que el de un simple acto de amor, un símbolo, una interpretación fiel de las angustias y fantasías de Clarisa. Un «a ella le habría gustado», justificador de tantos y tantos actos en apariencia absurdos que yo me apresuraba a ejecutar antes de que fuera demasiado tarde, se abriera la puerta, los dos hombres de aspecto lúgubre cerraran para siempre el ataúd y partiéramos todos hacia la iglesia, hacia el cementerio, hacia el panteón donde, para siempre, iba a reposar mi adorada Clarisa. Sí, antes de que todo eso ocurriera yo había cumplido con mi obligación. Y entonces acaricié el rostro de Clarisa, la besé de nuevo en los labios y le hablé en voz alta:

–¿Lo ves? No tenías por qué preocuparte.

Pero esta vez mis palabras no me parecieron insensatas ni desprovistas de sentido.

Y enseguida, como en un juego infantil, una travesura de la que sólo los dos conociéramos el código, le susurré al oído:

–Serás bien recibida, amor mío.

La casa sin Clarisa carecía de sentido. No me di cuenta de lo que esto podía significar, en toda su crudeza, hasta pasadas dos semanas de su muerte, en cuanto la benéfica labor de aplazamiento (pésames, visitas, condolencias) acaba, los amigos se retiran, todo parece indicar –y resulta sorprendente– que la vida, a pesar de todo, sigue, y uno queda dramáticamente enfrentado a la soledad, al vacío, a la ausencia. Sin embargo no me sentía capaz de tomar decisión alguna. Allí estaban los objetos, las prendas que Clarisa amó en vida. Sus jícaras, los pomos de cremas y colonias de hierbas, los vestidos de seda, que ahora yo, sumido en un profundo estado de melancolía, gustaba acariciar, recordando a mi pesar algunos consejos y admirándome al tiempo de lo fácil que resulta para la mayoría de los humanos ofrecer consejos. «Deshazte de las cosas de Clarisa. De la ropa, sobre todo. La ropa de los desaparecidos produce una infinita tristeza.» O bien: «Cámbiate de casa. Por un tiempo, por lo menos. Hasta que todo recobre su lugar en la vida». Pero ¿qué podían saber ellos de *lugares*? Y, sobre todo, ¿era posible que Clarisa, la mujer más feliz del mundo, hubiera abandonado el suyo? Una de aquellas noches empecé a soñar.

Primero fueron sombras borrosas, imágenes que apenas destacaban de un claroscuro, sonidos lejanos, murmullos, acaso sólo el rumor del viento. Pero la obsesión de la vigilia no me abandonaba en sueños, y pronto, en aquellas sombras, en aquellos murmullos, me apresté a reconocer la silueta querida, la voz esperada, las palabras precisas que, de poder hablar, tal vez hubiera pronunciado Clarisa. Y aunque en ningún momento, al despertar, se me ocurría poner en duda la evidencia de que aquello no era más que un sueño, a mi manera me sabía afortunado. Por las noches, por lo menos, volvía a estar junto a Clarisa. Podía reconfortarla, aconsejarla, darle a entender que no estaba sola ni siquiera en la muerte. «Tengo frío», dijo, o me pareció que decía, cuando no era más que una sombra a la que me esforzaba por dotar de voz y rostro. Y también: «Tengo miedo». Y entonces, con una sabiduría y una tranquilidad de las que en la vigilia me hubiera creído incapaz, yo le hacía notar que lo primero era imposible y lo segundo absurdo. No podía sentir frío, le decía, porque estaba muerta. A lo más el recuerdo de algo que en la vida había llamado frío. Y en cuanto al miedo, esa desazón que afirmaba padecer, no debía de ser otra cosa que desconcierto. Había leído (y en sueños citaba infinidad de títulos, nombres de autores, que al despertar desaparecían de mi memoria) que, durante los primeros días que siguen al fallecimiento, el alma se resiste a reconocer que ha abandonado el cuerpo y vaga desorientada por el mundo. Pero ella me tenía a mí. Cada noche, en nuestra alcoba, dispuesto a aclararle sus dudas. Y después, cuando supiera ya definitivamente dónde se hallaba, cuando a la desazón hubiera seguido la certidumbre, seguiríamos conversando, recordando, felicitándonos por el milagro de encontrarnos en sueños, por hacernos la ilusión de que nos encontrábamos en sueños.

Una de aquellas noches Clarisa me comunicó que se hallaba más tranquila. Había aprendido a distinguir en la oscuridad y lo que en un principio le parecieran sombras no eran tales, sino rostros. «Algunos muy amigables», dijo. «Otros, en cambio...» Y entonces, adelantándome a una nueva confesión de sus temores, le recordé que todo era cuestión de tiempo, que aquellos seres que ahora la intimidaban habrían pasado en su día por aprensiones parecidas y que no debía olvidarse de las ofrendas (y hasta esta palabra sonaba natural dentro del sueño) que la habían acompañado hasta el panteón y de las que podía hacer uso, si no lo había hecho ya, en el momento en que le pareciera oportuno. Los frutos tropicales, el reloj, el collar de tía Ricarda...

–¿Tía Ricarda? –preguntó con sorpresa–. ¿Quién es *tía* Ricarda?

Y al rato, como yo me hubiera quedado mudo, añadió:

–Pero si Ricarda es la criada...

Me desperté sobresaltado, prendí la luz y encendí un cigarrillo. Era la primera vez que el sueño se desmandaba, cobraba vida propia y lograba sorprenderme. Hasta entonces –y sólo ahora me daba cuenta– Clarisa se había limitado a pronunciar frases esperadas, plausibles, tópicas. El frío, el miedo, la oscuridad. Frases que podían encontrarse en cualquier novela, en cualquiera de aquellos tratados de almas o espíritus de los que como soñante tenía a gala conocer tan bien y que posiblemente sólo mi saber inconsciente ponía en su boca. Pero lo que acababa de decir... Aunque, después de todo, ¿qué me importaba a mí la suerte de Ricarda? ¿No era más bien motivo de júbilo el que un ser dominante y cruel como ella hubiera sido en el más allá reducido a la servidumbre? ¿No se facilitaba con eso la adaptación de la recién llegada a aquel mundo de sombras? La brasa del cigarrillo acababa de esparcirse por las sábanas. Busqué un cenicero y eché un vaso de agua sobre la cama. Estaba dormido, aún estaba dormido. Sólo así podía explicarme el que, por un momento, hubiera concedido tanta importancia a una información producida en sueños, a un mundo que sólo existía en las imágenes que presenciaba en sueños.

Me duché con agua fría y, por primera vez en tres semanas, me dirigí al despacho. La rutina del trabajo me hizo bien. Las secretarias se deshicieron en amabilidades y atenciones. A las siete de la tarde, de excelente humor, me despedí hasta el día siguiente y las felicité por lo bien que habían cuidado de los asuntos pendientes durante mi ausencia. Ellas sonrieron complacidas. Al abandonar el edificio la portera se me acercó con cara de lástima. «Le acompaño en el sentimiento», dijo, y enseguida, con voz compungida, me habló de los desatinos de la vida, de la belleza de Clarisa, de la pérdida irremediable, de eso haría ya unos diez años, de su inolvidable esposo. Apenas le presté atención. «Ricarda», pensaba. «¡Quién lo iba a decir!» Y, después de cortar su parlamento con un efusivo «Gracias», me encaminé a buen paso hasta mi piso. En aquellos momentos sólo deseaba una cosa. Cenar, dormir, y volver a visitar a Clarisa entre las cuatro paredes de su nueva morada.

Clarisa, poco a poco, se iba aclimatando. Ahora, por fin, se sabía muerta, y este hecho, difícil de aceptar en un principio, no le parecía, una vez asumido, demasiado grave. El panteón, por otra parte –*la casa,* decía ella–, era mucho más espacioso de lo que pudiera aparentar desde fuera, y, aunque no se iba a molestar en enumerarme las dependencias –le faltaban las palabras para nombrar lo que hasta hacía poco desconocía y, además, estaba casi segura de que yo no podría comprenderla–, me quería enterar únicamente de que había sitio de sobra. Para los que allí estaban y para los que sin duda algún día llegarían, cosa de la que no todas las moradas –«los panteones», convino enseguida como quien transa con alguien de otro país o de otro idioma– podían presumir. A ratos sin embargo se sentía aún confundida y triste. Era, tal como había presentido, un *volver a empezar,* y no todo el mundo parecía dispuesto a facilitar su integración, ni a ahorrarle trámites. Y entonces, como su rostro se ensombreciera por unos momentos, me atreví a sugerir:

–Los Miró Miró, acuérdate de los buenos de los Miró Miró. Tienen que estar por ahí, en *la casa...* Los padres de los padres de mi abuelo. Pídeles ayuda, consejo... ¿No te dije que los habían trasladado al panteón?

Los ojos de Clarisa, como en una recordada ocasión durante un ya lejano desayuno, me taladraron el rostro.

–Estás completamente equivocado –dijo al fin.

Y luego, para sí misma, sin abandonar el deje de desdén, pero como si se encontrara al tiempo muy cansada:

–Los Miró Miró son los peores.

Y tampoco esta vez supe qué decir. Pero no era ya la sorpresa, la indefensión ante un dato imprevisible e ilógico, la incapacidad de dejarme arrastrar por el mecanismo del sueño o rendirme a sus leyes, sino algo que estaba en los ojos repentinamente abatidos de Clarisa y que me relevaba desde aquel instante de mi inútil pretensión de consejero. La evidencia, en fin, de que desde mi mundo, yo no podía ayudarla en nada.

Así y todo insistí tercamente. No quería renunciar a nuestros encuentros, a lo único que me quedaba de Clarisa, y la sensación de que los acontecimientos allá en el panteón, en la morada, en la casa o en lo que fuera, se sucedían con impresionante rapidez, me hacía permanecer atento, en guardia, con la conciencia vigilante dentro del sueño, esperando el momento en que las sombras se decidieran a robarle el rostro a Clarisa, a remedar su voz, a hacerme creer que me hallaba de nuevo en su presencia, a recordarle que nunca estaría sola. Pero si hasta entonces no siempre había logrado el efecto deseado, cada vez me parecía más difícil conseguirlo. Y a menudo, revolviéndome inquieto en la cama, recordaba con nostalgia sus primeras apariciones, cuando era apenas una sombra llena de dudas y yo podía aún aconsejarla desde mi mundo. Porque entonces, con una sorprendente habilidad sobre la que no me hacía demasiadas preguntas, yo sabía cómo retenerla, aprisionarla, retomar el hilo del sueño una, dos, hasta varias veces en la misma noche. Bastaba con llamarla, pronunciar su nombre y ella, obediente, acudía a la cita. Pero ahora Clarisa hablaba con voz propia, o, lo que era peor, no parecía demasiado inclinada a hablar. Y había algo más. Otros sueños, otras imágenes, otros pensamientos que, desde hacía unos días, pugnaban por hacerse oír, por apartarme de mi objetivo, por robar protagonismo a todo lo que pudiera ocurrir allí, en el lugar donde habitaba Clarisa. Y así me veía a menudo poniendo el piso en venta, mudándome a un apartamento amueblado, marcando un número de teléfono, pidiéndole una cita al doctor, el mismo doctor que con tanto cariño había atendido a mi mujer hasta el último momento. Y después, una larga conversación entre el médico y yo al calor de la lumbre. Una chimenea encendida junto a la que mi interlocutor se servía un coñac. ¿Qué hacía yo en su biblioteca? ¿Qué era lo que le agradecía tan efusivamente? ¿Por qué llevaba un viejo maletín de cuero verde? ¿Por qué insistía en hablarle de la vida, de lo hermosa que era la vida y del deber que todos teníamos de disfrutarla, de apurarla a fondo? Ahora el esfuerzo era doble. Y el grito con que a menudo despertaba no era ya sólo una forma de invocar a Clarisa, sino de desprenderme de aquellas otras imágenes, por fortuna aún débiles, aún tímidas, de aquellas confusas llamadas a la razón, al orden, a todo lo que, en definitiva, me apartaba de mi propósito. Hasta que un día, cuando casi había perdido la esperanza, inesperadamente, se produjo el encuentro.

No puedo afirmar que desde el principio notara algo raro, pero sí que la visión de Clarisa, lejos de tranquilizarme, me inquietó. Estaba bella, espectacularmente bella. El abatimiento había desaparecido de su rostro y se la veía feliz, luminosa, evolucionando entre unas sombras que a ratos se interponían entre nosotros, alejaban su imagen, se erigían en una barrera que yo intentaba por todos los medios franquear. Me costó hacerme oír. «Clarisa», grité. «¿Estás bien?» La pregunta era absurda. Parecía evidente que Clarisa se sentía feliz.

–Sí –dijo al rato–. Claro que estoy bien.

Era una voz con eco. Una voz –se me ocurrió en el sueño– de *ultratumba.*

–¿Y los Miró Miró? –pregunté enseguida.

Ahora Clarisa me miraba con perplejidad. ¿O era cansancio? Al fin, como si recordara algo que había sucedido hacía mucho tiempo, algo que sólo a un extraño, a un forastero, pudiera interesar aún, suspiró.

–No tienes por qué preocuparte –dijo.

Pero ¿era eso una respuesta? ¿O una forma sutil de darme a entender lo que ya sabía? Clarisa no necesitaba mis consejos. Tampoco mis preguntas.

–Facción Miró Miró controlada –añadió sonriendo.

No me dio tiempo a felicitarla, a unirme a su alegría por lo que, según todas las apariencias, debía de ser una buena noticia. Enseguida aquella mueca, que yo había creído sonrisa, dejó paso a unas carcajadas sonoras, estridentes. Unas carcajadas que por unos instantes se mezclaron con el eco metálico de su voz y me produjeron un profundo desasosiego. ¿Me habría enamorado de Clarisa de saber, de sospechar siquiera, que era capaz de reír así?

Y aquí debería haber puesto punto final a nuestros encuentros. Aprovechar la sorpresa dentro del sueño para despertar, irme antes de que me echaran, intentar concentrarme en mi trabajo, pasear, llamar de vez en cuando a un amigo, acudir a un potente somnífero que me obligara a descansar por las noches (¿por eso me veía de nuevo conversando con el doctor, hablándole de lo bella que era la vida, abriendo el maletín verde y entregándole un documento, viendo cómo, ligeramente confundido, se servía una buena ración de coñac y desaparecía por unos instantes tras la copa?), convencerme de que de las dos vidas que mantenía a diario sólo una era real. Pero la seguridad de que *la otra* podía esfumarse en cualquier momento me obligó a mantenerme con los ojos cerrados, expulsando cualquier imagen improcedente, acallando pensamientos inoportunos, deseando únicamente llegar hasta el final. «¡Debo llegar al final!», me dije. Y fue como si encerrara todo lo que me apartaba de mi objetivo en un paréntesis. Una bolsa que parecía hincharse por momentos, amenazaba con explotar, ocultar para siempre la escena en la que de nuevo se habían hecho las sombras. Pero disponía de un maletín. De pronto, como si recuperara la iniciativa en medio de una pesadilla embarullada, recordé que disponía de un maletín. Y ese pequeño hallazgo me devolvió por unos instantes la confianza en mí mismo, la convicción de que todavía podía alterar, cambiar, modificar el curso de los acontecimientos. De que existía un pequeño espacio dentro de mis sueños en el que se me permitía aún intervenir. Y el maletín además –o así lo decidí– contaba con un candado, un cierre de seguridad, una llave. Ahí lo metí todo. El doctor, la chimenea, el documento. Incluso el recuerdo del propio maletín al que hasta entonces no había encontrado utilidad alguna.

–Shhhhhhh... –oí de pronto.

Y, orgulloso de mi proeza, me sumergí en la oscuridad.

No quedaba nada. Ni siquiera el eco de las carcajadas de Clarisa. Pero al rato, aguzando el oído, me pareció percibir algunos susurros, ciertos bisbiseos, como si me hallara en el patio de butacas de un teatro, y los actores, no muy diestros desde luego, se aprestaran a ocupar sus puestos. Aunque tampoco era exactamente así, o, por lo menos, la impresión anterior no fue más allá de unos segundos. Enseguida me encontré dentro de un remolino de colores. Chirriantes, abigarrados. Un colorido –me atreví a opinar– de pésimo, redomado mal gusto, que, al poco, se fue concretando en formas, iluminando figuras que no pude menos que reconocer. Caballos alados, paisajes imposibles, planetas, estrellas, aves fabulosas. Los bordados destacaban con firmeza sobre un fondo oscuro y no tardé en comprender que se trataba de un manto, una capa, una prenda de fiesta que alguien colocaba ahora sobre los hombros de Clarisa. Ella estaba de espaldas, como en una sesión de pruebas en la casa de una modista sin espejos. Pero por el extremo izquierdo del manto asomó de pronto un pie. Un pie descalzo que acababa de aplastar la esfera de un reloj al que tampoco tuve ningún problema en identificar. Y después, cuando alcé la vista, cuando recorrí el manto y me detuve en el cabello de Clarisa, pude ver sus labios, su sonrisa. Porque en una mano alzada sostenía la polvera plateada, y su espejo devolvía el recuerdo de unos labios sonriendo de satisfacción.

La visión no duró más que unos segundos. Enseguida el manto se erigió entre nosotros como un telón, una aduana, un muro. Los colores fueron desvaneciéndose y yo, sospechando que nunca más se producirían estos encuentros, que me hallaba asistiendo a la última representación, intenté hablar, gritar, hacerme oír. Pero lo único que me devolvió aquel mundo de sombras fue una voz, una entonación cansina, una advertencia que me removió las entrañas, me llenó de un sudor frío y me hizo permanecer incorporado en el lecho quién sabe durante cuántas horas.

–Hijo, por favor, no insistas. ¿No ves que Clarisa está ocupada?

Al cabo de una semana me mudé a un apartamento amueblado, puse el piso en venta y telefoneé al doctor pidiéndole una cita. «Es un asunto privado», precisé. El doctor me recibió en su casa, en la biblioteca, junto a una chimenea encendida. Le conté que me había mudado a un apartamento amueblado y había decidido vender mi piso. Él me escuchó con atención. «Seguramente ha hecho usted bien», dijo al fin. «Su casa debe de estar llena de recuerdos.» Habían transcurrido ya tres meses desde que lo viera por última vez, respetuosamente inclinado sobre la cabecera de la cama, y su dedicación de entonces unida a la cariñosa acogida que ahora me dispensaba me animaron a proseguir.

Abrí el portafolios y le mostré algunos papeles. Uno era el borrador de mi testamento. Me encontraba bien de salud, no tenía por qué alarmarse, pero había decidido mostrarme precavido y repartir mis bienes entre personas de mi absoluta confianza y respeto. A él, además, le designaba primer albacea. Después le entregué una cuartilla. La redacción era escueta, tajante, clara, aunque tal vez, en su calidad de médico, no necesitara de semejante autorización. Yo, por mi parte, llevaría siempre una copia encima. Se trataba de un favor, un deseo. Debería ser él y sólo él la última persona en permanecer a mi lado en el día inevitable. Y enseguida abrí un maletín en el que el médico no había reparado, saqué algunos objetos y, evitando cualquier solemnidad, intentando dotar a mi entrega de la naturalidad más cotidiana, los deposité sobre la mesa. Una jícara de loza, un salero de plata, agua de lavanda, un camisón de seda, un retal malva en el que se apreciaban algunas manchas, una pequeña rasgadura.

–Eran de Clarisa –añadí.

Él levantó los ojos de la cuartilla. Miró los objetos. Volvió sobre el escrito y finalmente se detuvo en mí.

–Un acto de amor, claro –balbuceó ligeramente confundido.

–Sí –mentí yo–. Una promesa. Un símbolo.

Y tal vez me mostré demasiado cordial, demasiado festivo. Quizá me delaté no tanto en lo que dije como en lo que no dije. Porque evité cuidadosamente referirme al panteón, al más allá, pero en cambio me extendí con generosidad en las delicias de la vida, lo hermosa que podía ser la vida y el deber que teníamos todos de apurarla a fondo. Y después, cuando le arranqué el juramento (que era en definitiva lo que me había llevado hasta allí) y nos estrechamos la mano, en un apretón firme, contundente, me pareció que el doctor –que desaparecía ahora dentro de una copa de coñac– no había accedido a mi solicitud por bondad, respeto, por comprensión ante un homenaje, un rito, ante la extravagancia excusable de un viudo desconsolado, sino que había penetrado de lleno en mi obsesión, mi pesadilla, mi suplicio.

Pero ¿todavía se podía hablar de pesadilla, de suplicio? Acababa de servirme un coñac (mi anfitrión, curiosamente, había descuidado este detalle) y, al llevarme la copa a los labios –una copa desmesurada, llena hasta el borde–, me di cuenta de que aquel acto era el primero que se apartaba del guión, de esas llamadas, sueños dentro de sueños, que me habían indicado el camino a seguir y al que el médico se había adherido desde el principio con una exactitud y precisión casi milagrosas. Porque de pronto el líquido ámbar, rojizo, en el que me había sumergido, el contorno de la copa que sujetaba con las dos manos, sí se me antojó un paréntesis, un cáliz en el que encerraba a Clarisa y sus carcajadas, aquellas risas de las que ya conocía el secreto y ahora me permitía devolverle en silencio, imaginando multitud de combinaciones, de posibilidades, reviviendo sus días en la facultad cuando todos le augurábamos un futuro espléndido, convirtiéndose de la noche a la mañana en una esposa ejemplar, admirándome, en fin, de mi intuición, de la del juez amigo, de la de cualquiera de los invitados a nuestra boda. «Clarisa conseguirá cuanto se proponga.»

Aguardé con mi copa en la mano a que el doctor diera buena cuenta de la suya. Fue un extraño brindis de copas vacías. Un brindis silencioso, sin homenajes ni discursos. Porque era como si en el aire flotara un epitafio, una sentencia: «Nada es definitivo, ni tan siquiera en la eternidad». O, dicho de otra forma: Clarisa había encontrado *su* lugar. Bien. Pero yo, desde ahora, estaba haciendo lo posible por asegurar el mío.

Ausencia

Te sientes a gusto aquí. Estás en un café antiguo, de veladores de mármol y camareros decrépitos, apurando un helado, viendo pasar a la gente a través del cristal de la ventana, mirando de vez en cuando el vetusto reloj de pared. Las once menos cuarto, las once, las once y diez. Hasta que de pronto –y no puedes explicarte cómo ha podido ocurrir– sólo sabes que estás en un café antiguo, apurando un helado, viendo pasar a la gente a través de los cristales y mirando de vez en cuando hacia el reloj de pared. «¿Qué hago yo aquí?», te sorprendes pensando. Pero un sudor frío te hace notar que la pregunta es absurda, encubridora, falsa. Porque lo que menos importa en este momento es recordar lo que estás haciendo allí, sino algo mucho más sencillo. Saber *quién* eres tú.

Tú eres una mujer. De eso estás segura. Lo sabes antes de ladearte ligeramente y contemplar tu imagen reflejada en la luna desgastada de un espejo con el anuncio de un coñac francés. El rostro no te resulta ajeno, tampoco familiar. Es un rostro que te mira asombrado, confuso, pero también un rostro obediente, dispuesto a parpadear, a fruncir el ceño, a dejarse acariciar las mejillas con sólo que tú frunzas el ceño, parpadees o te pases, no muy segura aún, una mano por la mejilla. Recuperas tu posición erguida junto al velador de mármol y abres el bolso. Pero ¿se trata de tu bolso? Miras a tu alrededor. Habrá sólo unas cuatro o cinco mesas ocupadas que un par de camareros atiende con una mezcla de ceremonia y desgana. El café, de pronto, te recuerda un vagón restaurante de un expreso, pero no te paras a pensar qué puedes saber tú de vagones restaurantes o de expresos. Vuelves al bolso. El color del cuero hace juego con los zapatos. Luego, es tuyo. Y la gabardina, que reposa en la silla de al lado, también, en buena lógica, debe de ser tuya. Un papel arrugado, junto a la copa del helado y en el que se leen unos números borrosos, te indica que ya has abonado la consumición. El detalle te tranquiliza. Hurgas en el bolso y das con un neceser en el que se apiñan lápices de labios, colorete, un cigarrillo deshecho... «Soy desordenada», te dices. Abres un estuche plateado y te empolvas la nariz. Ahora tu rostro, desde el minúsculo espejo, aparece más relajado, pero, curiosamente, te has quedado detenida en la expresión «empolvarse la nariz». Te suena ridícula, anticuada, absurda. Cierras el neceser y te haces con la cartera. Ha llegado el momento definitivo, y a punto estás de llamar al camarero y pedirle un trago fuerte. Pero no te atreves. ¿Hablarán tu idioma? O mejor: ¿cuál es tu idioma? ¿Cómo podrías afirmar que la luna del espejo en que te has mirado por primera vez anuncia un coñac francés? Algo, dentro de ti, te avisa de que estás equivocando el camino. No debes preguntarte más que lo esencial. Estás en un café –no importa averiguar ahora cómo sabes que esto es un café–, has tomado un helado, el reloj marca las once y diez, y no tienes la menor idea de quién puedas ser tú. En estos casos –porque de repente te parece como si estuvieras preparada para «estos casos»– lo mejor, decides, es no perder la calma. Aspiras profundamente y abres la cartera.

Lo primero que encuentras es una tarjeta de crédito a nombre de Elena Vila Gastón. El nombre no te resulta extraño, tampoco familiar. Después un carnet de identidad con una foto que se te parece. El documento ha sido expedido en el 87 y caduca diez años más tarde. ¿Qué edad tendrás tú? Y también: ¿en qué año estamos? ¿Qué día es hoy? En uno de los ángulos del café observas unas estanterías con periódicos y allí te diriges decidida. Hay diarios en varios idiomas. Sin hacerte demasiadas preguntas escoges dos al azar. El día varía, pero no el año. 1993. Regresas a tu velador junto a la ventana, cotejas fechas y calculas. «Nacida en el 56. Luego, treinta y siete años.» De nuevo una voz te pregunta cómo es que sabes contar y no te has olvidado de los números. Pero no le prestas atención –no debes hacerlo– y sigues buscando. En la cartera hay además algún dinero y otro carnet con el número de socia de un club de gimnasia, de nuevo una dirección y un teléfono. Al principio no caes en la cuenta de la importancia que significa tener tu propio número de teléfono. Te has quedado sorprendida de que te guste la gimnasia y también con la extraña sensación de que a este nombre que aparece por tercera vez, Elena Vila Gastón, le falta algo. «Helena», piensas, «sí, me gustaría mucho más llamarme Helena.» Y entonces recuerdas –pero no te detienes a meditar si «recordar» es el término adecuado–

un juego, un entretenimiento, una habilidad antigua. De pequeña solías *ver* las palabras, los nombres, las frases. Las palabras tenían color. Unas brillaban más que otras, algunas, muy pocas, aparecían adornadas con ribetes, con orlas. Elena era de un color claro, luminoso. Pero Helena brillaba todavía más y tenía ribetes. Como Ausencia. De pronto ves escrita la palabra «ausencia». La letra es picuda y está ligeramente inclinada hacia la derecha. «Ausencia», te dices. «Eso es lo que me está ocurriendo. Sufro una ausencia.» Y por un buen rato sigues con el juego. Café es marrón, Amalia, rojo, Alfonso, gris-plomo, mesa, entre beige y amarillo. Intentas recordarte a ti, de pequeña, pero sólo alcanzas a ver la palabra «pequeña», muy al fondo, en colores desvaídos y letras borrosas. Repites Amalia, Alfonso... Y, por un instante, crees que estos nombres significan algo.

Mecánicamente miras otra vez la foto del carnet de identidad y la comparas con la imagen que te devuelve el espejito del estuche plateado. Relees: «Nacida en Barcelona, 28 de mayo de 1956, hija de Alfonso y Amalia...». ¿Estás empezando a recordar? ¿O Alfonso y Amalia, a los que al principio no habías prestado atención, se han metido ahora en tu pensamiento y se trata tan sólo de un recuerdo inmediato, de hace apenas unos segundos? Murmuras en voz baja: «Alfonso Vila, Amalia Gastón...». Y entonces, de nuevo, te pones a sudar. «Estás perdida», te parece escuchar. «Ausente.» Sí, te hallas perdida y ausente, pero –y aquí sientes de pronto un conato de esperanza– dispones de un teléfono. *Tu* teléfono.

–¿Se encuentra bien? ¿Le ocurre algo?

Ahora te das cuenta de que las mesas han dejado de bailotear y la voz del camarero ha logrado abrirse paso a través de un zumbido. Niegas con la cabeza. Sonríes. Ignoras lo que ha podido ocurrir, pero no te importa.

–No es nada. Me he mareado un poco. Enseguida estaré bien.

Te has quedado admirada escuchando tu voz. En la vida, en tu vida normal, sea cual sea, debes de ser una mujer de recursos. Tus palabras han sonado amables, firmes, tranquilizadoras.

–Aún no es tiempo de helados –añade el camarero contemplando la copa. Es un hombre mayor, casi un anciano–. Los helados para el verano y un cafecito caliente para el invierno.

Le dices que tiene razón, pero sólo piensas: «Estamos en invierno. En invierno». Te incorporas, coges la gabardina y el bolso, y preguntas dónde está el servicio.

La encargada de los lavabos no se encuentra allí. Observas aliviada una mesa recubierta con un tapete blanco, un cenicero vacío, un platito con algunas monedas, un teléfono. Te mojas la cara y murmuras: «Elena». Es la cuarta vez que te contemplas ante un espejo y quizá, sólo por eso, aquel rostro empieza a resultarte familiar. «Elena», en cambio, te sigue pareciendo corto, incompleto, inacabado. Te pones la gabardina y te miras de nuevo. Es una prenda de buen corte forrada de seda, muy agradable al tacto. «Debo de ser rica», te dices. «O por lo menos tengo gusto. O quizás acabo de robar la gabardina en una tienda de lujo.» La palabra «robar» se te aparece color plomo con tintes verduscos, pero casi enseguida deja paso a «número». Número es marrón –como «teléfono», como «café»–, pero si dices «mi número», el *mi* se te revela blanco, esperanzador, poderoso. Buscas unas monedas, descuelgas el auricular y sabes que, como nada sabes, debes obrar con cautela.

Puedes impostar la voz, preguntar por Elena Vila Gastón, inventar cualquier cosa a la hora de identificarte. «Ha salido. Volverá a las diez de la noche. Está en el trabajo...» Prestarás especial atención al tono empleado. ¿Cotidianeidad? ¿Sorpresa? ¿Alarma? Tal vez quien descuelgue el auricular sea un niño (¿tienes tú hijos?), un adolescente, un hombre (¿estás casada?), una chica de servicio. Eso sería lo mejor. Una chica de servicio. Te presentarás como una prima, una amiga de infancia, la directora de una empresa. No hará falta precisar de cuál. Un nombre extranjero, dicho de corrido. Insistirás en que es importante localizar a Elena. Urgente. Y si escuchas: «Ya no vive aquí. Se mudó hace tiempo», te interesarás por los datos del nuevo domicilio. O quizá –pero eso sería horroroso–: «Falleció hace diez años». O también: «Sí, enseguida se pone, ¿quién la llama?». Porque ahora, aunque empieces a sentirte segura de tu aspecto, no lo estás aún de tu identidad. Elena Vila, murmuras. Y, sintiendo de nuevo el sudor frío, marcas el número, cuelgas, vuelves a componerlo y tienes que jurarte a ti misma, seas quien seas, que no vas a acobardarte ante la primera pista de peso que te ofrece el destino. Además –y eso probablemente te infunde valor– el teléfono garantiza tu invisibilidad. Aprietas la nariz con dos dedos y ensayas: «Oiga».

El tercer timbre se corta con un clic metálico seguido de un silencio. No tienes tiempo de pensar en nada. A los pocos segundos una voz femenina, pausada, modulada, vocalizando como una locutora profesional, repite el número que acabas de marcar, ruega que al oír la señal dejes tu mensaje, y añade: «Gracias». Te quedas un rato aún con el auricular en la mano. Después cuelgas, vuelves a mojarte la cara frente al espejo y sales. El camarero, partidario de los cafés en invierno y los helados en verano, te alcanza cojeando en la puerta de la calle: «Se deja usted algo», dice. Y te tiende una revista. «Estaba a los pies de la silla. Se le debe de haber caído al levantarse.» La coges como una autómata y musitas: «Gracias». Pero no estás pensando en si aquella revista es tuya, en el pequeño olvido, sino en la mujer del teléfono. «Gracias», repites. Y ahora tu voz suena débil, sin fuerzas. Tal vez te llames Elena Vila Gastón, pero cuán distinta a la Elena Vila Gastón –si es que era ella– que con una seguridad implacable te acaba de ordenar: «Deje su mensaje».

Andas unos cien metros, te detienes ante una iglesia y entras. No te paras a pensar cómo sabes tú que aquello es una iglesia. Como antes, en el café, no quieres preguntarte más que lo esencial. Estás en una iglesia, no te cuesta ningún esfuerzo reconocer los rostros de los santos, y aunque sigas sin tener la menor idea de quién eres tú, piensas, tal vez sólo para tranquilizarte, que lo que te ocurre es grave, pero que todavía podría ser peor. Te sientas en uno de los bancos y te imaginas consternada, a ti, a Elena Vila, por ejemplo, sabiendo perfectamente que tú eres Elena Vila, pero sin reconocer apenas nada de tu entorno. Contemplando aterrorizada imágenes sangrientas, cruces, clavos, coronas de espinas, cuerpos yacentes, sepulcros, monjas o frailes –pero Elena no sabría siquiera lo que es una monja, lo que es un fraile– en actitud suplicante, con los ojos en blanco, señalando estigmas y llagas con una mano, mostrando en la otra la palma del martirio –tampoco Elena sabría lo que es martirio–. Pero todo esto no es más que un absurdo. Algo que tan sólo podría sucederle a un habitante de otra galaxia, a un salvaje traído directamente de la selva. Pero no a ti. Sabes perfectamente quiénes son, por qué están ahí. Y no sientes miedo. Por eso te levantas del asiento y, amparada en la penumbra, te acercas hasta un confesionario y esperas a que una anciana arrodillada termine con la relación de sus pecados. Tú también te arrodillas. Dices: «Ave María Purísima» y te quedas un momento en silencio. Ignoras si esta fórmula que automáticamente han pronunciado tus labios sigue vigente. Adivinas entonces que hace mucho que no te arrodillas en un confesionario y, por un instante, te ves de pequeña, consigues verte de pequeña. Ya no es la palabra -brillante, con ribetes-, sino tú misma hace treinta, quizá más años. «He dicho mentiras. Me he peleado con mis hermanas...» El sacerdote debe de ser sordo, o ciego. O tal vez hace como que escucha y su mente está perdida en un lugar lejano. Pero necesitas hablar, escuchar tu voz, y a falta de una lista de pecados más acorde con tu edad, los inventas. Has cometido adulterio. Una, dos, hasta quince veces. Has atracado un banco. Has robado en una tienda la gabardina forrada de seda. Hablas despacio, preguntándote en secreto si no estarás dando rienda suelta a un montón de deseos ocultos. Pero tu voz, lenta, pausada, te recuerda de repente a la de una locutora profesional, a la de una actriz. Y entonces lo haces. Recitas un número cualquiera, luego otro y otro. Después, cuando dices: «Deje su mensaje al oír la señal. Gracias», no te cabe ya la menor duda de que tú eres la mujer que antes ha respondido al teléfono. Abandonas el confesionario precipitadamente, sin molestarte en mirar hacia atrás y comprobar si el sacerdote es realmente sordo o ciego. O si ahora, asomado entre las cortinas de la portezuela, observa consternado tu carrera.

El aire de la calle te hace bien. El reloj de la iglesia marca las once y diez. Pero ¿es posible que sigan siendo las once y diez? Una amable transeúnte observa tu confusión, mira hacia lo alto, menea la cabeza y te informa de que el reloj de la iglesia no funciona desde hace años. «Son las tres», añade. Es agradable que alguien te hable con tanta naturalidad, a ti, la más desconocida de las desconocidas. Avanzas unos pasos y, con inesperada felicidad, te detienes ante un rótulo. El nombre de la calle en la que te encuentras coincide felizmente con el que figura en el carnet de identidad, en el de socia de un club de gimnasia. «Tengo que ser valiente», te dices. «Seguro que Elena Vila es una mujer valiente.»

Las tres de la tarde es una hora buena, discreta. Supones que los porteros -si es que el edificio cuenta con porteros- estarán encerrados en su vivienda, almorzando, escuchando las noticias frente a un televisor, ajenos a quien entre o salga del portal de la casa. En tu tarjeta de socia de un club se indica que vives en el ático. Piensas: «Me gusta vivir en un ático». El espejo del ascensor te devuelve esa cara con la que ya te has familiarizado y que ocultas ahora tras unas oportunas gafas oscuras que encuentras en el bolso. Sí, prefieres vivir en un ático que en cualquier otro piso. Pero, en realidad, ¿eres tan valiente? ¿Es Elena tan valiente?

No, no lo eres. Al llegar a tu destino y enfrentarte a una puerta de madera, empiezas a temblar, a dudar, a plantearte un montón de posibilidades, todas contradictorias, alarmantes. Tu mente trabaja a un ritmo vertiginoso. Una voz benigna, que surge de dentro, intenta tranquilizarte. En los ojos de la persona que te abra (recuerda: ella no puede ver los tuyos), en su familiaridad, en el saludo, tal vez en su sorpresa, podrás leerte a ti misma, saber el tiempo que llevas vagando por las calles, lo inhabitual o lo cotidiano de tus ausencias. Una segunda voz te intranquiliza. Te estás metiendo en la boca del lobo. Porque, ¿quién eres tú? ¿No hubiera sido mejor ponerte en manos de un médico, acudir a un hospital, pedir ayuda al sacerdote? Has llamado seis veces y nadie responde. No tardas en dar con el llavero y abrir. Después de un titubeo, unos instantes en los que intentas darte ánimos, te detienes. ¿Qué vas a encontrar aquí? ¿No será precisamente *lo que hay aquí* la causa de tu huida, lo que no deseas recordar por nada del mundo?

A punto estás de abandonar, de correr escaleras abajo, de refugiarte en la ignorancia, en la desmemoria. Pero has empujado la puerta, y la visión del ático soleado te tranquiliza. Recorres las habitaciones una a una. El desorden del dormitorio te recuerda al de tu neceser. El salón tiene algo de tu gabardina, la prenda de buen corte que ahora, en un gesto impensado, abandonas indolentemente sobre un sofá. Te sientes a gusto en la casa. La recorres como si la conocieras. En la mesa de la cocina encuentras los restos de un desayuno. El pan es tierno –del día–, y no tienes más que recalentar el café. Por un momento todo te parece un sueño. ¡Cómo te gustaría ser Elena Vila, vivir en aquel ático, tener el rostro que te devuelven los espejos, desayunar como ella está haciendo ahora, a las tres y media de la tarde, en una cocina llena de sol!

Eres Elena Vila Gastón. Sabes dónde se encuentran los quesos, el azúcar, la mermelada. No dudas al abrir los cajones de los cubiertos, de los manteles, de los trapos. Algunas fotografías enmarcadas te devuelven tu imagen. Algo más joven. Una imagen que no te complace tanto como la que se refleja en el espejo del baño, en el del salón, en el del dormitorio. Al cabo de varias horas ya sabes mucho sobre ti misma. Has abierto armarios, álbumes de fotografías, te has sentado en la mesa del estudio. Eres Elena –¿por qué antes hubieras preferido Helena?–, tienes treinta y siete años, vives en un ático espacioso, soleado... Y no vives sola. En el álbum aparece constantemente un hombre. Se llama Jorge. Sabes inmediatamente que se llama así, como si de pronto las fotografías que ahora recorres ansiosa tuvieran una leyenda, una nota al pie, un título. Reconoces países, situaciones. Te detienes ante un grupo sonriente en la mesa de un restaurante y adivinas que aquella cena resultó increíblemente larga y tediosa. Pero sobre todo te detienes en Jorge. A Jorge le pasa como a ti. Está mejor en las fotos recientes que en las antiguas. Sientes algo especial cada vez que das con su imagen. Como cuando abres un armario y acaricias su ropa. En los álbumes no hay fotos de boda. Pero ¿podrías imaginarte a ti, diez, quince años atrás, con un traje de boda? No, decides. Yo no me he casado, y si lo he hecho no ha sido vestida de blanco. «Me horrorizaría haberme casado de blanco.» Pero ya no estás imaginando, suponiendo. Desde hace un buen rato –desde el mismo momento, quizás, en que te desprendiste de la gabardina, sin darte cuenta, como si estuvieras en tu casa, como quien, después de un día agitado, regresa al fin a su casa–, es tu propia mente la que se empeña en disfrazar de descubrimiento lo que ya sabes, lo que vas reconociendo poco a poco. Porque hay algo hermoso en este reencuentro, algo a lo que te gustaría aferrarte, suspender en el tiempo, prolongar. Pero también está el recuerdo de un malestar que ahora se entrecruza con tu felicidad, y que de forma inconsciente arrinconas, retrasas, temes.

En el contestador hay varias llamadas. Una es un silencio que reconoces tuyo, al otro lado del teléfono, en los lavabos de un bar, cuando no eras más que una desconocida. Otra es del trabajo. De la redacción. De la misma revista que esta mañana te ha devuelto el camarero –aquel pobre hombre, tan mayor, tan cansado: «Se deja usted algo»– y a la que tú, enfrascada en otros olvidos, ni siquiera has prestado atención. La última es de Jorge. «Helena», dice –o a ti, por lo menos, te ha parecido escuchar «Helena»–. Jorge llegará mañana por la noche, y aunque, en aquel momento, te gustaría que fuera ya mañana, decides que es mucho mejor así. Hasta en esto has tenido suerte. Estabas disgustada, por tonterías, por nimiedades, como siempre que emprende un viaje y llega más tarde de lo prometido... O tal vez, simplemente, como siempre. Porque había algo más. El malestar que ya no tenía que ver sólo con Jorge, sino con tu trabajo, con tu casa, contigo misma. Una insatisfacción perenne, un desasosiego absurdo con los que has estado conviviendo durante años y años. Quizá gran parte de tu vida. «Vila Gastón», oyes de pronto. «Siempre en la luna... ¿Por qué no atiende a la clase?» Pero no hace falta remontarse a recuerdos tan antiguos. «Es inútil», y ahora es la voz de Jorge hace apenas unas semanas. «Se diría que sólo eres feliz donde no estás...» Y entonces comprendes que eres una mujer afortunada. «Bendita Ausencia», murmuras. Porque todo se lo debes a esa oportuna, deliciosa, inexplicable ausencia. Esas horas que te han hecho salir de ti misma y regresar, como si no te conocieras, como si te vieras por primera vez.

La mesa de trabajo está llena de proyectos, dibujos, esbozos. Coges un papel cualquiera y escribes «Ausencia» con letra picuda, ligeramente inclinada hacia la derecha. Con ayuda de un rotulador la rodeas de un aura. Nunca te desprenderás del papel, lo llevarás en la cartera allí adonde vayas. Lo doblas cuidadosamente y, al hacerlo, te das cuenta de que el azar no existe. Porque entre todas las posibilidades has ido a elegir precisamente un papel de aguas. Miras las virutas: grises, marrones, violáceas. Así estabas tú, en un mar de olas grises, marrones, violáceas, sobre el que navega ahora tu tabla de salvación. *Ausencia.* Te notas cansada, agotada, la noche ha caído ya, mañana te espera una jornada apretada. Pero en el fondo te sientes como una recién nacida que no hace más que felicitarse por su suerte. Cuando por fin te metes en la cama, es tarde, muy tarde, estás exhausta y ya casi te has acostumbrado a tu felicidad.

El despertador interrumpe un crucero por aguas transparentes, cálidas, apacibles. Remoloneas un rato más en la cama. Sólo un rato. Te encuentras aún en la cubierta de un barco, tumbada en una hamaca, enumerando todo lo que debes hacer hoy, martes, día de montaje, como si engañaras al sueño, como si ganaras tiempo desde el propio sueño. Siempre te ocurre igual. Pero las manecillas del reloj siguen implacables su curso y, como casi todas las mañanas, te sorprendes de que esos instantes que creías ganados no sean más que minutos perdidos. En la mesilla de noche una pequeña agenda de cuero verde te recuerda tus obligaciones. «A las nueve montaje»; «Por la noche aeropuerto: Jorge». Pasas por la ducha como una exhalación, te vistes apresuradamente y, ya en la calle, te das cuenta de que el día ha amanecido gris, el cielo presagia lluvia y únicamente para el reloj de la iglesia la vida sigue empecinadamente detenida a las once y diez. Como cada día. Aunque hoy, te dices, no es como cada día. Estás muy dormida aún, inexplicablemente dormida. Pero también tranquila, alegre. Por la noche irás al aeropuerto. Hace ya muchos años que no acudes al aeropuerto a buscar a Jorge. Te paras en un quiosco y compras el periódico, como todas las mañanas. Pero ¿por qué lo has hecho hoy si esta mañana no tiene nada que ver con la rutina de otras mañanas? Tienes prisa, no dispondrás de un rato libre hasta la noche, ni tan siquiera te apetecerá ojearlo en el aeropuerto. No encuentras monedas y abres la cartera. A las quiosqueras nunca les ha gustado que les paguen con billetes de mil y la que ahora te mira con la palma de la mano abierta no parece de humor. Terminas por dar con lo que buscas, pero también con un papel doblado, cuidadosamente doblado.

La visión de «Ausencia» te llena de un inesperado bienestar. Cierras los ojos. Ausencia es blanca, brillante, con ribetes. Como Helena, como aeropuerto, como nave... «Yo misma escribí esta palabra sobre este papel de aguas. Antes de meterme en la cama, antes de soñar.» El trazo de las letras se te antoja deliciosamente infantil («infantil» es azulado. No podrías precisar más: azulado) y por unos instantes te gustaría ser niña, no tener que madrugar, que ir al trabajo. Aunque ¿no era precisamente este trabajo con el que soñabas de niña? Sí, pero también soñabas con viajar. Embarcarte en un crucero como el de esta noche. ¡Qué bien te sentaría ahora tumbarte en una hamaca y dejar pasar indolentemente las horas, saboreando refrescos, zumos exóticos, helados! Piensas «helado», pero ya has llegado a la redacción, llamas a tu ayudante y pides un café. «Estamos en invierno. Los helados para el verano, el café para el invierno.» Y miras a la chica con simpatía. Ella se sorprende. Tal vez no la has mirado nunca con simpatía. Aunque en realidad te estás mirando a ti, a un remolino de frases que se abren paso en tu mente aún soñolienta. Sonríes, abres la agenda y tachas «A las nueve montaje». La chica se ha quedado parada. Junto a la puerta. Dudando si tras tu sonrisa se esconde una nueva petición, una orden. «Café», repites. «Un café doble.» Pero de repente su inmovilidad te contraría. Tú con un montón de trabajo, con cantidad de sensaciones que no logras ordenar, y ella inmóvil, ensimismada junto a la puerta. «¿Todavía estás ahí?» La ayudante ya ha reaccionado. Tu voz ha sonado áspera, apremiante, distanciándote del remolino de pensamientos y voces en que te habías perdido hace un rato. «Perdida», dices. Pero la palabra no tiene color. Como tampoco lo que hay escrito dentro de ese papel de aguas que ahora vuelves a desdoblar y extiendes sobre la mesa. Virutas grises, marrones, violáceas...

Reclamas unos textos, protestas ante unas fotografías. Estás de malhumor. Pero nadie en la redacción parece darse cuenta. Ni siquiera tú misma. Tal vez sea siempre así. Tal vez tú, Elena Vila Gastón, seas siempre así. Constantemente disgustada. Deseando ser otra en otro lugar. Sin apreciar lo que tienes por lo que ensueñas. Ausente, una eterna e irremediable ausente que ahora vuelve sobre la agenda y tacha «Por la noche aeropuerto: Jorge». ¡Qué estupidez! ¿En qué estarías pensando? ¿Cómo se te pudo ocurrir? Porque si algo tienes claro en esta mañana en la que te cuesta tanto despertar, en la que a ratos te parece navegar aún por los trópicos tumbada en una hamaca, es que tu vida ha sido siempre gris, marrón, violácea, y que el día que ahora empieza no es sino otro día más. Un día como tantos. Un día exactamente igual que otros tantos.

Con Agatha en Estambul

Cada año, en cuanto se acercaban ciertas fechas, Julio decía lo mismo: «Las próximas navidades las pasaré en un lugar donde no se celebren las navidades». Esta vez le tomé la palabra. Fue un acto impensado, espontáneo, una decisión que todavía me asombra. Me había detenido frente a una agencia de viajes, miraba los anuncios del escaparate, cuando, casi sin darme cuenta, abrí la puerta, entré y pedí dos billetes para Estambul. La empleada me sugirió que cerrara la vuelta. «Hay una oferta muy especial», dijo. «No incluye hotel. Pero es muy ventajosa. De diez a quince días.» Tampoco lo pensé dos veces. «Quince.» Era un lunes por la mañana de un frío mes de diciembre. Al día siguiente, por la tarde, incrédulos aún, aterrizábamos en el aeropuerto de Yesilkoy.

–Tengo la sensación de que van a pasarnos cosas –dije.

La niebla había acudido a recibirnos hasta la misma puerta del avión y en el aeropuerto, lleno de gente, se respiraba un extraño silencio. Miré a mi alrededor. Todo de pronto me parecía imposible, irreal. No hacía ni veinticuatro horas que frente a una maleta vacía me había preguntado: «¿Hará mucho frío en Estambul?». Y, mientras acomodaba jerséis, bufandas, pantalones, una falda larga (por si acaso), un par de gorros y unos cuantos libros, fue como si, al tiempo, ordenara las imágenes de una ciudad que no conocía. Santa Sofía, la Mezquita Azul, el Gran Bazar... Pero ahora estábamos allí. Con nuestros equipajes en el maletero de un taxi, Julio encogiéndose de hombros e indicando al chófer: «Pera Palas», y yo cruzando disimuladamente los dedos. «Ojalá haya sitio. Precisamente allí. A la primera. En el Pera Palas.»

No habíamos reservado hotel, y este detalle –al que en Barcelona, ocupada en mi maleta, apenas había concedido importancia– me devolvía de pronto a tiempos olvidados. Tiempos queridos, tiempos muy lejanos. Durante el trayecto pensé un buen rato en aquellos tiempos. Reservar hotel no entraba en nuestro vocabulario. Es más, lo hubiéramos considerado una renuncia, un despropósito, un auténtico disparate. Optar por un barrio determinado y desconocido en perjuicio de otros también desconocidos y seguramente fascinantes. Pero ahora, ya en Estambul, observando la ciudad a través de unos cristales empañados, no sentía la menor ilusión por revivir aquellos tiempos. Mis cuarenta años, ateridos de frío, me hacían notar que quedaban lejos, muy lejos. En otras épocas. En su sitio. Volví a cruzar los dedos. ¿Habría *sitio* en el Pera Palas? Había. Y pronto, con esa ingratitud que mostramos los humanos para con la suerte, me olvidé del momento de duda en el interior del taxi y todo me pareció normal, previsible, lógico. Estábamos en temporada baja, el mal tiempo había asustado a los posibles turistas y la calefacción, además, funcionaba a tope. Al llegar a nuestro cuarto, en el tercer piso, y comprobar que nos habían asignado la «habitación Sarah Bernhardt», me acordé de Agatha.

–He leído en algún sitio que Agatha Christie se alojó aquí.

Julio había abierto el balcón y parecía contemplar fascinado el Cuerno de Oro. Me acerqué. No se veía absolutamente nada. «Mañana», dijo, «con un poco de suerte, la niebla habrá desaparecido.»

Al día siguiente –y al otro, y también al otro– la niebla siguió señoreándose de la ciudad. El efecto era curioso. Cruzábamos casi a ciegas el Puente de Galata, distinguíamos las siluetas de mezquitas, iglesias, palacios, aunque sólo después, cuando nos hallábamos en su interior, sabíamos que se trataba realmente de mezquitas, iglesias, palacios. La ciudad parecía empeñada en mostrársenos a trozos. Un Estambul de interiores, iluminados, llenos de vida, en un escenario de sombras. Estaba fascinada. Se lo comenté a Julio en el café del Gran Bazar. Él, que siempre había detestado la niebla, me sonrió detrás de un periódico. «Espera a mañana. El *Daily News* anuncia buen tiempo.» Y fue entonces cuando, a un gesto nuestro, el camarero se acercó a la mesa, yo dije *«Iki kahve ve maden suyu, lütfen»*, el hombre sonrió y Julio enmudeció de la sorpresa. «Bueno», oí al cabo de unos segundos. «¿Ésta es una de las cosas que iban a suceder? ¿Desde cuándo hablas turco?» Me encogí de hombros. Sencillamente, no lo sabía.

El cuarto día, en contra de todo pronóstico, amaneció tan fantasmagórico como los anteriores. No puedo decir que me disgustara, todo lo contrario. Estaba asomada al balcón mirando hacia el Cuerno de Oro y sin distinguir apenas nada que pudiera recordar el Cuerno de Oro. Pero, al tiempo, podía verlo. Tantas fotografías, tantas postales, tantas películas. De pronto me asaltó una sospecha de la que no podría hablar en voz alta sin sentir un asomo de bochorno. ¿Existía Estambul? La sensación de irrealidad que me había embargado en el aeropuerto, nada más bajar del avión, no había hecho en aquellos días sino acrecentarse. Pero ahora, ¿estaba yo realmente allí? O mejor: ¿qué era *allí*? A mis espaldas unos cuantos grabados reproducían retazos de aquella ciudad que se negaba a mostrarse en conjunto. El Gran Bazar, el Harem de Topkapi, Santa Sofía. Un texto, redactado en un curioso inglés, aparecía enmarcado junto a la entrada del baño con la lista de historias que jalonaban la vida del hotel. Huéspedes ilustres (Agatha Christie, Sarah Bernhardt, Mata Hari, el propio Ataturk), crímenes, atentados, una bomba que estalló en el vestíbulo en el año 1941 y de la que todavía se podían apreciar las huellas. Me gustó imaginar por unos instantes que la explosión no había sido tan anecdótica como allí se decía y que la ciudad, que aún me empeñaba en escudriñar asomada al balcón, tal vez no existía, había sido víctima de un bombardeo, un desastre, un terremoto, una destrucción completa, y únicamente algunos escenarios, más testarudos que otros, apurando al extremo las leyes de la inercia, desafiando los cómputos del tiempo, se resistían a formar parte del pasado. Por eso, aprovechando innombradas energías, resurgían de esa forma. Aquí, allá. El Gran Bazar, la Mezquita Azul, Santa Sofía. Sólo por unos momentos. En cuanto Julio y yo, felices ignorantes, accionábamos resortes ocultos. Quizás ante nuestra proximidad o ante la de cualquiera. Cuadros que se iluminaban de repente, cobraban vida, y que, tan pronto nos habíamos alejado, volvían a sumirse en aquella oscuridad inmerecida. A la espera de volver a mostrarse a la menor ocasión, de continuar con una vida que les había sido arrebatada, de repetir mecánicamente una serie de actos que sólo en su momento tuvieron sentido. Porque –y ahora recordaba la tarde anterior en el Gran Bazar– aquellos astutos comerciantes que desplegaban toda suerte de alfombras ante nuestros ojos, ¿estaban realmente desplegando alfombras ante nosotros? ¿Las desplegaban siquiera? O nadie hacía absolutamente nada y aquellas escenas en las que creíamos participar no eran más que rutinas de otros tiempos, asomando empecinadamente al presente con tanta fuerza que ni siquiera nuestra débil presencia podía enturbiar. Me gustaba pensar en estas cosas. Yo, asomada en el balcón de un hotel habitado por espíritus, contemplando las brumas de una ciudad que había desaparecido hacía tiempo.

No sé cuánto rato pude haberme quedado embobada sin notar el frío. La súbita irrupción del chico de la limpieza me devolvió bruscamente a la realidad. Estaba en un hotel, el Pera Palas, y el chico de la limpieza me miraba ahora sorprendido con un manojo de llaves tintineando en la mano. ¿Sorprendido ante qué? Pero ésta es una historia de sobras conocida. Todos los encargados de las habitaciones de todos los hoteles del mundo parecen admirarse de que el huésped siga allí. En la habitación. Aunque, en este caso, a su asombro se unió inmediatamente el mío. Estaba congelada. Una mujer en camisón, en pleno diciembre, asomada a un balcón desde el que no se veía absolutamente nada. «Diez minutos», dije. Y, enseguida, imaginé a Julio en el vestíbulo consultando el reloj o mirando esperanzado a través de la ventana. «Un poco de sol», murmuré. «Tan sólo un poco de sol para contentar a Julio.» Y sólo entonces, como si un eco escondido en el cuarto me devolviera mis propias palabras, reparé en que momentos atrás no había dicho «diez minutos» a aquel muchacho que desaparecía sonriendo por la puerta, sino *on dakika.* Pero esta vez no me admiré como el día anterior en el Gran Bazar (que ahora, en la memoria, se desprendía de cualquier connotación irreal y aparecía simplemente como el Gran Bazar), ni caí en la estupidez de decidir que alguien o algo me insuflaba, sin que yo me diera cuenta, esa repentina sabiduría. «Los idiomas», me dije, «son como las personas. Con unas se congenia, con otras no.» Y en esos diez *dakika* que apuré a fondo pensando en los *on* minutos del reloj de Julio me duché, vestí, ordené someramente la habitación y avisé al chico de la limpieza. «*Lütfen bana bir yorgan daha gönderinitz*», dije aún. Pero cuando lo hice, cuando le comuniqué que no nos vendría mal una manta de más, había dejado ya algunas cosas bien sentadas. Aquellas palabras, que manejaba con indudable soltura, yo las había visto con anterioridad. En el avión, ojeando –distraídamente, creía yo– un capítulo dedicado a frases usuales de una guía cualquiera, y que –pero ahora no tenía tiempo de detenerme en eso–, por un extraño estado de disponibilidad, quedaban grabadas en mi mente, procesadas, fijas, sin que ni siquiera llegara a darme cuenta de lo que me estaba ocurriendo. Y eso era lo único asombroso. Mi disponibilidad. Cuando llegué al vestíbulo –apresurada, feliz, eufórica– comprobé que a menudo los tópicos están basados en un sabio conocimiento de la realidad y que los posibles minutos turcos no tenían nada que ver con los *dakika* españoles.

–Pero ¿qué hacías? Has tardado una eternidad.

Salimos a la calle. De nuevo la niebla. El decidir que aquello era Estambul como podía ser cualquier otra ciudad del mundo. La sensación de que nos encontrábamos tan bien juntos que ni siquiera teníamos la necesidad de pensar en lo bien que nos encontrábamos juntos. Hasta que apareció Flora. Y fue como si mis cuarenta años entraran al tiempo en escena. De una forma confusa, dudosa. Porque a ratos se diría que querían ayudarme, prevenirme, aconsejarme. Y otros, la verdad, no estaba tan claro.

Luego hablaré de eso. De la sabiduría que, según se dice, asoma a los cuarenta años. De que a esta edad –también se dice– es cuando una persona empieza realmente a conocerse a sí misma, a los demás, a saber de qué va el mundo, a adivinar, intuir, a prever las trampas y artimañas de la vida. Pero ahora debo centrarme en Flora. Con serenidad, con justicia. Porque, en resumidas cuentas, ¿tenía algo de raro la aparición de Flora aquella misma tarde en el hotel? Y mi respuesta no puede ser otra que «No». Nada en absoluto.

Yo regresaba de un pequeño paseo por el barrio, me había detenido en el vestíbulo e intentaba, sin éxito, localizar las huellas de la histórica explosión –la bomba estallada en 1941– en las paredes de mármol. De pronto me pareció escuchar mi nombre y me volví. Enseguida distinguí a Julio sentado en un sofá, al fondo de la sala, saludándome con la mano. Me olvidé de la bomba y me acerqué.

–Flora –dijo poniéndose en pie.

Y entonces reparé en una larga melena negra apoyada en el respaldo de un sillón.

–Mi mujer –añadió haciéndome sitio en el sofá.

Un encuentro como tantos otros, la inevitable complicidad de los viajeros en un país extraño, la consabida conversación sobre la niebla, el mercado de especias o el Gran Bazar. Pero Flora –aunque luego rectificara, se recompusiera y empezara a hablar de la niebla, del mercado de especias y del Gran Bazar– me había dirigido una mirada que poco tenía que ver con la amable disponibilidad de los viajeros en un país extraño. A Flora le había *sorprendido* mi presencia. Como si no contara con que Julio tuviera mujer o estuviera con una mujer. Podría parecer una presunción apresurada o estúpida. Sí, me dije, posiblemente lo era.

–Me voy –anunció al poco recogiéndose el cabello con un pasador y dirigiéndose únicamente a Julio–. Y si quieres cenar bien, recuerda: el Yacup. Está aquí mismo, en la esquina. El ambiente es muy simpático.

Eso fue todo. Julio y yo la miramos mientras abandonaba el vestíbulo y desaparecía entre los cristales de una puerta giratoria. Pero no debíamos de ser los únicos. Alguien, probablemente desde una mesa cercana, murmuró: «Mmmmmm...». No me molesté en averiguar quién era. Me había recostado en el respaldo del sofá y ahora veía con toda claridad el mármol resquebrajado, unas grietas, unas brechas. «¡Las huellas de la bomba!», exclamé. Estaban allí. Justo encima de nuestras cabezas. Sobre nosotros.

Aquella noche cenamos en el Yacup. Se encontraba, en efecto, muy cerca del hotel, el ambiente era distendido y amable, y, además, llovía. Aclaro estos aspectos sin importancia porque sólo al día siguiente me interrogaría sobre la razón por la que entre todos los restaurantes de ambiente simpático, y lloviendo como llovía en toda la ciudad, hubiéramos tenido que ir a parar al Yacup. Pero entonces no se me ocurrió pensar en los otros, únicamente que estábamos bien allí. En el Yacup. Julio pidió un raki, yo vino, y ambos, para empezar, un plato de pescado frito.

–Mira –dije sacando un manual del bolso–, lo he comprado esta tarde. *Türkçe Öğreniyoruz...* Las explicaciones están en español. ¿No te parece una suerte?

Julio alzó su vaso, yo mi copa, y cuando mirábamos discretamente hacia las mesas de al lado –todos bebían raki y comían pescado frito–, por segunda vez en el día apareció Flora.

Su entrada en el Yacup no tenía nada de excepcional. El restaurante, como ya he dicho, estaba cerca del hotel, además llovía y, después de todo, había sido ella quien nos lo había recomendado. Pero sí tal vez –y ahora una extraña sabiduría me indicaba que no se trataba de una observación estúpida– su forma, un tanto afectada, de mirar de derecha a izquierda.

–Es Flora –dijo innecesariamente Julio (y yo oculté *Türkçe Ögreniyoruz* en el bolso)–. Debe de estar buscando a sus amigos...

Flora se sentó a la mesa, junto a nosotros. Entendí que aquella tarde, antes de que yo apareciera en el vestíbulo, debía de haber contado que era precisamente allí donde solía reunirse con sus amigos. Pero su relativa insistencia en hablar de ellos, de sus amigos, en sorprenderse de que no hubieran llegado todavía, en aventurar que era ella quizá quien aparecía demasiado tarde, o en concluir, por extraños mecanismos, que la cita era en otro lugar y que en estos momentos debían de estar buscándola desesperadamente, me pareció un tanto infantil, ingenua. Miré de reojo a Julio. ¿Qué pretendía Flora? Estaba claro que desplazar el posible plantón hacia los otros, los amigos. ¿Y por eso se tomaba tantas molestias? A no ser que ellos, los amigos, no hubieran existido nunca. Parecía evidente. Si a alguien buscaba Flora en aquella fría noche de diciembre era a nosotros. «Debe de sentirse muy sola», pensé. Y me comí un pescadito frito.

Del Yacup nos fuimos a un bar cercano, donde Julio y Flora siguieron con raki y yo pedí whisky. En otros tiempos no lo hubiera hecho. Antes, tal vez hasta tres o cuatro años atrás, solía beber lo que me ofrecían los países en los que me encontraba. Pero eso era antes. No me apetecía tomar raki y entre las botellas mohosas del aparador había distinguido una marca de whisky. De modo que pedí whisky. El problema estuvo únicamente en el hielo. No tenían. Pero podían ir a buscármelo a... Julio me miró como si hubiera cometido un pecado imperdonable. Me conformé con agua.

–Estáis casados, claro –dijo Flora. Y, por un momento, volvió a su extraño cabeceo. De derecha a izquierda. De izquierda a derecha.

Sí, estábamos casados. No hacía falta ser un lince para comprender que ciertos cruces de mirada, ciertas situaciones completamente irrelevantes en sí mismas pueden dejar de serlo, en cualquier momento, con el solo recuerdo de parecidas situaciones que quizás, en su día, no resultaron tan irrelevantes. Me limité a sonreír, echar un poco de agua tibia en el vaso de whisky e intentar convencerme de que Flora no había sido indiscreta con su comentario. «Está sola», me repetí, «y busca complicidad.» Sin embargo fue esto último –su necesidad de complicidad– lo que de pronto me hizo ponerme en guardia. ¿Por qué a las parejas que llevan un cierto tiempo juntas no se las deja en paz? Me imaginé precisando: «Sí, desde hace quince años». Y a ella, redondeando los ojos con exageración: «¡Qué barbaridad!». Pero, al tiempo, diciéndose para sus adentros: «Estupendo. Deben de aburrirse como ostras. Ya tengo compañía en Estambul». Por eso, pedí cerillas al camarero, encendí un cigarrillo y empecé –un tanto precipitadamente quizás– a hablar de Agatha en Estambul.

Todos sabíamos de la famosa «desaparición» de Agatha Christie, pero, por si acaso, se lo iba a recordar someramente. Fue en el año 1926. Diez días en los que el mundo la dio por muerta y en los que posiblemente la autora perdiera la razón o sufriera –y esto parece lo más probable– un agudo ataque de amnesia. Aunque, según algunas versiones, todo se redujo a una astuta estratagema para llamar la atención –de su marido fundamentalmente– y evitar lo que en aquellos momentos se le presentaba como una catástrofe. La separación. El abandono. Pero si eso fue realmente así, de nada le sirvió (al poco tiempo el marido conseguía el divorcio y se casaba con una amiga común). Lo que yo ignoraba hasta llegar al hotel –y seguramente ellos tampoco estaban enterados– era la pretensión de que la clave del misterio se hallaba precisamente allí, en el cuarto piso del Pera Palas, en la habitación que ahora llevaba su nombre: AGATHA CHRISTIE. Y, bien mirado, no tendría nada de raro que la autora, en sus frecuentes visitas a Estambul, entre 1926 y 1931, escribiera un diario, emborronara unos papeles, explicara, en fin, qué es lo que realmente había ocurrido en aquellos días secretos. Lo que ya resultaba más difícil de creer era...

–Por favor –atajó Julio apurando su raki–. No nos vas a contar ahora lo que está enmarcado en todas las paredes del hotel. La historia de la médium, el espíritu de la escritora señalando una habitación concreta, el hallazgo de una llave...

–Una bonita historia –concedió Flora–, y dice mucho en favor de quien se la inventó. Es la forma de que un hotel siga vivo... Aunque sea gracias a los muertos.

–No me entendéis –protesté. Pero posiblemente era yo quien empezaba a no entenderme.

Iba a decir algo. Sí, pero ¿qué? Entonces hice lo que ningún desmemoriado debería hacer: seguir hablando como si tal cosa a la espera de recuperar el hilo. Lo primero que quise dejar bien sentado –o que, en aquellos momentos, decidí, iba a dejar bien sentado– era que yo no pertenecía a la deleznable estirpe de adoradores de famosos. Es más, a lo largo de mi vida había tenido la oportunidad de conocer a algunos, y siempre había declinado amablemente la invitación. No me refería a simples famosos, gente que aparece en los periódicos por cualquier razón, ni tampoco a personajes que se hubieran distinguido en las artes, las letras, o lo que fuera, sino precisamente a aquellos personajes de los que, por encima de todas las cosas, admiraba sinceramente ese «lo que fuera» en el que se habían distinguido. En esos casos –y las ocasiones ascenderían más o menos a media docena–, ¿qué les podría decir yo, de natural tímida, que no supieran ya, que no se les hubiese dicho antes? Prefería los encuentros casuales, espontáneos. (Me detuve y pedí otro whisky. Ya no tenía la menor idea de por qué lado iba el hilo primitivo que deseaba recuperar.) Como tampoco había sido jamás una recolectora de anécdotas, ni devota o fanática de peregrinajes «en recuerdo de...», o «a la manera de...», y odiaba –también y sobre todo– a la gente que, con conocimiento personal o sin él, se refería a sus ídolos por el diminutivo, el nombre de pila, el apelativo cariñoso con que sólo sus allegados les trataban en familia. Y, aunque esto podía parecer (y aquí encontré un inesperado cabo con que recomponer en lo posible mi parlamento) una contradicción, no lo era en absoluto. A Agatha Christie yo la llamaba Agatha. Porque sí. Porque me sentía con todo el derecho; el derecho que otorga el cariño. Un privilegio que, por otra parte, no era de mi exclusividad. Y entonces rememoré el colegio. Sus novelas, forradas de papel azul, corriendo, hasta destrozarse, de pupitre en pupitre; el parapeto de cuadernos y diccionarios tras el que ocultábamos nuestra pasión lectora; algunos títulos –*La venganza de Nofret, La casa torcida, Asesinato en el «Orient Express»*–, e iba ya a recitar, emocionada, la lista completa de compañeras de clase, cuando, como en una iluminación tardía, caí en la cuenta de que no había ningún hilo por recuperar –ahora recordaba que había empezado a hablar de Agatha para evitar hablar de otras cosas–, desde hacía rato Flora y Julio no me escuchaban, y nada ocurriría –de hecho nada ocurrió– si alzaba la voz, la bajaba, o, bruscamente, me quedaba muda.

Siguieron con raki. Se estableció una comunicación de la que yo, sola ante mi whisky tibio, quedaba automáticamente excluida. Los alcoholes tienen sus normas, sus alianzas, su ritmo. «Ante la imposibilidad de remontar la noche», me susurraron los restos de sabiduría, «lo mejor es desaparecer.» Me levanté, dije amablemente que me sentía muy cansada, pero, pese a mis protestas, Julio y Flora también se pusieron en pie. Fue un completo absurdo. De nada me sirvió insistir en que el hotel estaba a la vuelta de la esquina o que el camino de regreso, aun de noche y lloviendo, no resultaría ni más largo ni más oscuro que durante el día. Además, si se trataba de acompañar a alguien en el corto trecho de calle no era, desde luego, a mí. Yo avanzaba con cautela, intentando sortear los charcos, el barro, las montañas de carbón que aparecían junto a algunos portales y de las que se desprendía ahora un líquido negruzco. Pero ellos lo hacían tras de mí, a ritmo-raki, hablando sin parar, obligándome a aguardarles e indicarles los socavones. «Mañana no se tendrán en pie», pensé. Pero fue precisamente en aquel momento cuando di un paso en falso, tropecé, me llevé mecánicamente la mano al tobillo y, apoyada en la puerta del hotel, recordé de pronto una de las razones por las que me había puesto a hablar de Agatha. Existía un hilo, claro, un hilo ocasional, una anécdota concreta, pero, sobre todo, el intento de evitar que se hablara de otra cosa.

–Oye –escuché casi enseguida a mis espaldas–, ¿cuántos años dices que lleváis casados?

Y después, mientras entrábamos en el vestíbulo, empapados y envueltos en barro:

–¡Qué barbaridad!

A las nueve de la mañana sonó el despertador. Julio se incorporó de un salto, y yo, con los ojos aún cerrados, me pregunté quién era, dónde estaba, de dónde venía y, sobre todo, adónde se suponía que debía de acudir tras aquel toque de diana que me hacía aterrizar bruscamente en el mundo. La última pregunta encontró inmediatamente una respuesta. No iba a ir a ningún sitio. El tobillo se me había hinchado espectacularmente, tanto que, observándome ante la luna del armario, no podía dar crédito a lo que estaba contemplando. El pie izquierdo mostraba el aspecto de siempre: delgado, incluso huesudo, tal vez más anguloso que de ordinario. El otro, en cambio, tenía toda la apariencia de una broma. No se podía afirmar que fuera deforme o monstruoso. Aislado, en sí mismo, aquel pie podía resultar perfectamente normal. Era un pie regordete que presagiaba una pierna rechoncha, incluso obesa, seguramente gigantesca. Recordé lo que, según se dice, ocurre con los heridos a los que les ha sido amputado un miembro. Lo siguen notando, les sigue doliendo, de alguna manera el órgano *sigue* allí. A mí me sucedía justamente lo contrario. No podía reconocer aquel apéndice como propio. Intenté sin resultado introducirlo dentro de un calcetín. En aquel momento Julio salió del baño. Duchado, vestido, afeitado. Fresco como una rosa.

–Mira –dije.

El médico del hotel apareció a los cinco minutos. Me untó de crema, hurgó en su maletín hasta dar con un frasco de pastillas rojas, sugirió, en perfecto inglés, que me moviera lo menos posible durante un par de días, y precisó que debía tomar los calmantes cada cuatro horas. Después, inesperadamente, me oprimió el tobillo y yo solté un alarido de dolor. «Cada tres», corrigió. Cuando Julio le acompañó hasta la puerta yo seguía mirando mi pie con incredulidad. ¿Cómo me había podido ocurrir aquel percance? Maldije para mis adentros los excesos de la noche anterior, la idea misma de cenar en el Yacup, la absurda apuesta por alcoholes conocidos, aunque de importación dudosa, en detrimento del inocente, vernáculo e inofensivo raki. Pero sólo acerté a decir: «Anda, déjame uno de tus calcetines». Y me tomé una pastilla roja.

La mañana era tan oscura como un atardecer. Me instalé en el bar, junto a la ventana, rodeada de lápices, cuadernos, libros. Ahora me alegraba de encontrarme allí, con los ojos pegados al cristal, observando a la gente encorvada, aterida de frío, cruzando la calle a toda prisa. O volcada sobre un libro. Intentando leer a la tenue luz de la lamparilla de la mesa. Estaba sola, con excepción del camarero que dormitaba al fondo, tras una barra sin clientes, o el pez que a ratos parecía mirarme desde el interior de un acuario iluminado en el centro mismo de la sala. Era un pez grande, negro, decididamente feo. Lo observé mejor. Era también un pez raro, muy raro. Se hallaba suspendido en la mitad justa del acuario, boqueando. De cuando en cuando, sin embargo, iniciaba un movimiento ascendente, ocultaba el morro, mostraba la panza y entonces se producía un efecto curioso. No sé si todo se debía a la distancia a la que me hallaba –o tal vez eran las branquias, las aletas, las contracciones de sus músculos para bombear el agua–, pero a ratos se diría que el pez dejaba de ser pez –enorme y feo– para convertirse en un rostro grácil, infantil incluso. Un rostro de dibujos animados. Tuve que esperar a la tercera transformación para reconocerlo. «Campanilla.» Sí, aquel terrible pez, de pronto, se convertía en Campanilla. Nunca había visto nada igual y, por un momento, me pregunté si el camarero del fondo, que ahora bostezaba sin disimulo, habría sufrido alguna vez, en una mañana oscura como aquélla, una ilusión parecida. Después ya no me pregunté nada. Ahora era yo la que me había quedado atontada, observándolo, esperando a que se decidiera otra vez a ocultar el morro, a mostrar la panza, a convertirse de nuevo en lo que yo sabía que era capaz de convertirse. El sonido de una campanilla, una campanilla de verdad, me sacó del ensueño. El botones llevaba una pizarra. Leí el número de mi habitación: me llamaban por teléfono.

–¿Cómo estás?

Era Julio. Me hallaba aún algo embotada y tardé un poco en responder.

–Acabo de encontrarme con Flora, en la calle –prosiguió–, y hemos descubierto un restaurante estupendo. Está en Kumkapi, frente al mar. ¿Por qué no pides un taxi y te vienes para aquí?

Miré el calcetín azul, su calcetín azul, lleno de claros, con los puntos tensados al máximo. ¿Era posible que no se hubiera dado cuenta de la magnitud del percance? Dije que prefería descansar.

–Como quieras. Volveré al hotel dentro de un par de horas.

Regresé a la mesa junto a la ventana. Los transeúntes seguían cruzando la calle encorvados y la mañana se había hecho aún más desapacible, más oscura. «Kumkapi», me dije, «Kumkapi.» ¿Se podría distinguir el mar desde aquel restaurante en Kumkapi frente al mar? Miré de nuevo hacia el habitante del acuario –ahora horizontal, inmóvil, en su calidad de pez enorme y feo– y entonces, no sé por qué, pensé en «desproporción», en la tarde anterior, en el vestíbulo, en Flora... Sí, estaba pensando en Flora, o mejor, de pronto me parecía comprender la desproporción de su mirada.

No era una mirada hacia mí, sino hacia adentro, y en resumidas cuentas, aunque apuntara a lo mismo –la evidencia de que Julio estaba con su mujer o con *una* mujer, daba igual, y que esa evidencia la contrariaba–, ahora, si me esforzaba por reconstruir nuestro primer encuentro en el vestíbulo, me parecía apreciar una chispa, cierto fulgor en sus pupilas, un brillo. Quizá tan sólo las secuelas de un brillo. Un destello que se apagaba bruscamente en cuanto me estrechaba la mano, pero que me conducía de inmediato a lo que pudo haber sido antes, momentos atrás, cuando Flora todavía no me había sido presentada como Flora y no era más que una melena oscura sentada en un sillón enfrente de Julio. Sí, yo era una sorpresa. Pero una sorpresa en relación con todo lo que ella debía de haber fabulado en silencio. Y ahora me atrevía a adivinar la primera mirada de aquella mujer, para mí aún anónima, conversando con un hombre con el que parecía encontrarse a gusto. Una mirada luminosa, segura, seductora. La mirada de una mujer con proyectos, con planes, con una feliz idea en mente que mi súbita aparición, mi mera existencia, dejaba sin efecto. Por lo menos sin efecto inmediato... Porque ¿no estaban almorzando tranquilamente en Kumkapi, en un restaurante maravilloso, a orillas del Mármara? Y yo aquí, mientras tanto, contemplando embobada cómo un pez monstruoso se convertía en Campanilla.

Me tomé otra pastilla. El médico había acertado con el tratamiento. Si no miraba hacia el suelo, a ese bulto amorfo envuelto en un calcetín azul, podía llegar a olvidarme de la razón por la que estaba pasando la jornada inmovilizada en el bar. Pedí un club sándwich, saqué *Türkçe Öğreniyoruz* del bolso y lo abrí por la primera página. *Ben, Sen, O, Biz, Siz, Onlar...* Pero Julio y Flora se tomaron su tiempo. Porque cuando aparecieron en el bar era ya de noche, había llegado a la lección seis, sabía contar hasta cien, podía ir de compras y conjugaba, prácticamente sin error, unos cuantos verbos.

–Podríamos cenar aquí, si te parece –dije.

Lo hice en voz baja, señalándole a Julio el calcetín azul. Nunca me ha gustado sentirme enferma o, peor aún, hacer valer mi condición de enferma. Pero estaba claro que no me encontraba con ánimos de caminar por el barro.

–¡Qué horror! –soltó Flora. Y yo, sorprendida, me volví hacia ella–. Sólo pensar en comida...

Escuché impertérrita la relación exhaustiva de los manjares degustados en el restaurante de Kumkapi. Los copiosos postres que el propietario se había empeñado en ofrecerles y que ellos, por cortesía, no tuvieron más remedio que aceptar. Las generosas copitas que siguieron luego en el interior de la vivienda. Su regreso a pie –se encontraban tan pesados que necesitaban caminar, airearse–, la visita a las cisternas que, como por arte de magia, se cruzaron en su camino. Aquí, Julio, entusiasmado, tomó el relevo del discurso. Aquello era un espectáculo gigantesco, inenarrable, lo más impresionante que había visto hasta entonces. Una auténtica catedral sumergida a la que me llevaría en cuanto me hubiera recuperado. No le importaba visitarla por segunda, por tercera vez... Pero Flora –que ahora volvía a tomar la palabra– había oído hablar de otras cisternas, no tan conocidas, unas cisternas de mil y una columnas que tenían la ventaja de encontrarse en el mismo estado en el que fueron redescubiertas. Sin luces, ni música, sin todas esas estupideces. «Exactamente aquí», dijo entonces Julio. «A ver...», murmuró Flora, y los dos, sin dejar de hablar, desaparecieron tras un plano recién desplegado.

Tuve de pronto una sensación parecida a la de la noche anterior. Ellos estaban en otro nivel, en otro ritmo. El ritmo-cisterna había relevado al ritmo-raki, pero el resultado era el mismo. Hacía rato que había encajado la evidencia de que aquella noche iba a cenar sola. Aunque, en aquel momento, ¿no era como si me encontrara sola? «Ya te lo decía yo», murmuró una voz inoportuna. Ellos, ocupados en localizar cisternas, no parecían haber reparado en nada. Pero yo no había movido los labios, el camarero seguía bostezando al fondo, tras la barra, y aquella voz me resultaba al tiempo familiar e irritante, conocida y desconocida. Me acordé de cierto «Mmmmmm», el día anterior, en el vestíbulo, cuando Flora se había perdido ya en la puerta giratoria, y Julio y yo seguíamos sentados en el sofá, bajo las grietas de la bomba. No era quizás un murmullo tan admirativo como creí entonces, ni desde luego procedía de ninguna de las mesas vecinas. El tono de aquel «Mmmmmm» y el sonsonete de lo que acababa de escuchar se parecían sospechosamente. Pero no caí en la tentación de preguntar: «¿Quién eres? ¿De dónde sales?», tal vez porque temía la respuesta. «Los cuarenta años», supe enseguida que podía decirme. «¿De qué te sirve la experiencia acumulada durante cuarenta años?»

–¿Y tú? –oí en un momento en que casi había llegado a convencerme de mi invisibilidad y ya no sabía muy bien con quién estaba hablando. Era Julio. El plano aparecía ahora plegado sobre la mesa–. ¿Qué tal has pasado el día?

Cerré *Türkçe Öğreniyoruz* y señalé hacia el acuario.

–Ese pez horrendo –dije– se transforma a veces en Campanilla.

«Hay cosas que deben emprenderse en soledad.» Eso fue lo que me dije al día siguiente, sentada en el bar, junto a la ventana, en una mañana casi tan oscura como un atardecer. La lección siete se estaba revelando sorprendentemente ardua, espinosa. No sólo me resultaba infranqueable, sino que, de pronto, ponía en tela de juicio todo lo que creía haber aprendido hasta entonces. No me importó. A menudo, con los idiomas, solía pasar lo mismo. Era como si te abrieran una puerta de par en par y luego, sin mediar palabra, te la cerraran en las narices. «Una buena señal», me dije también para darme ánimos. «Ahí está la prueba de que voy avanzando.» Pero hacía ya un buen rato que estaba pensando en otras puertas. En la giratoria por la que había desaparecido Julio de buena mañana y, sobre todo, en la que me aguardaba en el último piso del Pera Palas. Sí, hay cosas que sólo deben emprenderse en soledad.

El ascensor me dejó en mi rellano, pero no me metí en la habitación, sino que aguardé unos segundos y subí a pie hasta el cuarto piso. En la habitación 411 había vivido Agatha. Era una zona abuhardillada, de dormitorios angostos. Algunas habitaciones aparecían abiertas. Sonreí a los chicos de la limpieza y miré con disimulo hacia el interior. La 411 estaba cerrada. Escudada en el rumor de las aspiradoras me agaché y miré por el ojo de la cerradura. El dormitorio estaba a oscuras y no vi absolutamente nada, pero todo llevaba a pensar que era muy parecido a los otros. Un cuarto modesto, con una cama grande bajo el techo inclinado y un escritorio. La historia de que allí, entre aquellas cuatro paredes, se encontraba el secreto de la pretendida desaparición de la escritora no me importaba demasiado. Agatha, en su autobiografía, apenas se refería a esa etapa de su vida en la que creyó perder la razón, ni tampoco, toda una dama, se cebaba en las jugarretas de su primer marido. Ahora me venía a la memoria una frase sabia: «De todas las personas que te pueden fastidiar, el cónyuge es el que está mejor situado para hacerlo». (¿O no era «fastidiar», sino algo más fuerte?, ¿o tampoco se trataba de «el cónyuge»?) En todo caso era una frase sabia, fría, desprovista de resentimiento, tal vez porque tan sólo la pronunciaría de mayor, cuando el estado de confusión en que la había sumido el abandono del coronel Christie quedaba en su lugar, en el espacio, en el tiempo, porque ya Agatha había vivido –estaba viviendo aún– su gran amor con Mallowan, el arqueólogo al que casi doblaba en edad, su segundo marido. Sí, Agatha, desde hacía años, era Agatha Christie Mallowan, una anciana ocurrente, feliz. Y ahora yo la imaginaba, a ella que tanto amaba la vida, condenando a muerte a algunos de sus personajes, inclinada sobre el escritorio con una pluma de ave en la mano, tomándose de vez en cuando un respiro, cavilando entre las mil y una formas de ocultar un cadáver, borrar huellas, crear puertas falsas para despistar a sus lectores. Y de pronto sonreír: «Eso era. Ajá». Y volver a inclinarse sobre el papel, para después consultar el reloj –las cinco menos cuarto– y dudar por un instante entre enterrar, calcinar o descuartizar un cadáver, o arreglarse de una vez, recomponer el peinado y bajar a tomar el té, ignorando que en aquel salón, en que ella no era sino una de las muchas damas inglesas que cada día a las cinco tomaban el té en un servicio de plata, sólo su presencia perduraría. SALÓN AGATHA CHRISTIE. Pero aquella mujer de cabello cano, que ahora yo veía preparando pócimas, descartando venenos, confundiendo a lectores, personajes y policías, no podía ser la misma Agatha que ocupó en aquellos tiempos la 411. La escritora tendría entonces unos treinta y tantos años. Casi como yo. Le oscurecí el cabello, cambié la anacrónica pluma de ave por una estilográfica y la hice pasear por el cuarto angosto. Fuerte, erguida. «Eso era. Ajá.» Pero aquella ensoñación, la nueva Agatha, no resistió más que unos segundos. Enseguida reparé en que la mujer canosa y despeinada no se resignaba a abandonar su escritorio. Ahora escrutaba a la Agatha joven con curiosidad. No parecía muy convencida, pero sí que se estaba divirtiendo. Y, después, parpadeaba ligeramente –¿una mota en el ojo?, ¿una fugaz escena que no deseaba recordar?– y sonreía. Pero ya no miraba al espacio vacío que había dejado la desaparecida. Fue una sensación breve, inexplicable. Agatha, a través de la puerta cerrada, me estaba sonriendo *a mí.*

De regreso al cuarto me tumbé en la cama. Me encontraba a gusto en el hotel, en esa soledad obligada a la que me había conducido un pie deforme al que ya no guardaba ningún rencor. Coloqué el frasco de pastillas rojas sobre la mesilla de noche y consulté el reloj. Las dos y cuarto. Aún faltaba media hora para la próxima dosis. Descansaría un poco, disfrutaría de la maravillosa sensación de hacía unos instantes, dormiría quizá. Puse la alarma a las tres menos veinte y cerré los ojos. Casi enseguida un timbre me despertó sobresaltada. Incrédula miré el despertador. Era el teléfono.

¿Julio, otra vez? O mejor, ¿se trataba de que Julio *otra vez* se había encontrado *por casualidad* con Flora, en el inmenso Estambul y se disponían ahora a almorzar con toda tranquilidad en un restaurante *delicioso*? ¿Se trataba, en fin, de que aquella noche me iba a tocar de nuevo cenar *sola*?

–Hola, ¿cómo estás? –dijo Flora.

Tardé un buen rato en responder. Flora no había mencionado mi nombre. Tal vez porque era innecesario, tal vez porque no lo recordaba.

–Como no te he visto en el bar... –prosiguió–. ¿Qué tal el pie?

–Igual –dije.

–De modo que sigues inmovilizada... ¡Qué mala pata!

No era un chiste fácil, ni siquiera una ironía, una broma. Flora llamaba desde el bar para interesarse cortésmente por mi salud. Le di las gracias. Sin embargo aquel súbito interés por mi salud no acababa de cuadrar con la imagen que me había hecho de Flora. Cuando colgué, miré el calcetín –hoy negro– y la palabra in-mo-vi-li-za-da no pudo sonarme peor.

–Agatha en tu lugar hubiese hecho algo –oí.

Era la voz. Esa voz que surgía de dentro, que era yo y no era yo, que se empeñaba en avisar, sugerir y no aportar, en definitiva, ninguna solución concreta. Pero no tuve tiempo de recriminarle nada. Enseguida, como si alguien en el cuarto hubiera prendido una luz, vi un número salvador, un rótulo parpadeante, al tiempo que mis labios –esa vez sí fueron mis labios– pronunciaban una cifra: «cuarenta y cuatro». Me puse a reír. «Eso era. Ajá.» Porque de pronto recordaba algo, algo sin interés, algo que en cualquier otro momento me hubiera traído sin cuidado. Pero no ahora. Julio –¿cómo podía haberme olvidado?– calzaba un ¡cuarenta y cuatro!

La avenida Istiqlâl me pareció más agradable que de ordinario. O quizás era yo, obligada a caminar a paso lento, quien de pronto se sentía integrada, como un vecino más, un comerciante, un ama de casa que sale de compras. Estambuleña, me dije. Y la terrible palabra, contemplada con horror en guías y manuales, no me pareció ya una equivocación, un despropósito. Porque, en cierta forma, me sentía estambuleña. O mejor, acababa de pasar, sin proponérmelo, de turista a residente, una categoría mucho más cómoda y amable. Llevaba una gabardina hasta los pies y, si no fuera por éstos, los pies, apenas me distinguía de las demás transeúntes. En un momento un niño me tiró del extremo del cinturón. Estaba sentado en el suelo, frente a un tenderete de perfumes y mostraba una pierna deforme. Miré los precios. Eran sorprendentemente bajos, irrisorios. ¿Contrabando? ¿Imitaciones de trastienda? El niño se había quedado detenido en el mocasín de Julio. Luego alzó la vista. La bajó de nuevo hacia el otro, el mocasín izquierdo. Yo le sonreí con ternura. ¿Sabría él que lo mío era meramente transitorio? O, por el contrario, ¿me habría tomado por un igual, alguien acostumbrado, desde su nacimiento, a cargar con la desproporción, con la diferencia? Volví sobre los perfumes y me gustó un nombre: *Egoïste,* de Chanel. No se perdía nada con probar.

A pocos pasos divisé una zapatería. Entré por la sección señoras y salí por la de caballeros. El modelo era casi el mismo. Dos botas de cuero. Un treinta y siete para el pie izquierdo, sección *bayan;* un cuarenta y cuatro para el otro, sección *bay.* Llevaba una gran bolsa con las botas sobrantes y los mocasines dispares, y me la eché al hombro. La luna de un escaparate me devolvió la imagen de un improbable Papá Noel. Paseé por Çiçek, compré un ramo de flores y me detuve ante los puestos de pescado, de frutas, verduras. Me sentía contenta, extrañamente libre. Al llegar al hotel un limpiabotas se precipitó sobre mis pies. Sí, mi calzado recién estrenado acusaba ya las huellas del barro. «Diez mil libras», escuché, y puse el pie derecho sobre la reluciente caja.

–Veinte mil –dijo de pronto.

Aquello no podía ser verdad. ¿Desde cuándo se doblaba un precio después de apalabrado? Ahora el hombre, observando mi sorpresa, componía un significativo gesto con las manos. Una circunferencia cada vez más grande que, estaba claro, pretendía sugerir «extensión». Indignada, retiré el pie. Me sentía una coja congénita, una residente, estambuleña de toda la vida, y aquello me parecía un atropello.

–*Tamam,* diez mil –convino el hombre. Y añadió algo que, me pareció entender, se trataba de una condición, un pacto. Me dijo su nombre: Aziz Kemal. Y él, Aziz Kemal, me limpiaría el calzado cada día.

–*Tamam* –dije yo.

Y di por concluida mi jornada.

Flora, aquella noche, cenó sola en el hotel. Al salir distinguí su perfil entre las mesas del comedor y me pareció pendiente de algo, del reloj tal vez, de nuestra aparición posiblemente. Ahora no me quedaba ya la menor duda del sentido de su amable llamada. Comprobar que me hallaba inmovilizada en la habitación y colegir que, aquella noche, no tendríamos más remedio que cenar en el hotel. No es que me alegrara, pero, menos aún, que me entristeciera. Es más, a decir de la voz, eso estaba bien «Muy, pero que muy bien». Julio, ajeno a mis pensamientos, también parecía contento. «Mañana ya te habrás recuperado. Podríamos ir a Bursa, a Nicea...» Anduvimos por Istiqlâl en dirección a la plaza Taksim. El niño de la pierna deforme seguía allí, sentado en el suelo, al frente de su tenderete de perfumes. Hacía frío y deseé que tuviera una buena noche. El propietario de la zapatería, que ahora bajaba una pesada persiana metálica, me saludó. Muchos de los comercios estaban cerrando. Al llegar a la plaza vi al limpiabotas. Llevaba sus enseres recogidos en la caja reluciente y todo parecía indicar que se hallaba esperando un autobús, el transporte que iba a conducirle a su casa después de una agotadora jornada de trabajo. Trazó una espiral con la mano que parecía recordar: «Mañana». Sí, claro, hasta mañana. «Aziz Kemal», dije como única explicación, con un mal disimulado gesto de orgullo.

Cenamos en un restaurante pequeño, en una de las calles que desembocan en Taksim. Julio se había informado de la mejor manera de llegar hasta Bursa. Además, existía un hotel muy adecuado para mi estado. Sacó un folleto del bolsillo y me mostró unas termas de mármol. «Será como si estuvieras en un balneario. Igual.» Se moría de ganas de viajar. Yo le miré con ternura. Sí, seguramente, mañana ya estaría bien.

–¿Y Flora? –preguntó de pronto–. ¿Has visto a Flora?

En aquel mismo instante, el pie, como si despertara de fármacos y calmantes, empezó a protestar. Saqué un par de pastillas del bolso.

–Me ha parecido verla. Al salir.

–Podríamos haberla invitado –añadió.

Me pregunté por qué. Por qué demonios teníamos que haberla invitado. Pero la voz sugirió: «Prudencia». Tragué las pastillas y bebí un vaso de agua.

–¿Por qué? –pregunté cándidamente.

Ahora era Julio quien parecía sorprendido.

–Por nada en especial. Es una chica agradable, simpática. Y está sola.

Me serví un poco de vino. Tenía que decir algo. Tal vez: «Quizá sí. La verdad, no se me había ocurrido».

–Seguramente le gusta estar sola. Si no, viajaría acompañada, ¿no te parece?

–Viajaba acompañada –dijo Julio ante mi estupor. Y la voz, como siempre, volvió a la carga: «Déjale que hable. Entérate de lo que ella le ha explicado. No estropees esta oportunidad»–. Con un amigo, un novio, en todo caso un auténtico pelma que le estaba dando el viaje. Parece que, por fin, ha logrado quitárselo de encima.

¿Y no sería al revés? Porque, o me hallaba completamente equivocada o la reacción lógica, previsible, razonable, en cuanto alguien se libera de un pelmazo, ¿no es disfrutar a fondo de la recuperada soledad? «Razón de más», podría decir. Pero la voz me había ordenado: «Prudencia».

–Razón de más –dije así y todo.

No había logrado imprimir a mis palabras el tono de despreocupación que me proponía. La oportuna visita del camarero con uno de los platos me impidió reparar en la expresión de Julio. Pero ahora, en ese breve intervalo en que la comida volvía a recuperar su protagonismo, se me presentaba la ocasión de dar el tema por zanjado. No estaba dispuesta a pasarme la noche hablando de los supuestos desplantes de Flora. Por eso, para no hablar de Flora, ataqué directamente el tema de la lección siete.

–Siempre ocurre lo mismo con los idiomas –dije–. Te abren una puerta, te invitan a pasar, te agasajan y regalan como perfectos anfitriones, para luego, en el momento más inesperado y como obedeciendo a un caprichoso cambio de humor, cerrártela en las narices.

Sí, el turco, como todas las lenguas, era un castillo del que no se conocen los planos. Y alguien, desde el castillo, me había tendido un puente levadizo, yo lo había franqueado y ahora, de pronto, me encontraba perdida en el patio de armas. Era, sin embargo, una buena señal. No me cabía la menor duda. Pero lo difícil, el verdadero reto, empezaba ahora. Tenía que hacerme con el manojo de llaves y desvelar los secretos de todas las cerraduras. Me divertí un rato imaginando sótanos, mazmorras, puertas falsas, pasadizos... Cuando me hallaba ya en una de las almenas me pareció que Julio tenía los ojos enrojecidos e intentaba disimular un bostezo.

–¡Ah! –dije de pronto pasando de la almena del turco a los altillos del Palas–, he visto la habitación de Agatha.

Aunque en realidad (aclaré enseguida) no la había visto. Pero sí había podido observar otras, en la misma planta, y me habían parecido bastante modestas. Tanto, que empezaba a pensar –es más, estaba casi segura– que en el cuarto piso no habían vivido ni Agatha ni ninguno de los nombres famosos que se leían en las puertas. Aquella zona, en otros tiempos, debía de haber estado reservada al servicio. Y ahora, sólo ahora, la recuperaban para el público y repartían los nombres al azar. Flora en esto tenía razón. Una forma de mantener el hotel vivo gracias a los muertos.

Julio dijo: «Ah», y llamó al camarero. Yo me quedé mirando la botella vacía de Villa Doluca. ¿Cómo podía haberme permitido rebajar mi encuentro, la extraña sensación de aquella misma tarde frente a la puerta 411? ¿Quién me mandaba hablar de mi incursión en el cuarto piso, y más en aquellos términos? Pero, sobre todo, ¿por qué se me había ocurrido citar a Flora, aunque fuera de pasada, cuando se trataba precisamente de ignorar a Flora?

Me levanté y fui al baño. Tal vez no debía haber mezclado las pastillas rojas con el vino. Me sentía un poco mareada y del grifo del agua fría sólo caía un chorro sin importancia. Abrí el bolso y me hice con el spray de *Egoïste.* Me rocié la nuca, el cuello, las muñecas. El olor era fuerte, penetrante. Un olor de trastienda. Ahora no había duda. Al salir, ya Julio me esperaba en pie, junto a la puerta, con mi abrigo en las manos.

–Se ha puesto a llover –dijo–. He llamado a un taxi.

Subimos al coche. Julio indicó la dirección y luego, al instante, empezó a agitarse desconcertado. Miró hacia la nuca del chófer, las flores de plástico que adornaban el volante, unos muñecos fosforescentes que se balanceaban en todas las direcciones. Empezó a olfatear sin disimulo, como un sabueso. Parecía estupefacto, irritado, ofendido.

–*Egoïste* –dije yo. Y le mostré el frasco.

Julio lo miró con incredulidad.

–Deberías pensar en los demás –gruñó secamente.

Y abrió el cristal de la ventana.

Ninguno de los dos tuvo que esforzarse por convencer al otro porque ambos, desde el principio, estábamos de acuerdo. Él partiría por la mañana. Un taxi hasta la estación, luego un barco hasta Yaloba, luego lo que encontrara, lo que hubiera planeado. Y yo aprovecharía para descansar. Andaría lo indispensable. Me acostaría pronto. Y el sábado me apuntaría a la excursión del hotel. Estaba escrito en recepción. Había excursiones a todas partes y, aunque en condiciones normales me fastidiaran los viajes organizados, ahora se trataba de algo muy distinto. Disfrutaría de las comodidades del autocar para llegar directamente a Bursa. Y, una vez allí, renunciaría a la vuelta, me quedaría con él en el hotel de las termas, de los baños turcos, de los mármoles. Pasearíamos por el bazar. O seguiríamos juntos a Nicea.

Era un plan a la medida. A nuestra medida. Le acompañé hasta la calle, le prometí que descansaría. Se le veía feliz, alegre. Yo también lo estaba. Las cosas –o así me pareció entonces– empezaban a recobrar su ritmo.

–Coche no bueno –dijo Aziz embadurnándome de betún y cuando ya el taxi de Julio desaparecía calle abajo–. Primo de Aziz Kemal taxi bueno. *No problem.* Faruk (primo Aziz Kemal) aquí, *hotelda, saat* once, buscar Madame.

–*Tamam* –dije ante mi sorpresa. Y aún alcancé a despedir a Julio con la mano–. De acuerdo.

Porque ¿no era estupenda la solución que me ofrecía el limpiabotas? Un coche a mi disposición, la posibilidad de desplazarme por Estambul sin faltar a mi promesa de descanso. Sí, las cosas estaban recobrando su ritmo. Mejorándolo, incluso. Pagué el importe del pacto y me fui al bar.

Pero quedaba Flora (Flora otra vez, ¡qué pesadita!). Y era curioso. Con Julio camino de Bursa había llegado a olvidarme completamente de su existencia.

–¿Y Julio? –preguntó.

Me había abordado frente al acuario del pez-Campanilla y ahora preguntaba: «¿Y Julio?», con un tono de despreocupación total, como si la cosa más normal del mundo fuera ésta. Interesarse por el marido de una mujer inmovilizada –o así creía ella– frente a la pecera de un bar.

–Ha ido a Ankara –repuse amablemente.

–Oh –dijo.

Me tomé una pastilla. Flora a mi lado me miraba, o así me pareció, con curiosidad, tal vez con desconfianza. Me sentí infantilmente feliz. Después de todo, ¿estaba obligada a decir la verdad? ¿Debía tenerla al tanto de los movimientos de Julio? ¿Por qué no podía situarlo en el este cuando, en realidad, se estaba encaminando hacia el sur?

–Vaya –murmuró. Y se encogió de hombros.

Aquello sonaba a despedida. Me concentré en el habitante del acuario. Era obvio que Flora no tenía nada que hacer allí, junto a una mujer pendiente de las reacciones de un pez que hoy se revelaba tediosamente amodorrado. Golpeé suavemente el cristal. El pez no se movió un milímetro. Pero entonces... lo vi.

Fue un reflejo que me devolvió el cristal, unos labios fruncidos, una expresión desmadejada, insulsa. Un abatimiento, digamos, que en sí mismo no tendría nada de sorprendente si no fuera porque distaba años luz de la indiferencia con la que acababa de encogerse de hombros y decir «Vaya» o la altivez con la que momentos antes había murmurado «Oh». La miré sin disimulo, casi con descaro. Flora, en un movimiento rápido, intentó, ¿cómo diría yo?, recomponerse. Pero ya la había descubierto. El perfil, ¡su perfil! Flora poseía un perfil hermoso, definitivo, contundente. La elegancia de sus rasgos, la perfección de sus facciones, quedaban, sin embargo, desmentidas en cuanto alguien, como yo ahora, la sorprendía de cara, de frente. Rodeé la pecera fingiendo observar el pez-Campanilla, pero ella, inmediatamente, hizo lo mismo en sentido contrario. Después se fue. No recuerdo si se despidió, si dijo «Hasta luego» o si no lo consideró necesario. Faltaban aún un par de horas para mi paseo con Faruk. *El enigma de un rostro,* murmuré. Y, como no tenía nada mejor que hacer, me dispuse a estudiar el perfil de Flora *¿Flora Perkins?, ¿Flora Smart?...* Ya tendría tiempo de encontrarle un título.

Hay personas que son bellas siempre. Otras, sólo a ratos. Algunas, en contadas ocasiones. Únicamente cuando se sienten relajadas, descansadas, felices. Aunque tampoco este último extremo debería ser tomado al pie de la letra. Ahora recordaba de pronto a ciertos amigos, ciertas amigas, en los que el cuerpo se empeñaba en contradecir al alma. Que se crecían, estéticamente hablando, en la dificultad, en los problemas. Que se abandonaban y descuidaban en la bonanza. Pero todo esto me apartaba de mi objetivo. A la voz, y a mí también, nos divertía el juego. «Dejémonos de preámbulos», escuché. «Al grano.»

Porque el caso de Flora, si no único, sí por lo menos parecía peculiar. Tanto que, ahora, contemplando las oscilaciones del pez-Campanilla, empezaba a sospechar que me había precipitado en algunos juicios. Tal vez la rareza que se desprendía de Flora, aquel no-sé-qué que me había provocado una irreversible tirria, los cambios bruscos de expresión que yo, ingenuamente, había atribuido a la existencia de oscuros proyectos, no eran más que el resultado previsible de un rostro sabedor de los encantos de un perfil y empeñado (ejercitado, entrenado) en mantenerlo a cualquier precio. Sí, ésta era la habilidad de Flora. Hasta el punto de que –una simple hipótesis– si Flora cometiese un asesinato, el crimen se realizara en presencia de testigos y éstos se encontraran distribuidos en distintos lugares de la misma habitación, ¿se podría, con sus declaraciones, construir un retrato-robot fiable? No estaba claro. Porque, pongamos por caso, los testigos que la hubieran visto de perfil, clavando un puñal (sí, sabía que Agatha prefería el veneno, pero a mí ahora me convenía un puñal) en el cuerpo de su víctima, ¿no la describirían como una hermosa mujer clavando un puñal? Una mujer extraña, fascinante, bella. Pero ¿y los otros? La propia víctima, en el caso de que pudiera aún hablar, ¿sería capaz de encontrar el dato, la singularidad, el detalle con el que se lograra identificar a la asesina? «Una mujer sin rasgos precisos. Anodina.» Pero ¿era Flora una mujer anodina? No, no lo era. Y lo más seguro es que en un momento como aquél, el momento conciso e importante de cometer su crimen, momento en el que se necesita, supongo, de la máxima concentración y empeño, no dejara, llevada por la costumbre, de alternar rápidos movimientos cara-perfil, perfil-cara, sumiendo en la más absoluta confusión a los hipotéticos testigos e incluso a la propia víctima. Porque nadie que la hubiera visto sólo unas cuantas veces se vería capaz de describirla. Es más, hasta la policía, habituada a disfraces, transformaciones, buena fisonomista como es de suponer, tardaría algo más de lo razonable en unir aquel perfil altivo con la cara desmadejada. Y aun después, cuando obtuvieran la ficha completa de la delincuente, por las calles de Estambul aparecieran carteles y bajo un gran SE BUSCA un par de fotografías de la forajida, no conseguirían otra cosa que confundir de nuevo a la ciudadanía. Porque para la identificación de Flora se necesitaba poseer un profundo conocimiento de las artes gráficas, penetrar los secretos de las representaciones dinámicas, de las simbiosis entre cara y perfil –con preponderancia de éste–, acudir al recuerdo de ciertas postales, ciertas láminas en las que el tramado, con tal de que el observador se moviera un poco, producía un efecto sorprendente. Una mujer que, de pronto, nos guiña un ojo. Un hombre que se convierte en mujer. Un león en tigre. Sí, el león, por ejemplo, deja de ser león para adquirir los rasgos del tigre. Pero hay un momento, un instante acaso, en que se vislumbra un león-tigre. Y ése era el punto. Preciso, indefinible. La fracción de segundo, total, reveladora, que si me esforzaba por concentrarme en el acuario, quizá lograría detener en el pez-Campanilla. Porque, ya desvelado el misterio de Flora, volvía con renovada curiosidad a mi pez. Pero aquella mañana –y de un momento a otro iban a dar las once– el habitante del acuario no quiso transformarse una sola vez en Campanilla.

Faruk se presentó a las once en punto. Era un hombre bajo, extremadamente bajo y corpulento, con un poblado bigote. Su coche, el «taxi bueno» que me había prometido Aziz Kemal, parecía salido de un desguace, un condenado a muerte a quien en el último momento le ha llegado el indulto. Hice como que no veía la mirada de estupor que le dirigía el portero y, una vez dentro, apalabramos un precio que me pareció justo y a él también, con lo cual, supuse, debía de ser directamente abusivo. Faruk parecía hombre de pocas palabras. Me preguntó adónde debía conducirme, en inglés, y yo le respondí que a la iglesia de Salvador de Jora, en turco. En esto fundamentalmente consistieron nuestras relaciones. Me llevó al palacio de los Commenos, a la muralla de Teodosio, a la mezquita de Mustafá Pachá, a la de Solimán, a la pequeña Santa Sofía. Me ayudaba a calzarme y descalzarme. Yo apenas caminaba, tan sólo en el interior de las iglesias, mezquitas o museos, cenaba pronto y me acostaba enseguida. Al segundo día, aunque seguía por comodidad usando el juego de botas, me encontraba ya restablecida y me despedí de Faruk. Él parecía contento de nuestro trato. Siempre que le necesitara no tenía más que decírselo a Aziz Kemal. «*Tamam,* Faruk. *Tamam...*» En aquel momento se puso a nevar.

–Lo siento –dijo el encargado de excursiones–, no hay plazas para Bursa.

Al principio me negué a creer lo que estaba escuchando. Me había informado en aquel mismo mostrador hacía dos días. Me habían dicho que en esta época, temporada baja, con frío, niebla, lluvia –y ahora, para colmo, nieve–, viajaba poca gente, muy poca.

–Tan poca –aclaró el empleado– que hemos tenido que suprimir el autocar. Del hotel saldrá un minibús. Y está completo.

Pensé en Faruk, en la posibilidad de utilizar su cacharro, pero al acto me vi a mí misma fumando un cigarrillo y a su poblado bigote pendiente del humo ante un capot abierto. Pensé en el trayecto normal. Un barco hasta Yaloba, en Yaloba un autobús. Después ya no pensé en nada.

–Completo –repitió el hombre cabeceando frente a una lista–. No se ha producido ninguna cancelación.

Era un gesto de desconfianza, no lo ignoraba. Pero me hice con el papel, recorrí nerviosamente la lista de pasajeros y me encontré con que la última reserva estaba a nombre de FLORA.

Visité las cisternas. Las del Palacio Sumergido y las de Las Mil y Una Columnas. Volví a Topkapi, al Harem, a Santa Sofía, a la Mezquita Azul, al Gran Bazar. Había dejado de nevar y de nuevo la niebla se señoreaba de una ciudad empeñada en mostrarse con intermitencias. ¿Existía Estambul? ¿Me hallaba yo en Estambul? Pero estas preguntas no eran más que el eco de otras. El recuerdo de una deliciosa sensación de irrealidad. De aquellos días en que Julio y yo descubríamos fascinados una ciudad de siluetas y a mí me gustaba creer que nos hallábamos en la garita de un gran mago, accionando resortes misteriosos, iluminando escenarios secretos, presenciando, en fin, actos del pasado detenidos milagrosamente en el tiempo. Pero Faruk era real, tremendamente real. Y además me había tomado confianza –a ratos parecía que incluso cariño– y, como si cayera en la cuenta de que su inglés era muy precario y decidiendo con precipitación que yo entendía turco, ahora no paraba de hablar. Hablaba y hablaba. Hablaba por los codos (en turco) y yo me limitaba a asentir, a decir *«Evet»*, *«Kepi»*, *«Tamam»*, mientras, acomodada en el interior de su cacharro, me adormecía ante los largos parlamentos de los que no captaba más que algunas frases sueltas y una insistente cantinela. Istambul, Barcelona, Barcelona, Istambul... Barcelona era buena. Y Hassan Bey, sobre todo Hassan Bey. Por un momento pensé que hablaba de fútbol (con el mejor de mis ánimos dije: «Galatasaray») y supuse que Hassan Bey debía de ser un jugador excepcional. Y entonces él se tocaba la pierna (sí, no había duda, estábamos hablando de fútbol) y volvía a repetir: «Barcelona». Y luego: «Hassan Bey».

Uno de aquellos días me presentó a su madre. Vivían en Besiktas, a varios kilómetros del centro. La buena mujer me ofreció un té y me dio las gracias repetidas veces. Me hallaba algo confundida. ¿No era yo quien debía decir *«Teşekkur»*? ¿Por qué me agradecía tanto el que yo aceptara su té? ¿Por qué asentía gozosa cuando Faruk volvía a mencionar a Hassan Bey? ¿Le gustaba también el fútbol a la madre de Faruk? ¿Y por qué Faruk, en presencia de su madre, se palpaba la pierna en la forma acostumbrada y después, ante mi asombro, se levantaba la manga de la camisa y me enseñaba un bíceps?

–Esto te pasa por entrar tan fácilmente en los idiomas –dijo la voz.

Pero ya no era la voz de los cuarenta años, sino la mía, la de siempre. O tal vez las dos voces, igualmente amodorradas y perplejas, que acababan de fundirse en una sola.

–Por entrar y abandonar enseguida. Venga, haz un esfuerzo. Acude al diccionario. Intenta que Faruk vuelva a su olvidado inglés, que no es peor que tu turco.

Así hice. Pero en el largo recorrido de vuelta al hotel sólo logré recomponer parte de aquel absurdo rompecabezas. Hassan Bey no era un futbolista, sino el tío de Faruk, el hermano mayor de su madre. Tenía una agencia de viajes. Organizaba excursiones, tramitaba billetes (entonces me pareció entender aquel Istambul-Barcelona, Barcelona-Istambul), cambiaba fechas, *no problem.* Para Hassan Bey, por lo visto, nada era *problem.* Pero yo me hallaba exhausta. Repetí tres veces que ya tenía billete y le rogué que me dejara en el hotel. Al llegar, en la misma puerta, me encontré con Julio.

–¡Qué alegría! –dije.

Y, olvidándome de Faruk, me lancé a sus brazos.

No sé cómo empezó todo. Cómo, después del abrazo, de los besos, de la alegría por encontrarnos (cualquiera, al vernos, hubiera pensado en una ausencia de meses o años), de escuchar, ya en el cuarto, el relato de su pequeño viaje, las palabras, de pronto, empezaron a girar sobre sí mismas. Porque lo cierto es que nos sentíamos felices. Muy felices. Yo abría con ilusión el paquete que, sonriendo, me tendía Julio –un albornoz de Bursa– y me enteraba, también sonriendo, de la razón por la que los albornoces de Bursa tenían fama de contarse entre los mejores del mundo. Un sultán sibarita que deseaba lo más dulce y exquisito para su cuerpo. Y tal vez todo estuvo ahí. En ese pequeño detalle. En el sultán refinado envuelto en suaves toallas a la salida del baño. Porque esta placentera anécdota no parecía, a primera vista, muy propia de Julio (más bien se diría surgida de un manual, de una guía turística, o escuchada de algún usuario de curiosidades turísticas). Pero fue sólo un flash, un destello impertinente. Enseguida me probé el albornoz, comprobé admirada la suavidad del tejido y, más admirada aún, el hecho de que Julio, como rara excepción, hubiese acertado exactamente mis medidas. Y debió de ser entonces cuando reparé –y ahora era más que un destello– no tanto en lo que escuchaba como en lo que no escuchaba. Porque todo lo que durante aquellos días había intentado acallar resurgía de pronto. Y fue como si por unos instantes yo no me hallara allí, en el cuarto Sarah Bernhardt, felizmente envuelta en un albornoz de Bursa, sino en el mostrador del vestíbulo, asistiendo indefensa al cierre de la portezuela de un minibús que tenía que conducirme a Bursa.

–Ha sido una lástima que no pudieras venir –decía ahora Julio. Parecía cansado. Acababa de quitarse los zapatos y se tumbaba en la cama. Pero entonces –Dios mío, cómo se me pudo ocurrir– yo me eché a su lado y me puse a hablar.

–Flora se me adelantó –dije.

Mi voz había sonado despreocupada, tranquila, pero supe enseguida que acababa de delatarme y el silencio que ahora reinaba en la habitación no presagiaba más que una catástrofe. Porque muy bien (pero eso se me ocurría demasiado tarde) podía haber dicho: «¿A que no sabes lo que pasó? Cuando fui a sacar el billete me encontré con que...». O quizás: «Una cuestión de mala suerte. Por cierto, ¿has visto a...?». Pero de todos los caminos posibles había escogido el peor.

–Dioses –dijo Julio entre dientes. Y se puso en pie–. Ya sabía yo que te pasaba algo.

Sabía, por ejemplo, que un nubarrón tenebroso, siniestro y, sobre todo, absurdo, rondaba por mi mente. Lo había notado en Estambul, pero luego, en Bursa, cuando se encontró con Flora –porque sí, en efecto, se había encontrado con Flora, pero ¿tenía eso algo de inconfesable?–, ella fue la primera en sorprenderse. «Te hacía en Ankara», había exclamado admirada. Porque yo, es decir, su mujer –y ahora le encantaría comprender qué misteriosos mecanismos mentales me habían conducido a decir lo que dije–, le había asegurado, con toda tranquilidad, que él estaba en Ankara. Por eso, porque mi actitud le parecía extraña, sospechosa, se había abstenido de nombrar a Flora. Y ahora venía la traca final: después de situarle caprichosamente en Ankara –ve a saber por qué, no conseguía explicárselo– no se me ocurría nada mejor que atribuir una oscura intencionalidad a Flora y a su excursión a Bursa. ¿En qué quedábamos? ¿No estaba él en Ankara? Le había dado el viaje. Sabía que le iba a dar el viaje.

–Me has dado el viaje –concluyó.

Pero yo no tenía la culpa. ¿Cómo hablarle de esa voz que me había obligado a ponerme en guardia? ¿Cómo decirle que a veces existe un sexto sentido al que nos es imposible desoír? ¿Cómo podía yo –y ahora le mostraba mi recuperado pie derecho– adivinar que me iba a torcer el tobillo en el momento más inesperado? Nadie está libre de un imprevisto molesto. Y eso era lo que me había ocurrido a mí. Un accidente.

–¿Accidente? –ahora Julio paseaba a grandes zancadas por la habitación–. Te empeñaste en beber whisky tras whisky, nos soltaste un rollo descomunal sobre Patricia Highsmith...

–Christie –protesté.

Pero Julio, me di cuenta enseguida, lo había dicho a propósito.

–El resto te lo has pasado dopada con esas tremendas pastillas rojas y con cara de imbécil. Moviéndote por la ciudad seguida de una corte de los milagros, empeñada en chapurrear un idioma que desconoces, en usar un perfume pestilente. Y encima, lo que faltaba, un ataque de celos.

Julio tenía razón. Probablemente tenía razón. Por un momento me avergoncé de mi conducta, de mis dudas, de mis pensamientos. Pero una palabra lleva a otra, y la otra te devuelve a la primera. Y él había dicho: «Nos soltaste un rollo». Y aunque ahora encendiera un cigarrillo y me asegurara –recalcando que no tenía obligación alguna, que lo hacía únicamente para dejar las cosas claras– que nada había ocurrido entre ellos dos, nada de lo que pudiera aventurar mi imaginación enferma, su intervención, lejos de tranquilizarme, me ofendió. Ellos eran *dos*. Y yo, la *enferma*, les había dado la noche.

–No ha ocurrido –dije–, pero ocurrirá.

Julio parecía fuera de sí.

–¡Un oráculo! ¡Mi mujer es un oráculo! ¿Cómo se puede vivir con un oráculo?

Tenía razón, toda la razón. Pero, al cabo de un rato, dejó de tenerla. Porque si las palabras llevan a otras palabras, unos gritos a otros gritos y unas inculpaciones a otras, ahora ya no podía asegurar en qué tiempo nos hallábamos. Si estábamos realmente allí, en la habitación Sarah Bernhardt, en un hotel conocido como Pera Palas, en una ciudad que respondía al nombre de Estambul, o si acabábamos de franquear el umbral del propio infierno. ¿Existía Estambul? ¿O no era nada más ni nada menos que un espacio sin límites que todos, en algún momento, llevábamos en la espalda, pegado como una mochila? ¿Era Estambul un castigo o un premio? ¿O se trataba únicamente de un eco? Un eco distinto para cada uno de nosotros que no hacía más que enfrentarnos a nuestras vidas. No llegué a ninguna conclusión. En aquel espacio impreciso desfilaron antiguas historias, viejas reyertas, episodios olvidados. Julio me insultó, yo provoqué que me insultara. Y, al final, terriblemente dolida, ofendida y deshecha, no podría haber asegurado con fiabilidad por qué me hallaba tan ofendida, tan dolida, tan deshecha. Flora, Bursa y la voz de mis cuarenta años quedaban ahora demasiado lejos.

En un momento oí que Julio se maldecía a media voz por haberme hecho caso en aquella ocasión, por haber aceptado un billete de ida y vuelta, un pasaje incanjeable, intransferible. «¡Un billete cerrado!», decía. Y, aunque no alcancé a escuchar nada más, supe inmediatamente lo que estaba pensando. Un billete cerrado que le obligaba al suplicio de permanecer conmigo durante cuatro largos días.

–Hassan Bey –dije.

Pero no me molesté en explicar que Hassan Bey era el tío de Faruk, que Faruk era el primo de Aziz Kemal, y Aziz Kemal el limpiabotas con el que había sellado un pacto. Me quité el albornoz de Bursa, el invento del exquisito sultán tan cuidadoso de su piel, tan amante de los placeres. Y me puse la gabardina de Barcelona.

Pero ahora estaba allí. La fiesta había concluido y yo estaba allí, derrumbada en el asiento de un Boeing 747, abrochándome el cinturón, asistiendo embelesada –como si aquello fuera lo más importante, lo único– a las evoluciones de la azafata que, como en un ballet, mostraba delicadamente las salidas de emergencia, una a la derecha, otra a la izquierda, simulaba inflar un chaleco salvavidas, primero a la izquierda, luego a la derecha, desaparecía con una sonrisa tras la máscara de oxígeno, señalaba con unas uñas larguísimas los armaritos superiores de los que, en su caso, surgirían máscaras semejantes para todos y cada uno de nosotros. Me hubiera gustado que su representación no terminara nunca. Que aquellas manos cuidadas, rematadas por uñas larguísimas, no dejaran de formar figuras en el aire. Primero a la derecha, luego a la izquierda. Pero ya la azafata, etérea, volátil, imposible, se empeñaba en devolverme bruscamente a la realidad. Porque en un santiamén se despojaba del chaleco y de la sonrisa, adquiría una mirada hosca, un porte militar, y yo, indefensa, me refugiaba en la ventanilla, en unas brumas que me recordaban a mí misma, al sueño embarullado del que dentro de muy poco me vería obligada a despertar. Estambul a mis pies. Y yo volando a una altura de nueve mil metros.

¿Cómo podía haber sido tan imbécil para estropearlo todo? Porque ahora, una vez alcanzado mi objetivo, una vez sentada en el avión que me devolvía a Barcelona, ya no quedaba en mí el menor rastro de la sorprendente energía de la que había hecho gala durante todo el día anterior. Y en nada me parecía a aquella mujer admirable, dinámica. Haciendo maletas, moviendo resortes, buscando a Aziz Kemal, encontrándose de nuevo con Faruk, visitando a Hassan Bey. *No problem.* Nada, para Hassan Bey, era *problem.* Pero yo, ¿quién era yo? Una pasajera abatida que se sentía estúpida y culpable, que asumía enteramente la responsabilidad de un fracaso, que de repente veía a Julio como una víctima inocente de su imaginación, de su estulticia. Como si sus palabras, la escena insoportable en la Sarah Bernhardt –todas las escenas insoportables que habían cobrado vida en la Sarah Bernhardt–, quedaran muy lejos, yo rememoraba a un Julio indefenso, querido, un Julio que –¿y fui yo quien lo pensó?– tal vez no existía más que en mi imaginación, en un amor que ahora le otorgaba sin límites, en la terrible y fatal seguridad de que lo había perdido. Pero ¿era Julio así? Además, ¿lo había perdido? Y sobre todo, ¿dónde estaba la voz, esa grave e impertinente voz que asomaba de pronto, desaparecía en cuanto le daba la gana y volvía a hacer acto de presencia en el momento más inoportuno? Para fastidiar. Única y exclusivamente para fastidiar. Porque si esa voz prepotente, esa supuesta sabiduría de los cuarenta años, sólo servía para obligarme a actuar como una imbécil, mejor que no hubiera despertado nunca. Evoqué sus intervenciones una a una, el empeño diabólico de mantenerme en guardia, de convertir en definitivo lo que, según todas las apariencias, se presagiaba sólo como posible. Y ahora, ¿por qué no intervenía ahora, cuando me encontraba sola y abatida en el vuelo que me devolvía a Barcelona? La imaginé agazapada, en el asiento trasero, en la cabina, quizá junto a mí, en el lugar libre que quedaba entre mi butaca-ventanilla y la butaca-pasillo ocupada por un pasajero de mediana edad que, a ratos –¡también él!–, me dirigía miradas impertinentes, sorprendidas. ¿Notaría en mi expresión la batalla que libraba en aquellos momentos con la voz? ¿La apuesta por la ignorancia aun a sabiendas de que tampoco me quedaba contenta con la ignorancia? Pero la ignorancia, me decía, posee enormes virtudes. La de llevarte a actuar como si nada ocurriera. El ignorante es, a su manera, invencible. Nada puede contra un ignorante. Porque, en aquel momento, mi enemiga era la voz. Ojeé con voracidad el folleto para casos de emergencia y dudé entre un drástico abandono en paracaídas o un deslizamiento en una colchoneta hinchable. Me incliné por la última posibilidad. Sí, así la facturaba yo. Descalza, con una figura tan imprecisa como la del dibujo, moderadamente ridícula, claramente segura. «Adiós», dije (creo que lo dije en voz alta). Pero ella –y eso me sorprendió– no protestó, no dijo nada, no soltó una sentencia, una amenaza, un juicio. ¿Me había liberado realmente de la voz?

Abrí mecánicamente el bolso, saqué una cajetilla de cigarrillos y me hice con un sobre que me había dado Faruk en el aeropuerto. El buen Faruk, mi compañero fiel de los últimos días, mi único interlocutor, aunque poco entendiera de todo lo que con tanta vehemencia intentaba comunicarme. Vi unas postales, unos folletos, propaganda de la agencia de su tío Hassan. En aquel momento el sobrecargo indicaba a través del altavoz que dejábamos atrás el mal tiempo y dentro de muy poco, a nuestra izquierda, aparecería la península Calcídica. «Los tres tentáculos de la península Calcídica.» Mi ventanilla estaba situada a la izquierda. Vi cómo las brumas se disipaban y de pronto surgió el sol. Fue un espectáculo prodigioso que, sin embargo, no duró más que algunos segundos. Porque la visión del monte Athos o la silueta lejana del Olimpo dejaron paso rápidamente al Cuerno de Oro de aquel Estambul que ya quedaba lejos. Y ahora yo lo disfrutaba en toda su luminosidad, su esplendor. ¡El Cuerno de Oro! Y ahí estaba Julio, asistiendo fascinado a lo que durante tantos días se nos había negado. El sol, el Cuerno de Oro. Y a su lado Flora, de perfil, probablemente más feliz aún –al fin y al cabo, ¿había algo inconfesable entre ellos?–, porque de todas las nubes que se habían cernido hasta entonces sobre la ciudad, la peor de ellas –el nubarrón negro y siniestro– había tenido que adelantar inopinadamente su regreso. ¿A causa del pie? Sí, eso era lo que Julio, tan celoso de su intimidad, le habría comunicado. Tan educado, tan caballeroso. ¿Cómo hacer partícipe a Flora de algo en lo que ella, pobre, no había intervenido? Y hasta mi pie, ahora perfectamente recuperado, se revolvió inquieto dentro de una bota a su medida. Porque Flora y Julio, desde lo alto, formaban –debía reconocerlo– una buena pareja.

«Ya lo ves, Agatha. Ya lo ves.» No había tenido tiempo de despedirme. Ni un rato perdido para pasearme por el cuarto piso, acariciar el picaporte de su habitación o mirar a través de la cerradura. «Oh Agatha», repetí (pero, esta vez, estoy casi segura de que las palabras trascendieron el pensamiento). ¿Por qué hice mías sus angustias, el momento en que el mundo se le vino abajo, quién sabe qué locuras cometió y de cuyo secreto el hotel aseguraba poseer la clave?

¿Cómo me atreví a sugerirle siquiera el título de una de sus ya imposibles obras? Pero no era *El perfil de Flora Smart* –o *Flora Perkins* o *El enigma de un rostro*–, mi osadía, en fin, lo que ahora me preocupaba. Sino esa complicidad establecida a través de la puerta cerrada. Una comunión hermosa, no había duda. Aunque por mi parte, ¿no se trataba de un presagio? ¿De un deseo oculto de adelantar acontecimientos? Ella, Agatha, había asumido ya lo que, desde la madurez, no era más que un bache, un feliz paso en falso que le conducía paradójicamente a una felicidad impensada. Sí, yo le podía haber hablado del coronel Christie, pero la Agatha joven se había esfumado de inmediato. Y ahí quedaba ella. Agatha madura, Agatha Christie Mallowan, para quien todo lo demás era ya historia. En cambio yo, atenta a su pasado, había descuidado mi presente. Porque ¿quién era yo? Una pasajera anodina que regresaba a Barcelona con el siguiente inventario: un frasco en el que bailoteaba la última pastilla roja, unas botas inservibles del cuarenta y cuatro, un manual de turco –del que ahora, incluso, me costaba recordar el nombre– y el sobre que el buen Faruk me había entregado en el aeropuerto. Volví sobre las postales, sobre los prospectos. Y entonces vi la fotografía.

Era una instantánea vieja, amarilleada por el tiempo, desenganchada de quién sabe qué pared, quién sabe qué armario. En los cuatro extremos se veía claramente la huella de una chincheta, un clavo. Pero lo que se representaba en ella fue lo que durante un buen rato me dejó suspensa. Allí estaba Faruk, no había duda de que era él, un poco más joven, con el mismo bigote, el mostacho que a lo largo de aquellos días había llegado a hacérseme familiar, pero ahora no me llegaba a través del retrovisor del auto –bien peinado, cepillado, fiel a su estilo–, sino que estaba frente a mí, ligeramente retorcido por el dolor, el esfuerzo, como un telón a medio alzar por el que asomaban unos dientecillos inesperadamente minúsculos, afilados. Faruk vestía únicamente un slip deportivo y se hallaba en cuclillas, con los músculos en tensión, una pierna algo más avanzada que la otra, los brazos a la altura de la cabeza sujetando una barra rematada por dos discos. No pude menos que sonreír. Ahí estaba la explicación de su constante interés por golpearse la pantorrilla, por indicarme la fortaleza de sus piernas (que ahora, por cierto, descubría velludas), dos auténticas columnas macizas y chatas que le permitían levantar pesos por encima de su tronco. Pesos pesados, no había duda. Y enseguida veía que el curioso rictus que componían el bigote despeinado y los dientecillos que tímidamente asomaban no era sólo cuestión de esfuerzo, sino de triunfo. Porque aquélla era una fotografía triunfal. Faruk era o había sido un grande en la halterofilia. «Ajá. Conque era eso.» Y durante sus parlamentos interminables (a los que me adhería con un «sí», un «claro», un «de acuerdo»), durante la breve exhibición de uno de sus bíceps o el constante empeño por golpearse las pantorrillas, aquel buen hombre no pretendía otra cosa que informarme de pasadas glorias, tal vez del proyecto de reanudar su carrera de levantador de pesos. Y ahora volvía a los cuatro agujeritos, las cuatro huellas de una chincheta, de un clavo, y pensaba que Faruk la había desenganchado de una pared, de un armario. Pero también que se había desprendido de un tesoro y, a su manera, me estaba ofreciendo lo mejor de sí mismo.

¿O había algo más? Sí, naturalmente que había algo más. Porque en una esquina, junto al agujerito de la chincheta o del clavo, podía leer mi nombre y a continuación una frase escrita en letra de imprenta que finalizaba en *Barcelonada*. Y, aunque seguía ignorando qué era exactamente lo que había corroborado con mis corteses muestras de interés, no necesitaba acudir al embrollo de la lección siete para comprender el mensaje. «Hasta pronto, muy pronto, en Barcelona.»

Y ahora sí me quedé confundida, deshecha. «Agatha», murmuré. «Dios mío, Agatha.» Y no me importó que el pasajero de mi fila, el ocupante del asiento-pasillo, me dirigiera de nuevo una mirada nerviosa. Porque ella no me había abandonado. Seguía en su cuarto, en la habitación 411, sin moverse de su escritorio, inclinada sobre la fotografía. Y, de vez en cuando, me miraba a mí. Y ahora me parecía que sus ojos adquirían una luminosidad súbita, que sus labios se contraían y poco después rompía a reír. Y yo también reía. Porque todo aquel enredo de pronto se me antojaba absurdo, imposible. Y entonces oí: «Aventura». Pero sólo durante unos segundos puse en duda lo que acababa de escuchar. ¿Había sido Agatha quien había hablado? ¿Quien, por primera vez, tomaba la palabra e insinuaba la posibilidad de una aventura con Faruk? No, no era eso, claro que no era eso. «Aventura. La vida no es más que una aventura. Asume los hechos. Asúmete. Y empieza a vivir.» Agatha no había movido los labios. Es más, parecía sorprendida, interesada, asintiendo con un cabeceo comprensivo, sabio. ¿Se trataba entonces de la voz que, fiel a su cometido, volvía a la carga? Sí, aquella frase tenía el estilo, el sello, la impronta característica de la voz. Pero tampoco debía de ser exactamente así. La mirada del caballero, a mi derecha, me hizo comprender que había sido yo y sólo yo quien estaba hablando de asunciones y aventuras. Y enseguida entendí que no me había librado de la voz con la ingenua estratagema de evacuarla en una imaginaria colchoneta hinchable, no porque se mostrara renuente o tozuda, sino simplemente –y así debía, quería asumirlo– porque la voz formaba ya parte de mí misma.

Saqué el frasco de *Egoïste* y me rocié con generosidad. Empecé por el cuello, seguí con el cabello, terminé con las muñecas. Los aromas poseen la virtud de actualizar el recuerdo, de atravesar fronteras, de desafiar las leyes del espacio y del tiempo. Y me reviví en el balcón del hotel, semidesnuda, contemplando una ciudad de sombras, paseando por Istiqlâl y sonriendo al chico de la pierna deforme, en el bar del hotel asistiendo a las transformaciones del pez-Campanilla, escribiendo con la mente capítulos de una novela imposible, perdida en el patio de armas de una lengua que se me había revelado como un castillo, aceptando los tés que la madre de Faruk me ofrecía complacida... Y ahora finalmente allí, sola (hacía rato que el caballero de mi derecha se había cambiado de fila), ocupando echada los tres asientos (como en una *chaise-longue,* el diván de la favorita de Topkapi, una otomana), escuchando un lejano «Mmmmmm...». Un murmullo que tenía algo de homenaje. No sé si a Julio, a Flora o a mí misma. Un susurro que indicaba claramente: «¡Despierta!», y al que de momento, la verdad, no pensaba hacer el menor caso. Me encontraba bien así. Tal como estaba. Tumbada en los tres asientos, recordando, fabulando. Decidiendo, en fin, que aquellos pocos días en Estambul, yo, a pesar de todo, me lo había pasado en grande.

Parientes pobres del diablo

La fiebre azul

No recuerdo ahora quién me dio el dato. Si fue el propio holandés con el que tenía que cerrar un negocio, o si «Masajonia» era la palabra clave, la información obligada, la referencia de *connaisseur* que corría de boca en boca entre extranjeros. Lo cierto es que al llegar al porche, después de un penoso viaje desde el aeropuerto, me recibió un agradable aroma a torta de mijo y la reconfortante noticia de que en pocas horas podía ocupar un cuarto que acababa de quedar libre. Me sentí afortunado. No había ningún otro hotel en más de cincuenta kilómetros a la redonda.

Mi habitación era la número siete. Todas las habitaciones en el Masajonia tienen el mismo número: el siete. Pero ningún cliente se confunde. Las habitaciones, cinco o seis en total –no estoy seguro–, lucen su número en lo alto de la puerta. Ningún siete se parece a otro siete. Hay sietes de latón, de madera, de hierro forjado, de arcilla... Hay sietes de todos los tamaños y para todos los gustos. Historiados, sencillos, vistosos y relucientes o deteriorados e incompletos. El mío, el que me tocó en suerte, más que un siete parecía una ele algo torcida. Le faltaba el tornillo de la parte superior y había girado sobre sí mismo. Intenté arreglarlo –no sé por qué–, devolverlo a su originario carácter de número, pero él se empeñó en conservar su apariencia de letra. Informé a Recepción. Es un decir. Recepción consistía en una hamaca blanca y un negro orondo que atendía por Balik. Nunca supe qué idioma hablaba Balik, si hablaba alguno o si fingía hablar y no hacía otra cosa que juntar sonidos. Tampoco si su amplia sonrisa significaba que me había entendido o todo lo contrario. Le dibujé un siete sobre un papel y le di la vuelta. Él se puso a reír a carcajadas. Simulé que tenía un martillo, empecé a clavetear contra una pared y coloqué el papel en su superficie. «Ajajash», concedió el hombre. Y se tumbó en la hamaca.

La habitación no era mala. Tal vez debería decir excelente. Pocas veces en mis dos meses de estancia en África me había sentido tan cómodo en el cuarto de un hotel. Disponía de una cama inmensa, una mesa, dos sillas, un espejo, el obligado ventilador y una butaca de orejas, al estilo inglés, que, aunque desentonaba claramente con el resto, me producía una olvidada sensación de bienestar. La mosquitera –cosa rara– no presentaba el menor remiendo ni la más leve rasgadura. Era una segunda piel que me seguía a cualquier rincón del dormitorio. De la mesa a la cama y de la cama al sillón. Los insectos del manglar no podían con ella. Eso era importante. Como también el delicioso olor a especias e incienso que impregnaba sábanas y toallas, y las ramas de palmera que agitadas por el viento oscurecían o alumbraban el cuarto a través de la persiana.

El Hotel Masajonia es un edificio de adobe de una sola planta. Sencillo, limpio, sin lujos añadidos (si exceptuamos el sillón) y sin otra peculiaridad que la curiosa insistencia en numerar todas las habitaciones con un siete. Una rareza que al principio sorprende, pero pronto, como no lleva a confusión, se olvida. Tal vez los primeros propietarios (ingleses, sin lugar a dudas) lo quisieron así. Una pequeña sofisticación en el corazón de África. Luego se fueron, y ahí quedaron los números como un simple elemento de decoración o un capricho que nadie se molestó en retirar. El primer día le pregunté al hombre de la hamaca. «¿Por qué todas las habitaciones son la siete?» «Ajajash», respondió encogiéndose de hombros. «Ajajash», repetí. Y me di por satisfecho.

Así es la vida en el Masajonia. Tranquila, sin sobresaltos. Por lo menos en apariencia. Los que han ocupado cualquiera de los sietes entenderán enseguida de lo que hablo. Allí hay... *algo*. Ahora sé lo que es: se llama Heliobut. Los nativos lo conocen así, el Heliobut, y cuando lo mencionan, cosa que no ocurre con frecuencia, lo hacen invariablemente a media voz, como si temieran despertar poderes dormidos o enfrentarse a lo que no comprenden. A mí me atemoriza más la palabra *algo*. Heliobut, por lo menos, es un nombre. *Algo* puede ser cualquier cosa. Un peligro difuso, una abstracción, una amenaza inconcreta. Y no hay nada más difícil que protegerse de un enemigo anónimo.

Pero ¿es el Heliobut un enemigo? No sabría responder. La primera vez que oí hablar de él fue en el puesto de bebidas de Wana Wana, el primo de Balik, un chamizo destartalado a apenas un par de kilómetros del manglar. Del negocio de Wana Wana se dice que uno sabe cómo llega pero no recuerda jamás cómo regresa. Se refieren al *bozzo*. Una bebida de mango fermentado que produce euforia primero, abotargamiento después, pero sobre todo –y ahí parece radicar la razón de su éxito– dulces, enrevesados y maravillosos sueños. Se cuenta también que, si se abusa, puede provocar la muerte. En el pueblo casi todas las familias deben más de una pérdida a la acción del *bozzo*. Pero siguen fermentando mango en grandes cuencos que venden después a Wana Wana y éste –sólo él y el Masajonia disponen de nevera– mezcla las tinas, dobla el precio y lo sirve cada tarde en su establecimiento.

Yo no lo he probado. Su olor me resulta nauseabundo. Tampoco, que recuerde, nadie me lo ha ofrecido. «No para blancos», suele decir el tabernero riendo. Otras veces cambia «blanco» por «europeo» y se lleva la mano al estómago. «Luego encontrarse mal, vomitar y ensuciar el Masajonia.» Casi todos los europeos que se dejan caer por el Wana Club están alojados en el Masajonia. Gente de paso, viajeros ávidos de aventuras, pintores enamorados de la luz de África, voluntarios de organizaciones humanitarias, hombres de negocios no demasiado claros y unos pocos como yo, coleccionistas de arte o, para hablar con propiedad, revendedores, falsificadores o comerciantes. En cierta forma el Wana Wana es el bar del Masajonia. Una prolongación natural. Un anexo. Aunque se encuentre a dos kilómetros de distancia y no siempre se recuerde el camino de vuelta.

Para los europeos –*tawtaws* nos llaman– Wana Wana tiene reservado un arsenal de whisky y cocacola. Los voluntarios suelen beber cocacola. Los demás, whisky. A veces, en noches especialmente calurosas, intercambiamos nuestras bebidas o las combinamos burdamente ante los ojos sin expresión de los bebedores de *bozzo*. Suele ocurrir a altas horas y los *bozzeros* –así los llamamos nosotros– se encuentran en plena fase de abotargamiento. De lo que ocurre después –el momento de los sueños dulces, enrevesados y maravillosos– no puedo decir gran cosa. Si se les ve transportados y felices, si caen de bruces contra el suelo, o si su rostro no deja traslucir la menor de sus emociones. Me lo han contado, pero no lo he visto. Y los que me lo han contado tampoco lo han visto. El whisky de Wana Wana –de importación dice él, supongo que para justificar su precio– surte efectos demoledores. Nunca he sabido si es el clima o si el primo de nuestro orondo Balik se las ingenia, en la trastienda, para alargar las reservas y no precisamente con agua.

Pero estaba hablando del Heliobut. O del *algo*. Llevaba tres noches en el Masajonia, había dormido a pierna suelta y me encontraba descansado y optimista. No me molestaba que el contacto esperado –un holandés tripón arraigado en la zona desde hacía más de veinte años– no se hubiera personado aún; es más, se lo agradecía. Me sentía bien allí, en la habitación del sillón de orejas, y no tenía el menor inconveniente en prolongar mi estancia. Un respiro en el trabajo nunca viene mal. Después, cuando apareciera el intermediario, volvería a pensar en términos de negocio. Esta vez el encargo era de cierta envergadura. Una partida de doscientas estatuillas de distintos materiales y tamaños que artesanos nativos, a las órdenes del holandés, debían de estar afanándose por acabar dentro del plazo previsto. Era lo último que me quedaba por hacer en África y seguramente lo que me reportaría mayores beneficios. Las estatuillas, de regreso a casa, serían enterradas bajo tierra y sometidas a un proceso de envejecimiento que aumentaría su valor. Y su precio. En el fondo no me diferenciaba demasiado de Wana Wana. Yo también sabía lo que quería la gente y me ponía a su servicio. Eran ya muchos años de recorrer mundo.

Pues bien, aquella mañana me había despertado descansado y de buen humor. La noticia de que no había noticias –me refiero a que el holandés no se había presentado– redobló mi optimismo. Desayuné mijo con huevos y, cuando me disponía a abandonar el hotel y dar un breve paseo por el lago antes de que arreciara el calor, sorprendí una conversación intrascendente entre dos mujeres. O por lo menos eso me pareció entonces: una conversación intrascendente.

Una voluntaria española, de apenas dieciocho o diecinueve años, le contaba en francés a una belga lo bien que había dormido aquella noche. La chica era dulce, inocente, encantadora. Había llegado el día anterior y ahora, tal como esperaba, venían a buscarla desde no recuerdo qué remota misión o qué lejana organización humanitaria. La belga era seca y ceñuda. Iba vestida «de África», como la voluntaria encantadora, como casi todos los clientes del hotel o como yo mismo, con pantalón corto y una especie de sahariana, pero había algo en ella que recordaba a una institutriz de pesadilla y su atuendo, más que habitual en aquellas latitudes, a un rígido uniforme. Hay gente así. En todos los lugares. Hombres y mujeres que aunque vistan de calle despiden un tufillo de cuartel, de mando, de sentido del deber, de alta misión y de ganas incontenibles de fastidiar al prójimo. Compadecí a la chica.

–¡Qué bien he dormido! –repetía–. Tan bien que incluso he soñado que dormía.

–*Tant mieux* –dijo la uniformada con voz de pito–. El viaje que nos espera es largo. ¿Dónde está su equipaje?

La chica alzó una maleta. Sin ningún esfuerzo. Como si fuera de aire. Una maleta de juguete, pensé. Subió a un jeep, me sonrió y agitó el brazo a modo de despedida. Eso fue todo. Rodeé el hotel, pensé en la voluntaria –en otros tiempos no la hubiese dejado escapar sin enterarme de adónde iba– y me encaminé silbando al manglar. Estaba de buen humor, ya lo he dicho. Pero las palabras de la chica, su voz ilusionada e ingenua, no tardaron en ocupar mis pensamientos. «Incluso he soñado que dormía...» Me detuve a la sombra de una ceiba e intenté recordar en qué había soñado yo aquella noche. No logré rescatar una sola imagen. En nada, me dije, he dormido profundamente, a pierna suelta. Pero realmente, ¿había dormido? ¿O me había *visto* dormir a pierna suelta? Entonces tuve una extraña sensación, un atisbo de recuerdo. Me vi a mí mismo sentado en el sillón mirando cómo dormía. La imagen no tenía nada de inquietante, todo lo contrario. Me pareció curiosa. Conmovedora, incluso. La chica y yo, cada uno en su siete, habíamos soñado lo mismo.

Por la tarde fui al Wana Club –Wana Wana, para los habituales–. Acababan de abrir y había poca gente. El tabernero, su ayudante, un par de nativos, el consabido pintor enamorado de la luz de África y un misionero de largas barbas y hábito impoluto. Me sorprendió que bebiera *bozzo*. O mejor, que el tabernero, sin consultarle, le sirviera un vaso de aquel líquido lechoso reservado en principio a los nativos. El pintor enamorado de la luz de África hizo las presentaciones. «El padre Berini», dijo. «Si usted quiere saber algo de África pregúntele al padre Berini.» El nombre me sonaba. A unos treinta kilómetros del lugar se levantaba una misión italiana. La vi el primer día, camino del Masajonia. El chófer que me conducía a la zona aminoró la marcha. «Aquí padre Berini. Bueno, muy bueno. Santo.» Llevaba varias horas de viaje, tenía prisa por solucionar mi alojamiento, no me apetecía hablar y estaba cansado. «Otro día», dije al conductor. Él pareció sorprendido. ¿Un blanco que no quería conocer al padre Berini? Supuse ya entonces que el misionero era todo un personaje.

Ahora lo comprobaba. Me estrechó la mano con llaneza y pidió algo a Wana Wana. «Habla quince idiomas», susurró el pintor. «Y por lo menos diez dialectos.» Fuera, a pocos metros del porche, distinguí un todoterreno con tres monjas en el interior. «Son de la misión de Berini», siguió el pintor. Una de las religiosas dormitaba sobre el volante y las otras dos bebían cocacola directamente del envase. «Estarían más cómodas aquí, pero, claro, éste no es un lugar para damas.» El pintor se puso a reír. Parecía tímido, tenía mirada de adolescente, y al hablar se cubría la boca con la mano. Yo no podía apartar los ojos del misionero. En apenas un minuto hizo por lo menos tres cosas. Se interesó por el dedo de un nativo. Le untó una pomada y lo vendó. Estudió con una lupa la mejilla enrojecida del pintor. Dijo que se trataba de una simple picadura y le recomendó barro con orines. Dispuso sobre el mostrador varias cajas de medicamentos, los numeró y explicó al tabernero, en su lengua, cómo debía ingerirlas y cuáles eran las dosis. Eso es lo que creí entender. Después apuró de un trago el vaso de *bozzo* y pidió otro.

Se encontraba de lleno en la fase euforia. Y me era simpático. Quizá por eso presté atención a la conversación que ahora mantenía con los nativos acodados en la barra. Si cerraba los ojos no distinguía cuándo hablaba él o cuándo lo hacían los otros. De toda aquella lluvia de frases guturales –la conversación parecía fluida y animada– tan sólo logré aislar tres palabras. «Tawtaws», «Masajonia» y «Heliobut». Las dos primeras porque las conocía. El pintor y yo éramos dos *tawtaws* que nos alojábamos en el Masajonia. La tercera, Heliobut, porque cualquiera de ellos al pronunciarla bajaba ostensiblemente el tono de voz. No sé de otra forma más efectiva para conseguir lo contrario de lo que se pretende y llamar la atención sobre algo que se quiere ocultar. Bajar el tono y susurrar. Aunque no les estuviera escuchando, me habría dado cuenta.

–Padre Berini –dije–. ¿Qué quiere decir «Ajajash»?

Lo pregunté como si estuviera realmente interesado. Ajajash. La palabra comodín del bueno de Balik. Pero no debí de pronunciarla correctamente.

–Primera vez que la oigo –contestó el misionero.

–¿Y «Heliobut»?

Aquí el religioso frunció el ceño. Los nativos me miraron con espanto.

–Vamos a una mesa –dijo él.

Pidió más *bozzo*. Me pregunté si debía seguir llamándole padre o, mejor, Berini a secas. Nos sentamos en el rincón más oscuro del local.

–¿Qué sabe usted del Heliobut? –preguntó.

–Nada. He oído que hablaban de nosotros, del hotel y de eso..., el Heliobut.

–¿Y ha retenido la palabra...? Interesante.

Me encogí de hombros. Él miró con disimulo hacia la barra.

–¿Duerme usted bien en el Masajonia?

Asentí sorprendido. ¿A qué venía su repentino interés por mi descanso?

–Me refiero a si se encuentra a gusto. Si la habitación le parece cómoda y si repone fuerzas por las noches.

Volví a asentir. Berini, a su manera, me estaba dando la bienvenida.

–Sí, padre –dije–. Es un lugar tranquilo. No tengo queja. Y duermo como nunca. A pierna suelta.

–Bonito hotel –concedió–. ¿Piensa quedarse mucho tiempo?

–Sólo unos días. Estoy pendiente de cerrar un negocio con un holandés.

–¿Van Logan?

–Sí, Van Logan.

Berini conocía a todo el mundo. Podía aprovechar para recabar datos del contacto, averiguar si era fiable como me habían asegurado o si solía dejar colgados a sus clientes. Pero antes –ahora sentía auténtica curiosidad– necesitaba saber qué diablos quería decir «Heliobut».

–No parece una palabra africana –aventuré.

–No lo es.

Tuve la sensación de que el religioso se sentía defraudado. O arrepentido de haberme prestado tanta atención. Temí que volviera a sus curas de urgencia y me dejara solo.

–No me tome por indiscreto –añadí–. Pero cuando hablaban de eso, sea lo que sea, bajaban la voz. Y antes habían dicho «tawtaws» y «Masajonia». Creo que se referían a nosotros –señalé hacia la barra–, al pintor y a mí. ¿Me equivoco?

–Quién sabe –dijo. Y me taladró con sus ojos azules.

Permanecimos un buen rato en silencio. Encendí un cigarrillo para disimular mi incomodidad. A la sexta o séptima calada Berini se decidió a hablar.

–Heliobut no significa nada en absoluto. Por lo menos nada que podamos entender. Sólo sabemos que se aloja en el Masajonia –pronunció «se aloja» con cierta vacilación, como si no fuera la expresión adecuada, pero se viera incapaz de encontrar otra–. Y que, a veces, ataca a los tawtaws. No me mire así. No se trata de un hombre. Ni tampoco de un animal ni de un monstruo.

–¿Entonces?

–El Heliobut –dijo en voz muy baja– es un estado de ánimo. Una depresión. Una enfermedad. ¿Me entiende?

Afirmé con la cabeza. No quería interrumpirle.

–Tal vez no sea más que una leyenda.

–¿Y por qué ataca únicamente a los blancos?

Ahora fue él quien se encogió de hombros.

–Quizá porque los negros no le dan facilidades. En el Masajonia sólo duermen tawtaws.

–¿Y Balik? Balik se pasa el día tumbado en la hamaca. Y ronca como una fiera.

–Pero Balik, que es un honrado padre de familia y un buen marido de sus tres mujeres, regresa a su casa cada noche.

Le hice un gesto a Wana Wana. Necesitaba un trago.

–Y esa enfermedad ¿es contagiosa?

–*Chi lo sa!*

Empecé a pensar que se trataba de una broma. De un chiste. La novatada con la que Berini demostraba su superioridad ante los extranjeros y su absoluta identificación con los nativos. ¡Cómo debían de reírse él y sus compinches! Europeos igual a idiotas. Ése era el juego. Dejó de caerme en gracia.

–No me convence, Berini –dije arrogante.

–Ni lo intento. Usted me pregunta y yo respondo.

–Pues bien, seguiré preguntándole. Si esa caprichosa dolencia sólo ataca a los blancos, ¿por qué sus amigos de la barra estaban tan asustados?

–Hace una semana se estrelló un camión. Lo conducía un inglés, un tipo que se hospedaba en el Masajonia. Había enloquecido y sólo quería huir. Del hotel, del poblado, de sí mismo. Lo consiguió. Pero antes de estrellarse arrolló a cuantos se cruzaron en su camino. Uno de los fallecidos era el tío de los muchachos.

No dije nada. La inocentada estaba subiendo de tono.

–Es sólo un ejemplo. El más reciente. La locura de los blancos termina invariablemente volviéndose contra los negros –miró hacia la barra–. Enseguida se propagó la noticia. Había sido el Heliobut. Y cundió el pánico.

Wana Wana apareció en aquel momento con su whisky de trastienda en la mano. Berini se detuvo y encendió un habano. No parecía un misionero. Era lo más distante a la idea que hasta aquel día me había formado de un misionero. Quizá por eso era venerado.

–Y no me pregunte por qué no se destruye de una vez el Masajonia. No serviría de nada. El mal buscaría otro hábitat. O aún peor, se expandiría peligrosamente. En realidad ustedes lo llevan encima.

–¿Nosotros?

–Los blancos –dijo con desprecio.

Me puse a reír.

–Pero usted, padre...

Volvió a atravesarme con sus ojos transparentes.

–¡Yo soy negro!

Llevaba una cogorza de campeonato. Eso era lo que ocurría. Y yo, entre las bocanadas de humo y el aliento a *bozzo*, estaba empezando a marearme. Miré hacia la barra. El pintor, con un gesto discreto, me indicó que se retiraba. Me puse en pie.

–Adiós, padre Berini –dije–. Ha sido un placer.

Él me sujetó del brazo con firmeza.

–Espere. No se vaya aún.

Esperé. No se conoce cada día a un ejemplar como Berini. Pero tardó un buen rato en hablar. Parecía como si tuviera dificultad en encontrar las palabras. O se hubiera hecho un lío con todo su arsenal de idiomas y dialectos.

–No siempre el mal ataca con tanta virulencia –dijo al fin–. Eso depende del enfermo.

Me miró. Tuve la sensación de que no me veía.

–Si el mal le ataca, cosa que puede no suceder, cosa que no se sabe si es deseable que suceda, o perniciosa, o benefactora, o tamitakú o lamibandaguá o, por el contrario, badi tukak... –estaba haciendo un supremo esfuerzo para continuar–, manténgase firme y no pierda la cabeza. Tómeselo como una gripe. Mejor pasarla en cama. De lo contrario nunca conseguirá vencerla. Debe apurarla, llegar hasta el final. Quiero decir que...

No logré averiguar lo que me quería decir. Estaba cruzando una frontera invisible y entrando en la fase abotargamiento. Ahora sí me despedí. Después de la modorra sobrevendría la fase sueños. Y no sentía la menor curiosidad por averiguar si se mantendría erguido, si caería redondo o cuál sería en breves momentos la expresión de su rostro.

Abandoné el local. Era ya de noche. Una de las monjas, de pie junto al todoterreno, se daba aire con una hoja de palma.

–El padre Berini... –empecé. Pero me detuve. ¿Qué iba a hacer? ¿Avisarle de que estaba como una cuba?

–No se preocupe –dijo la monja–. Es su forma de hacer apostolado.

Era guapa. Italiana, sin duda. Tenía los ojos negros, almendrados, con un destello azul oscuro en las pupilas.

–La hermana Simonetta –y señaló a la religiosa dormida sobre el volante– es una experta en conducir de noche. Ahora descansa. Y la hermana Cigliola también.

Me fijé en su hábito. No parecía un hábito. Al igual que la belga humanitaria –pero en un sentido diametralmente opuesto– su fuerte personalidad podía con cualquier ropaje. Si no fuera porque sabía que era monja (y que lo que vestía era un hábito de monja) la hubiera tomado por una deliciosa vestal envuelta en una túnica. Una vestal, una aparición, una hurí... Mi mirada debió de delatar mis pensamientos porque la misionera dejó de abanicarse con la hoja de palma y señaló la carretera.

–Si se da prisa aún puede alcanzar a su amigo. De un momento a otro se hará oscuro.

Me sentí estúpido. Un *tawtaw* ignorante al que le iba a sorprender la noche en el camino de regreso al hotel.

–Tiene razón –dije.

Y apreté el paso.

No sentía miedo. Pero sí cierta urgencia por llegar hasta el pintor y averiguar cuál era su papel en toda esa tontería del Heliobut. A fin de cuentas, era él quien me había presentado a Berini con grandes frases de admiración. Tal vez, también el francés, en su día, fuera víctima de la misma inocentada. Una burla de la que no se libraba ningún recién llegado. Le alcancé jadeando.

–Heliobut –dije simplemente.

Él, sorprendido, se detuvo.

–Oh, no –dijo con toda la amabilidad del mundo–. Mi nombre es Jean Jacques Auguste de la Motte.

No estaba en el ajo. Eso parecía evidente. Hice entonces algo que no tenía previsto. Recordé la insistencia del misionero en saber cómo dormía yo en el Masajonia y le reboté la pregunta.

–¿Qué tal duerme usted en el hotel? ¿Se encuentra cómodo?

–Sí, muy cómodo. Y duermo como un tronco. Con pastillas.

Reanudamos el paso.

–Verá –continuó–, yo siempre he sido insomne. Desde mi más tierna infancia en el *château* que los De la Motte poseen en La Loire. No había manera de hacerme dormir, y mi salud se resentía considerablemente, hasta que un médico de Blois, el eminente *docteur* Guy de La Touraine...

Me contó su vida. Paso a paso. No voy a consignarla aquí porque no viene a cuento, pero, sobre todo, porque a los pocos minutos me sentí invadido por un poderoso sopor que no provenía sólo del poderoso whisky del Wana Wana. De la Motte desconocía la elipsis, no parecía dispuesto a ahorrarme el menor detalle, y su voz resultaba monótona y plana como una salmodia. Aún quedaba un buen trecho hasta el hotel. Al principio, por pura cortesía me esforcé en escucharle.

–A los siete años pintaba caballos y jardines con, a decir de mis padres, rara habilidad. Pero entonces sobrevino el accidente. Caí por las escaleras como Toulouse-Lautrec y, al igual que él, me vi obligado a guardar cama durante varios años. A mi larga convalecencia debo esta leve cojera que he aprendido a disimular y con la que me he acostumbrado a convivir, pero también la especial sensibilidad que sólo pueden conocer los que se han visto obligados a permanecer inmóviles por largas temporadas en las reducidas dimensiones de un lecho. El mío disponía de un baldaquino de inconmensurable antigüedad, y las paredes de la estancia estaban tapizadas de damascos cuyas aguas, en noches de pertinaz insomnio, me recordaban los mares y océanos que ya nunca podría conocer. Las arañas que pendían del techo...

La minuciosa descripción de la alcoba de De la Motte me hizo desear con fuerza mi modesta habitación del Masajonia. Aún quedaba un buen trecho. Decidí intervenir.

–Y entonces dejó de pintar –dije.

El sonido de mi voz, tan distinta a la de Jean Jacques Auguste, me despejó un tanto. Tenía que seguir hablando. Busqué otra frase. No se me ocurrió ninguna.

–Al contrario –prosiguió el francés–. Fue el fin de una etapa y el comienzo de otra. Ante la imposibilidad de salir al jardín o visitar las cuadras, me olvidé de caballos y vergeles y me especialicé en retratos. Preceptores y niñeras se prestaron con gusto a posar para mis lienzos. Al principio les costó lo suyo adquirir esa inmovilidad pétrea y al tiempo humana tan apreciable en los buenos modelos. No sabían estarse quietos y, si lo lograban, los músculos, poco entrenados para este difícil menester, no tardaban en agarrotarse, protestar, dormirse o adquirir, según los casos, el subido tono amoratado de la congestión o la lividez característica de una estatua de cera. La Touraine tuvo, en más de una ocasión, que acudir urgentemente al *château* con su maletín de auxilios. La Touraine...

–El gran La Touraine –atajé–. La eminencia de Blois que le recetó sus primeras pastillas contra el insomnio...

Pero mi voz esta vez sonó tan apagada como la del pintor. Me sentí como si La Touraine, con sólo mencionarlo, se hubiera apresurado a administrarme un somnífero.

–Una de mis niñeras favoritas, Amélie Dubois, y una prima suya que había servido en Loches...

Aquí desconecté. La silueta del Masajonia se erguía esperanzadora al final del camino. Para mantenerme ocupado empecé a contar los pasos. Uno, dos, tres, cuatro... Cuando llevaba doscientos veinticinco oí:

–Y entonces me enamoré.

¡Fantástico! Dejábamos de una vez el pasado en La Loire y entrábamos en el presente.

–De África, claro –dije convencido.

–No. De Odile de la Motte, mi hermana. Un amor prohibido, como el de Chateaubriand. Odile tenía quince años, yo diecisiete...

Me había descontado y tuve que volver al principio. Uno..., tres..., cincuenta..., ciento trece... Al llegar al porche era noche cerrada. Balik nos entregó las llaves. El pintor me miró sonriendo.

–Ha sido un paseo muy agradable. Me siento relajado. A lo mejor hoy, por primera vez en mucho tiempo, no necesito la pastilla...

–¡Tómesela! –ordené. Y enseguida, alarmado por la brusquedad de mi voz, le palmeé la espalda–. No es bueno contravenir los hábitos.

A lo largo de mi vida he conocido a bastantes tipos como De la Motte. Viajeros solitarios, encerrados en su mundo, retraídos, corteses, poco proclives a hablar, pero, cuando empiezan, no hay forma humana de conseguir que se detengan. No podía exponerme. Ahora, autoarrullado por su soporífera voz, creía que podía prescindir de fármacos. Pero ¿y si despertaba a medianoche con ganas de continuar con su historia? Conozco los trucos. Me los sé de memoria. Un día puede ser un vaso de agua, otro una loción contra los mosquitos. Un cigarrillo, una aspirina, la urgente necesidad de consultar un mapa... A veces van mucho más allá y se fingen alarmados. Acaban de enterarse por la radio –eso dicen– de la inminencia de una revolución, de graves disturbios, de insistentes rumores de golpe de Estado. Cualquier excusa es buena para irrumpir en tu cuarto y retomar su parloteo. La soledad del extranjero; debe de tratarse de eso. Pero yo no era la hermana Gigliola ni la hermana Simonetta ni tampoco la hermana Hurí, cuyo verdadero nombre desconocía. Yo era un negociante. O, si se quiere, un falsificador. Y no estaba para conferencias.

Le dejé en su siete y me encerré en el mío. El cuarto me pareció una bendición. La cama amplia, la eficaz mosquitera, la mesa, las sillas, el butacón de orejas, el silencio... Pero el sueño es caprichoso. Te invade cuando no lo deseas y desaparece cuando más lo necesitas. No logré pegar ojo en toda la noche. Y por un momento –pero eso fue muy al principio– pensé en golpear la puerta de Jean Jacques Auguste de la Motte y pedirle un somnífero. No llegué a hacerlo. El miedo a su incontinencia verbal era superior a mi nerviosismo. Me envolví en la mosquitera y me senté en el sillón.

Encendí un cigarrillo y a punto estuve de quemar la tarlatana. Lo apagué. Abrí un libro. No conseguí concentrarme y lo cerré enseguida. La culpa era del pintor. De sus preceptores, de las niñeras, de los caballos que pintó en su infancia, del doctor La Touraine, siempre presto a acudir al castillo, de la pasión incestuosa por Odile, o de la tal Amélie Dubois, que ahora no recordaba bien qué pintaba en la historia. Estaban todos allí. En mis oídos. Pero sobre todo el sonsonete monótono de De la Motte. Un zumbido del que no podía liberarme. Parecía como si hubiera conectado la radio y la emisora se hubiera quedado atascada entre dos frecuencias. Me consolé pensando que al día siguiente no tenía nada que hacer. Eso es bueno para el insomnio. Se le planta cara, se finge indiferencia, se le enfrenta a su inutilidad y él, abatido, termina por retirarse. Sí, seguramente, en cuanto amaneciera caería rendido en la cama. No tenía prisa ni ninguna obligación urgente. Dormiría. Cuanto quisiera. A no ser que –el insomnio volvía a afilar sus armas– a Van Logan se le ocurriera aparecer precisamente entonces. En el momento justo de conciliar el sueño. Esa posibilidad me alteró profundamente. Van Logan significaba negocio y yo tenía que recibirle despejado, firme, en plena forma. No se debe cerrar un trato bajo de defensas. Y no se puede dormir si uno sabe que al día siguiente cerrará un trato y no se encontrará en plena forma.

El eco de De la Motte seguía instalado en mis oídos. Pensé en Berini. Puestos a no pegar ojo era preferible recordar al misionero. Pero las estrafalarias advertencias del religioso se superpusieron a la cadencia monótona del francés sin que ésta desapareciera del todo. Y lo mismo ocurrió con la voz de pito de la belga, las palabras de la hermana Hurí o el ilusionado e inocente tono de la voluntaria. Van Logan no decía nada. Pero también estaba allí, como una amenaza silenciosa que me hacía consultar el reloj y desesperarme. «¿Duerme usted bien en el Masajonia?», recordé de pronto. Me puse el batín y salí al vestíbulo.

No había nadie. En eso el padre Berini no me había engañado. Balik, por las noches, regresaba a su casa y el hotel quedaba a merced de los huéspedes. Como no tenía nada mejor que hacer me dediqué a observar las fotografías de la pared. Eran antiguas y estaban cuarteadas. Todas se referían al Masajonia y todas eran en blanco y negro, aunque el tiempo las había dotado de una pátina azul verdosa. En un par, por lo menos, se veía a una familia de blancos sentada en el porche. Di por sentado que se trataba de los fundadores. Me acerqué. Había olvidado las gafas en el cuarto. Me alejé. Con cierta dificultad leí los nombres. Tal como había intuido eran ingleses. Un matrimonio y dos hijas. Parecían amables y felices. Me gustaron.

Regresé a la habitación. El zumbido había dejado de atormentarme y estaba dispuesto a pensar únicamente en cosas agradables. La voluntaria, por ejemplo. Ni siquiera sabía su nombre. Tampoco el lugar adonde se dirigía. Pero la veía aún con toda nitidez, como si la tuviera delante. Era espigada. Graciosa. Casi tan liviana como la maleta que en un momento alzó como si fuera de aire. Una maleta de juguete, pensé entonces. Una cartera de colegiala, corregí ahora. Volví al rostro de la chica. «¡Qué bien he dormido!», decía. Yo también, aquella mañana, me sentía de humor y descansado. Y me recordé en el Wana Club, horas más tarde, contestando a la pregunta del misionero: «¿Duerme usted bien en el Masajonia?». «Como nunca, padre. A pierna suelta.»

¿Era una costumbre local contar lo bien que se había dormido? ¿Una cortesía africana preguntar a los otros qué tal habían pasado la noche? Si lo era, yo me había adherido sin darme cuenta –y de ahí mi perdición– al interesarme por el descanso nocturno de De la Motte. En otros países el pretexto para entablar una conversación suele ser el tiempo. Aquí, por lo visto, lo bien que se ha dormido. Pero no era esto lo que me había llevado a apretar el paso y llegar corriendo hasta el pintor. Hice un esfuerzo por poner en orden mis recuerdos. La noche iba a caer de un momento a otro y prefería hacer el camino en compañía, cierto. Pero también deshacer o confirmar una sospecha. El Heliobut. Averiguar si el francés estaba en la broma. O si todo era una guasa del padre y los *bozzeros*. Jean Jacques Auguste ni siquiera parpadeó cuando yo pronuncié «Heliobut». Lo tomó por una confusión y parecía sincero. Aunque también se mostraría luego convencido al intentar colarme como cierta la almibarada, increíble y fantasiosa historia de su vida. Si era capaz de confundir ensoñaciones con recuerdos –de mentir, en resumidas cuentas–, ¿por qué había de creerle a pies juntillas cuando hizo como si la palabra en cuestión le resultara totalmente ajena?

Pero por el mismo silogismo volví al misionero. Berini dijo la verdad en cuanto a las noches de Balik (lo acababa de comprobar; no dormía en el hotel), y cuando, de pasada, le mencioné al holandés no dudó en reconocerlo como Van Logan (y así se llamaba, en efecto). Pruebas insignificantes, si se quiere, pero no disponía de otras. Y ahora, por el mismo razonamiento que condenaba al pintor, me veía obligado a revisar mi opinión sobre el misionero. Si en lo comprobable no había fallado, ¿por qué negarle el crédito en lo que desconocía?

«Un estado de ánimo. Una depresión. Una enfermedad...» ¿No se estaría refiriendo lisa y llanamente a la incapacidad de conciliar el sueño? El insomnio persistente –y crucé los dedos– podía desestabilizar el sistema nervioso, embotar los sentidos y conducir a un estado de alteración muy semejante a la locura. Tal vez la cercanía del manglar no era en absoluto saludable. Y el inglés, el desgraciado que hacía una semana se había estrellado con su camión, tras arrollar plantaciones y poblados, y llevarse por delante a cuantos se cruzaron en su camino –el tío de los *bozzeros*, entre otros–, no era más que un hombre agotado, con los nervios a flor de piel, destrozado por un sinfín de noches en blanco, presa de una excitación insoportable cuyo único diagnóstico, si se hubiera medicado a tiempo, era tan simple como «insomnio persistente» y el remedio una vulgar cura de sueño. Pero la palabra, Heliobut, venía de lejos. Se diría que el Heliobut, fuera lo que fuera, había permanecido inactivo durante un tiempo y, súbitamente, volvía a la carga. «No siempre ataca con tanta virulencia. Depende del enfermo», recordé. Y también: «Tal vez no sea más que una leyenda...».

Eso tenía que ser. Una leyenda. Mi nerviosismo no provenía de ese mal de nombre incomprensible sino de la incontinencia verbal de J.J.A. de la Motte, unida –no había que descartar ningún factor– al whisky de Wana Wana y a las posibles miasmas del estero. Bostecé (buena señal), pero, en aquel mismo instante, oí una respiración, un jadeo... Y comprendí que no estaba solo.

La lámpara de pie, la única que permanecía encendida, apenas iluminaba un pequeño círculo de la habitación. La mesa, la silla y parte de la butaca en la que me había arrellanado. No alcanzaba a ver nada más. El intruso, en cambio, desde la oscuridad, podía contemplarme a su antojo. Me encontraba en clara desventaja. A plena luz frente a un enemigo invisible. ¿Cómo y cuándo había entrado en mi cuarto? La puerta estaba cerrada, la ventana daba al manglar y resultaba inaccesible desde fuera, y yo, en mi desesperación de insomne, antes de sentarme en la butaca de orejas, había recorrido el dormitorio de punta a punta. Recordé que durante unos minutos me había ausentado de la habitación. Pero ni siquiera entonces pudo el visitante aprovechar un descuido. Porque no lo hubo. Cerré con llave al salir y abrí con llave al entrar. De eso estaba seguro.

La eventualidad de que el entrometido, además de invisible, fuera incorpóreo no logró asustarme más de lo que estaba. Me había quedado rígido. Como un cadáver. No sentía los pies ni las piernas ni los brazos ni las manos. Tampoco el corazón. Mi cuerpo era de piedra. Sólo el cerebro seguía en activo. Y, aunque me revelara incapaz de entender nada, no dejaba de sopesar a una velocidad febril las escasas posibilidades de salvación, defensa o huida. Las descarté todas. Por inútiles, por absurdas o por la simple razón de que el cuerpo no me obedecía. Los gritos, las llamadas de auxilio, la opción de alcanzar las tijeras del escritorio o la de derrumbar la lámpara de una patada... Sólo una quedó en pie. Ganar tiempo. Yo sabía que allí había alguien. Pero el intruso no tenía por qué saber que yo sabía.

La lámpara iluminaba una parte del sillón. Sólo una parte. El respaldo caía fuera del círculo de luz, y mi cabeza quedaba en la zona de penumbra. Aunque la cara delatara mis temores, el enemigo no podía percatarse. Seguía oyendo su respiración. Ni más lejos ni más cerca. Suponía que seguía observándome. Y que no tenía prisa. Tal vez sólo pretendía eso: observarme. Si no era así, estaba perdido. Yo mismo me había envuelto en un sudario –¡la mosquitera!–, me había inmovilizado voluntariamente en una red, me había tendido mi propia trampa. Debía salir cuanto antes de aquella prisión de tarlatana. Y de nada –suponiendo que la presencia únicamente quisiera observarme– serviría hacerme el dormido. La sangre volvía a discurrir por mi cuerpo. Ahora notaba pies, manos, brazos y piernas. Y notaba, también, que estaban temblando.

Disimular. Ésa era la consigna inmediata. Hacer como si en mi habitación no ocurriese nada extraordinario y mis oídos no hubieran advertido el pertinaz resuello que no provenía del ventilador ni de las ramas de palmera que azotaban ahora la ventana. Fingir ignorancia y ganar tiempo. Bostecé otra vez. O, mejor, simulé un bostezo. Me desperecé y emití un gruñido. No sé aún –no lo supe entonces– si intentaba remedar a un hombre que acababa de despertarse o, al revés, a un viajero agotado que se disponía a trasladarse a la cama y reponerse del agotamiento del día. Pero los brazos, al extenderse aparatosamente, habían logrado uno de mis objetivos. Desembarazarme de la mosquitera. Me puse en pie. Y entonces empezó lo difícil.

Podía correr a la puerta. Pero no era seguro que diera con ella a la primera, y la llave, probablemente, no estaría en la cerradura sino en la mesita de noche, donde la dejaba siempre. Las únicas luces de la habitación, además de la lámpara de pie que ahora debía de iluminarme por completo, estaban a ambos lados de la cama. Entorné los ojos, como si tuviera muchísimo sueño, no fuera que el extraño se encontrara con mi mirada y los acontecimientos se precipitaran.

Llegué hasta la mesilla, encendí la tulipa y con los ojos semicerrados cogí la llave. Pero la dejé caer inmediatamente.

La presencia estaba allí. En mi cama. Resoplaba ostentosamente como si se hallara en lo mejor de sus sueños. Ni siquiera se inmutó con el ruido de la llave estrellándose contra el suelo. Si se trataba de un peligro, estaba fuera de combate. Pero ¿cómo había logrado llegar hasta la cama? Opté por la explicación más tranquilizadora. Un huésped despistado que se había equivocado de habitación. De siete. Tal vez las cerraduras, viejas, desgastadas y olvidadas de su función original, cedían obedientes al menor estímulo. A cualquier llave. ¡Vaya seguridad la del Masajonia! Pero el durmiente, el supuesto viajero desorientado, no había descuidado un detalle: la mosquitera. ¿Se había traído la mosquitera de su cuarto? Miré hacia el sillón. Estaba vacío. Volví a mirar la cama. ¡Aquélla era mi mosquitera! ¿Cómo podía habérmela arrebatado en tan poco tiempo y sin que me diera cuenta? El hombre seguía resoplando. Era un hombre pequeño, insignificante. Los insectos que se arrastraban por la gasa me parecieron, en contraste, enormes. En un momento el durmiente se dio la vuelta y yo me apoyé en la mesita de noche para no caer. Aquel hombrecillo insignificante, pequeño, despreciable... ¡era yo mismo! Un alfeñique rodeado por la inmensidad de la mosquitera. Una nimiedad, una ridiculez, una miniatura. El hombre no era nada. ¡Era yo! Y yo no era nada.

Volví a la butaca. Estaba despierto. Nunca en la vida me he sentido tan despierto. Lo acepté. Acepté que estaba sentado en la butaca, completamente despierto, y al mismo tiempo en la cama durmiendo a pierna suelta. No hallaba una explicación racional a aquel insólito desdoblamiento y me encontraba demasiado impresionado para oponerle resistencia. ¿Era aquello el Heliobut? Lo ignoraba. Recordé una vez más a la joven voluntaria. «Qué bien he dormido. Incluso he soñado que dormía.» Y a mí mismo a la sombra de una ceiba entreviendo una imagen. Yo, sentado en el sillón, velando plácidamente mi propio sueño. Pero aquel avance –aquella premonición, aquel aviso– no me pareció entonces perturbador o inquietante. No fue más que un destello. Una sensación fugaz. Ahora, para mi desgracia, ya no podía hablar de sensación, sino de certeza.

Ahí seguía yo. Resoplando y agitándome debajo de la mosquitera. Desde mi puesto de observación, la butaca, no podía apartar los ojos de la cama. Y sin embargo me hubiera gustado cerrarlos y evitarme la espantosa visión. Comprendí que «hombrecillo» no era sólo un concepto físico sino moral. Eso era yo: un hombrecillo. ¿Hasta cuándo iba a durar aquella penosa alucinación? No quería arriesgarme a pedir ayuda. A despertar al francés o a cualquier otro huésped. Porque ¿se trataba realmente de un engaño de los sentidos? ¿Verían ellos lo mismo que estaba viendo yo? Me imaginé arrastrando a De la Motte hasta mi cuarto y no me costó figurarme su expresión de espanto. No iba a hacerlo. No iba a exhibir mi desnudez y mi insignificancia. Sólo me quedaba esperar a que amaneciera y entonces, si la presencia no se había desvanecido, tendría que ingeniármelas para deshacerme de ella. Sentí un estremecimiento. ¿Estaba pensando en un asesinato? ¿O debería llamarlo suicidio?

Busqué afanosamente en la memoria una situación que se pareciera a lo que me estaba ocurriendo. Noticias de casos clínicos, obras de ficción, anomalías oculares... Algo vislumbré, pero no estaba seguro. Una deformación de la vista que hacía que el paciente viera su entorno a escala reducida. Y la biografía de un escritor (loco) que un día recibió la visita de sí mismo. Intenté razonar y no perder la calma. ¿No podría ser que yo (comerciante, falsificador, coleccionista) estuviera tanto o más desequilibrado que el escritor (un francés del XIX cuyo nombre no recordaba), sufriera una alucinación semejante y, encima, me viera aquejado de una súbita y caprichosa deformación binocular? Porque ningún objeto de la habitación había alterado sus proporciones. Sólo yo. El hombrecillo, la menudencia, el durmiente.

Perdí la calma. La respiración, en la cama, se hizo más agitada y la mosquitera se abombó durante unos instantes. Miré mis brazos. Me sorprendió que los insectos no me hubieran atacado estando como estaba sentado en el sillón, sin protección alguna. Aquello era sumamente extraño. O, para ser exactos, *también* era extraño. Y la cabeza, que no había perdido su febril actividad, se apresuró a ofrecerme dos hipótesis a las que nunca, hasta aquel momento, habría concedido el menor crédito.

La primera era la de un viaje astral. No sabía muy bien en lo que consistía, pero había oído decir a charlatanes, embaucadores, místicos o esotéricos que, con la debida concentración y una preparación adecuada, el espíritu podía abandonar el cuerpo y viajar a donde se propusiera con el solo impulso de la voluntad. Estaba dispuesto a tenerla en cuenta. Pero no recordaba haberme ejercitado para la experiencia, y el viaje –si es que realmente se trataba de un viaje– resultaba a todas luces irrisorio. De la cama a la butaca. Descarté la idea.

La segunda era sencillamente espeluznante. Estaba muerto. Muchos son de la creencia de que el fallecido, durante las horas que siguen a su óbito, vaga desesperado por los escenarios que le son familiares sin llegar a entender lo que le sucede. Algunas veces –según he oído en distintas culturas y en los más dispares puntos del planeta– llega a verse a sí mismo echado en el lecho mortuorio y rodeado de los llantos y el pesar de sus seres queridos. No se puede abandonar una vida y entrar en otra como el que se limita a abrir una puerta. El tránsito es duro. Sobre todo para los que han perecido de accidente o de muerte súbita. ¿Y cómo podía estar seguro de que el trayecto entre el Wana Club y el Masajonia había transcurrido como creía recordarlo? Dos *tawtaws* achispados y estúpidos paseando en plena noche por una pista desierta como si estuvieran en el jardín de su casa. Éramos un reclamo. Una provocación. Probablemente nos habían asaltado. Y horas después, alguien –tal vez el propio Balik alarmado por nuestra tardanza– había peinado la zona hasta dar con nuestros cuerpos y depositarlos en el Masajonia. Me supo mal por el francés. Era aún muy joven para abandonar el mundo. En cuanto a mí, no diré que no me importara –estaba consternado–, pero una nueva emoción se sobrepuso a cualquier otra. Sentí vergüenza. Una vergüenza insufrible al pensar que, en cuanto amaneciera, aquel pingajo impresentable en que me había convertido sería expuesto a la curiosidad pública. Pero el cuerpo –mi cuerpo– seguía, a pesar de todo, respirando bajo la mosquitera. Y eso era del todo imposible. No había muerto. Ni siquiera me quedaba el consuelo de estar muerto.

Volví a estudiarme. ¡Qué poca cosa era! Cualquier objeto tenía más entidad que yo mismo. Las tulipas, la lámpara de pie, el sillón de orejas... Yo no era nada. O casi nada. El *casi*, lejos de animarme, me alarmó. Yo era algo. Y la palabra *–algo–* me llenó de desolación.

Preferí acudir a lo que no comprendía. Heliobut. Eso que, según el misionero, los blancos llevábamos dentro. Me pregunté qué es lo que habría visto el inglés para huir despavorido del Masajonia y estrellarse (o suicidarse) a los pocos minutos. Supuse que su vida. Como yo en aquellos momentos despreciaba la mía resumida en el repugnante durmiente. Me pregunté también qué pasaría si la joven voluntaria, en el caso de que regresara al Masajonia, volviera a contemplarse durmiendo y comprendiera que no era un sueño. Nada en absoluto, me dije convencido. Seguramente su visión sería apacible. La virulencia de la enfermedad dependía del enfermo. Todos –lo había dicho el misionero– llevábamos el Heliobut dentro. Todos sufríamos –le corregí– la visión que merecíamos. Y la voluntaria –estaba más que seguro– no tenía de qué avergonzarse.

Me sentía agotado, exhausto. Mis ojos, fatigados por la horrorosa vigilia, confundían objetos, borraban contornos y me producían la ilusión de que de pronto todo en la habitación viraba al azul. Un azul a ratos intenso –como el punto en las pupilas de la hermana Hurí– o transparente –como la mirada del padre Berini– o mezclado con verde –como las fotografías desgastadas de la recepción–. Cerré los ojos. La oscuridad era también azul. En aquel momento oí unos golpes en la puerta.

Me levanté de un salto, busqué la llave en el suelo, grité: «¡Un momento!», apagué las tulipas y abrí.

–*Hello, mate!*

Era Van Logan.

El holandés entró sin esperar a que le invitara a hacerlo. En dos zancadas alcanzó la mesa, depositó un pesado maletín y me indicó que me acercara. Miró con sorpresa la lámpara de pie. Luego la ventana.

–¿Puedo abrir? –preguntó jovialmente.

Tampoco esperó mi respuesta. Abrió. Era de día. Un día azul. La luz me cegó por completo. Cuando recuperé la visión miré aterrado hacia la cama. No había nadie. Sólo una mosquitera hecha un ovillo.

–¿Seguro que ha descansado?

El holandés parecía preocupado. Supuse que mi aspecto era desastroso.

–En parte –respondí.

Y me alarmé ante la precisión de mis palabras. ¿Cómo se me había ocurrido delatarme? No quería hablarle de mi insomnio, pero menos aún de que, mientras velaba en la butaca, una parte de mí mismo dormía a pierna suelta. Me apresuré a explicarme:

–Descansé ayer y anteayer. Y el otro día... Pero esta noche...

Van Logan se puso a reír.

–Seguro que pasó la tarde donde Wana Wana. El genocida local. Ese hombre va a acabar con todos nosotros.

Recorrió la habitación con los ojos y emitió un silbido.
–No está mal. Nada mal. Espaciosa y cómoda.
Se asomó a la ventana.
–Y hasta el manglar, visto desde aquí, parece inofensivo.
–¿Qué quiere decir? –pregunté interesado.
–Nada importante. No me gustan los pantanos. Son insalubres.
Lo miré con recelo.
–¿Y no se ha alojado nunca aquí?
–Nunca –me guiñó un ojo–. Tengo amigas en el poblado.
Van Logan era vulgar. Pero también bonachón, simpático y oportuno. Había aparecido en el momento justo. ¡Me había salvado! Además, no era yo el más indicado, después de lo que había visto por la noche, para impartir lecciones de elegancia y estilo. Le observé mientras abría el maletín.
–Ahora verá –volvió a chasquear la lengua–. Es sólo una muestra. El resto del encargo está en el camión.
Su voz sonaba sumamente tranquilizadora. Cerraría el trato. Le pediría con cualquier excusa que no se marchara. Que se arrellanara en el sillón mientras yo recogía mi equipaje. Aceptaría sus condiciones. Todo menos quedarme solo otra vez en el cuarto.
–¿Qué le parece? –preguntó ufano.
Había dispuesto unas cuantas estatuillas sobre la mesa. No dije nada. Estaba demasiado cansado para apreciar su posible valor o su belleza. Mi silencio fue interpretado como una decepción.
–Se lo dejaré a buen precio –dijo.
Yo seguí mudo. Van Logan volvió a la carga. Me palmeó la espalda con tanta fuerza que a punto estuvo de tirarme al suelo.
–Mírelo con ojos de europeo. Como si estuviera ya en su casa. Estas figurillas ganan con el traslado. Aquí pueden parecerle poca cosa. Una vez en Europa suben, ¿me entiende?
Asentí. Sabía perfectamente a lo que se refería. Todo lo que adquiría a lo largo de mis viajes *subía* al llegar a Europa. De valor, de rareza, de precio. Yo me encargaba de que así fuera. Le miré con agradecimiento. Estábamos hablando de negocios con la mayor naturalidad. Como si yo fuera el mismo que conoció hace meses y en aquel cuarto no hubiera pasado nada en absoluto. *Nada*, recordé. Y sentí un escalofrío.
–Hágame una oferta –dije como un autómata.
Y, sin disculparme, empecé a desvestirme en su presencia. Me

quité el batín y el pijama, pero no logré dar con la sahariana y los pantalones. Crucé la habitación envuelto en la mosquitera. El espejo me devolvió una imagen que tardé en reconocer. Me desprendí de la tarlatana y la tiré sobre la cama. Demasiado tarde. También en el espejo acababa de sorprender a Van Logan desviando la mirada.

–Si lo prefiere, puedo esperarle abajo. He encargado a Balik un desayuno de mijo y huevos fritos y...

–Sigamos hablando. Es importante –dije.

Lo era. Debía retenerlo hasta que abandonara para siempre aquella terrorífica habitación. Nunca volvería al Masajonia. Nunca regresaría a África. Estaba decidido.

El holandés sacó papel y lápiz, recitó en voz alta la lista de gastos, el pago de los artesanos, un par de imprevistos y por lo menos tres sobornos. Tachó uno. Se había retrasado y era de justicia que me hiciera una rebaja. Yo ya me había vestido. Empecé a hacer las maletas.

–¿Se va hoy? –preguntó levantando los ojos del papel–. Si es así, yo puedo acompañarle hasta el aeropuerto. Precisamente tengo que facturar unas chucherías.

Se arrepintió de haber empleado la palabra «chuchería». La cambió por «quincalla», lo estropeó aún más con «bagatela» y terminó por acudir al peor de los calificativos posibles: «nadería». Evité su mirada. Se había dado cuenta de que acababa de meter la pata. No porque temiera haberme incomodado –ignoraba a lo que me había enfrentado yo aquella noche– sino, simplemente, porque a nadie le gusta desvalorizar su propia mercancía. Debía de ser la habitación. Algo tenían aquellas cuatro paredes para que un negociante cuajado como el holandés se delatara como un principiante. Y para otras cosas peores. Lo sabía bien. *Algo.*

–Viajaremos juntos –dije. Y arrastré las maletas hasta la puerta. El holandés me miró sorprendido.

–Pero ¿qué hace? Déjelas aquí, *mate.* Luego vendremos a por ellas.

Disimuladamente eché un vistazo a la cama. Me pareció que la mosquitera se agitaba levemente. Había sido el aire. La puerta abierta. Respiré hondo.

–A ver cómo se ha portado Balik –dijo Van Logan.

Desayunamos mijo, huevos fritos y un pan especial que denominan *jubsaka.* No sentía el menor apetito, pero estaba decidido a no separarme de él hasta que llegáramos al aeropuerto. Discutimos precios –puro formulismo en mi caso– y cerramos el trato. Pagué una parte en metálico y le extendí un cheque para cubrir el resto. La operación me resultó difícil. Por un momento no logré recordar mi propio nombre. Destrocé el talón con el pretexto de que la firma me había salido ilegible.

–A eso se le llama resaca –dijo riendo Van Logan.

Extendí otro. No debía alarmarme. En el fondo el negociante estaba en lo cierto. Mi malestar tenía muchos puntos en común con una resaca. Pero el mijo era azul y, durante unos segundos, me vi a mí mismo picoteando sin el menor apetito pequeños grumos de mijo azul.

–Van Logan –solté de pronto–, ¿sabe usted lo que es el Heliobut?

Me arrepentí enseguida. Pero ya no podía volverme atrás.

–¿Dónde ha oído esa palabra? –dijo encendiendo una pipa.

–En el Wana Wana. Ayer por la tarde.

Cabeceó envuelto en humo y me miró con cierta conmiseración.

–Supersticiones. Cosas de nativos... Por eso no avanzan.

Me alegré de que el padre Berini no estuviera presente. Le hubiera estampado el plato de mijo en plena cara.

–El padre Berini... –empecé.

–¡Acabáramos! –gruñó Van Logan–. Él es uno de ellos. Lleva demasiado tiempo aquí y le pega al bozzo. No le haga el menor caso.

–Pero entonces...

–Entonces nada –le disgustaba el tema, eso estaba claro–. Le daré un consejo. Caído en una superstición, caído en todas. Aquí las vidas penden de un hilo. No complique más las cosas.

–Pura curiosidad –mentí.

Él no se inmutó.

–En cierta forma usted y yo somos socios. Y para cuando regrese a estas tierras –seguí mintiendo– me gustaría que en nuestros futuros negocios...

No tuve que añadir nada más. La posibilidad de otro buen negocio –el que acabábamos de cerrar debía de parecerle redondo– le cambió el semblante.

–Como quiera –dijo, y miró el reloj–. Si le gusta perder el tiempo...

Abrió la nevera y se sirvió una cerveza helada.

–Esa palabra, que le recomiendo se abstenga de usar, no es más que la deformación de otra. De dos nombres. Elliot y Belinda. Los primeros propietarios del Masajonia. Ingleses y, según dicen, buena gente. En el vestíbulo están aún sus fotografías. Y las de sus hijas. Dos niñas entonces. Ahora unas viejecitas encantadoras.

No quise interrumpirle. Prosiguió:

–Estuvieron por aquí hace unos años. Ya ve, no hay ningún misterio. Quisieron recorrer los escenarios de su infancia y luego regresaron a su país. Lo encontraron, me refiero al hotel, exactamente igual a como lo habían dejado. Tal vez más pequeño. La memoria, ya sabe...

–¿Y?

No entendía adónde iba a parar. Me estaba impacientando.

–Eso es todo.

–¿Cómo que todo? –protesté–. ¿Y por qué la familia vendió el hotel y abandonó África?

–Porque las niñas iban creciendo y preferían casarlas en Inglaterra. Además a Elliot no le sentaba bien el clima. El manglar. Por lo visto contrajo unas fiebres.

–¿Qué clase de fiebres?

–¡Cómo voy a saberlo! Eso, aquí, es el *jubsaka* nuestro de cada día –celebró exageradamente su chiste y prosiguió–: Lo único que quería decirle es que no encontrará nada de extraordinario en su historia. Ni en la de los europeos que han venido alojándose en el hotel desde entonces.

–¿Y el inglés? –continué–. ¿El tipo que hace una semana perdió el juicio?

Van Logan me miró disgustado. Le molestó que estuviera al corriente de los últimos acontecimientos.

–Irlandés –precisó–. John McKenzie. Ése llegó ya zumbado. Como muchos. No se puede culpar al Masajonia de la locura de algunos clientes. La traen puesta.

Recordé al misionero. «El mal lo llevan dentro.» Y también a mí mismo en una de las escasas conclusiones lúcidas de la noche. «Cada uno tiene el Heliobut que se merece.»

–Heliobut –dije aún, y me sorprendí pronunciando el nombre en voz muy baja–. ¿De Elliot y Belinda a... Heliobut? No sé qué decirle.

–Él la llamaba Blue. Un apelativo cariñoso.

¿Había dicho «blue»? Di un respingo. Los restos de mijo habían recobrado su color pardusco.

–De Elliotblue a la palabreja no hay más que un paso. Era la manera como los nativos conocían el hotel. Por el nombre de los propietarios. El establecimiento de Elliot y Blue... ¿No me ha hablado usted antes del Wana Wana? Pues es lo mismo. Pero, con el tiempo, como a algún que otro europeo se le calentaron los sesos con el clima, nació la leyenda. Y esa pobre gente, primitiva, ignorante y supersticiosa, empezó a referirse a este lugar, donde estamos desayunando tranquilamente, por su verdadero nombre, Masajonia. Y reservar lo otro, la corrupción de Elliotblue, para designar lo que no entendían.

Van Logan no sería ignorante, primitivo o supersticioso, pero evitaba con sumo cuidado –hacía rato que me había dado cuenta– pronunciar directamente «la deformación», «la palabreja», «lo otro»... No se lo hice notar. Mi cabeza estaba en otras cosas.

–Blue –murmuré.

Se echó a reír.

–Sí –dijo–. No es un nombre apropiado para una esposa. Suena más bien a puta. ¿No le parece?

Le adiviné frecuentador de prostíbulos y bares de alterne. Me encogí de hombros.

–Pero era una santa. O eso decían los que la conocieron. Y ahora vámonos –miró el reloj–. A no ser que haya decidido perder el avión.

Había dejado el maletín junto a mi equipaje y no tuve que rogarle que me acompañara a la habitación. Abrí la puerta. Me asomé angustiado. Nadie.

Arrastré las maletas por el pasillo. Al pasar delante del siete del francés oí el sonido de una llave en la cerradura. Me detuve.

–¿Se va? –preguntó De la Motte apareciendo en el umbral.

Vestía un batín de damasco (como las paredes de su alcoba en el *château* de La Loire) y calzaba unas babuchas de un azul intenso. Se le veía fresco, recién afeitado y en plena forma. Recordé que en un momento de la noche le creí muerto y sentí una inmensa alegría al comprobar que seguía vivo. Le abracé.

–¡Qué lástima que se vaya! Quería enseñarle mis cuadros y agradecerle su compañía. Fue una velada inolvidable, ¿verdad?

Van Logan nos miró de reojo, carraspeó y siguió avanzando con su maletín. Le alcancé enseguida. No debía separarme de él ni un segundo. Al llegar a Recepción, Balik reparó en mis maletas, comprendió que me iba y empezó a preparar la cuenta. Yo aproveché para mirar otra vez las fotografías de la pared. En unas estaba escrito Belinda y Elliot. En otras Elliot y Blue.

–Ajajash –dijo Balik.

Sabía que no era cierto. Que ni el pintor ni yo habíamos muerto, ni Balik, por tanto, había tenido que peinar la zona y hacerse cargo de nuestros cuerpos. Pero si no hubiera sido así, si mis sospechas nocturnas hubieran resultado ciertas, seguro que Balik se habría comportado de la misma forma. Con respeto y cariño. A punto estuve de abrazarle, pero sentí la mirada estupefacta del holandés, recordé su reciente carraspeo, me vi vagando entre tules por la habitación, y no llegué a hacerlo. Van Logan dijo: «Vámonos ya», pero su expresión denotaba a las claras sus pensamientos. «¿También con éste?», se estaba preguntando en silencio.

No recuerdo nada en absoluto del viaje junto al holandés. Nada más subir al camión me quedé frito. Cuando desperté era de noche y estábamos en el aeropuerto. Van Logan había facturado las mercancías, me entregaba un pasaje, explicaba que se había tomado la libertad de hurgar en mis bolsillos, me devolvía el cambio y, como si yo fuera un fardo, una bagatela o una nadería, me depositaba con resolución al pie de la escalerilla.

Me despedí de Van Logan –de África en toda su inmensidad– en la puerta del avión. Ocupé el asiento que me indicó la azafata, miré el reloj y mi último pensamiento fue para Balik. Era la hora. También yo, como él, regresaba a casa. Cerré los ojos.

–¿A casa? –me pareció oír–. ¿Y quién le espera en casa?

Los abrí sobresaltado.

–Isabel, César, Bruno... –murmuré.

El asiento contiguo estaba vacío y la azafata perdida en un extremo del pasillo.

Volví a cerrar los ojos. Pero no logré dormir en todo el viaje.

La familia me encontró raro.

–Te encuentro raro –dijo mi mujer.

A los chicos les sucedió exactamente lo mismo. Me encontraron raro. Pero, fieles a su costumbre de no desperdiciar energías, se abstuvieron de hacérmelo notar. Mis hijos no hablaban. Por lo menos conmigo. Entre ellos, en cambio, no dejaban de intercambiar mensajes con los ojos fijos en su móvil, aunque se encontraran en la misma habitación o sentados en el sofá, uno al lado de otro. Algunos debían de ser muy chistosos. Porque de pronto se miraban, me miraban, volvían a su móvil y se echaban a reír. Sin el menor disimulo.

En la cocina también se hablaba de mí.

–Al señor le han hecho algo –dijo en una ocasión la ecuatoriana que llevaba con nosotros varios años–. Una brujería.

–Pues yo lo encuentro muy amable –terció una gallega a la que apenas conocía.

Me gustaba escucharlas. Hablaban de hechizos, de pócimas, de embrujos, de conjuros, de ataduras y de maldiciones, y se preocupaban sinceramente por mí. Después, sin dejar de lavar platos o preparar la comida, recordaban historias y casos sucedidos en sus pueblos de origen. Algunos los habían presenciado con sus propios ojos. Otros no, pero se declaraban dispuestas a poner la mano en el fuego para demostrar su veracidad. Nunca llegué a enterarme del final de los sucesos. En cuanto se percataban de mi presencia, cambiaban de tema. De nada me servía pedir una cerveza, un vaso de agua fresca o algo para picar.

–Ahorita se lo llevamos al salón.

–Sí, señor. No se moleste.

Me tenían cariño. Y respeto. Pero mi lugar no era la cocina.

A los pocos días decidí ponerme a trabajar. Abrí el cargamento de estatuillas que hasta entonces había permanecido cerrado y escogí las mejores. Muchas habían sufrido desperfectos durante el viaje. Demasiadas. Tal vez venían ya defectuosas de origen. ¿Cómo saberlo? No había tenido tiempo ni ánimos para revisar la partida cuando debí hacerlo. Un descuido imperdonable. Las rocié, como siempre, con un preparado de mi invención y las sepulté en la parte trasera del jardín. En pocos meses estarían listas. Como siempre.

La familia (pero no quisiera extenderme en ese tedioso tema) pareció tranquilizarse con mi recuperada afición al trabajo. Me observaron manipulando probetas en el laboratorio, asistieron al entierro del material y mi mujer, incluso –tal vez por la alegría que le producía saberme ocupado–, me dedicó, en dos ocasiones por lo menos, frases laudatorias acerca de mi patente habilidad para el envejecimiento, la falsificación y el arte.

Todo volvía a ser como antes. Yo dejaba de vagar por la casa como un alma en pena, permanecía encerrado en el laboratorio preparando el tratamiento final y dentro de unos meses empezaría a llegar el dinero a espuertas. El dinero, sí... Pero ¿era sólo eso? Dudé de mi mujer. De los chicos no. A ellos siempre les había interesado el dinero.

–Por las noches hablas –dijo mi mujer (y yo lamento tener que volver a referirme a ella)–. Dices cosas incomprensibles, pero sobre todo «Blue». Una y otra vez. ¿Quién es Blue?

Mis dudas tenían fundamento. A mi mujer no le preocupaba únicamente el dinero, sino la seguridad de que no iba a producirse ninguna interferencia que me impidiera seguir aportando dinero.

–Suena a chica de alterne –continuó en el más puro estilo Van Logan.

Estaba celosa. En cierta forma, por lo menos. Me armé de paciencia.

–*Blue* quiere decir azul.

–¡Gracias! –había olvidado que era licenciada en literatura inglesa–. No sabes cómo me tranquilizas.

Los chicos se pusieron a reír. Me habría gustado que no estuvieran allí, en el comedor, y, sobre todo, que no fueran mis hijos. Pero no había duda. Eran mi vivo retrato –en lo físico– de cuando era adolescente. Ahora dejaban de comer y volvían al tráfico de mensajes.

–Dilo ya, aquí, delante de tus hijos –mi mujer (no tengo más remedio que volver a ella) había perdido el menor sentido de la discreción–. ¿Quién es esa Azul que te ha sorbido el seso? Tenemos derecho a saberlo.

Dudé entre refugiarme en el laboratorio o permanecer en silencio. Hice un esfuerzo y opté por el camino más difícil: la franqueza. Tal vez merecían una oportunidad.

–Azul es el mar –dije–, el cielo, los ojos del padre Berini, un punto en las pupilas de la hermana Hurí y una dama inglesa que, si viviera aún, tendría más de cien años. También, a ratos, el mijo puede ser azul, el jubsaka, los tawtaws, el Wana Wana, cualquier estatuilla enterrada en el jardín o una noche de insomnio en el Masajonia. Y posiblemente... el Heliobut.

Iba a proseguir (había decidido sincerarme, ya lo he dicho), pero fui interrumpido por unas carcajadas. Esta vez me encolericé. Le arrebaté el móvil al hijo más próximo. Leí: «Está zumbado». Recordé a McKenzie.

–McKenzie –pensé en voz alta–. No era inglés, sino irlandés.

Mi mujer me quitó el celular y se lo devolvió al chico.

–Y encima violento. Y cínico. Y prepotente. ¿Quién te has creído que eres?

Mi mujer (otra vez, lo siento) me produjo una pena inmensa. ¿Creerme yo *algo?* Yo no era nada. O casi nada. Menos que una mosquitera, un sillón de orejas o un insecto. El *casi*, esta vez, me confortó. Ellos eran todavía menos. Aunque, pobres, no tuvieran la menor idea de que casi *no eran.*

–Sí, el Heliobut –continué. Ya que *no eran*, nada me impedía seguir pensando en voz alta–. Procede de Elliot y de Blue, pero es como si hubiese adquirido vida propia. Nadie, al nombrarlo, piensa ya en los antiguos propietarios. Se trata de un mal, tal vez de una fiebre que no se traduce en décimas y que ataca únicamente a los tawtaws. Tampoco el padre Berini, que lo sabe todo, puede o quiere formularlo con claridad. Dice que es como una gripe y recomienda pasarla en cama. La enfermedad debe seguir su curso. Van Logan le echa las culpas al manglar. Pero Berini es un bozzero y el holandés una mezcla de rufián y hada madrina. Me ha vendido material defectuoso... ¡Qué más da! El mijo era azul y Van Logan me salvó la vida.

Me detuve para beber un poco de vino. Empezaba a sentirme bien.

–Azul –dije–. Como los ojos del misionero o las babuchas de Jean Jacques Auguste de la Motte. Azul...

Y entonces lo entendí.

–Se trata de una fiebre. ¡La fiebre azul!

Eso era. ¡Por fin! Había conseguido formularlo. Heliobut no tenía para mí el menor significado, pero sí, en cambio, ¡fiebre azul! Había vencido. *Algo* se retiraba derrotado y en su lugar *fiebre azul* se instalaba benéficamente en el sillón de orejas explicando los delirios de la noche y cargando con toda la responsabilidad. El mal, o lo que fuera, tenía nombre. Me serví otra copa.

–¡Fiebre azul! –grité–. He aquí el diagnóstico.

Y de pronto los vi en azul. Fue sólo un momento. Me miraban como si supieran, ellos también, que yo era pequeño, muy pequeño... Pero no se trataba de eso. Los chicos estaban congestionados de aguantarse la risa. Mi mujer seguía furiosa. No había creído una palabra de lo que acababa de explicar. O no se había molestado en escucharme. O lo había intentado y se había hecho un lío. Tal vez hubiera debido empezar por el principio. Contarles quién era Berini, mis tratos con Van Logan, lo que significa *tawtaw* y un largo etcétera. Pero había llegado a olvidarme de su existencia. En realidad hablaba sólo para mí mismo. Mi mujer volvió a la carga.

–Y merodeas por la cocina en cuanto piensas que no te vemos. ¿Qué buscas allí?

Me fui al laboratorio. Cerré con llave y pensé en China. Casi todos mis conocimientos –el arte de envejecer, sepultar, de dar, en definitiva, gato por liebre– los había adquirido en China. Es más, los había sufrido en mis propias carnes la primera vez que fui a China en viaje de negocios. Sabía que, durante la Revolución Cultural y los traslados forzosos, muchos, a la espera de tiempos más propicios, enterraron sus pertenencias en el campo. Muebles, arquillas, porcelanas, láminas, libros... Bienes heredados, joyas de familia o cualquier objeto de simbología religiosa odioso, en aquellos años, a los ojos del régimen. El subsuelo del país estaba lleno de tesoros que ahora afloraban de continuo en los lugares más impensados. Los restos de tierra integrados en los resquicios daban cuenta de sus vicisitudes y su autenticidad. Por lo menos al principio. Porque o los tesoros se agotaron o los vendedores vieron el cielo abierto. Lo cierto es que se pusieron a fabricar todo tipo de antigüedades con que satisfacer la creciente demanda. Eran hábiles, sabían cómo engatusarte. Me enseñaron polvorientos arcones de madera de alcanfor y los bienes heredados que habían logrado salvar en su interior. Me endilgaron lo que les vino en gana. Y yo, a mi regreso, aprendí la lección. En adelante –se tratara de China, la India o de mi viaje más reciente, África–, ya no buscaría antigüedades sino objetos que, con el debido tratamiento, pudieran pasar por antigüedades. Ahí empezó mi fortuna. Y la de la familia.

–Iré a China –dije al regresar al comedor.

No les pareció ni bien ni mal. O, por lo menos, se abstuvieron de darme su opinión, cosa que agradecí. Les imaginé cavilando. África no había dado los frutos previstos –de ahí mi depresión o mi trastorno– y volvía a China. En el fondo estaban de acuerdo. Lo importante era mantener un nivel de vida y perderme de vista por un tiempo. A mí, en cierta forma, me ocurría lo mismo. Necesitaba descansar. De ellos.

Aunque ¿de qué me podía quejar? El culpable era yo –la nada repugnante durmiendo a pierna suelta–, y la familia, como el Heliobut, no es casi nunca una casualidad. Sólo un merecimiento.

La idea no me gustó. ¿Y si en vez de un merecimiento fuera una simple contingencia? Recité en voz baja sus nombres –Isabel, César, Bruno– y, con un poco de trampa, compuse una palabra. Bel de Isabel, Ce de César y Bú –aquí la licencia– de Bruno. ¡Belcebú! Había huido del Heliobut y ahora iba a liberarme de Belcebú. Cuanto antes. Crucé los dedos.

–Belcebú... –murmuré complacido.

Los chicos se tronchaban de risa. Mejor así. Que se desahogaran. No fueran a caer enfermos y me complicaran las cosas. Mi mujer (y ésta sí es la última vez que hablo de ella) pegó un golpe en la mesa.

–¿*Belle* Blue? –preguntó a gritos–. ¡Y dale! ¡Blue, Blue...! ¡No puedes sacártela de la cabeza!

Desenterré las estatuillas, las sometí al tratamiento final, las vendí por un precio desorbitado y compré un pasaje a Pekín. Pero no llegué nunca.

Había reservado habitación en el China World. El mejor. No pensaba privarme de nada. Mis contactos –Lin Pi Shang, Fu Shing y un tal Schneider– estaban ya al tanto de mi llegada. También el intérprete, José Pong, un chino-peruano que me había sido recomendado con entusiasmo. Llevaba un montón de libros en el equipaje de mano. Libros leídos en su día –subrayados, anotados– de los que, cosa curiosa, no conservaba el menor recuerdo. *La Chine et les Chinois*, *China hoy,* etcétera. El viaje era largo. Toda una jornada. Pero a las dos horas escasas de vuelo un desperfecto en el motor unido a una poderosa tormenta nos obligó a un improvisado cambio de ruta, primero, y a una escala forzosa poco después. «Bengasi», informó el sobrecargo por los altavoces. ¿Bengasi? El avión estaba lleno de ejecutivos malhumorados que como un eco repitieron «¡Bengasi!». Yo, en cierto modo, también era un ejecutivo –un ejecutivo de mí mismo, para ser exactos–, pero el incidente no alteraba esencialmente mis planes. Pi Shang, Fu Shing y Schneider podían esperar. Incluso me atrevería a decir que era bueno que se impacientasen. El único problema era José Pong. Si resultaba tan fuera de serie como se me había asegurado, alguien, sin duda, se apresuraría a contratar sus servicios y me quedaría sin intérprete. Ése era el único punto negro. Pong. Pedí un té en la cafetería del aeropuerto y abrí un libro. *La Chine et les Chinois*. Lo cerré. Estaba en Libia y China quedaba muy lejos.

La compañía nos ofreció dos opciones. Regresar al punto de partida (posibilidad que deseché de inmediato) o esperar en Bengasi, con los gastos pagados, a que el aparato fuera reparado. Hubo una tercera. Una iniciativa que partió de un par de ejecutivos de singular fiereza, y que más que una opción era una exigencia. ¡Que nos devolvieran el dinero! ¡Que nos indemnizaran! Me uní a los sediciosos. No me veía envejeciendo en Bengasi. Protestar, además, es un saludable ejercicio que suele ponerme de buen humor. Me enfurecí, reclamé mis derechos, amenacé con demandas y juicios, redoblé mi cólera, me convertí en cabecilla de la rebelión y conseguí lo que quería. Nos devolvieron el importe del pasaje, más un considerable plus en atención a daños y perjuicios, y me puse de buen humor. Mis ocasionales amigos, después de las felicitaciones de rigor, desplegaron un mapa. Eran viajeros avezados. En pocos segundos marcaron con bolígrafo rojo un itinerario sorprendente. Discutieron entre ellos, barajaron nombres de compañías, consultaron horarios, enviaron y recibieron mensajes electrónicos, sopesaron ventajas e inconvenientes y finalmente se pusieron de acuerdo. Desde cierto lugar (hundieron sus dedos en un punto de África) podríamos abordar, sin ningún problema, un avión con destino a Pekín. Nos estrechamos la mano con euforia. Ya estaba hecho.

Abordamos felices el primer avión como si fuera la decisión más importante de toda nuestra vida. Para mí lo fue. Pero entonces aún no podía saberlo. Mi asiento era el siete. Hasta aquí nada de extraordinario. El siete estaba impreso en el respaldo y también, en relieve, sobre la ventanilla. Instintivamente lo toqué. Me refiero al que estaba sobre la ventanilla. Y entonces, en un rápido contoneo que me resultó familiar, giró sobre sí mismo, se balanceó y terminó convirtiéndose en una ele. Lo miré atónito. ¿Había sido yo? ¿O era la mano de la fatalidad la que me prevenía de algo y me conducía a través del inescrutable continente? En la primera escala (me abstendré de precisar el nombre) el olor a mijo y ñame confundido con especias y perfume me produjo una agradable sensación. También el calor. Y los rostros de la gente. En la segunda (tampoco incurriré en la estupidez de hablar más de la cuenta) el avión se llenó de misioneros, monjas, cooperantes, familias de notables y delegados de organizaciones internacionales. No hubo tercera escala. O sí la hubo. Pero no se trató propiamente de una escala. Para mis amigos, los fieros ejecutivos, fue el final de la primera etapa del viaje. De allí se embarcarían con destino a Pekín. Para mí, la decisión más importante de mi vida. No iría a China.

Ayudé a la fatalidad –¿o debería llamarla providencia?– y me informé de los vuelos inmediatos. En menos de dos horas despegaba un Fokker. Tuve suerte. El Fokker me conducía precisamente a donde deseaba ir. Mi asiento esta vez no tenía número, pero si contaba de izquierda a derecha (dos a la izquierda, pasillo, dos a la derecha) yo ocupaba la segunda fila (a la derecha) y era exactamente el séptimo pasajero. El dato me bastó. La providencia me hacía trabajar. Pero no me había abandonado.

Llegué de madrugada al pequeño aeropuerto que conocía bien. (Tampoco diré el nombre. Ahora menos que nunca puedo permitirme un desliz.) Contraté los servicios de un chófer. «Hotel limpio», dijo sin preguntarme. «No lejos de aquí.» Me senté a su lado dispuesto a aguantar las largas horas de viaje. Estaba amaneciendo. Reconocí mangos, palmeras, ceibas y baobabs. Saludé con la mano a niños madrugadores de los poblados que íbamos dejando en el camino. En un momento, aproximadamente a mitad del viaje, el conductor frenó en seco. «Padre Berini», dijo, y señaló hacia una casa blanca. «Muy bueno. Un santo.» Yo le indiqué que continuara. «Otro día», añadí. Pero en esta ocasión era sincero. Claro que conversaría con el misionero. Al día siguiente o al otro. No tenía prisa. Antes de dejar atrás la misión me fijé en un tendedero del que pendían tres hábitos secándose al sol. El viento los balanceaba con distinta fortuna. Dos se ondulaban pesadamente (como si estuvieran todavía mojados y el agua les restara movilidad). El tercero, en cambio, era la viva imagen de la liviandad, la gracia, la armonía. Adiviné enseguida a quién pertenecía.

El calor empezó a pegar de lo lindo y el conductor me tendió un pañuelo. Me cubrí la cabeza. No iba vestido de África sino de China. Una imprevisión excusable que me apresuraría a subsanar en cuanto hubiera descansado. Llegamos al Wana Wana. No había abierto aún. Unas cuantas mujeres esperaban a la puerta, inmóviles como estatuas, junto a cuencos de mango fermentado.

–Wana Wana –dijo mi cicerone, y a los pocos metros volvió a frenar.

En el camino había un coche parado rodeado de humo. Los dos

conductores se pusieron a hablar en su lengua. Yo me fijé en la cantidad de bártulos desperdigados en el suelo. Una maleta, dos maletines, un neceser, dos cajas de óleos y un caballete y varias telas.

–¡De la Motte! –grité esperanzado.

Una cara tiznada apareció tosiendo entre la humareda.

–¡Qué alegría! –dijo sonriendo. Tenía una mano negra, la derecha, y otra blanca, la izquierda. Quiso limpiarse la derecha y se tiznó las dos. Me ofreció la izquierda–. No estoy muy presentable –se excusó.

Nos hicimos cargo del pintor y de su equipaje. No le pregunté adónde iba. Lo sabía perfectamente.

–He estado viajando –explicó–. Pero no he encontrado en ningún lugar un hotelito semejante al nuestro. Tampoco en ningún lugar he logrado pintar tan a gusto. En realidad no he pintado.

Abrió levemente el envoltorio de una tela. Asomó una esquina azul.

–Es lo último que hice. Hace unos meses. Lo empecé aquí y lo acabaré aquí. Ya no soy figurativo, ¿sabe? Ahora juego con el color. Me fascina el azul. No es un color frío, como cree la gente. El azul es... ¡todo! Las posibilidades son inmensas.

Asentí.

–¿Y usted? –preguntó cortésmente–. ¿Qué ha sido de usted durante todo este tiempo?

–Vengo de Libia –respondí únicamente.

Habíamos llegado. El conductor desapareció en el porche y yo ayudé a De la Motte con su equipaje.

–Ojalá haya habitación –murmuró.

–La habrá –dije resuelto.

El conductor nos llamaba desde el porche agitando un brazo. «¡Sólo una!», gritó sonriendo. «¡Una sólo!» De la Motte y yo nos miramos consternados.

–¡Qué contratiempo! –dijo el pintor. Y bajó la voz–. Padezco bruxismo, ¿sabe usted?

No. Yo no lo sabía. Pero la idea de compartir dormitorio con De la Motte me parecía más que un contratiempo.

–Los dientes me castañetean por la noche.

Creo que puse los ojos en blanco. No estoy seguro.

–Como duermo profundamente –prosiguió– no me doy cuenta. Pero debe de ser muy desagradable para los otros...

Debía de sentirme muy cansado, porque su generosidad me enterneció. Lo que realmente le preocupaba era mi descanso.

–¡Sólo una! –volvió a gritar el conductor desde el porche. ¿Por qué sonreía aquel maldito?–. ¡Hotel libre!

Empecé a comprender. De todos los sietes disponibles únicamente uno estaba ocupado. Oí un silbido de alivio. Era el pintor.

Me adelanté y entré en el Masajonia. Todo seguía igual. La hamaca blanca junto al mostrador, los retratos de los fundadores, el olor a torta de mijo... Balik –eso era lo único raro– estaba atareado reparando el asa de una maleta. No quise interrumpirle. Era la primera vez que le veía ocupado en algo. Le observé. Él debió de notar mi mirada porque alzó la cabeza, me reconoció, depositó la maleta vacía sobre el mostrador y me dedicó una inmensa sonrisa. Yo también sonreí. Y de pronto me pareció estar soñando. ¡La maleta! Ahí estaba, entre Balik y yo, la maleta de juguete de la voluntaria. No podía creer en mi suerte. ¡La voluntaria!

–¡Ajajash! –dijo Balik sin disimular su contento.

Apenas pude devolverle el saludo. Estaba emocionado.

–Ajajash –pronuncié tímidamente.

Y, por primera vez en mucho tiempo, me sentí en casa.

Parientes pobres del diablo

Raúl abrió la puerta. Llevaba corbata negra y el traje oscuro le quedaba estrecho.

–Estás como siempre –dijo con toda la amabilidad del mundo.

–También tú –contesté obligada.

Tenía el cabello blanco y los ojos hinchados. No le hubiera reconocido por la calle.

–Gracias por venir. Te presentaré a mi madre.

La casa estaba llena de gente. Una anciana arrellanada en un sillón respiraba con dificultad. Me sentí incómoda. No había previsto la situación: saludar a la madre.

–Era muy amiga de Claudio –dijo Raúl.

La madre me miró con aire ausente. Parecía sedada y le costaba hablar. Me cogió de la mano.

–Malas compañías –musitó con un hilo de voz–. En los últimos tiempos no era el mismo.

Raúl repitió mi nombre y añadió:

–Es escritora.

–¿Ah sí? –dijo la madre–. ¿Qué escribe usted?

La pregunta me pilló desprevenida. Pero la mujer no esperaba respuesta. Apretó mi mano con fuerza y me clavó una uña.

–Él también escribía. No hacía otra cosa que escribir. Allí –señaló hacia la puerta del pasillo–, en su cuarto.

–Sí, mamá –interrumpió Raúl.

Me tomó del brazo y me llevó aparte.

–Está muy afectada. Supongo que lo entiendes.

–Desde luego –dije.

Entramos en un despacho. En la pared colgaba una orla amarillenta, varios títulos académicos y un pergamino enmarcado. «Su Santidad el Papa Pablo VI bendice a la familia García Berrocal.» Sobre la mesa, bajo una escribanía de plata, vi la carta.

–Aquí estaremos más tranquilos –dijo Raúl.

Olía a cerrado. A libros polvorientos y a papel quemado. Me ofreció una silla. Él se sentó en un sillón giratorio al otro lado de la mesa.

–Es..., era –corrigió– el despacho de mi padre. No sé si le llegaste a conocer.

Negué con la cabeza.

–Una excelente persona. Y un gran abogado. Murió al poco de nacer Claudio.

Me entregó la carta. Dudé entre abrirla allí mismo o guardarla en el bolso. Raúl jugueteaba ahora con un tintero vacío. Entendí que me estaba dando tiempo. Debía abrirla. Y enseñársela. Rasgué el sobre. «Siempre que tome un dry martini piense en mí. Me gusta muy frío, no lo olvide.» Raúl seguía pendiente del tintero.

–Ayer me llamó por teléfono. Primero a mi casa, luego al bufete. Las dos veces me habló de ti. Me contó que os habíais hecho amigos, muy amigos...

Agitó el tintero como si fuera una maraca. Estaba nervioso.

–... Y que probablemente se iría de viaje uno de estos días. No entendí qué tenía que ver una cosa con otra y, la verdad, no le hice demasiado caso. Claudio se pasaba la vida viajando y desde hacía años no nos veíamos mucho. Pero esta mañana...

Se olvidó del tintero y abrió una pitillera de marfil. Me ofreció un cigarrillo.

–Esta misma mañana he encontrado la carta. Estaba aquí, en la mesa del despacho. Con tu número de teléfono y el ruego de que te la hiciéramos llegar. Por eso te he llamado.

–Parece una broma –dije, y le tendí el papel–. O quizás una despedida. Pero no aporta ningún dato que pueda explicar...

–Ha sido un accidente –cortó Raúl, y se caló las gafas–. No tenía motivos para dejarnos.

¿Un accidente? ¿Una carta para mí? ¿Cómo sabía Claudio que iba a sufrir un accidente? ¿Y qué tenían que ver en todo esto las «malas compañías»?

–Sin embargo... –ahora Raúl, visiblemente decepcionado, me devolvía la carta–. ¿Tú sabes si en los últimos tiempos se había hecho de una secta o de algo parecido?

Le miré sorprendida. Raúl pareció arrepentirse enseguida de su pregunta.

–Te ruego que esta conversación no salga de aquí.

Señaló la chimenea.

–Ayer por la tarde, poco antes del... accidente, Claudio encendió la chimenea y quemó un montón de papeles. Esta mañana sólo quedaban cenizas. Pero he podido recuperar esto.

Abrió el cajón del escritorio y me mostró un papel chamuscado. «DEL DIABLO», leí.

–Curiosamente es lo único con lo que no ha podido el fuego.

Encendió un ventilador. El calor del despacho era insoportable.

–Yo no le daría importancia –dije–. Claudio estaba preparando una tesis. Un ensayo.

Iba a hablar más de la cuenta pero me detuve a tiempo. El recuerdo de una antigua improvisación acudió en mi ayuda.

–Un ensayo sobre el Infierno –proseguí–. Dante, El Bosco, Swedenborg...

–Ah –dijo Raúl. Y apagó el cigarrillo.

Yo le imité. Eran pitillos de la época de Maricastaña. De cuando Pablo VI bendijo a la familia o de los tiempos en que el padre se licenció en Derecho. El papel tenía el mismo color pajizo de la orla.

–Un ensayo –repitió.

No dijo más. Durante un buen rato. Permaneció en silencio mirando las colillas y yo, de nuevo, me refugié en Maricastaña. ¿Quién era esa señora? ¿A qué tiempos se refería el dicho? O mejor, ¿en qué época se acudió a Maricastaña para aludir a tiempos imprecisos y remotos? Además, ¿era Maricastaña o María Castaña? Un simple truco para mantener la mente ocupada. Una defensa. Pensar en cualquier cosa menos en la razón por la que yo me encontraba allí en aquellos momentos. En un despacho sofocante junto a un hombre que parecía haberse olvidado de mi presencia.

–¿Por qué lo quemaría? –oí de pronto.

Ahora Raúl me miraba fijamente.

–No estaría satisfecho –aventuré–. O no querría que nadie lo leyera... cuando él ya no estuviera aquí.

Acababa de destrozar la versión oficial. «Accidente.» Raúl suspiró compungido. No se molestó en insistir. Volvió a darme las gracias, se levantó y abrió la puerta. En el pasillo respiré hondo. Por poco tiempo. Una chica llorosa sentada en una banqueta parecía aguardarnos. Raúl le hizo ademán de que se acercara.

–Era su novia –explicó.

–Fui su novia –precisó ella–. Hasta hace unos días.

Me dirigió una mirada llena de recelo. ¿Sabía ella también que yo era *muy amiga* de Claudio?

–¿Qué le ocurría? No quería hablar con nadie. Ni siquiera conmigo.

No pude responder.

–Y estaba asustado. Muy asustado. ¿De qué tenía miedo?

La chica rompió a llorar. Raúl le palmeó los hombros con cariño. Esperé unos segundos. La situación era embarazosa y yo no pintaba nada allí. Los dejé abrazados en el pasillo, crucé el salón y salí a la terraza. «Siempre que tome un dry martini piense en mí...» Ahí estaba Claudio, su voz, su letra. La misma letra con la que había escrito «DEL DIABLO». Y la misma voz que ahora retumbaba en mis oídos recordándome: «Debemos protegernos... Han nacido para el mal, ¿entiende?».

Todo empezó en México D.F., una mañana plomiza y densa en la que hasta la propia respiración se hacía insoportable. En realidad yo no tenía por qué encontrarme allí. Había acudido a un congreso, el congreso había finalizado, un montón de obligaciones me aguardaban en Barcelona, pero la noche anterior, impulsivamente, decidí aplazar la vuelta y cambiar mi pasaje. Dejé el hotel y, aceptando la invitación de una amiga, me instalé en su casa, en la calle Once Mártires del barrio de Tlalpan. Durante la semana de trabajo apenas había disfrutado de un momento libre. Ahora yo me regalaba siete días. Y lo primero que iba a hacer era tomar un taxi y dirigirme al centro. Mi amiga, en el portal de la casa, intentó disuadirme. «¿Con este día? ¿Por qué no esperas a mañana y vamos juntas?» No le hice caso y aún ahora me felicito por mi suerte. *Mañana*, quizás, hubiera resultado demasiado tarde. Otras hubieran sido las circunstancias; otros mis pasos. Y nada de lo que ocurrió habría ocurrido.

Subí, pues, a un taxi en Tlalpan, a pocos metros de la casa de mi amiga, indiqué al conductor «Alameda Central» y, una vez allí, me dirigí paseando a la calle Madero. Era mi segundo viaje a México. El primero se perdía sin fecha en el tiempo (¿quince?, ¿dieciocho años?), pero ahora recordaba cómo ya entonces me había sorprendido el silencio. Madero estaba repleta de ambulantes, también los aledaños del Zócalo o el atrio de la catedral, y, sin embargo, lo que se oía era apenas un murmullo, un lejano rumor, un agradable bajo continuo. Parecía un sueño mudo. El copión de una película sin sonorizar. Me sentía a gusto. Entré en la catedral, visité el Museo del Templo Antiguo, compré jabón de coyote y ungüentos milagrosos, dejé que, a cambio de la voluntad, me tomaran la presión unas chicas vestidas de enfermera, me pesé en una báscula, admiré algunos zaguanes coloniales, continué callejeando sin rumbo... Y de pronto lo vi. ¡El diablo!

Estaba apoyado en el morro de un coche, no lejos de su negocio, un pañuelo extendido en el suelo sobre el que exhibía su mercancía. Era alto, muy alto, de piel curtida y brillante, algo rojiza. Tenía los ojos desafiantes y vidriosos. Retrocedí unos pasos. Por nada del mundo quería encontrarme con su mirada, pero tampoco podía dejar de observarlo. Era guapo. Aunque todo en él me repeliera, aunque su visión me provocara el rechazo físico más grande que he sentido en toda mi vida, debo reconocer que respondía a las características de lo que se puede entender por un hombre guapo. Parecía arrancado de una película mexicana de los cincuenta y parecía también que todos los demonios de guiñol del mundo lo hubieran tomado por modelo. Recordé el mío, el títere que tuve en casa, de pequeña, su rostro reluciente, las cejas arqueadas, la sonrisa. Lo reviví arrogante, asomando por la ventana de un teatrillo y, muchos años después, derrotado en el cubo de la basura, manco, con la cabeza desplomada sobre el harapo en que se había convertido su túnica. El diablo de ahora tenía sus cejas, el color de su piel, su brillo. Y seguía allí. Apoyado en el morro del coche, fumando indolentemente, sin abandonar su media sonrisa. El humo, al surgir de la boca, se detenía un rato flotando en el aire. Era un humo infernal, como el de los cromos de mi infancia, como la arrogante sonrisa y los ojos vidriosos. En un momento se incorporó y me admiré de que fuera todavía más alto de lo que había creído. Acababa de alzar el brazo y daba una indicación a su ayudante. Sólo entonces reparé en que tenía un ayudante. Estaba de rodillas junto al pañuelo extendido. Y parecía tonto. Un alma de Dios. Un simple. ¿Cómo, si no, se prestaba a servir a aquel diablo? Apenas podía abrir los ojos, y con la boca le ocurría justamente lo contrario. Le costaba cerrarla. O no acertaba a hacerlo. Me fijé en lo que vendían. Ídolos, personajes desconocidos en el santoral, demonios... Aparté la vista del suelo y volví al diablo. Había recuperado su posición indolente junto al coche y seguía fumando. Temí de nuevo que descubriera mis ojos fijos en su rostro y me taladrara con la mirada. Pero antes de retirarme, antes de volver la vista al pañuelo y a las burdas réplicas de su persona, comprendí de pronto qué era lo que me había sobresaltado. Su entorno. El diablo iba más allá de sí mismo. Algo emanaba de él. Una especie de aura maléfica que prolongaba sus contornos y me mantenía prisionera como el pájaro que ha sido hipnotizado por la boa, y aunque podía moverme –retroceder– no lograba dejar de observarlo. Pero ¿qué era lo que desprendía, lo que no le abandonaba, aquello que se resistía a fundirse con el denso aire del D.F.? Una nube sutil. Una atmósfera enrarecida. Vicio, pensé. Abismo. Abyección. Tinieblas... Nunca estas palabras, pensadas en mayúsculas, me parecieron tan vanas, incompletas e inútiles. Me encontraba frente a algo que no había visto en toda mi vida. Un diablo mexicano (y ambulante) de cuya media sonrisa surgían impertérritos aros de humo.

Volví a la plaza y alcancé Madero. De pronto sólo deseaba tomar un taxi y regresar al apacible Tlalpan. Pero no lo hice. A la izquierda vi un hotel –Hotel Majestic– y mi propia voz de otros tiempos se dejó oír en el silencio del Zócalo. «En este hotel me gustaría vivir.» Era curioso. No lo recordaba, lo observaba como si lo viera por primera vez –la entrada discreta, el anuncio de una terraza sobre la plaza–, pero esa voz, la mía, me hablaba de que, hacía un montón de años, yo me había detenido precisamente allí. En aquella misma puerta. ¿Lo había hecho? Obedecí a la voz que recordaba lo que yo había olvidado. Entré. El recepcionista me indicó el ascensor. Arriba, ya en la terraza, me sentí a salvo.

Pedí un dry martini, bebí un sorbo y la imagen del vendedor y su triste ayudante apareció ante mis ojos. Ahora los podía revivir a distancia, segura en mi burbuja, admirarme del efecto que me habían causado los ojos llameantes, el brillo de la piel, la media sonrisa. Intenté convencerme. Aquel hombre, aquel desgraciado, no era más que un pobre diablo. Poco importaba que se dedicara a la magia negra o se limitara a vender figuras que se le parecían. Su vida de ambulante tenía que ser dura. Al asistente debía de pagarle la comida y gracias, y los exiguos beneficios del tenderete apenas le alcanzarían para atender a sus necesidades. Alcohol de ínfima categoría, tabaco, mujeres todavía más miserables que él, más desgraciadas. Aunque, a su manera, se le viera radiante, con un gesto de desafío que estúpidamente me había impresionado. Porque, a salvo en la terraza-burbuja (y olvidando la estela infernal que había creído apreciar momentos antes), todo de pronto empezaba a parecerme exagerado, absurdo. Quizás, años atrás, el apuesto vendedor había sido diablo de feria. O charlatán. O titiritero. O actor caído en desgracia. Y consciente de su miseria y de su atractivo había montado un pequeño negocio con el que impresionar a incautos. ¡El diablo que vendía diablillos! En aquellas burdas figuras que reproducían sus rasgos, los infelices veían la prolongación de su oscuro poder. ¿Quién podía resistirse? La puesta en escena era magnífica. Y lo demás –mi desconcierto, la impresión, el susto– se debía tan sólo a lo inesperado. A la altura. A la contaminación. Al bochorno... Un montón de factores.

Pedí otra copa. El camarero asintió con la cabeza y continuó su recorrido con el bloc de pedidos en la mano. Le seguí con la mirada. «Dry martini», oí. Y enseguida: «Muy frío, por favor». Me sorprendió la precisión. «Muy frío.» ¿Alguien temía que le sirvieran un dry martini tibio o a temperatura ambiente? Me fijé en el cliente. Estaba de escorzo y parecía absorto en un montón de folios desperdigados sobre la mesa. Había algo en su aspecto que no me resultó desconocido. ¿El congreso, quizás? No, no era del congreso, sino de antes, de mucho antes. ¿Barcelona? ¿La facultad de Derecho? En aquel momento una hoja se le escapó de las manos y tuvo que volverse para recogerla del suelo. ¡García Berrocal!, recordé de pronto. Y, admirada por haber sido capaz de componer el nombre completo, me acerqué a su mesa.

–Berrocal –dije–. Esto sí que es una sorpresa.

Pero más que una sorpresa era un milagro. Berrocal aparecía como un ángel en el momento en que yo intentaba olvidarme del demonio.

García Berrocal se quitó las gafas de concha y me miró guiñando levemente los ojos. No me había reconocido, eso estaba claro.

Pero en un gesto de cortesía (o tal vez únicamente para darse tiempo) hizo ademán de levantarse y de ofrecerme una silla.

–Siéntese, por favor.

Quise ahorrarle el mal trago y le di mi nombre. Como no parecía reaccionar añadí: «Barcelona. Derecho. El bar de la facultad de hace un montón de años». Ahora sí esbozó una sonrisa. Pero hacía ya un rato que la angustiada era yo. ¿Por qué tanta alegría al descubrir a García Berrocal bajo una de las sombrillas del Majestic? Hacía muchísimo que no le veía y si me lo hubiera encontrado en cualquier terraza de Barcelona mi reacción no habría pasado de un saludo cordial, de mesa a mesa. O ni siquiera. Quizás habría disimulado, no lo sé. El diablo, me dije. Todavía estoy bajo la impresión del diablo y hago lo que no debería hacer. Como también, ¿por qué demonios había tenido que ser yo quien tomara la iniciativa? Berrocal y yo nunca fuimos amigos; sólo compañeros. Ni siquiera estudiábamos en el mismo curso. Coincidíamos en el bar, eso era todo. Él con sus amigos de inevitables blazers de botones plateados; yo con los míos, de largas melenas y jerséis de cuello vuelto. Ellos hablaban de finanzas, nosotros de teatro. Pero en alguna que otra ocasión Berrocal y yo habíamos charlado animadamente frente a un café, en la barra. «Los del teatro» le debíamos de parecer exóticos, desprejuiciados, bichos raros objeto de atención. O tal vez se trataba sobre todo de marcarse un tanto frente a los de su grupo. El nuestro tenía fama de círculo cerrado, pero para él, hombre de mundo, no existían impedimentos ni fronteras. Y lo que más me molestaba ahora era que Berrocal se conservara en un estado físico perfecto, mejor incluso que en aquellos lejanos tiempos, y yo, por lo visto, estuviera tan deteriorada que costara un esfuerzo sobrehumano reconocerme. Todo esto lo pensé muy deprisa. O, más que deprisa, a una velocidad vertiginosa. Porque la sonrisa no había desaparecido aún de sus labios cuando oí:

–Ya entiendo. Usted se refiere a Raúl. Y yo soy Claudio. Pero, por favor... –y volvió a indicarme una silla–. Raúl es mi hermano.

Ahora sí me senté. Mi confusión me absolvía del ridículo.

–Sois clavados –dije admirada.

–Eso dicen. Los que le conocieron hace tiempo –se caló las gafas y ordenó el montón de papeles–. Nos llevamos casi veinte años.

Tenía que haberme dado cuenta. El parecido era asombroso, pero era imposible que Raúl, ni nadie de la edad de Raúl, se mantuviera tan fresco. Debería de estar en los cincuenta y pocos. Como yo. Y aquel chico no aparentaba ni siquiera treinta.

–Sí –dije riendo–, era sorprendente, pero por un momento creí que tú, es decir, Raúl... Creí que Raúl había hecho un pacto con...

Me detuve en seco. Él me miró interesado.

–¿Con... el diablo?

Y entonces ya no me pude contener. Le expliqué que estaba aún bajo el influjo de una emoción, de un susto. De un estremecimiento impropio de una mujer hecha y derecha. Que hacía apenas unos minutos, muy cerca de allí, en los aledaños de la plaza, me había puesto a temblar como una niña. Y mientras le contaba los pormenores del encuentro, comprendí la razón por la que me había precipitado a saludar a un antiguo compañero de facultad. Necesitaba liberarme de la impresión. Desahogarme. Repetir en voz alta: «¡Qué tontería!». Rebajar el motivo de mi susto con palabras como «desgraciado», «pobre diablo», «títere de feria»... Y eso era precisamente lo que estaba haciendo, no ante Raúl sino ante Claudio, apurando mi segundo dry martini –el camarero, sin molestarse en preguntar, había dejado las dos copas sobre la mesa–, intentando distanciarme de una maldita vez de los ojos vidriosos, la tez brillante, la arrogante sonrisa, del aura infernal o de los aros de humo que se negaban a fundirse con el aire.

–Y eso que a mí el infierno nunca me dio miedo –proseguí–. Ni el infierno ni sus habitantes. Jamás. Ni siquiera de pequeña...

El chico (ahora lo veía así, un chico, un joven con rasgos propios, cada vez menos parecido a su hermano) me escuchaba con atención. ¿Interés? ¿Cortesía? ¿Simple curiosidad? En un momento, sin dejar de escucharme, puso orden en la montaña de folios. Yo me detuve. Acababa de distinguir dos palabras. Y creí comprender que aquel chico de rasgos propios, cada vez menos parecido a su hermano, me estaba tomando el pelo.

–Haber empezado por ahí –dije–. Tú también lo has visto.

Me miró con sorpresa.

–Y me has dejado hablar como una estúpida. No ibas a decírmelo, ¿verdad?

Señalé las hojas del manuscrito.

–Has sido rápido. Pero yo más. Ahí esta escrito: «Pobre diablo».

Claudio García Berrocal se puso a reír. Buscó el folio que había ocultado y me lo mostró. Ahora pude leer con claridad: «Parientes pobres del diablo». Me miró con condescendencia, con –diría incluso– cierta pedantería.

–Una cosa es un pobre diablo, y otra muy distinta un pariente pobre del diablo.

Y como si ya no hubiera nada más que explicar guardó el manuscrito en una carpeta. Me sentí ridícula, ignorante, avergonzada por mi actitud avasalladora. No sólo irrumpía en la mesa de un desconocido sino que, además, me atrevía a mirar de reojo sus papeles. Un atropello.

–No le pega ser amiga de mi hermano –dijo de repente–. No se parecen en nada.

Me encogí de hombros. ¿Era bueno no parecerme a Raúl, a quien apenas conocía? ¿O todo lo contrario y eso explicaba lo bochornoso de mi conducta? Raúl, comedido, peripuesto, enfundado en su eterno blazer, jamás se hubiera comportado como yo lo estaba haciendo.

–Coincidimos en la facultad –aclaré a modo de excusa.

Claudio volvió a sonreír.

–¿Tiene planes para esta noche? Me gustaría invitarla a cenar.

Estaba anonadada. Confusa. Con un montón de preguntas que no acertaba a formular. La atmósfera densa me impedía respirar con normalidad. Me ahogaba. Volví a encogerme de hombros. Y sólo entonces caí en la cuenta de que Claudio no había dejado de tratarme de usted desde que me senté a su mesa. ¿Los «casi veinte años de diferencia»? Cada país, en esta delicada cuestión, tiene sus usos. Pero Claudio y yo veníamos de la misma ciudad, nos encontrábamos en México, yo le había hablado como si nos conociéramos desde hacía tiempo, él acababa de invitarme a cenar, los dos bebíamos dry martini y, sobre todo, se habían dado ya demasiadas coincidencias como para empeñarse en mantener distancias.

–Sería más cómodo que me tutearas –propuse–. ¿No te parece?

–No –dijo.

Y pidió la cuenta.

Claudio me recogió en Once Mártires a las ocho en punto e indicó al taxista el nombre de un restaurante de Coyoacán. Conocía el local. Había almorzado allí un par de veces en los días de congreso, la carta no tenía nada de particular y el servicio era lento. Me sorprendió que Claudio lo hubiera escogido para nuestra cena.

–No le gusta, ¿verdad? –preguntó nada más sentarnos.

Me encogí de hombros. Aquel chico tenía la virtud de desconcertarme. Y yo, ante el continuo desconcierto, no encontraba nada más original que encogerme de hombros.

–Me muero de hambre –dije–. Y tengo algunas preguntas que hacerte.

Él me miró sonriendo.

–También yo.

No quise que me desviara de mis intereses. Entré a saco.

–Esta mañana, en el Majestic, hablaste de ciertos «parientes pobres del diablo»...

–Pero antes de que usted espiara en mis papeles el tema era otro. Me contaba, si no recuerdo mal, que el infierno no le daba ningún miedo...

Iba a protestar, a decirle que mi infierno no tenía el menor interés, a rogarle que pasáramos de una vez a su manuscrito, a la mayor coincidencia o casualidad de la extraña mañana, a la razón, en definitiva, por la que me hallaba allí en aquel momento. Pero no me dio tiempo a hacerlo. Claudio me miró con expresión de niño.

–Por favor –dijo.

Y me encontré recordando el infierno de mi infancia. Un lugar cercano, familiar. Un reino de cuento que no podía producir el menor espanto. Era curioso. Aquel infierno, sepultado en la memoria, resurgía por segunda vez en el mismo día. Primero por la mañana, bajo una de las sombrillas del Majestic, como contrapunto apacible de la impresión que me había causado el feriante, y ahora, de noche, cuando nos disponíamos a cenar en un concurrido restaurante de Coyoacán.

–En el infierno no sucedía nada en particular –dije–. O quizá lo importante del infierno era lo que no dejaba de suceder.

Claudio sacó papel y lápiz. Me pareció exagerado. E inoportuno. Pero ya había empezado a hablar.

–Desde muy pequeña me acostumbré a contemplarlo en sesgo, en sección, como una lámina de geología en la que se distinguen los estratos, los sedimentos, la distinta composición de los materiales. Como los interiores de un derribo...

Ésa era la imagen. Un edificio en demolición. Un derribo. La había sacado a relucir con la probable intención de acabar cuanto antes. Pero lo cierto es que me recreé, tal vez más de la cuenta, en papeles estampados, rectángulos descoloridos, huellas de tuberías, restos de cisternas, azulejos de baños y cocinas... Siempre me han atraído los derribos. Nada me gusta más que imaginar la vida de sus antiguos ocupantes. Inventar su historia, reconstruir lo que ha sido derruido, distribuir las estancias, adjudicar dormitorios y despachos, y colgar –en los espacios descoloridos– cuadros, espejos, fotografías y retratos. Supongo que es un juego compartido. Me cuento entre los ociosos paseantes que pueden pasarse horas contemplando un derribo. Pero hay algo que me impresiona especialmente. Los conductos, las tuberías, las escaleras... O, mejor, la sombra de antiguos conductos, tuberías y escaleras, descendiendo desde el ático hasta el sótano, unificando pinturas y papeles, destrozando la ilusión de los antiguos inquilinos, de las familias que habitaron en sus pisos y que, tal vez, ni siquiera llegaron a conocerse entre ellas. Aquellas viviendas, que en su momento creyeron únicas e independientes, no eran más que una parte insignificante de una organización superior. De un engranaje.

–En mi infierno –y ahora sí, por fin, contestaba a la curiosidad de Claudio– sucedía algo parecido.

Porque allí estaban también las distintas dependencias, los conductos que unificaban los niveles, los habitantes firmes en sus puestos. Sólo que, en aquella lámina animada, todos sabían que estaban trabajando para todos. Como en una colmena de abejas. La sección de una fábrica en plena actividad. Nunca supe muy bien qué es lo que hacían, pero, cada vez que alguien pronunciaba la palabra «infierno», veía a sus moradores entregados a una laboriosidad constante. Naves subterráneas que se comunicaban unas con otras por juegos de poleas y cadenas; rieles por los que circulaban cubos de agua ardiendo, sacos de carbón, vagonetas de astillas y maderos para que el fuego –ésta era la única finalidad evidente–, situado en las entrañas de la tierra, no se extinguiera nunca. También, como en una fábrica manchesteriana, había clases. Los esforzados diablos de las profundidades iban semidesnudos, sudaban copiosamente y se perdían entre llamas y humaredas. A medida que se ascendía y el calor se hacía más llevadero, se les veía menos atareados, vestidos de negro, y, en fin, en la superficie (desde el punto de vista del infierno) estaban los peces gordos. Iban también de negro, se les veía frescos y relajados, y lucían unas impresionantes capas rojas. Y eso era todo. Muy claro, muy nítido. Muy infantil.

–Delicioso –dijo Claudio después de un silencio.

Arrugó el papel. No había tomado una sola nota.

–Y efectivo. Jamás en el colegio lograron asustarme.

–Sin embargo, esta mañana...

Lo hice. Volví a encogerme de hombros. Pero esta vez no me importó lo más mínimo.

–Ahora te toca a ti –dije.

Y agotada por la longitud de mi discurso –¿por qué no me había limitado a despachar el tema en un par de frases?– me dispuse a escuchar. Claudio pidió dos copas, recordó al camarero que estábamos esperando la carta y me miró fijamente, con un brillo especial en los ojos. Tuve la sensación de que sólo entonces empezaba la noche.

–Quedamos en que una cosa es un pobre diablo y otra muy distinta un pariente pobre del diablo. Olvídese del desgraciado del Zócalo. De su rostro reluciente y sus cejas arqueadas.

Bajó el tono de voz y adelantó la cabeza.

–Los otros, los verdaderos parientes, no tienen por qué distinguirse ni de usted ni de mí.

Ahora fui yo quien adelantó la cabeza.

–Ellos ignoran lo que les ocurre. En el fondo son dignos de lástima.

Miró a derecha e izquierda y bajó aún más el tono de voz.

–Pero debemos protegernos. Han nacido para el mal, ¿entiende?

–Sí, claro –dije.

¿Estaba rematadamente loco Claudio García Berrocal? La irrupción del camarero me permitió unos instantes de respiro. Sólo unos instantes. Enseguida nuestras cabezas volvieron a reunirse en el centro de la mesa.

–Viven aquí, entre nosotros. En su casa –y subrayó misteriosamente *su casa*– no los quieren.

Sentí un estremecimiento. El vendedor ambulante –grotesco, inofensivo, folclórico– había quedado olvidado definitivamente en el Zócalo, y en su lugar unas figuras borrosas, sin rasgos ni características definidas, revoloteaban ahora en torno a la mesa.

–Es difícil detectarlos, pero no imposible. Se necesita paciencia y constancia. Y a menudo son ellos los que terminan por delatarse. Recuerde: «Por sus obras los conoceréis».

A partir de ahí todo, de nuevo, como por la mañana, sucedió muy rápido. Pero ahora no era yo quien intentaba narrar a un desconocido un cúmulo de sensaciones. Claudio seguía hablando y las condiciones o particularidades de todo pariente pobre del diablo se me aparecieron enseguida claras y diáfanas. El infierno ya no era sólo una lámina coloreada y cortada en sesgo mostrando la actividad frenética de sus moradores. Las clases, las diferencias sociales, iban más allá del trabajo desempeñado. Del lugar o la distancia con relación a la superficie. De que vistieran capa roja o fueran semidesnudos, agobiados por el humo, con los rostros tiznados sobre los calderos o las espaldas encorvadas por el peso de los leños. Ahora veía sus mentes. Inteligentes, rápidas, sagaces. Diabólicamente activas, preclaras, ingeniosas. Maquinando sin tregua, gozando del mal, inmersas en un torbellino de ideas y planes, reunidas en cónclaves en los que no hacía falta hablar, asaeteándose con nuevas iniciativas y propuestas. Salvo unos cuantos. A éstos les costaba más rato que a los otros entender, participar, seguir el ritmo vertiginoso. Eran un agobio, una rémora, una molestia.

–Por eso están entre nosotros –repitió–. En su casa –y ya no hacía falta precisar cuál era su casa– no los quieren.

Pero todo en la vida es relativo. Lo que en el infierno puede resultar torpeza, aquí, en el mundo, se convierte en sagacidad. Los parientes pobres, expulsados a su pesar de su lugar de origen (algo que no recuerdan, pero íntimamente añoran), convertidos en mortales, se mueven por la vida disgustados e inquietos. Son más inteligentes que la media. Astutos, brillantes; a menudo, incluso, encantadores. Muchos, deslumbrados por sus habilidades, les creen genios, y ellos, halagados, intentan aferrarse a esa convicción. Pero nada les basta. Su orfandad les traiciona. En medio de un sueño, de una pesadilla, despiertan sobresaltados sospechando que en otro lugar, en otro momento, «no dieron la talla». Terrible verdad, pero ¿cómo aceptarla? Fingen –y eso lo aprendieron allí, en su lugar de origen– todo lo contrario de lo que son; es más, puede que algunos lleguen sinceramente a creer en su propio engaño. Su vida, por tanto, está llena de dobleces. De insidias, de marañas, de retorcidas maquinaciones, de malentendidos... Siempre a su favor. A veces se tarda bastante en descubrirlos (son hábiles, no lo olvidemos) o, simplemente, no se les descubre nunca.

–Su destino es el mal y aunque es cierto que ese mal torpón, el único que son capaces de practicar, allá, en su casa, sería motivo de desprecio o burla, aquí todavía resulta efectivo. Son diablos de tres al cuarto. Parientes pobres... Pero diablos al cabo, no lo olvide.

No sé cuántas veces más apareció y desapareció el camarero ni puedo recordar lo que comimos y bebimos durante la cena. Una luz acababa de prenderse en mi interior y las figuras indefinidas que antes revolotearan en torno a la mesa adquirieron de pronto rasgos reconocibles y precisos. Y eso no fue todo. Con la misma rapidez desfilaron sobre el mantel situaciones de mi vida que había arrinconado en la memoria por absurdas e incomprensibles. Hechos puntuales. Episodios inexplicados. Amistades rotas. Proyectos fracasados. Pasajes borrosos. Malentendidos. Sí, terribles malentendidos de los que yo no había salido precisamente bien parada. Y... veneno. Eso era exactamente. Veneno. Algunos de aquellos rostros, hermosos, apacibles, seductores, destilaban –ahora me daba cuenta– veneno. Empezaba a comprender. Eternamente insatisfechos, compelidos a perjudicar al prójimo, a no perder jamás, a enmarañar situaciones. Siempre a su favor. Saldo positivo para sus intereses. Así eran ellos. La estirpe de «los parientes pobres del diablo». Tanto más peligrosa que cualquier otra por no distinguirse en apariencia «ni de usted ni de mí». O porque ni siquiera ellos mismos «saben lo que les pasa». O porque, en fin, no tienen limitaciones o cargas como los vampiros, ni nacen con señal alguna que los identifique, como los infelices inmortales del lejano y terrible Luggnagg de Jonathan Swift.

–Magnífico –dije cuando ya en el comedor apenas quedaban tres mesas–. Pero no se te ocurra ir contándolo por ahí.

Claudio me miró con sorpresa.

–Has encontrado un filón. Un tema espléndido. Y no sería raro que te pisaran la idea. Aunque sólo fuera para un artículo. «Parientes pobres del diablo.» Suena muy bien.

Ahora yo me sentía experta, resabiada, dispuesta a colaborar en la medida de lo posible con mis consejos. Y feliz. Hacía tiempo que nadie me embarcaba en su mundo con la habilidad y el arte de García Berrocal. Recordé los días de congreso, las lecturas de los autores, las charlas... Ninguno de los ponentes podía comparársele. No sabía aún cómo escribía Claudio ni en qué consistía exactamente la trama de lo que se llevaba entre manos. Pero el tema era potente. Una llave que revelaba pasajes oscuros y olvidados de cualquier lector. Una forma nueva de explicar la vida.

–¿Qué será? –pregunté–. ¿Una novela? ¿Un cuento?

Claudio me fulminó con la mirada.

–Es un estudio. Una tesis.

Imaginé a Claudio leyendo *Parientes pobres...* ante un circunspecto tribunal y dudé entre echarme a reír a carcajadas o huir despavorida. García Berrocal volvía a parecerme un loco, un iluminado, y yo estaba buscando mentalmente cualquier excusa para regresar sola a Tlalpan. Sería difícil. Iluminado o paranoico, aquel chico era cortés. Me acompañaría quisiera o no. Y también demasiado despierto para no adivinar, en el caso de que me decidiera a seguirle la corriente, todo lo que estaba pasando por mi cabeza. Me puse a reír. Unos segundos más tarde de lo razonable. A destiempo. Como el espectador de una película que sigue los diálogos por los subtítulos.

–Una tesis que no aspira a ningún grado académico –prosiguió– ni someteré jamás a la aprobación de un tribunal. O, si prefiere, un ensayo.

Y casi enseguida, en un falso tono de inocencia:

–¿Es usted lectora de ensayos? ¿O se limita exclusivamente a la ficción?

Me estaba llamando idiota. A las claras. Y en el fondo lo tenía bien merecido. Claudio me había regalado una noche insólita y yo le pagaba con una risa a destiempo.

–Dejémoslo –dije únicamente.

Era tarde. Los camareros empezaban a apilar sillas y a apagar lámparas. Nos pusimos en pie. Apenas quedaban un par de mesas.

–No son cuentos –insistió, pero ahora volvía a parecer un niño–. Y usted lo sabe. Hace un rato la adiviné hurgando en sus recuerdos. Déjese de prejuicios y atrévase a afrontarlo. Aunque no lo entienda.

Le sonreí. Había decidido seguir su juego.

–Mañana invito yo –propuse, y él no se sorprendió de mi iniciativa–. Tendrás una segunda oportunidad para convencerme.

Y en un tono tal vez demasiado alto recité:

–¡Parientes pobres del diablo!

Claudio se llevó el dedo a los labios, me ayudó a ponerme la chaqueta y susurró:

–En adelante PPDD.

Y como si acabáramos de sellar un pacto que me convertía en socia, colaboradora o secretaria, sacó un cuaderno del bolsillo y me lo entregó sonriendo. Lo abrí. Tal como suponía, las hojas estaban en blanco.

Los PPDD nacen; no se hacen. He aquí la premisa fundamental, aunque también el principal escollo. ¿Cómo distinguir un auténtico PPDD de un simple imitador o un émulo?

El pariente nato se ve compelido al mal, cierto. La inclinación está en su naturaleza. Pero no todos la desarrollan en igual medida, ni a la misma edad, ni cosechan parecidos resultados. Puede darse el caso (aunque muy raro) de legítimos PPDD que no hayan tenido la ocasión de cometer una sola iniquidad en toda su vida y mueran, por decirlo así, sin estrenarse. El entorno –factor de extrema importancia en el desarrollo de inclinaciones y poderes potenciales– ha sofocado sus instintos o, más raro aún, no les ha ofrecido el menor resquicio para manifestarse. Puede ocurrir también que falsos PPDD (admiradores, émulos, aprendices) se comporten como si fueran verdaderos. Eso ya es más común. Los parientes legítimos, en pleno uso de sus facultades, brillantes, envidiados, acostumbrados a vencer, suelen arrastrar tras de sí una pequeña cohorte de incondicionales. Son escuderos. O, si se quiere, valets de chambre. *Seguidores confesos que cierran filas en torno a sus maestros, desacreditan a todo aquel que no comparta su fascinación y contribuyen, con su entrega, a agigantar el poder de los titulares y a propagar la onda nociva de sus actos. Pero que nadie vea en todo esto una rebaja de su peligrosidad ni menos aún de su valía. Algunos, miembros destacados en sus profesiones, no necesitarían de esa adhesión para triunfar en sus empresas. Pero escogen el camino más directo. Imitar a su ídolo. Difundir, como él, especies venenosas, descalificar al contrincante, crear líos, equívocos, telas de araña. Y salir indemnes como sus modelos.*

No todos lo consiguen. El problema de los epígonos nace de su misma condición. Sólo son epígonos. A lo más, aprendices aventajados. Y aunque conviene guardarse de ellos y mantenerse a distancia, no revisten la peligrosidad de los auténticos. Su propensión al mal, por otra parte, suele resultar pasajera. Pecado de juventud, en muchos casos. Indefiniciones de carácter. Exceso de admiración. Idolatría. Toma de partido, sin fisuras, por aquellos a los que creen genios. Gran parte de esta falsa parentela termina re-

formándose con los años. O se conforma con logros de poca monta y se retira. O el propio maestro –cuya tendencia al mal es incontenible–, un buen día, sin otra razón que su soberbia, aparta a los más fieles de un zarpazo. Los auténticos PPDD no saben de lealtades ni agradecimientos (para empezar, apenas saben nada de sí mismos). Por eso su círculo de amistades es cambiante y algunas de sus víctimas (amigos, valets *o antiguos escuderos) se lamentarán, aunque demasiado tarde, de los años malgastados en su compañía. Porque –en el caso de los* valets *y los escuderos– nada podrán –lo saben– contra el que fue su ídolo. Y recordarán la larga lista de damnificados –a cuyo deshonor contribuyeron con sus chanzas– de la que pasarán en breve a formar parte. Y como algo han aprendido en ese tiempo (además de remedar las acciones de los jefes y extender su perniciosa área de influencia), se descubrirán perdidos sin remedio. Contraatacar sería un suicidio. Los PPDD, amén de muchas habilidades, poseen la notable oportunidad del escaqueo, resultan escurridizos como anguilas y se las ingenian, sin dejar la menor huella, para alterar, en un abrir y cerrar de ojos, la disposición de las fichas de un tablero. Siempre salen indemnes, ya se ha dicho. Y los que se les enfrentan, abatidos. Los parientes pobres se sirven de las situaciones como* boomerangs. *Nadie les iguala en su manejo. Y a los ojos del mundo –que no sabe de su origen ni del carácter extraordinario de sus artes– son las víctimas ocasionales, precisamente, quienes cargan con las taras morales del verdugo. Nada más fácil para un PPDD. Desacreditar, ridiculizar, quitarse de delante a los que le molestan. Y disparar con certera puntería el arma que mejor dominan: la palabra.*

No es que sean excelentes oradores. Lo son en general, pero no siempre. Puede que algunos arrastren torpemente ciertas letras, no controlen el tono de su voz y seseen –o ceceen– sin venir a cuento. El arte de Sherezade, sin embargo, no tiene secretos para ellos. Saben cómo seducir, embaucar, mantener la atención y, sobre todo, dar con la dosis precisa de veneno y soltarla en el aire en el momento exacto. A su manera, pues, resultan invencibles. En la palabra y también en el silencio. Nadie como ellos para callar cuando no deben, omitir hechos, silenciar nombres, contribuir al error o la injusticia y jubilar o desterrar con su mutismo a todo aquel que pudiera hacerles sombra.

Son así, no pueden evitarlo. Marrulleros, arteros, maliciosos. Lo llevan en la sangre. Como también el especial encanto –sin el cual nada de lo anterior se entendería– que irradia su presencia y les hace tan temibles. Nacieron así. No es mérito ni culpa. Pero sufren. Nada les sacia ni nun-

ca son felices. Y es ahí por donde se les pilla fácilmente. En la constancia de sus dobleces, en la insistencia de sus taimados ataques, en la insatisfacción vital que no les abandona y (para los que compartan su intimidad y su lecho) en ciertas noches agitadas en las que añoran lo que no recuerdan.

(Hasta aquí el resumen –incompleto– de mis primeras conversaciones con C.G. Berrocal.)

Volví a cenar con Claudio. Al día siguiente, al otro y también la última noche ante de abandonar el D.F. En realidad no hice otra cosa que cenar con Claudio. Mi amiga, vencida su inicial sorpresa, se comportó como una anfitriona comprensiva. Yo, desde el primer momento, como la peor de las invitadas. Me sentía en falso e inventé una excusa. Una media verdad plagada de mentiras. García Berrocal, antiguo compañero de facultad, estaba preparando una tesis de licenciatura. No es que García Berrocal, que tenía mi edad, fuera un retrasado, ni tampoco que retomara ahora estudios abandonados hacía tiempo. Berrocal, después de Derecho, había estudiado Literatura y Filosofía y unas cuantas carreras más, y el caso era que, al encontrarnos por pura casualidad en el último piso del Majestic, me contó que se había quedado bloqueado y terminó pidiéndome que le ayudara. Su tesis (decidí) versaba sobre el Infierno. El Bosco, Dante, Swedenborg... (mi voz sonó tan firme que yo misma me quedé sorprendida). Estaba haciendo un bonito trabajo y el hecho de confesar sus dudas en voz alta le iba muy bien para recuperar el hilo. Por lo demás era un tanto obsesivo y un poco pelma. Pero no podía negarme, ¿lo entendía? Y para dar mayor verosimilitud a mi relato hice una descripción de Raúl (tal vez demasiado detallada) en la que no olvidé su antiguo blazer y sus aires corteses y mundanos.

Fue una solemne tontería (¿de qué estaba intentando protegerme?), pero cumplió su cometido. Me liberó de culpa. Y con la mayor desfachatez del mundo convertí la casa en un hotel y me transformé en un huésped invisible. Por las noches cenaba con Claudio y un par de mañanas, por lo menos, regresé sola al Zócalo en busca del ambulante. No lo vi nunca más. No tuve suerte. El pobre diablo que tanto me impresionara se había esfumado como por ensalmo. Y no sólo él. Las calles, ahora, aparecían vacías de vendedores y tenderetes, de pañuelos extendidos en el suelo, de remedios contra el reuma o la jaqueca, de paliacates de colores, de básculas, de ídolos. «Limpiaron la zona», me informó mi amiga. «Lo hacen a menudo. Hasta que ¡zas!, vuelven a aparecer.» ¿De qué me sorprendía? Nada más inseguro que un ambulante. Pero me hubiera gustado ponerme a prueba y quizá (si lograba resistir su mirada) comprarle alguna de aquellas figurillas que se le parecían. Pura curiosidad, supongo. O agradecimiento. En el fondo aquel desgraciado me había conducido hasta Claudio.

–¿Por qué no le invitas a casa? –dijo inopinadamente mi amiga el último día de mi estancia en México–. A ese tipo de la tesis. García Berrocal. Podríamos cenar los tres.

–No te gustaría –respondí tajante.

Ya era tarde. No podía desdecirme. Ella esperaba a Raúl y yo había quedado con Claudio. Además, al día siguiente regresaría a Barcelona, y algo, dentro de mí, me aconsejaba apurar el tiempo. ¿Volveríamos a vernos alguna vez después de aquella cena? Parecía improbable. Nuestro encuentro tenía un marco: México. Y un plazo improrrogable que acababa esa noche. Hay relaciones que no soportan un cambio de escenario y la que me unía a Claudio tenía todo el aspecto de contarse entre ellas. No me veía en Barcelona hablando de nuestros PPDD. En realidad, *no veía a Claudio en Barcelona*. Es más, ¿quién era Claudio? ¿Qué hacía en México? A estas alturas sabía más de la tesis que del autor. Aunque quizá no había mucho que averiguar. Claudio era el hermano de Raúl, un viejo conocido. Y «Parientes pobres del diablo» un ocasional nexo de unión, tan intenso como efímero, del que, a lo sumo, conservaríamos un buen recuerdo.

–Quería ponerme a prueba –le comenté en la cena–, pero no ha podido ser. El diablo del Zócalo ha desaparecido.

–También usted desaparece mañana.

Aproveché la ocasión.

–Y tú, ¿qué vas a hacer tú?

Sobre la mesa flotaba un aire de despedida. Me gustó pensar que a Claudio le entristecía la situación. Nos habíamos acostumbrado el uno al otro. A cenar juntos, a vernos a diario, a conversar.

–Me quedaré aquí algunos días. Después, ya se verá. No tengo planes.

No pregunté más. Tampoco Claudio parecía dispuesto a hablar de sí mismo.

–La echaré en falta –añadió. Y enseguida, como absolviéndose de su debilidad–: ¿Le gusta el restaurante?

Esta vez no me encogí de hombros. ¿Para qué mentir? En este punto nuestros gustos divergían. Yo me inclinaba por lugares anónimos. A Claudio, en cambio, como pude comprobar desde el primer día, le arrebataban los locales de éxito con una clientela fija y definida.

–Forma parte de un itinerario –explicó condescendiente–. De un baño urbano. Mire a su alrededor. ¿Qué ve?

–Artistas –dije sin mirar–. O gentes a las que les gustaría ser tomadas por artistas. Pintores, escritores, actores...

–¿Y no se siente a gusto?

No esperó mi respuesta. Acercó su cabeza a la mía y susurró.

–Es un hervidero. Fíjese bien.

Hice como que miraba de reojo.

–Sí, pero... ¿cómo distinguir un titular de un simple émulo?

Claudio sonrió satisfecho. Sus lecciones no habían caído en saco roto.

–Limítese a disfrutar del ambiente. Y conténtese con saber que estamos rodeados. El arte y la fama. A *ellos* les arrebata la fama.

Bajó el tono de voz:

–Y al estar perennemente en primera línea, al hacerse público el menor de sus gestos, un día u otro terminan por delatarse. Pero no se haga ilusiones. En otros contextos resulta mucho más difícil detectarlos. En las finanzas, por ejemplo. ¿Conoce usted el mundo de las finanzas?

Negué con la cabeza.

–Cambie fama por poder, recuerde que carecen de escrúpulos e imagine todas sus astucias al servicio de un inconfesable objetivo. Y no olvide que un imperio no tiene por qué tener cabeza visible.

Miré el reloj. Al día siguiente tenía que levantarme temprano. Pero no quise retirarme sin saber cuándo y cómo había nacido la idea que le obsesionaba. Busqué mentalmente la palabra. Descarté «idea», también «ocurrencia». «Revelación» se me presentó como excesivamente pretenciosa.

–¿Cuándo empezaste con todo esto? –pregunté al fin.

Ahora fue él quien se encogió de hombros.

–Un día se me hizo la luz –respondió al rato.

Claudio, como siempre, me acompañó en taxi hasta Once Mártires, bajó del coche y se despidió en la puerta. Escribí mi número de teléfono en un papel. Él no se molestó en darme el suyo.

–La llamaré –dijo únicamente.

¿Se reconocen los PPDD entre ellos? ¿Se hacen amigos? ¿Suelen asociarse y multiplicar los efectos dañinos de su ingenio?

No resulta tan fácil, por fortuna. Un PPDD puede ver en otro rasgos muy parecidos de conducta, pero como nada sabe de su origen (y desconoce el parentesco que les une) lo más probable es que lo trate con respeto, lo adule incluso y, al tiempo, se guarde de él y tome sus distancias. Esto no quita que, en ocasiones, si accidentalmente sus intereses coinciden, se unan en la defensa de sus fines. Asociaciones puntuales, acuerdos efímeros, complicidad pasajera. Los auténticos PPDD (de los epígonos ya no nos ocupamos) son individualistas en extremo. Y poseen una percepción primigenia que les indica siempre dónde se encuentra el riesgo. Por eso nada más detectarse mutuamente, lo primero que hacen es medir sus fuerzas. Se observan, se estudian, se tantean. Y como se conocen bien (aunque lo ignoren) nunca llegarán a un verdadero cuerpo a cuerpo. El combate, pues, antes de producirse, se salda ya de entrada con empate. Queda en tablas. O eso es lo que creen. Porque el grado de habilidad o propensión maligna no es el mismo en todos los integrantes de la estirpe. Pero son cobardes. Sospechosamente precavidos. No arriesgan; van sobre seguro. Y la consigna frente a sus iguales es, por lo que pueda ocurrir, «estar a buenas».

En cierta forma, pues, se reconocen. O intuyen el peligro, que es lo mismo. Y, aunque no lleguen a intimar jamás entre ellos, no se permiten errores en su trato. Se respetan y admiran (a distancia). O lo fingen (arte en el que son maestros). Todo antes que una confrontación directa o exponerse a ceder en sus terrenos. Ahora bien, ¿vale lo dicho para las relaciones entre sexos?

Porque, al igual que íncubos o súcubos, los parientes pobres tienen sexo. Unos nacen machos; otras, hembras. Y bien puede ocurrir que, en un momento, surja entre ellos una atracción irresistible. Puede ocurrir y, de hecho, ocurre. Se descubren encantadores, rápidos, ocurrentes. Pero a la fascinación de los primeros días sigue sin excepción un íntimo abatimiento. La sensación de orfandad (ahora compartida) se acrecienta; la añoranza de otro lugar y otra posible vida deviene insoportable. Pero, sobre todo, entra de nuevo en escena la sospecha. No siempre fueron así. Brillantes, envidiados. Hubo un tiempo en que su valor fue puesto en duda. No estuvieron a la altura de lo que se esperaba. Pero ¿dónde sucedió? ¿Cuándo? ¿En qué circunstancias? Y aunque no verbalicen sus recelos optan por romper el irritante espejo. Son relaciones que no tienen futuro. Y por fortuna tampoco descendencia. Los PPDD, entre ellos, no procrean. Son, ante un igual, estériles como mulas. Sabia disposición de la naturaleza, porque, aunque los genes PPDD no se transmitan, duele imaginar lo que sería la vida hipotética de unos hijos al cuidado de semejantes progenitores.

Nadie, pues, puede descender de un PPDD por partida doble. Pero sí de un varón o una mujer de estas características. Nadie tampoco (por la misma lógica) está libre de traer al mundo una criatura de la perniciosa estirpe. Y es aquí, en esa imprecisión fatídica, en la cruel dictadura del azar (o de la mala suerte), en los caprichos inexplicados de la biología, donde radica parte de su poder y muchas de sus particularidades. Nacen en el seno de los hogares más diversos, en cualquier país y en cualquier continente, y como no ostentan sello alguno que hable de su hermandad (o de su diferencia), no forman cofradías y suelen evitarse, resulta casi impensable contemplarlos como casta.

Pero lo son. Casta, estirpe, variedad formada dentro de una especie. Raza. Aunque sus caracteres no se transmitan por herencia. Están aquí, entre nosotros. Y son muchos.

(Siguen apreciaciones –apresuradas– sobre el eventual carácter PPDD de la azafata. Descripción de la misma. Fecha del vuelo –Boeing 747 México-Barcelona– y una anotación a lápiz: «Enseñárselo a Claudio en Barcelona».)

Nos vimos en Madrid. Un par de veces. Y al cabo de unos meses en Granada. Por una extraña razón, tal vez sólo un capricho, no le apetecía quedar en Barcelona. No hice demasiadas preguntas. ¿Para qué? Apenas sabía nada de su vida, y Claudio, en honor a la verdad, tampoco parecía interesado en conocer la mía. Ésa fue quizá la clave de la continuidad, la condición para que siguiéramos encontrándonos. Fuera de nuestra ciudad. De nuestro círculo de amigos. Siempre de viaje.

Las citas, programadas por Claudio, respondían invariablemente al mismo esquema. Llamaba por teléfono, se interesaba por mis proyectos inmediatos, me adelantaba los avances de su estudio, anotaba mi calendario y me aseguraba que lo haría coincidir con el suyo. Su disponibilidad era notable. Aparecía allí donde estuviera con una gran sonrisa y el nombre de un restaurante anotado en la agenda. Si aquella noche tenía yo un compromiso, quedábamos para almorzar al día siguiente. Nunca regresábamos en el mismo avión. Claudio aprovechaba los desplazamientos para su trabajo de campo. Ahora visitaba conventos, ermitas y seminarios, y se interesaba seriamente por el santoral. La novedad –como me haría notar con insistencia– no suponía un cambio de objetivos, pero sí una ampliación de indiscutible importancia. En las vidas de santos había encontrado una mina. Una auténtica concentración de parientes pobres, arrogantes en su aparente sufrimiento, ambiciosos, soberbios... Ahora estaba en ello. En la santidad. Y después acometería el estudio de ciertos personajes de la historia, cuyo poder e influencia sólo podía entenderse desde una perspectiva PPDD. ¿Y más tarde? Me permití una advertencia. Temía que se estuviera dispersando. Pero se le veía eufórico y feliz. Seguro de avanzar por el buen camino.

–Debemos aprovechar las enseñanzas del pasado –dijo–. No se eche atrás. Estamos en la pista.

Seguía tratándome de usted. Ya me había acostumbrado. Pero en los restaurantes que ahora frecuentábamos –pequeños, silenciosos, más acordes con sus nuevos objetos de estudio– no pasábamos tan desapercibidos como en México. A menudo nos miraban de reojo con cierta sorna. Un joven y una mujer madura. Si aguzaban el oído no tardaban en matizar la idea. Una profesora y un alumno. Casi enseguida volvían a mirar desconcertados. Yo, la supuesta profesora, escuchaba atentamente las lecciones de mi alumno. Terminaban por olvidarnos; siempre ocurría igual. Y el silencio de sus mesas contrastaba con la animación de nuestras conversaciones. En una de esas noches Claudio se interesó súbitamente por mis apuntes.

–¿Qué ha hecho de la libreta que le regalé? Me gustaría saber qué es lo que ha escrito.

–Nada que no me hayas contado tú. Es sólo un resumen.

No se la había mostrado todavía. Me preguntaba si valía la pena.

–Un resumen –dijo interesado–. Siento verdadera curiosidad por leer *su* resumen.

Me acordé de los días de México D.F. Del híbrido Claudio-Raúl que inventé ante mi amiga. Un hombre bloqueado en su trabajo que necesitaba de mí para seguir adelante. No me había equivocado en mis sospechas. Claudio se estaba dispersando. Y, aunque él no lo supiera aún, empezaba a perderse en su entusiasmo.

Los PPDD –sin que exista una razón clara que lo explique– suelen llegar a viejos en envidiables condiciones físicas. Se diría que la constante tensión en la que habitan, la voluntad de maniobra, intriga o fingimiento, lejos de deteriorar su salud, la fortalece. Pero la longevidad es un arma de dos filos. Lo que no ataca al cuerpo, daña el alma. Y en los conventos, monasterios u órdenes de clausura –cuna de santos y, en buena medida, de parientes pobres–, la proverbial duración de los profesos rompe estadísticas y establece marcas propias.

Volvemos aquí a la importancia del entorno (véase el párrafo dos de este cuaderno). Factor definitivo en el desarrollo de inclinaciones y poderes, y no menos relevante a la hora de prescribir dietas, costumbres, horas de sueño o calidad de vida. No es lo mismo trasnochar sin tregua, alimentarse con desorden –o beber y fumar sin medida– que llevar una existencia pautada, comer sanamente y permanecer ajeno a los problemas del mundo circundante. Eso es lo que ocurre en los conventos. Gracias a la templanza y mesura de sus hábitos –comida frugal, ayuno, silencio, austeridad y recogimiento– frailes y monjas suelen conservar el cuerpo en saludable estado más allá de la edad en que, por promedio, la mayoría empieza a sufrir achaques. Pero no debemos engañarnos con su suerte. El derroche constante de energía termina por alcanzar seriamente sus cerebros. Y aunque en apariencia sigan aquí, en el mundo de los vivos, hace tiempo que pertenecen de pleno al de las sombras. Pero sus desarreglos mentales no trascienden. Las comunidades de las que forman parte, escudándose en el secretismo de los claustros, impiden que sus delirios se divulguen. Y al igual que ocurre en otros ámbitos –consejos de ministros, discípulos de famosos pensadores, o herederos de celebrados artistas que han atesorado no poca fortuna con sus obras–, se erigen en muros infranqueables, únicos portavoces e interesados filtros o cedazos. Transforman, así, ininteligibles balbuceos en sesudas sentencias y convierten exabruptos de viejos cascarrabias (su singular mal carácter se agudiza con los años) en crípticos dictámenes que darán lugar a estudios, a análisis, a controvertidos juicios y a citas obligadas. Éste es el fin que aguarda (en general) a los parientes pobres que han escogido el poder espiritual como meta de sus vidas. Patéticos recordatorios de lo que un día fueron, sombras recluidas en la estrechez de sus celdas, a merced exclusiva de los caritativos miembros de la orden, que viven en la fe, pero, asimismo, no ignoran las ventajas que conlleva contar con algún santo entre sus filas. Los PPDD, llegados a este estado, han perdido la capacidad de reacción y disimulo. Dicen cualquier cosa (lo que piensan), se muestran angustiados e irritables, y revelan, en sus delirantes parloteos, inconfesables argucias y estrategias. Siempre fue así. Pero nunca como ahora tuvo la santidad tan poco mérito.

Las canonizaciones actuales no interesan. Desaparecida la figura clave –aquel advocatus diaboli *de tan grato recuerdo–, la controversia brilla por su ausencia, y se reparten títulos de santo y de beato como quien regala estampas a la puerta de una iglesia. Debemos, pues, centrarnos (en aras del estudio) en el feliz periodo comprendido entre 1587 y 1983. Dichosos tiempos en que los implacables abogados (conocidos también como* promotores fidei) *oponían vicios a virtudes, desmontaban argumentos y exigían pruebas. No era fácil burlar sus ojos vigilantes. Ni colar como presuntos candidatos a monjas ignorantes, frailes milagreros, reyes poderosos y crueles, o damas de alcurnia acostumbradas a distribuir las migajas de su almuerzo y a practicar la penitencia en días de especial aburrimiento. Pero ni los más grandes santos entre los santos (algunos, en verdad, hombres piadosos) se libraron de las insidias y objeciones de los promotores de la fe. De los abogados del diablo.*

Aquéllos sí eran procesos animados –distantes años luz de los actuales nombramientos– en que las partes enfrentadas no ahorraban esfuerzos en defender sus posiciones. Juicios trepidantes que, en muchos casos, llegaron a rozar la violencia. E independientemente del veredicto final –«Procede» o «No procede»–, testimonios de inapreciable valor para, hoy en día, detectar la presencia de taimados PPDD en los altares. Suponiendo (es sólo una suposición) que los insignes abogados del diablo no mintieran.

Porque nada impide aventurar que, entre los honestos y rigurosos acusadores, se hubiera infiltrado (ahí también) algún que otro miembro de la maliciosa estirpe. Si eso llegó a ocurrir, no lo sabremos nunca. Sus vidas, por desgracia, no están documentadas. Nadie se ha tomado el trabajo de fiscalizar a los fiscales. Y tampoco vale aquí presumirles aviesas intenciones. Privar de la santidad a quien ostenta méritos. O –eludiendo pruebas, silenciando vicios– subir a los altares, como burla, a gentes sin ningún merecimiento. Pensar así equivaldría a atribuirles una elaborada línea de conducta, una patente intencionalidad de guasa al servicio de un amo poderoso. Y los PPDD –no lo olvidemos– ignoran lo que son, no tienen amo, ni reconocen otra voluntad que sus propios intereses.

(Sigue fecha y una acotación al margen: «¿Adónde quiere llegar?». Y más abajo: «El cuento de nunca acabar... Me estoy hartando».)

La noche en que nos vimos en Granada, Claudio apareció con el rostro desencajado. Llevaba una camisa con los puños rozados, no se había afeitado en dos días y parecía ausente. No quiso hablar del estado en que se encontraba su trabajo. Desechó la idea con la mano como quien aparta una mosca. Tampoco mostró el menor interés por los apuntes que, esta vez, había tenido la previsión de llevar conmigo. Miró el cuaderno con absoluta indiferencia y me lo devolvió sin molestarse en hojearlo. Bebió copiosamente. Demasiado. Pero no llegó a emborracharse. A medida que consumía copa tras copa sus ojos se convertían en la más viva expresión de la tristeza. «Estoy cansado», dijo. Pero más que cansado parecía enfermo.

–¿Algún problema... personal? –pregunté.

Y me arrepentí enseguida. Todos los problemas son personales. Claudio hizo un esfuerzo por sonreír. Pero no dijo nada. Se limitó a picotear con desgana unas hojas de lechuga. Nunca le había visto así. ¿Qué le ocurría? La idea de que acababa de sufrir un desengaño se fue abriendo paso en aquella mesa plagada de silencios.

–Si quieres hablar... –insistí aún.

Tenía que tratarse de eso: un desengaño. Apenas sabía nada de su vida, pero a lo largo de la mía –esos veinte años que nos separaban– había aprendido a detectar el mal de amores con escaso margen de error. A tiro hecho. En el caso de mi amigo no tenía mérito. Claudio presentaba todos los síntomas. Intenté apartarle de pensamientos sombríos. Si no hablaba él, hablaría yo. De cualquier cosa. Y como el día en que nos conocimos en la terraza del Majestic, no le di respiro. Recordé de pronto una película maravillosa que le recomendé encarecidamente. Después un libro. Enseguida un nuevo bar que acababa de descubrir en Barcelona y en el que preparaban deliciosos dry martinis... ¿Por qué no nos veíamos allí? Negó con la cabeza. No había forma de arrancarle de su abatimiento. Y yo, de pronto, empecé a sentirme cansada. Claudio, fueran cuales fueran sus problemas, no tenía edad para comportarse como un adolescente.

–Pues tendrá que ser en Barcelona –dije resuelta–. Durante un tiempo no me voy a mover de allí. Tengo trabajo y además... quiero estudiar inglés.

Era cierto: tenía trabajo. Y también era cierto que todos los años por las mismas fechas me asaltaba la necesidad de refrescar mi inglés. Pero sobre todo, como si temiera ser engullida por aquel ominoso mutismo, no podía dejar de hablar.

–No sé cuánto duraré. Siempre me ocurre lo mismo.

No me molesté en comprobar si a Claudio le interesaba averiguar qué era eso que me ocurría siempre. Proseguí.

–No acierto con el nivel. Tengo un inglés fluido. Pero ni idea de gramática. Por eso me ponen en clases en las que me aburro. Y termino largándome.

–Claro –dijo Claudio.

Su voz había sonado firme, despierta. Me sorprendí de que el asunto «clases» fuera lo primero que le interesara en toda la noche.

–El problema viene de haber vivido en países con el inglés como segundo idioma –continué–. No encajo en los programas. Y tengo la sensación de perder el tiempo.

Claudio me miró con los ojos vidriosos.

–Deje de hacer el idiota –dijo.

Le miré sorprendida.

–Inscríbase en la clase más alta. En el nivel superior.

Reí sin ganas. El comedor al completo parecía pendiente de nosotros.

–¡Qué más quisiera! Hay exámenes de acceso. Pruebas escritas...

–Mueva influencias. ¿No es usted escritora? Lo tomarán por una rareza. –Alzó el tono de voz y me cogió bruscamente del brazo–. ¿Qué le pasa? ¿No quiere avanzar? ¿O es que le gusta jugar siempre con ventaja?

El alcohol empezaba a pasar factura. Me liberé de su mano y me levanté. Estábamos dando el espectáculo.

–No hace falta que me acompañes –dije.

Pero todas mis tentativas resultaron inútiles. Se puso en pie, volvió a encerrarse en su mutismo y caminó pegado a mí como una sombra. Ahora ya no me esforzaba en hablar. Sólo deseaba llegar al hotel y olvidarme de la noche. Aunque, ¿qué había ocurrido en realidad? Nada digno de mención; nada imprevisible. Claudio y yo pertenecíamos a dos mundos, a dos generaciones que inesperadamente se habían encontrado una extraña mañana en México. Pero extrapolar aquel encuentro, tal como temía, era un error. Mejor hubiera sido no vernos nunca, y los apuntes PPDD, que ahora languidecían en el bolso, hubieran permanecido como el recuerdo festivo de unos días irrepetibles. Los apuntes, ahí estaba la prueba. Apenas había añadido unos pocos párrafos desde el vuelo México-Barcelona. Quedarían tal como estaban ahora. Incompletos. El juego había dejado de fascinarme, y no sentía ya la menor intención de continuar. Porque no era más que eso, un juego. Una puntual ocurrencia de la que posiblemente el propio autor estaba empezando a cansarse. Recordé lo peor que se puede decir de un escritor y de su obra: «El tema no da para un libro; puede ser ventilado en un artículo». Eso era lo que le sucedía a Claudio. La «ocurrencia» empezaba y terminaba ahí. Y las prolongaciones –el filón del santoral o las celebridades de la historia– se me aparecieron como una excusa para demorar lo irremediable. El viaje emprendido no llegaba a puerto. Lo demás, la eventualidad de un desengaño amoroso o cualquier otro problema «personal», no me concernía. En nuestra relación –y así había sido desde el primer momento– la vida privada quedaba excluida.

Habíamos llegado al hotel. Claudio me miró con indefinible tristeza. Me sentí conmovida.

–Algún día quizá te decidas a contarme lo que te ha ocurrido –dije al despedirme.

¿Por qué lo había hecho? ¿No acababa de eliminar la posibilidad de confidencias?

Claudio paró un taxi.

–Algún día –dijo.

Pero más que una promesa me pareció una despedida.

No volvió a llamar. Y no me pareció extraño. Le supuse avergonzado y demasiado orgulloso para reconocerse avergonzado. Decidí dejar pasar un tiempo. No disponía de su dirección ni de su número de teléfono, pero conocía sus apellidos y, en último caso, siempre podía acudir a antiguos amigos de la facultad para localizar a la familia. La idea no acababa de gustarme –la familia–, pero todavía menos la posibilidad de que nuestra relación terminara de una forma tan precipitada. Fijé una fecha y apunté en la agenda: «Claudio». La fijé al azar. 27 de julio. El día límite para iniciar mis investigaciones. Pero el azar –de nuevo el azar, el mismo azar que nos había reunido en el Majestic– se encargaría de ahorrarme las pesquisas.

A mediados de julio, una mañana que nunca olvidaré, me despertó un timbrazo largo y sostenido. Me levanté de malhumor. Era el cartero. Traía un paquete en el que se leía «frágil» y un acuse de recibo en el que, medio dormida aún, estampé una firma ilegible. El hombre me pidió el número de mi DNI. Nunca lo he sabido de memoria. Me inventé uno. El envío venía de México, de la calle Once Mártires de Tlalpan. Una tarjeta y un paquete. Cerré la puerta, me restregué los ojos y leí la tarjeta: «Hoy me he acordado de ti. De tu paso por casa, de nuestras conversaciones y de la tesis de tu amigo. Un abrazo». La expresión «de tu paso por casa» me avergonzó. Abrí el bulto envuelto en papel guateado y me encontré con una figurilla de escayola, burda, graciosa. Un rostro de cejas arqueadas y piel rojiza. Me puse a reír. También el diablillo parecía sonreírme. Pensé en Claudio. Hacía casi un mes que no tenía noticias suyas. Pero, sobre todo, pensé en mi amiga. Ahora mismo le enviaría una carta. Ahora mismo le agradecería el detalle. Recordé nuestras escasas conversaciones. La tesis de García Berrocal, la desaparición de los ambulantes del Zócalo... El diablillo que tenía en las manos no se parecía en nada al vendedor arrogante. Era un juguete. Un muñeco inofensivo. Un niño disfrazado de demonio... En aquel momento sonó el teléfono. Yo estaba aún junto a la puerta. Dejé que saltara el contestador y esperé el mensaje. «García Berrocal», oí. Corrí al estudio y descolgué el auricular. De nuevo la casualidad, el azar. De nuevo Claudio.

–No sé si te acuerdas de mí –escuché perpleja.

Y allí estaba aún. En la terraza de la casa familiar, abanicándome con la carta, oyendo los murmullos que llegaban del salón, participando en una intimidad que no me concernía. Me sentía una intrusa. Claudio no me había hablado jamás de su madre; tampoco de sus amigos. Ni siquiera, hasta aquella misma mañana, tenía la menor idea de dónde podía vivir. Parecía imposible. No hacía ni dos horas que el cartero me había entregado el paquete de México. Ni dos horas que Raúl me había informado de la desgracia, del error, de la sobredosis accidental de barbitúricos. Me recordaba anotando la dirección. Como si yo fuera otra. Me veía estampando el estúpido diablillo contra la pared. Como si todo hubiera ocurrido hacía siglos. Vistiéndome apresuradamente, subiendo a un taxi, tomando el ascensor, llamando a una puerta... Hasta las palabras de Raúl –«Gracias por venir»– sonaban ahora tremendamente lejanas. Y las de la chica del pasillo... ¿Qué había dicho antes de ponerse a llorar? «Estaba asustado. Muy asustado...» El despacho, la orla, Pablo VI, los cigarrillos rancios, mis intentos por postergar el momento de afrontar la realidad... Entré en el salón. No paraba de llegar gente. Chicas jóvenes y guapas que abrazaban a la llorosa novia del pasillo. También ellas me parecieron novias. Antiguas rivales que olvidaban sus diferencias e intentaban consolarse unas a otras. Hombres y mujeres de la edad de la madre. Una serie de caras que no me resultaron desconocidas y que me miraron, a su vez, con mal disimulada sorpresa. Allí estaba el grupo de Raúl. Cabellos canos que en otros tiempos fueron morenos o rubios, rostros bronceados, trajes oscuros que sustituían al recurrente blazer de mi memoria. No tenía más que entornar los ojos para creerme en el bar de la facultad. Ellos hablando de finanzas. Yo con el grupo de teatro. En aquella época Claudio no existía. No había nacido aún o era una criatura que gateaba en el mismo suelo que ahora yo pisaba confundida. Miré a la madre. Su rostro carecía de expresión. Andaba encorvada apoyándose en el brazo de una de las jóvenes.

–A su manera fue un buen hijo –dijo antes de internarse en el pasillo.

Me senté en un rincón. Alguien, a mi lado, enumeró la lista de somníferos encontrada en la mesilla de noche. «Un cóctel letal. El chico iba sobre seguro.» Me levanté. En los duelos se oyen muchas cosas. Frases interrumpidas. Comentarios. Loas que no lo son. Elogios discutibles. Retazos de conversaciones. Parches. Remiendos. Contradicciones. Fórmulas de cortesía. Pésames de manual. Meteduras de pata... La vida del ausente va configurándose como un puzzle al que siempre le faltan unas piezas. Recorrí el salón, el comedor, el vestíbulo... Y fue como si un Claudio que desconocía se prestara a guiarme por lo que había sido su casa. Mi amigo vivía allí. Con su madre. Ahí estaba su cuarto. «Al fondo del pasillo.» Vivía o recalaba en la casa de vez en cuando. Viajaba continuamente y le gustaba el lujo. No se le conocía oficio ni beneficio, tan sólo una persistente capacidad para pulirse el patrimonio familiar y satisfacer sus caprichos. De ahí sus malas relaciones con Raúl y los disgustos que de continuo le proporcionaba a la madre. Ella, sin embargo, se lo perdonaba todo. Era su hijo preferido. Un don, un regalo... De su inteligencia nadie se permitía dudar, como tampoco de su desfachatez o su vagancia. En los últimos meses había opositado (con envidiables perspectivas y excelentes resultados) a distintos organismos internacionales. Suiza, Luxemburgo, Estados Unidos, México... Pero no optó por la mejor oferta ni se molestó siquiera en contestar las cartas. Quemaba etapas con una rapidez insultante. Abría frentes y, una vez logrados sus propósitos, se abandonaba a un estado de ociosidad y desgana. Todo era, según unos, una excusa para vivir a cuerpo de rey. Una eterna indefinición adolescente, según otros. «Ahora por fin descansará», sentenció una mujer a mis espaldas. Y entendí enseguida que no se refería a Claudio sino a su madre. Busqué a Raúl. Tenía que irme.

–Era guapo, listo. Podría haber llegado a donde se hubiera propuesto –la madre volvía a estar sentada en el salón–. ¿Por qué nos has dejado, hijo mío?

–Ha sido un accidente –dijo Raúl con los ojos brillantes.

Me acerqué y le cogí del brazo. Estaba haciendo un esfuerzo sobrehumano para no derrumbarse.

–Él sólo quería dormir, mamá. No abandonarnos.

La madre se enjugó los ojos. Y miró hacia el pasillo.

–Ahora, por fin –añadió más calmada–, ha encontrado la paz.

De pronto reparó en mí. Y yo, de nuevo, me sentí una intrusa.

–¿Le gustaría verle? –dijo sonriendo–. Parece un ángel.

Me despedí atropelladamente y salí a la calle. Hacía ya un buen rato que al puzzle no le faltaba una sola pieza.

Entré en un bar, me acodé en la barra y pedí un dry martini. No me molesté en indicar «muy frío». El establecimiento estaba refrigerado y ya no necesitaba darme aire con la carta. La guardé en el bolso, junto a la libreta que había llevado conmigo a todas partes desde hacía casi un mes y que ya nunca podría mostrar a Claudio. «Apuntes PPDD.» Durante el camino, de la casa al bar, no había querido pensar en nada. Ahora, a salvo del bochorno del día, lejos del duelo familiar, las palabras de Claudio resonaban diáfanas, reveladoras, cargadas de sentido. Recordé nuestro último encuentro. Yo insistiendo en ayudarle: «Algún día, quizá, me contarás lo que te ha pasado». Y él, con el aspecto desencajado, doliente, subiendo a un taxi y perdiéndose en la noche: «Algún día...». No había faltado a su palabra: hoy era el día. Estaba equivocada al creerme una intrusa, al sentirme invasora de una intimidad que no me concernía. Eso es lo que quería Claudio. Que viera, que escuchara, que paseara por los escenarios de su vida. La carta era una despedida, un guiño. Pero también un señuelo. El reclamo para que acudiera a su casa y comprendiera lo que él acababa de descubrir, lo que le impedía conciliar el sueño. Y lo que *era*. Lo que siempre fue, aunque hasta hace poco lo ignorara. «Estaba cantado», murmuré. No tenía más que releer mis apuntes o recordar nuestras conversaciones y confrontarlas con lo que acababa de ver u oír. Claudio era un auténtico pariente pobre del diablo. Pero un pariente pobre que escapaba a las clasificaciones de mis notas y que quizá tampoco estuviera contemplado en el montón de folios devorados por el fuego. Una categoría especial dentro de la casta. Una singularidad dentro de la estirpe. Tal vez –se me ocurrió de pronto– una reversión. Un atavismo. Casos contados en los que ciertos caracteres ancestrales (tara o degeneración, según los suyos) afloraban de nuevo burlándose de la evolución o del olvido. Porque Claudio –azote de su familia, pariente pobre del diablo– era, por encima de todo, un valiente.

No alcé la copa. La incliné y vertí unas gotas en el suelo.

–A tu salud, Claudio –murmuré.

Y recordé el despacho. El calor, la escribanía de plata, la petaca de marfil, el olor a legajo polvoriento y a papel quemado, la chimenea... Recordé, sobre todo, lo que me era imposible recordar. El manuscrito rociado con gasolina, Claudio encendiendo una cerilla, llamas azules, rojas, verdes, algunos folios que, retorciéndose, destacaban de los otros, como si intentaran escapar, como si se resistieran a ser alcanzados por el fuego. Párrafos tercos y obstinados, palabras sueltas, hojas rebeldes que un implacable atizador de hierro devolvía una y otra vez a la pira del sacrificio. Allí estaba todo. El trabajo de Claudio, su obsesión, el estudio de las actitudes más frecuentes en los miembros de la temible casta, vidas de santos tocados por la arrogancia y la soberbia, célebres personajes de la historia finalmente desenmascarados, glorias de las artes y las letras... Y él, mi amigo. El momento en que el ensayo –el estudio, la tesis, la «ocurrencia»– se convertía, muy a su pesar, en un diario. El pánico súbito en medio de una atroz pesadilla. La sensación de orfandad. La nostalgia de algo que sin embargo no se recuerda. La desazón. La sospecha de que en otro lugar, en otro momento, «no se dio la talla». El desprecio cerval de todo lo que podría conseguir, sin apenas esfuerzo, y la añoranza de lo que nunca obtendría por más que se lo propusiera. Y la evidencia final. La puntilla. La seguridad de haber estado caminando en círculo cuando no tenía más que mirarse al espejo para descubrir el objeto mismo de sus pesquisas. Sí, allí estaba todo. Resumido en las nueve letras que habían logrado sobrevivir al fuego: «DEL DIABLO». Y la decisión. Lúcida, irrevocable. ¿De qué le servía brillar en un mundo regalado? ¿Dónde estaba el valor? ¿Qué mérito tenía?

–Estoy orgullosa de ti –dije en voz muy baja–. De haber sido tu amiga.

Ahora me explicaba el abatimiento de la última noche. Su tristeza infinita. También la brusquedad con la que me asió del brazo para espetarme: «¿No quiere avanzar? ¿O es que le gusta jugar siempre con ventaja?». Pero sobre todo su heroicidad, su arrojo. Porque Claudio renunciaba a sus prerrogativas y regresaba *a casa*. Abandonaba una vida de privilegio y se convertía en rémora, en obstáculo, en lastre. Cambiaba brillantez por torpeza, admiración por burla, facilidad por esfuerzo. Claudio, en fin, elegía voluntariamente su destino. El reino de la sagacidad, la rapidez, la inteligencia. Y también su lugar. Un puesto miserable entre los últimos de la clase.

Bebí el dry martini de un trago y me llevé la mano a la sien. Estaba frío. Muy frío... Y de repente, en esos breves instantes en que parecía que la cabeza me iba a estallar, creí verle. A él. Allí donde estaba ahora. Allí –corregí enseguida– donde estuvo siempre. Y, en una inverosímil inversión de fechas y recuerdos, entendí finalmente la razón por la que nunca, ni siquiera de pequeña, sintiera el menor asomo de temor ante la palabra «infierno».

El moscardón

Imaginemos a una vieja. Vive sola, ve la tele, tiene un canario. Sus sobrinos van a visitarla de vez en cuando. No le pasa nada. Nada grave, al menos. Está a punto de cumplir ochenta y siete años y su salud es de roble. Pero cada vez resulta más difícil hablar con ella. El mundo al completo –a excepción de sus sobrinos– le parece, en días de especial buen humor, un disparate. Y se lo hace saber –al mundo– sin moverse de su casa, sentada en un sillón, con los ojos fijos en la pequeña pantalla. «¡Mamarrachos!», «¡Payasos!», «¡Botarates!»... No ignora que no pueden oírla, pero se desahoga. A veces se calma. O se entusiasma. Tiene sus preferencias, sus ídolos. En los programas de debate, por ejemplo, se muestra arrebatada ante una de las contertulias habituales, una abogada belicosa que «habla muy bien», que «convence». Rechaza en cambio a otra, una juez, calmada, medida, respetuosa con los turnos de intervención. «Ésta no sabe nada. Es una sosa.» Ocasionalmente, uno de los sobrinos, a quien no le va ni le viene el programa, rompe una lanza a favor de la supuesta ignorante. «Pues lo que dice está bien. Tiene su lógica.» La tía, entonces, preguntará de inmediato: «¿Ah sí?». Y cambiará de bando. Lo que dice un sobrino es sagrado (por lo menos cuando está delante). Después, sola y siempre frente a su televisor, seguirá aplaudiendo en silencio a la letrada agresiva –«¡Qué bien habla! ¡No le tiene miedo a nadie!»– y compadeciendo para sus adentros a la correcta y pausada juez. Es una televidente de encuesta, un modelo, la base misma de los índices de audiencia. La abogada, con su griterío, le parece una estrella de televisión. La juez, que en ningún momento pierde la compostura, un desastre. Cuando vuelvan los sobrinos, ante un debate semejante y tras la posible defensa de la denostada de turno, ocurrirá exactamente lo mismo. «¿Ah sí?» Paso a las filas enemigas durante un rato y olvido de su traición en cuanto cierre la puerta. Son ya muchos años de vivir sola.

Da de comer al canario con auténtica dedicación. *Pshiu, pshiu, pío, pío, tshi, tshi.* De joven, que se recuerde, no era precisamente una entusiasta de los animales. Pero nadie debe sorprenderse: el tiempo pasa. Y con los años las personas cambian, adquieren nuevos gustos o descuidan antiguas aficiones. Un día recibe a sus invitados con una apetitosa tarta de queso. Son las cuatro de la tarde, ninguno de los sobrinos tiene hambre, pero, atentos, alaban la presentación, recuerdan su buena mano para masas y pudings, y, aunque protestan –las raciones que está sirviendo son mastodónticas–, se disponen a agradecerle el detalle. «Es de queso», dice la anciana sonriendo. Los sobrinos, durante unos segundos, se han quedado con el tenedor en la mano sin saber adónde mirar ni qué decir. La tarta no es dulce; tampoco salada. La tarta no sabe absolutamente a nada. «Se ha olvidado del queso», murmuran consternados en cuanto se cercioran de que la tía no puede oírles. «¿Entonces?» Aire. La tarta está hecha de aire cuajado. Es un homenaje al vacío. A la nada. Da lo mismo comerla que dejarla. No es ni buena ni mala. En realidad *no es.* «¿Cómo la has hecho, tía?» La pregunta es sincera. Como pastel resulta desconcertante; como creación un milagro. «Con queso, ya lo he dicho.» Y se sirve un trocito minúsculo. Come como su canario. *Pshiu, pshiu, pshiu...* Y parece que le gusta, que no nota nada raro, porque, por una vez –«y sin que siente precedente», dice orgullosa–, repite.

La merienda de la nada, a las cuatro de la tarde, no será durante un tiempo más que una anécdota, la ilustración de cómo con la edad se pierden ciertas facultades (y se adquieren otras), el recuerdo risueño de unos instantes de estupor compartido. Pero bien puede ocurrir que un día cualquiera, semanas después o quizá meses, la visita de los sobrinos no concluya de forma tan festiva. Y una vez hayan tomado el ascensor, alcanzado la calle y respirado oxígeno, resuelvan que la tía «no carbura», que «no rige», que «a la pobre se le ha ido la olla». Y todo porque, en medio de iras e improperios ante los debates a los que es adicta, un moscardón se ha colado por la ventana abierta, ha recorrido zumbando la sala para detenerse en el televisor, para rodearlo, para, de nuevo, instalarse en la pantalla. Y entonces la tía, olvidada de sus tomas de partido, lo ha mirado con cariño, con familiaridad, como si lo conociera de toda la vida e hiciera tiempo que no la visitara.

–¡El Anticristo!

Lo ha dicho sonriendo. Como el día que indicó que cierta tarta era de queso. Y también como aquel día ha repetido:
–Sí. Es el Anticristo.

(La vieja soy yo. No voy a andarme con rodeos. Por lo menos ellos me ven así, vieja. Palabra repugnante sobre la que ahora no me voy a detener ni cambiar por otras todavía más asquerosas. Anciana, tercera edad, gente mayor... ¡Eufemismos! Me he apuntado la palabra –«eufemismos»– que supongo que querrá decir «pamplinas». Se la oí el otro día a una abogada muy guapa, muy arreglada, muy pintada. Una chica listísima que habla muchas tardes por televisión y a la que mis sobrinos, que no tienen nada mejor que hacer, le han cogido manía. Dicen que si siempre sale en la tele, de dónde sacará tiempo para atender a sus clientes. ¡Qué sabrán ellos! Pues bien, seré vieja, pero no tonta. A veces me confundo –¡y qué!–, o de repente se me va el santo al cielo –¡ya volverá!–, o quiero explicar las cosas y no logro juntar las palabras. Lo único grave es que siempre me sucede en el momento más inoportuno. Es decir, cuando están ellos aquí. Si vinieran más seguido no me pasarían estas cosas. Pero no, aparecen cuando les da la gana y, aunque me llaman antes por teléfono, es como si me pillaran por sorpresa, con la guardia baja. Y eso es lo que ocurrió el otro día. Nada más. ¡Como si no supiera que un moscardón es un moscardón! Pero se les puso tal cara de estúpidos que todo lo que les iba a decir se me fue de golpe. Y cuando me volvió, ya se habían ido. Cuestión de minutos. Pero no me quedé tranquila. No, esta vez no me quedé tranquila. Me asomé a la ventana y, a pesar de que vivo en un séptimo piso, les vi perfectamente en el momento en que salían del portal. María, la pequeña –es un decir, está mucho más arrugada que yo–, se llevó un dedo a la frente y lo movió repetidas veces, como si ajustara o aflojara un tornillo. ¿Qué se ha creído esa mocosa? Más vale que vigile a sus hijos –que cada día van vestidos más raros– y no se meta en los asuntos de los demás. Lo curioso es que la mayor, Magda, que siempre ha sido muy buena, no salió en mi defensa, o, por lo menos, no me lo pareció desde aquí arriba. Los chicos tampoco. Pero seguro que ellos –que son estupendos– no se dieron cuenta. ¡De la que se libró la tontaina de María! De todas formas tengo que estar preparada. De un tiempo a esta parte, aunque la gente no hable, a mí me parece leer sus pensamientos. Los oigo, vaya. Y no me fío un pelo. Por eso, en la misma libreta en la que he apuntado «eufemismos», escribo ahora «asociación de ideas». Lo escuché el otro día por la radio. A veces una cosa –una mesa, una silla, una palangana– nos recuerda a otra. Y eso es lo que me pasó con el moscardón. Ojalá el próximo día me pregunten, y yo me acuerde, y pueda contestarles. Si ni siquiera preguntan, malo.)

La vieja, ahora, lleva la cabeza vendada. El día anterior, domingo, se estropeó la televisión y no se le ocurrió otra cosa que subir al terrado y manipular la antena. No recuerda si se desvaneció o fue el viento el que movió la maraña de cables y le asestó un golpe en plena frente.

–Nada grave –dice–. Aunque en muy mal sitio.

Los sobrinos han vuelto. No tenían noticia del accidente, pero sospechaban algo. Magda, esta mañana, dio la voz de alarma: «Ha llamado la tía. Se ha quedado sin televisión y está histérica. No se entiende una palabra de lo que dice». De modo que han venido todos. En grupo. Lo hacen a menudo así. Se ponen de acuerdo y aparecen juntos. Saben que es absurdo, que mejor sería establecer turnos y, en lugar de una vez cada quince o veinte días, visitar a la tía semanalmente. Pero también que ciertas obligaciones, asumidas entre cuatro, resultan más llevaderas que en solitario. Además, a la salida, se van a tomar una copa y aprovechan para comentar. En la última ocasión, incluso, terminaron cenando juntos.

–Cada vez peor.

–Habrá que pensar en algo.

–Sacarla de su casa sería matarla.

–Pues buscarle compañía.

–Le gusta vivir sola.

–Una cosa es que le guste y otra que pueda.

En algo están de acuerdo. Es vieja, pero no se da cuenta. Duerme una media de quince horas, lo cual, francamente, es extraño. Como también el que conserve un inquietante cutis terso, de niña, de muñeca. O quizá lo segundo no sea más que la consecuencia de lo primero. En todo caso hay que estar preparados. El lunes, cuando les recibe con la cabeza vendada, después del consiguiente susto ven el cielo abierto. Ha llegado la hora de hablar.

–¿Cómo se te ocurre encaramarte a una antena? Es peligrosísimo –empieza Magda.

La vieja le quita importancia al accidente. Sólo le interesa la televisión y el hecho de que los chicos estén allí. Ellos sabrán cómo arreglarla. Jorge toca un par de teclas. Luego se agacha y mira algo. Cuando se incorpora, la pantalla se ilumina. Siempre han sido estupendos. Jorge y Damián, los chicos.

–Estaba desenchufada –dicen.

(He vuelto a meter la pata. En vez de reconocer que yo misma desconecté el aparato –el sábado por la noche amenazaba tormenta–, le he echado todas las culpas a la pobre asistenta. Enseguida María, que no pierde comba, me ha preguntado con voz de mosquita muerta: «¿Cuántas veces a la semana viene la chica?». «Dos», he dicho. Y, tonta de mí, para demostrar que tengo memoria, he añadido: «Los lunes y los jueves». Magda, que mejor hubiera estado callada –no sé lo que le pasa a esta niña últimamente–, me ha mirado con incredulidad: «¿Y aguantaste desde el jueves sin televisión?». Aquí he estado a punto de arreglarlo. «A veces, cuando no puede los jueves, viene los sábados.» No se lo han creído porque, de nuevo, tonta de mí, he añadido «por la mañana», y entonces ha quedado claro que me lo acababa de inventar. De haber sido así –el sábado por la tarde dan uno de mis programas favoritos– no hubiera esperado al domingo para subir al terrado. De todos modos, han perdido enseguida el interés por la televisión y se han concentrado en la asistenta. ¡Qué perra les ha entrado con la asistenta! Que cómo se llama, que si me parece buena persona, que si me gustaría que viniese más días... Pero yo estaba ya en guardia. «Imposible. Tiene muchísimo trabajo. Sufre de reuma...» Y ellos dale que dale. Que por qué no les doy el teléfono, que, quizá, pagándole un buen sueldo... Me he mantenido firme. Sólo faltaría que ahora se descubriera no ya que la pobre no desconectó ningún enchufe, sino otras muchas cosas que a veces le cuento para pasar el rato y que también son inventadas pero muy bonitas. Entonces Damián me ha dado un susto de muerte.

–Tía –ha dicho–. Lo único claro es que no puedes pasar tanto tiempo sola.

Y ahí sí, la habitación ha empezado a dar vueltas y he creído que iba a desmayarme. Porque, aunque no han dicho nada más, yo –que leo sus pensamientos, que los oigo, vaya– he visto la terrible palabra a todo color, como el título de una película, con música de fondo y con un eco. Sí, los cuatro, por un momento, han pensado lo mismo. «Re-si-den-cia.» Y la tonta de la pequeña, como una gramola rayada, se ha puesto a repetir «cia, cia, cia...».

–¿Te encuentras bien, cía?

Me he llevado la mano a la cabeza para serenarme. Pero ellos se han creído que me dolía.

–Claro que estoy bien. Cosa de días. El médico me ha recetado unas pastillas.

Tampoco es verdad. No he ido a ningún médico. Ni pienso.

–Esto no puede volver a pasar.

¿El qué? De pronto me he olvidado de lo que estamos hablando. Estos críos tienen la virtud de confundirme. Pero la palabra seguía allí. En sus cabezas. Sobre todo en la de María. He cerrado los ojos.

–Vamos a buscarte compañía. Por un tiempo, al menos.

Bueno, mejor eso que lo otro. Ya me quitaré «la compañía» de encima. Pero ¿qué quiere decir «por un tiempo»? El canario se ha puesto a cantar y yo, de repente, he recordado que tenía que explicarles algo. «Asociación de ideas.» Pero no, no era del canario de lo que quería hablarles.

–No, canario no –digo mirando al canario.

–Pues si no es un canario, ¿qué es? –pregunta la estúpida de María.

Me he encogido de hombros desconcertada. Siempre terminan saliéndose con la suya.)

Los sobrinos, esta vez, no toman un taxi. El otro día, a un par de manzanas, se fijaron en un rótulo: AGENCIA DE EMPLEO. Ha llegado la hora de pasar a la acción. «Ni un día más», dice Jorge. «Ahora mismo lo solucionamos», confirma Magda. De nuevo están de acuerdo. La tía no ha opuesto resistencia a la idea de tener a alguien en casa (porque se siente débil), pero en cuanto se recupere (cosa de días) se negará en redondo. Hay que aprovechar la ocasión. «Hechos consumados», sentencia Damián. Y se encaminan a la agencia. A los pocos pasos María se vuelve y alza la vista. Las ventanas del séptimo están cerradas, pero le ha parecido ver una sombra tras las cortinas.

(En cuanto desaparecen por la puerta, consigo acordarme de todo. De lo que quería hablarles era del moscardón. De aquel bicho tan simpático que entró un día por esta misma ventana y que era igual –parece imposible–, exactamente igual, a uno que conocí de pequeña. El de mi infancia aparecía cada día en clase de religión, daba unas vueltas por el techo y se ponía a revolotear en torno al crucifijo. Un día Teresa Torrente, que era muy mandona pero sabía bastantes cosas –casi todas las semanas le daban banda y muchos meses cordón de honor–, me dijo en voz baja: «Cada día lo mismo. No se separa de la cruz». Y enseguida, como si hablara sola o acabara de descubrir algo muy importante: «¿Será el Anticristo?». Yo entonces no sabía lo que quería decir «anticristo» –ahora tampoco, se me ha olvidado–, pero cuando me enteré, cierto tiempo después, me quedé perpleja. ¿Estaba loca Teresa Torrente? ¿Y cómo podía ser yo tan idiota para dejarme impresionar por sus palabras? Pues bien, aquí está el misterio. Sé perfectamente que un moscardón es un moscardón y que un anticristo, sea lo que sea, es un anticristo. Y no había por qué poner aquellas caras de mamarracho. Fueron ellos –como siempre– los que me liaron. Parece mentira. Tantos años de universidad y, a la menor asociación de ideas, se quedan pasmados.)

–Soy Jessica –dice la chica.

La vieja la invita a pasar.

–Siéntate, hija, estás en tu casa. ¿Cómo has dicho que te llamas?

–Jessica –dice Jessica.

–Bien, Jesusica, escribe tu nombre en esta libreta y así no me olvido.

La chica deja el bolso en un sofá y mira disimuladamente a su alrededor. La casa es luminosa, lo cual le gusta. Pero también bastante más grande de lo que había imaginado. ¿Tendrá que ocuparse ella de la limpieza? ¿O todo su trabajo consistirá en dar conversación? Es el primer empleo de su vida y quiere hacerlo bien. Por eso, en el papel cuadriculado en el que lee «Eufemismos» y «Asociación de ideas», escribe su nombre, «Jessica», también entre comillas, por si acaso. Mientras, mira de reojo a la anciana. Es amable, pero un poco rara. Parece una muñeca. No tiene una sola arruga. Y, según la familia, va para los ochenta y tantos.

–Duermo mucho –dice la vieja.

¿Será, además, adivina?

–Y como duermo tanto –continúa– apenas necesito compañía. Vendrás sólo por las mañanas. ¿Qué te parece?

A Jessica le parece bien. Los sobrinos le han dicho: «Al principio te será un poco difícil. Está acostumbrada a vivir sola». Pero, la verdad, su primer día de trabajo no se presenta complicado. Todo lo contrario.

–¿Un café con leche, Jesusica?

No le ha dado tiempo a contestar. Enseguida se encuentra sola en el comedor, como una invitada, y ella, la dueña, la señora a la que se supone que ha ido a cuidar, removiendo cacharros en la cocina y cantando un villancico.

–Además es alegre –dice en voz muy baja.

Está encantada.

(La tengo en el bote. Ahora, al llegar a su casa, llamará a Magda o a María y les contará maravillas de mi persona. «Su tía es encantadora. Una señora agradable y guapa. ¡Con qué agilidad se mueve por toda la casa! ¡Qué bien puesta tiene la cabeza! ¡Y cómo les quiere a todos! Habla de la familia y se le hace la boca agua.» Ja. Desde el primer momento he comprendido que era una espía. Una buena chica, sí, pero una espía. Al servicio de los que le pagan –que, desde luego, no soy yo–. Por eso le cuento todo al revés –que María es estupenda, por ejemplo–, para que luego ella lo repita como un loro. Mañana, antes de que me prepare la comida, iremos a dar una vuelta por el barrio. Le diré: «Siempre lo hago». Y nos detendremos, como por casualidad, en un escaparate de la calle de atrás. Hace tiempo que le tengo echado el ojo a un vestido. Debe de ser caro, porque pasan los días y sigue allí. Que Jesusica entre y pregunte el precio. «Nunca se sabe», diré. También esto, como buena correveidile, se lo contará a mis sobrinos. Y a ver si captan. ¡Estoy harta de colonias y pañuelos!)

–Hola –dice Teresa Torrente–, pasaba por aquí y me he dicho: «Voy a hacerle una visita a mi amiga Emi».

La vieja mira el reloj. Las siete y cuarto. A esa hora tendría que estar ya en la cama, durmiendo. En realidad está en la cama. Y si no recuerda mal (porque algunas veces se hace líos) antes de acostarse ha cerrado con tres vueltas de llave y ha puesto la cadena de seguridad. ¿Por dónde ha entrado Teresa?

–Por la puerta –explica tranquilamente.

Teretorris está igual. No ha cambiado en nada. Lleva el uniforme de invierno, aquel azul oscuro que picaba un poco –con el cuello marinero impecable y el corbatín recién planchado–, y se ha puesto encima todas las bandas y cordones de honor que ha ganado en la vida. Parece un almirante. El almirante Canaris.

–Espera a que encuentre la bata –dice la vieja.

No son horas para recibir a nadie, pero la culpa la tiene ella por no avisar. Tampoco es el momento de tomarse un café, que después no se pega ojo. Una manzanilla, mejor.

–Prefiero Agua del Carmen –dice Teresa–. ¿Te acuerdas, Emi, cuando bebíamos a escondidas?

Emi asiente. Se acuerda de todo. Como también de que un día las pescaron y Teretorris aquella semana se quedó sin banda.

–Me acuerdo de todo –dice–. De todo lo de antes.

Y para demostrarlo recita la lista de reyes godos. A la altura de Chindasvinto, Teresa la interrumpe.

–No llegaste a casarte, ¿verdad?

La vieja frunce el ceño. La pregunta le ha parecido una impertinencia. Presentarse a estas horas y, ¡zas!, lanzar el dardo.

–Pretendientes nunca me faltaron –protesta.

Teresa se encoge de hombros.

–No estabas mal. Pero como guapas, guapas, tus hermanas mayores. Pobrecitas. Cuando leí sus esquelas me llevé un disgusto. Pero, en fin, tarde o temprano...

Bebe un sorbo de Agua del Carmen y dos de sus bandas, una a la derecha y otra a la izquierda, se deslizan por los hombros hasta alcanzar el codo. La vieja parpadea. Parece como si se hubiera puesto un traje de noche, con el escote algo desbocado, sobre la marinera.

–En el fondo las envidiaba –prosigue–. Sobre todo a la mayor, tan rubia y con aquel admirador que se permitió rechazar. Rubén. Guapo, alto y millonario. Un hacendado argentino. Todas, en clase, soñábamos con Rubén.

–Eso es agua pasada –dice molesta la vieja.

–A nuestra edad, Emi, ya todo es pasado.

Teresa Torrente sigue tan sabia como siempre. Pelín pedante. Pero ahora la vieja comprende que se encuentra ante una ocasión providencial para aclarar una duda. Intenta recordar. ¿Cuál era esa duda?

–¡El Anticristo! –dice al fin.

La amiga la mira con sorpresa. Vacila. Entorna los ojos.

–Me suena, sí, pero ¿qué era?

También a ella –a la sabia– le falla la memoria.

–¿El demonio, quizás?

La vieja se encoge de hombros. Para dudas se basta sola.

–Sí –dice Teretorris ahora con voz firme–. El demonio. Uno de los nombres del demonio.

Y se va. Un tanto apresurada porque sobre el sofá ha quedado abandonada una de las bandas. «Bueno», se dice la vieja, «ahora a dormir. Ya volverá otro día.» Y, extenuada, se mete en la cama. Casi enseguida suena el timbre. ¡La pesada de Teresa! ¿No podía esperar a mañana? Recoge la banda, se interna por el pasillo, da tres vueltas a la llave y descorre la cadena de seguridad.

–¿Qué hace con un calcetín en la mano? –pregunta sorprendida Jessica.

(Luego ordenaré los acontecimientos de la noche. Ahora, con la espía delante, se me han quitado las ganas. Como nota que no estoy para conversaciones empieza a limpiar. Eso sí lo hace bien, las cosas como son. Al principio la asistenta se puso un poco celosa. «Si le han buscado ayuda, ¿para qué quiere que vaya yo ahora por las tardes?» Lo de tener gente en casa por las tardes nunca me ha gustado demasiado. Pero peor sería que coincidieran las dos. ¡Ah no! Eso imposible. Fui rápida (a veces aún lo soy). «Sólo una tarde a la semana», le dije por teléfono en voz muy baja para que Jesusica no me oyera. «Nos sentaremos frente al televisor, charlaremos y usted podrá ir limpiando la plata.» «¿Qué plata?», preguntó ella. También había previsto este detalle. «La plata», repetí. «Cuando llegue la tendrá preparada en la mesita.» Esperé a que la espía desapareciera y busqué entre todos los llavines el que abre el cajón del aparador. Saqué un juego de cucharillas, dos ceniceros, una tetera rota, el servilletero de la primera comunión, un salero y la medalla de Hija de María. Creo que se quedó contenta con sus nuevas tareas (lo cual es comprensible: no hace nada) porque al despedirse me comentó: «¡Ay, doña Emilia, hablando con usted se me pasan las horas volando!». En fin, a lo que iba. Jesusica limpia y lo hace muy bien. Pero hoy, de vez en cuando, me dirige una mirada rara, como de control, que me pone nerviosa. Y cuando estoy nerviosa lo mejor es no hablar demasiado, no sea que me pase aquello tan desagradable de querer decir las cosas y de que no te salgan. Además, me conviene tenerla a buenas. La observo de reojo mientras pasa la aspiradora. La pobre chica viste que da grima. Hoy calza unos zapatones de plataforma que le hacen parecer un gigante. Y lleva un suéter tan canijo que cuando levanta los brazos se le ve el ombligo. Ha llegado la hora –decido– de hacerle un regalo. En parte porque soy así, buena, y en parte para borrar de su cabeza la impresión que le he causado esta mañana. Cuando faltan unos minutos para que se vaya la llamo desde el dormitorio.

–Mira –digo abriendo el armario de par en par.

–Qué guay –dice la chica.

Supongo que ha sido el orden lo que le ha llamado la atención. El orden y también la variedad y el colorido. Porque ahí están, perfectamente alineados, mis zapatos de distintos modelos y de diferentes épocas de mi vida. De tacón fino, de tacón grueso, forrados de satén, con hebilla y sin hebilla. Unos con una borla plateada. Como en una tienda. Igual. Sólo que ya va siendo hora de renovar el escaparate.

–Tengo los pies hinchados y no puedo usarlos. A ti te quedarían muy bien.

Jesusica protesta, pero no le hago caso. Es más, completo el lote con dos blusitas muy monas que compré hace años en unas rebajas y nunca me he puesto. Se queda mirando una de la época de Brigitte Bardot, a cuadritos y con chorreras.

–Qué auténtica –dice.

Pero me parece que no ha entendido aún que se trata de un regalo. Por eso le pido que traiga bolsas del cajón de las bolsas y tengo que repetirle (de pronto parece tonta) que el cajón de las bolsas está, como siempre, en el armario de la cocina. Llenamos tres y todavía quedan zapatos. Una funda de abrigo que hace tiempo que no uso –ya no me molesto en guardar los abrigos– nos va de perlas para recoger los últimos pares y las dos blusitas.

–¿Está segura?

Pobrecilla. Yo aprovecho para decir: «Sí, ahora tengo otro estilo», y recordar, como quien no quiere la cosa, aquel conjunto tan apropiado que vimos hace unos días en la tienda de la esquina. Jesusica se va a casa emocionada, cargada como un Papá Noel. Y yo me derrumbo en el sofá. Esta noche, entre una cosa y otra, apenas he descansado.)

–Estábamos en lo del argentino –dice la asistenta–. El día que cayó de rodillas, desesperado, ofreciéndole el oro y el moro, y usted (que aquí se equivocó, perdone la franqueza) terca como una mula: «Lo siento, Rubén. Por nada del mundo cruzaría el charco».

La vieja carraspea. No está de muy buen humor.

–Agua pasada. Hoy hablaremos de Teresa Torrente.

Y le cuenta la anécdota del moscardón revoloteando en torno al crucifijo, las palabras de su compañera de pupitre, y lo parada que se quedó ante aquella revelación inesperada.

–Anticristo quiere decir «demonio».

–Ah –dice la asistenta.

No le ve la gracia a la historia. Preferiría seguir con Rubén o con cualquiera de los muchos pretendientes de doña Emilia. Suspira resignada, se concentra en su trabajo y saca por tercera vez brillo a una cucharilla de plata.

–Teresa Torrente sabía muchísimas cosas. O se las inventaba, para darse pisto. Pero eso del demonio... Ayer vino a verme y noté en ella algo raro. Me acordé de una película. Gente que hace pactos con el infierno. Porque lo curioso es que han pasado muchos años y el uniforme del colegio le sigue quedando bien. De maravilla.

–Pero ¿todavía lleva uniforme esa señora?

El frasquito de limpiametales acaba de derramársele sobre la mesa. Corre a la cocina, vuelve con una bayeta, frota y refrota, y mira un tanto cohibida a la vieja. En el mantel ha quedado un cerco rebelde. Lo tapa con un periódico.

–No, claro que no –prosigue doña Emilia como si no hubiera reparado en el percance–. Pero a veces, en su casa, se lo prueba frente al espejo. Lo hace para comprobar que no ha ganado ni perdido un solo centímetro.

–Eso sí que se parece a una película –dice la asistenta ya más relajada–. Una historia de dos hermanas. Dos señoras mayores. Una, que de pequeña fue muy mona, se prueba un vestido de niña ante el espejo y canta. Daba un poco de miedo.

El canario, como la señora mayor de la película, se pone a cantar –¡menos mal!– y la asistenta intenta concentrarse ahora en la tetera rota. Ya no puede brillar más de lo que brilla. Pero algo hay que hacer. Lo de la película no parece haberle gustado demasiado a doña Emilia. Mejor volver a Teresa Torrente.

–Pero también usted –dice ahora con voz pillina– algún secreto debe de guardar bien guardado. Porque tiene un cutis...

La vieja sonríe con su perfecta cara de luna. Pero, más que una sonrisa de niña, hoy, por primera vez, compone un rictus de anciana. Se levanta para dar de comer al canario. *Psiu, psiu, psiu...* De nuevo parece de malhumor. Lo está. Algo no acaba de salir bien esta tarde. ¿Qué puede ser? El canario, pobre infeliz, no tiene la respuesta. Vuelve a la mesita de la plata. La asistenta acaba de cruzar las piernas y se dispone a atacar el salero. Entonces –¿estará soñando?– lo ve.

–¿De dónde ha sacado estos zapatos? –pregunta con un hilo de voz.

La mujer sonríe orgullosa. Después baja la vista.

–Me da un poco de vergüenza...

Disimuladamente se desprende de uno. Es notorio que le quedan estrechos.

–De un contenedor –confiesa.

Y se pone colorada como un tomate. De pronto ha entendido la magnitud de su error. ¡Comportarse como una indigente, una trapera, una vulgar fregona, ahora que, como por milagro, había ascendido a dama de compañía! ¿Qué estará pensando doña Emilia? Por nada del mundo querría contrariarla. O perder el trabajo, que es lo mismo. Las horas más descansadas de toda su vida limpiando plata limpia. Por lo cual se decide a desembuchar.

–Y había muchos más.

La vieja aprieta los dientes.

–Y un par de blusas.

Los ojos de doña Emilia lanzan fuego.

–He dejado las bolsas abajo. En la portería.

(La hipocritona de los zancos aparece hoy, a las diez en punto, tan pimpante. Ja. Prepara el desayuno y me pregunta de qué queremos hablar. «De nada», digo. «Esta noche no he dormido bien.» Se pone a limpiar y yo, para matar el rato, hojeo una revista de chismes. A las once llama María.

–¿Cómo va todo, tía?

Me cuenta tonterías de sus hijos, de su hermana Magda, de sus primos Jorge y Damián. Ha amanecido conversadora. O lo que pasa es que tiene remordimientos. Desde que me enjaretaron a la espía no han vuelto por aquí.

–Dentro de poco es Nochebuena, no te olvides.

¿Cómo me voy a olvidar?

–Y enseguida Reyes –preciso.

–Claro. Nos reuniremos todos. Como siempre.

No quiero que me enternezca, que me líe o que me aparte de mis objetivos. Por lo cual hago como si no la oyera bien.

–Te paso a Jesusica –digo.

La chica coge el teléfono y se pone a reír. ¡Qué bien se llevan las dos! María y la espía a sueldo.

–Ella me llama siempre así, Jesusica.

Recorro con los ojos el saloncito. *Ella* debo de ser yo.

–Y, a veces, Jacinta.

¿Será mentirosa? Me entran ganas de llamarla Jerónima, que es mucho más feo que Jacinta. Pero no quiero perder la calma. Todavía no.

–Entendido –dice ahora–. El veinticuatro en su casa.

Y cuelga. Asiento con la cabeza para que no me repita lo que ya sé –Nochebuena en casa de María– y sigo aburrida con la revista. Las artistas de ahora no valen nada. Como las películas.

–Me voy –oigo al cabo de un rato, pero resulta que han pasado varias horas–. Tiene la comida preparada en la cocina.

He dado unas cabezadas, mema de mí. ¡Menos mal que he sido despertada a tiempo! Dejo la revista en la mesita y, con un gesto, le indico a la chica que me acompañe al dormitorio.

–Mira –digo abriendo el armario–. Todo para ti.

Jesusica se ha quedado muda (no es para menos). Ahí están los zapatos perfectamente ordenados. De tacón fino, de tacón grueso, forrados de satén, con hebilla, sin hebilla... Faltan los de la borla, pero no lo nota. Añado al lote un par de blusitas y espero un poco. Inútil. No oigo ningún *guay* ni tampoco *qué auténtico*.

–Coge unas cuantas bolsas del cajón de las bolsas –ordeno.

Esta vez trae muchas. Pero hago como que no me doy cuenta y descuelgo un guardabrigos.

–Hace tiempo que no guardo los abrigos –explico.

La estudio con el rabillo del ojo. No me había fijado nunca en que fuera tan pálida. Ahora dobla cuidadosamente la blusita de vichy, la de las chorreras, y no tardo en apreciar (mejor no mirarla directamente porque me delataría) un creciente temblor en sus dedos tatuados. Como parece algo mareada (y sigue muda) la acompaño hasta la puerta.

–Hasta mañana, hija. Ahora mismo almuerzo y enseguida me meto en la cama.

Pero no lo hago. Espero a que tome el ascensor y corro al balcón para no perderme detalle. Mi plan, de momento, está saliendo a la perfección. Me sabe mal por la asistenta, con lo contenta que estaba con su hallazgo y lo triste que se puso luego, cuando la convencí de que yo misma –para evitarle el bochorno– me encargaría el domingo por la mañana de entregar el botín a la parroquia. Únicamente transigí en los zapatos de borla –después de todo ya los había deformado– y ella, roja como la grana, me lo agradeció efusivamente. (Con toda razón, porque son míos.)

La chica acaba de salir a la calle. Anda algo patosa –no sé si por las plataformas, el peso de las bolsas, o es que sigue mareada–. El contenedor de marras está dos calles más abajo. Si va hacia allí, fatal. Pero no, claro que no. ¡Cómo va a ir hacia allí! Con aires de sonámbula cruza la calle. ¡Bravo! Una moto frena bruscamente. Ha ido de un pelo, pero ella ni se entera. Sigue impasible en dirección a su casa. Lo dicho: parece un zombi. Ahora se detiene en una esquina para tomar aliento –o para meditar, ¡quién sabe!– y prosigue su camino tambaleante.

Jerónima –pobrecilla– está aterrada.)

–Cu-cú –oye la vieja a sus espaldas–. ¿A que no sabes quién soy?

Tarda sólo unos segundos en reaccionar. Se creía en la cama, durmiendo. Pero no. Debe de estar tumbada o sentada en la butaca, y la oscuridad procede únicamente de unas manos que le oprimen los ojos y que ella recorre ahora con sus dedos.

–¡Teretorris! –dice. Y enseguida se hace la luz.

Teresa Torrente ha vuelto. ¡Qué cosas! Tantos años sin verla y en menos de una semana aparece dos veces. Seguro que viene a por la banda.

–¿Cómo te encuentras, Emi?

No. No parece acordarse de la banda –lógico; tiene muchísimas–, y mejor así: ahora mismo no sabría decir dónde la ha guardado. La mira de arriba abajo. Va vestida de fiesta, con zapatos de medio tacón, y empieza a girar sobre sí misma como si bailara o quisiera darle envidia con su vestido. La sala, de repente, parece mucho más grande.

–Y hoy no he venido sola.

Corre las cortinas de la galería –¡qué curioso!, Emi hubiera jurado que hacía años que había suprimido las cortinas– y entran de sopetón, riendo como locas, las compañeras del colegio. Las más amigas. El grupo al completo. Menos mal que la sala es ahora enorme. De pronto lo recuerda. Claro. Hace unos meses hizo obras. Tiró tabiques y acristaló la terraza. ¡Qué buena idea!

–Esto sí que es una sorpresa –dice.

Beben Agua del Carmen y hablan sin hablar (porque lo saben todo). Loles es viuda, Laurita estudia en la universidad, Merche... Pero ¿no había muerto Merche?

–No, claro que no –dice muy tranquila Merche–. Aquello fue un bulo.

También ellas van vestidas de fiesta y todas sin excepción –incluso Teresa Torrente, no se había fijado– llevan colgada al cuello la medalla de Hija de María. Emi abre el cajón del aparador y coge la suya. Pero ¡qué raro! La cinta no es azul cielo como la de sus amigas, sino verde.

–No sirve –dice Teresa Torrente–. Es sólo de aspirante. Y fíjate, está casi borrada.

Es cierto. De tanto frotarla apenas se aprecia el relieve. Pero nadie más lo ha visto. Ahora las amigas la esconden dentro del escote, en la cintura, entre los pliegues del vestido. Casi había olvidado esa costumbre. En verano, lejos del colegio, siempre con la medallita puesta. La sujeta con un imperdible en la parte interior de un bolsillo. No se nota. A ninguna se le nota. Porque ya están en la fiesta y parecen salidas de las páginas de *Menaje* o de *Mujer* o de *La Moda Ilustrada*. Los camareros sirven ponche y tisana, y el jardín huele a verano, a los primeros días de verano. Emi aspira el olor olvidado. ¡Verano! Por primera vez en mucho tiempo se siente feliz. Y al fondo, apoyado en la pared de un cenador, acaba de descubrir a Rubén.

–¡Atrápalo! ¡Sé valiente! ¡Tal vez no tengas otra ocasión!

De nuevo Teretorris.

–Además... Tu medalla no sirve.

(Hoy no estoy para charlas. A la abogada –esa chica tan lista– le han dado un programa para ella sola. ¡Ya era hora! Se trata de una especie de consultorio. Ella lee unas cartas, o hace como que las lee; cartas que le preguntan sobre las cuestiones más raras del mundo. Seguro que ya lo trae preparado, pero aun así, ¡qué gusto da escucharla! Lo sabe todo.

–Sí –concede la asistenta–. Tiene mundología.

Preferiría estar a solas con la tele. Pero ¡qué remedio! Hoy, lunes, toca asistenta. Pues bien, aguantemos a la pobre asistenta. He conseguido, para entretenernos, un par de almohadones de punto de cruz. Una labor tirada. Pero la pobre no tiene ni idea. Sus dedos, gordos y amoratados, no hacen más que pasearse por el bastidor sin decidirse a hundir la aguja. El almohadón tenía que ser blanco, pero, sospecho, terminará siendo gris. Y no precisamente gris perla.

–Nunca hasta hoy había bordado –se excusa.

Le ruego silencio. La abogada acaba de leer por encima una de las cartas y ahora, quitándose las gafas, nos mira muy resuelta.

–A veces uno se despierta bruscamente en la mitad de un sueño. En el momento más inoportuno. El preciso instante en que algo maravilloso, o apasionado, o deliciosamente erótico, va a ocurrir. No culpemos al despertador ni a las obras de la casa de al lado. Los únicos responsables de que *aquello* no llegue a realizarse somos nosotros mismos. La censura. La au-to-cen-su-ra que habíamos dejado olvidada a los pies de la cama, como unas zapatillas o un batín, y que de pronto invade el mundo onírico haciendo acto de presencia. «Aquí estoy yo», nos dice. Pero como no puede con el embrujo de los sueños, acude a su único medio al alcance. Interrumpirlos.

Vuelve a calarse las gafas y cabecea con comprensión.

–¿Frustrante? Quizá sí. Pero, por otra parte, nos libera de algo aterrador. Enfrentarnos a un hecho que moralmente no podemos aceptar.

La asistenta se pincha un dedo (porque no sabe manejar la aguja) y yo también (pero por otros motivos). Ahora resulta que fui sólo yo, yo-mis-ma, quien decidió que *aquello* no ocurriera nunca. Bien, pero ¿qué era exactamente aquello? Teretorris siempre se me adelanta. Me lleva de sorpresa en sorpresa y no me deja pensar. Y luego, enseguida, aparece la espía. O la asistenta. O María y Magda al teléfono. Esta casa, en los últimos tiempos, parece el vestíbulo de un cine. Tendré que consultarla. A ella. Escribirle una carta. Por cierto, ¿cómo se llama? ¿Lisarda?

–Leandra –dice la mujer con su lanza en ristre–. Se llama Leandra Campos. Y las cartas se envían a Prado del Rey, Madrid.

Antes era más fácil. Cuando había varios invitados. Cada vez que uno tomaba la palabra –y Leandra lo hacía todo el rato– aparecía su nombre escrito en letras muy gordas. Ahora no. Un momentito al principio y otro al final. Así cualquiera se confunde.

–La última carta del día –dice Leandra–. «Soy una señora mayor y me siento muy sola...»

No me interesa. Para viejas me basto y me sobro. Sólo me faltaría más gente en casa. Por eso me pongo a cantar y sigo bordando. Pero a la «señora mayor» le pasan más cosas.

–«No consigo acordarme de casi nada. La memoria me falla. No en las cosas antiguas, sino en las de ahora. Ya no me acuerdo, por ejemplo, de lo que hice ayer...»

Ajá. Ahora sí entramos en materia. A ver qué se le ocurre a la abogada.

–Voy a proponerle dos soluciones. La primera, una libreta. Un cuaderno en el que apunte todo lo que no desea olvidar. Nombres, aniversarios, días de la semana, las cosas que debe hacer y las que ya ha hecho... Una especie de diario.

Lo mismo que hago yo. Sólo que hace días que no encuentro la libreta.

–Y la otra, la mejor. Acostumbrarse a emplear el sistema mnemotécnico.

Escribe «mnemotécnico» en una pizarra (cosa que le agradezco) y yo lo copio sobre la caja de los hilos. Ya lo pasaré en limpio cuando aparezca el cuaderno. El nombre se las trae, pero la abogada lo explica muy sencillo. Se lo inventó una diosa antigua para acordarse de todo, y, en el fondo, se parece bastante a la «asociación de ideas». Pone algunos ejemplos y yo me invento otros. «Leandra Campos, Prado del Rey, Madrid.» Pues bien: ¡ladrona! (espero que no se lo tome a mal). Una ladrona del campo que va a la ciudad (Madrid) a robarle al rey mientras cabalga por su prado. De ladrona a Leandra no hay más que un paso –Ldrrr–, y si vuelve a aparecer Lisarda la elimino.

–¡Ladrona! –digo en voz alta para no olvidarme.

La zafia ha vuelto a clavarse la aguja (a este paso terminaremos en urgencias). Miro el almohadón. ¡Vaya birria! Gris subido y encima, ahora, salpicado de motitas rojas. Pero, como estoy de buenas, disimulo.)

No sabe cómo ha podido ocurrir. De nuevo es verano, se encuentra en un jardín y la fiesta no ha hecho más que empezar. Rubén sigue al fondo, junto al cenador, y Teresa Torrente no se ha movido de su lado. Sin embargo, hay algo que no acaba de entender.

–¿Cuántos años tenemos, Teretorris?
La amiga se encoge de hombros.
–Dieciséis, quince... Los que tú quieras.
–¿Y dónde estamos?
–En el jardín de Loles. ¡Dónde va a ser!
–Claro –dice Emi.
Y es verdad. De repente lo ve todo muy claro. Los padres de Loles –que todavía no es viuda porque aún va al colegio– las han invitado a la puesta de largo de la hija mayor, la amiga de sus hermanas. Por eso visten de fiesta y por eso Emi, para la ocasión, se ha rizado el pelo en la peluquería. Se encuentra guapa. Aparenta, por lo menos, un par de años más. ¡Qué suerte! Porque ahora le parece que Rubén, desde el cenador, la mira sonriendo.
–¡Hoy o nunca! –ordena Teresa Torrente.
En las manos lleva arrugada una cinta azul celeste que Emi reconoce al instante. Pero ¿qué está haciendo? La entierra en una maceta y disimula.
–Pschit –dice–. Cuidadito.
Y con los ojos señala hacia una sotana. El cura del colegio, enfrascado en la lectura de un breviario, acaba de pasar muy cerca de las dos. Teresa Torrente aguarda unos segundos, respira aliviada, mira al cenador y vuelve al ataque.
–Lo malo de tu historia es que no tiene historia. ¿No le envió tu hermana a freír espárragos? ¡Eres libre!
Emi va a protestar. A decirle a su amiga que siempre se adelanta. Que va demasiado aprisa, y que eso –lo de las calabazas de su hermana a Rubén– todavía no puede haber ocurrido. De la misma forma que Loles aún no es viuda ni Merche ha muerto. Pero ya Teretorris se ha ocultado tras un seto y besa ahora apasionadamente a un muchacho. ¿De dónde ha salido el muchacho? Emi busca desconcertada a las demás amigas. También ellas han enterrado sus medallas en macetas y, riendo, se han refugiado en la oscuridad. ¿Y Rubén? ¿Adónde ha ido Rubén?
–Aquí –oye a sus espaldas.
Rubén está a su lado. Huele a verano. Rubén es el verano. Y ella siente el cosquilleo de muchos veranos.
–Vayamos donde ellos –dice con su dulce acento, mirando hacia el seto.
¡La ocasión tantas veces esperada! *Aquello*. Rubén está a su lado,

acaba de tomarla de la mano y le repite: «Vamos». Emi recuerda que su medalla es sólo de aspirante, que no sirve, que no tiene por qué enterrarla en una maceta como sus amigas. A punto está de ceder, pero se detiene. ¿Qué es lo que desea realmente? De nuevo hay algo que no cuadra. Ella sabe lo que Teresa sabe (que su hermana mayor, la guapa, terminará dándole calabazas), pero él, Rubén, por lo visto, también lo sabe. ¡Cómo si no perdería el tiempo con una mocosa, en vez de hacerle la corte a su hermana! Así no. Así no vale.

–Pídemelo de rodillas –dice orgullosa.

Rubén obedece. Y ella ahora comprende perfectamente lo que debe hacer. *Aquello*.

–Lo siento. Nunca cruzaría el charco.

Y, súbitamente inspirada, añade:

–Y menos con un hombre que se pone de rodillas.

Suspira feliz. Su historia ya tiene historia.

(La asistenta lleva hoy los dedos cubiertos con esparadrapos. De vez en cuando mira con envidia la blancura de mi almohadón y yo, para no ofenderla, evito detenerme en el suyo. Pero sé lo que piensa; lo veo como si estuviera escrito. «Unas tanto y otras tan poco.» Se refiere a nuestras labores, desde luego, pero sobre todo a la forma diferente como nos ha tratado la vida. A pesar de todo no es rencorosa. Disfruta con mis recuerdos como si fueran suyos, y la verdad es que no me extraña. Hoy se lo he contado todo muy bien (lo tenía fresco). Por eso no para de comentar y se resiste a cambiar de tema.

–Fue usted muy valiente, doña Emilia. Hace falta coraje para rechazar un partido como aquél.

Eso es lo que dice, pero piensa: «¿Y qué diferencia hay entre un millonario de pie y otro de rodillas?». Lo lleva escrito en la frente –ahora en redondilla–, y también: «Seguro que se arrepentiría después, cuando ya era tarde».

–¿Y no se arrepintió nunca? –pregunta como si se le acabara de ocurrir.

–Jamás –respondo–. Me gusta vivir sola. Aquí, en mi casita. Con mis recuerdos...

La buena mujer se queda meditando y yo me levanto con la excusa de que hace rato que no oigo cantar al canario. Sé que he soltado una frase un tanto liada. «Contradictoria», que diría la abogada. Porque, veamos, si no me arrepiento de haberle dado calabazas a Rubén y estoy encantada de vivir sola, no acabo de entender del todo que lo bueno de vivir sola sea, precisamente, poder recordar a Rubén.

–¡Qué vida la suya, doña Emilia! –suspira admirada la asistenta.

Y ya no dice más. Es la hora de Ldrrrrrr... ¡Leandra! El sistema mnemotécnico funciona de maravilla. Ahí está la ladrona, el rey burlado, el caballo al trote... Y ni sombra de Lisarda. «Leandra Campos. Prado del Rey. Madrid.» Un día de éstos me animo y le escribo. «Querida Leandra.»

–Queridas amigas –dice ahora Leandra.)

Suena el teléfono. Es María.

–Hola, tía. ¿Cómo estás?

–Divinamente –dice la vieja–. ¿Por qué? ¿Pasa algo?

No son ni las diez de la mañana.

–¿Has dormido bien? –pregunta María con voz preocupada.

–Muy bien. Pero poco.

La vieja mira con recelo el auricular. Algo raro pasa, seguro. Pero ella, por si acaso, se la ha clavado. «Poco», ha dicho. Lo que es muy parecido a soltar: «Y menos dormiré si te empeñas en llamarme a estas horas».

–Jesusica no viene hasta las once –añade para dejar las cosas claras de una vez.

Hasta las once es como si ella no existiera, salvo que ocurra algo muy importante.

–Nada importante –dice María (entonces, ¿por qué la molesta?)–. Pero es que me ha llamado una de tus vecinas...

La vieja frunce el ceño. ¿Una vecina? Sí, hace tiempo tuvo la ocurrencia de dar los teléfonos de la familia a un par de vecinas. Por si le pasaba algo. Pero esto fue antes de estar tan acompañada. Y ahora, ¿qué quería la vecina?

–Dice que por las noches no paras de mover muebles, abrir y cerrar armarios, pasear... Que no pueden pegar ojo, vaya.

¿Serán mentirosas? La vieja sigue con el ceño fruncido.

–Mira, tía, si alguna noche no puedes dormir, te lo tomas con calma. Paciencia...

¿Ha dicho paciencia? La tía aparta el auricular. Ahí está otra vez. La palabra fatal. «Re-si-den-cia.»

–O le pedimos al médico que te recete alguna pastilla...

–No la necesito. Duermo como una niña de quince años –responde orgullosa.

–La vecina dice también que te has pasado la noche cantando himnos. A grito pelado.

Pero ¿se habrá vuelto loca la vecina?

–Ja –dice resuelta la vieja–, la tendrían que internar en una...

No llega a acabar la frase. Se para en seco. Un poco más y se le escapa la palabra maldita. Pero a lo mejor, quién sabe, María no se ha percatado. Por si las moscas, toma aliento y prosigue:

–Nunca me han gustado los himnos ni me acuerdo de la letra de ninguno. Sólo la del colegio. La del himno del colegio.

Lo ha dicho para defenderse, pero enseguida cae en la cuenta de que acaba de cometer un desliz. Sí, recuerda perfectamente la letra –palabra por palabra– del himno del colegio. Y es posible, aunque no seguro, que una de las noches en que la han visitado sus amigas se empeñaran en evocar viejos tiempos y lo cantaran a coro. Pero, más a su favor: hace ya unas semanas que no aparecen sus amigas.

–Te repito que por las noches duermo. Y además hace ya mucho que no viene a verme Teretorris.

–¿Quién?

–Teresa Torrente. Y Merche, Laurita, Loles... Las amigas del colegio. Amigas que tienen la delicadeza de visitarme...

A punto está de añadir: «No como otras», pero se detiene a tiempo. Como respuesta estaría bien. Sólo como respuesta. Pero lo que menos desea es que aparezcan Magda o María. Y esta conversación hace ya rato que le está cansando.

–Y estas amigas tuyas... –María, de pronto, parece dudar– ¿te visitan por las noches?

El reloj marca ahora las diez en punto. La vieja aprieta los dientes. Siempre igual. Siempre la pillan desprevenida. ¿No podía haber esperado hasta las once para interrogarla? Porque esta llamada no es más que eso: un interrogatorio. Ni siquiera lo de la vecina debe de ser verdad. María pretende acorralarla, pescarla en un error... ¿Qué haría Leandra en su lugar?

–Querida María –responde pausadamente, con voz de locutora–. Permíteme decirte que, a veces, pareces tonta. Deberías saber, como saben tu hermana y tus primos, que para mí la *noche* –y se toma la molestia de subrayar *noche*– empieza en cuanto se va el sol. Y en invierno oscurece muy pronto. A las seis de la tarde ya es *de noche*.

Le ha salido redondo. Casi como el día en que le dio calabazas a Rubén. María dice «Ah» y otras cosas que la vieja no se molesta en retener. Al colgar respira hondo. La sobrina, en cambio, se ha quedado intranquila. Después de todo, ¿qué sabe de la vecina? Tenía voz de joven y se expresaba con toda corrección. Pero ¿y si fuera ella la que sufre de insomnio? ¿Y si le faltara un tornillo? Duda en volver a llamar a tía Emilia. ¡Pobre mujer! O se le ha desarrollado un ingenio súbito o ha tenido más paciencia que un santo. Decir que mueve muebles y canta por las noches... Tiene que estar furiosa. Pero teme incomodarla y no se decide a llamar. Hace bien. Ahora la vieja acaba de sacar el paño negro de la jaula, mira al canario –*Pshit, piu, piu, piu, pshit, pshit...*– y le dice en secreto:

–Si vuelven a molestar nos haremos los muertos.

(Aquel traje tan mono –el conjunto de la tienda de enfrente– ya no está en el escaparate. ¿Buena señal? No estoy muy segura. Miro a Jesusica de reojo, pero ella, que mucho gusto no tiene, se ha quedado embobada ante una birria de suéter, de esos que parecen encogidos antes de la primera lavada. Como veo que nos podemos pasar allí, como tontas, media mañana, decido ir directamente al grano.

–Aquel vestido tan mono, el vestido azul marino con su chaqueta ribeteada a juego... ¿Te acuerdas?

Jesusica sale de su encantamiento y dice: «Sí». Pero no sé si lo hace para seguirme la corriente.

–¡Lo han vendido!

Nada. Ni media sonrisa cómplice (que me daría a entender que ha cumplido su cometido de correveidile) ni la más leve expresión de susto (que indicaría a las claras que se le ha olvidado).

–A lo mejor dentro tienen más... –responde simplemente.

Pienso, para consolarme, que tal vez los chicos quieran darme la gran sorpresa y le han pedido que no suelte prenda. Pero no acabo de convencerme. A ratos Jesusica me pone nerviosa. La asistenta, en cambio, me parece mucho más lista. Entiende las cosas. Y tiene sentido común. Me gustaría que ya fueran las cuatro y estuviéramos frente al televisor escuchando a Leandra. «Todos, en la vida, necesitamos contar con un interlocutor válido», dijo el otro día. Se refería a que no basta con hablar con alguien de vez en cuando o con tener un perro o un canario. Lo importante es que «se produzca un intercambio» y que este intercambio resulte «enriquecedor». Y la asistenta, la verdad, a pesar de sus limitaciones –y después de Teretorris– es un buen «interlocutor». A veces dice cosas que yo ya he pensado, pero que, al oírselas a ella, es como si se me acabasen de ocurrir. La semana pasada, sin ir más lejos, estuvo estupenda. Una telespectadora había escrito una carta muy triste hablando de ese asunto que me saca de quicio –y que hoy me ha recordado la pesada de María–, y yo hice como que no me interesaba y me puse a tatarear una canción inventada. Pero aquella pobre señora contaba horrores. De su familia, de las cuidadoras, de las compañeras con las que compartía dormitorio en una –digámoslo ya– re-si-den-cia... Y alguna cara rara debí de poner porque la asistenta dejó su labor –que ahora es ya un auténtico pingo–, suspiró abatida un par de veces y meneando la cabeza murmuró: «Cuando no hay posibles...». Parecía también muy triste, pero yo, casi enseguida, me puse muy contenta. Porque yo tengo «posibles». Mi piso (por ejemplo), del que nadie me va a sacar. Con lo cual dejé de cantar y me quedé tranquila. Y no le hubiera dado más vueltas al asunto si no fuera por la llamada intempestiva de esta mañana.

–Volvamos a casa –digo de pronto–. Empiezo a tener frío.

No es verdad. Hace un día de lo más soleado, pero a Jesusica –que no es interlocutora ni tampoco válida– le da igual y responde únicamente:

–Como quiera.)

El piso, de vuelta del paseo, le parece a la vieja más bonito que nunca. Acaricia el sofá, alisa el tapete de la mesita, abre la puerta del dormitorio y mira a hurtadillas a Jessica. La chica está pendiente del reloj.

–Tengo que irme –dice–. Ya es la hora.

–Claro, Jesusica. Mañana ven pronto. Me acompañarás al notario.

No parece que la chica sepa muy bien lo que es un notario. Ni para qué sirve.

–El notario –aclara la vieja– sirve para hacer testamento. Cuando les cuentes a mis sobrinos que me encantaría aquel vestidito tan mono puedes añadir: «El otro día hizo testamento».

Jessica intenta recordar. ¿A qué vestido se refiere? ¿Y por qué quiere que hable a sus sobrinos de un testamento?

–El vestido sería una buena sorpresa. Azul marino, con la chaqueta ribeteada de blanco. Aquel que estaba en el escaparate y ya no está... Es importante. Que no se te olvide. Porque...

A la vieja se le ha puesto cara de misterio.

–Te conviene, Jesusica, te conviene...

Ahora parece una niña traviesa.

–De lo demás, ni palabra. Que he hecho testamento, bien. Pero, claro, los testamentos son secretos. Muy secretos.

La chica asiente y de nuevo mira el reloj. Hoy almorzará en una pizzería con una amiga. Le han hablado de un posible trabajo en el que todavía hay menos trabajo. Y serían dos. Ella y su amiga. Quizás acepte. Está empezando a aburrirse de la vieja.

–En las herencias nunca se sabe –prosigue doña Emilia sin abandonar su aire de misterio– y más de uno termina quedándose con un palmo de narices. Otros, en cambio, otros que ni siquiera son de la familia... Pero no quiero hablar. Los testamentos son secretos... ¿No te lo había dicho, Jesusica?

Jessica no contesta, pero una chispa se ha encendido en sus pupilas y se pone a estudiar el saloncito con la mirada de un tasador. Luego se queda embobada, como si soñara despierta. «El dormitorio en el salón y el salón en el dormitorio»... «La mesita de noche la conservo»... «El sofá y los sillones me valen»... «Las fotos y los cuadros a la basura.»

–Los retratos de familia para la familia –interrumpe la vieja.

Doña Emilia ha vuelto a su habilidad de adivinar pensamientos. Pero a la chica eso ahora no le importa. Ha estado a punto de estropearlo todo. ¡Mira que si se le llega a escapar lo del nuevo trabajo! Coge el abrigo y se despide hasta el día siguiente. Al cerrar la puerta y llamar al ascensor no puede contenerse. Salta, grita «¡Yuhuuu!», se tapa la boca y termina golpeando el aire con los puños. La vieja la contempla sonriendo a través de la mirilla.

–Esta Jerónima, vista desde aquí, parece enana.

(Los notarios de ahora no se parecen en nada a los de antes. Como las artistas de cine, igual. El que he elegido –así, un poco a boleo, porque vive cerca y no estoy para viajes– no infunde respeto, ni autoridad, ni nada por el estilo. Es un niñato. Al llegar, un señor muy trajeado, que yo he tomado por el verdadero notario, me ha llevado al despacho del niño, que yo he tomado por eso, por el niño, el hijo del notario, que a ratos le da por sentarse en el sillón de su padre y jugar a ser notario. Al verme se ha levantado muy correcto, ha rodeado la mesa y me ha indicado que tomara asiento. «¡Qué bien lo haces, guapo!», he estado en un tris de soltarle. «¡Y qué serio te pones!» Pero no lo he hecho. Hoy el día ha amanecido gris y desangelado, y yo no puedo con los días grises y desangelados. Me ponen de malhumor y no me expreso todo lo bien que desearía. De modo que me he limitado a sentarme y a esperar que el verdadero notario sacara de un empujón a su hijo del despacho. Pero el señor trajeado nos ha dejado solos, y el chico venga a jugar y a darse importancia. Hasta que ha entrado un segundo señor, que también parecía notario, y muy respetuoso le ha dado al niñato unos papeles y le ha llamado «señor notario». Ahí sí que me he quedado confundida. Pero he disimulado. Eso, los días grises, lo hago muy bien. Cuanto menos se habla, mejor.

–Así que –ha dicho el niñato– quiere usted otorgar testamento.

Y entonces sí, entonces me he puesto a hablar. Le he hablado de mis posibles: el piso, unos ahorros y algún que otro objeto de valor. Y he decidido empezar por lo pequeño: la asistenta. A mi querida asistenta, con la que tan buenos ratos me paso charlando, le dejo mi vestuario al completo (zapatos, bolsos y cinturones incluidos), el canario (si vive aún) para que lo cuide, y la tetera, las cucharillas de plata y la medalla de aspirante a Hija de María. Como recuerdo. Los pendientes de fantasía no. Ésos serán para los hijos de mis sobrinas que son muy modernos.

–¿Los hijos? –pregunta el notario.

Eso es, los hijos. Y doy sus nombres. Que se los repartan. Pero como parece que el notario no lo ha entendido del todo le explico:

–Pobres chicos. Si los viera... Con un solo aro en la oreja cada uno. Como si fueran pobres...

Y ahora viene la parte importante. Los ahorros y el piso. Pido un vaso de agua porque lo que tengo que decir es un poco difícil. El moscardón. Y cada vez que hablo del moscardón termino liándome. Pero el agua me aclara la garganta y de paso las ideas.

–Los ahorros que tengo en el banco serán para mis sobrinos –voy a añadir «lo que quede», pero no me parece necesario–. Para mis cuatro sobrinos. Magda, María, Pedro y Damián. Con una condición. Que se encarguen de poner una lápida a mi nicho. Una lápida sencilla, discreta, no hace falta que sea muy cara... Una lápida con mi nombre, una cruz... y un moscardón. Una cruz sencilla en la que, como por casualidad, se ha posado un moscardón.

Bebo más agua. Lo he soltado todo de un tirón, a pesar del día gris, o será quizá que, desde hace un rato, ya no me parece tan gris. El momento es emocionante.

–Una cruz –repite el notario– con un moscardón.

–A ser posible de oro –añado.

Y como ahora levanta los ojos del papel me veo obligada a aclarar:

–El moscardón. Me refiero al moscardón.

Me mira sorprendido y yo pienso: «Otra vez, lo de siempre». ¿Tendré que explicarle lo que es un moscardón? ¿Tendré que imitar su zumbido o recordarle que se trata de aquel bichito tan simpático que en verano se mete en las casas y da vueltas por el techo, las ventanas o la pantalla de la televisión? ¿De que yo –por las razones que sean y que ahora no vienen al caso– siento hacia él cariño y agradecimiento? Y por un momento se me ocurre hablarle del Anticristo. Si le contara... Pero no, me paro en seco. Ni nombrarlo siquiera. El otro día, en la radio, lo dejaron muy mal (lo pusieron verde) y no quiero que me tomen por una hereje y me entierren fuera del camposanto.

–Una cruz lisa y lasa con un moscardón de oro –me limito a recordar.

–¿Está usted segura?

Pero ahora entiendo que los tiros –la sorpresa– iban por otro lado. Que el notario, pese a su aspecto de mequetrefe, tiene sentido común (como la asistenta) y (mejor aún que ella) piensa en detalles en los que a mí no se me había ocurrido pensar.

–Si me permite... Yo no sería partidario de colocar un objeto de oro, de valor, digamos, por pequeño que fuera, allí, en una lápida, a la vista de todos... Los cementerios, como usted sabrá, no están exentos de visitas de desaprensivos, de merodeadores... ¿Por qué darles facilidades?

Tiene razón. Más razón que un santo. Sólo se equivoca en eso de «por pequeño que sea». Porque el moscardón tiene que ser grande. No diré mayor que la cruz, pero sí grande. El notario-crío sigue diciendo cosas como «Sería ponérselo en bandeja» y yo pienso en otras, cosas terribles que a veces oigo por televisión, y de las que, tonta de mí, he estado a punto de olvidarme. Esos desaprensivos, sí, que incluso llegan a profanar tumbas para hacerse con cualquier cosa. Con un anillo, una medalla...

–¡De latón! –digo.

Y me quedo la mar de contenta. El latón no tiene valor, pero es muy bonito y, además, se limpia estupendamente. Ya me parece verlo. Un moscardón negro con unas alas relucientes (de latón) y la asistenta, emocionada, sacándole brillo con lágrimas en los ojos. Pero de la asistenta ya hemos hablado. Ahora a lo importante: el piso.

–¿Se encuentra bien?

Claro que me encuentro bien. Divinamente. Sólo que a veces (ahora, por ejemplo) el sistema mnemotécnico no acaba de funcionar. Voy a decírselo: «sistema mnemotécnico», pero, como es tan joven, lo mismo no me entiende y prefiero explicar:

–Estoy haciendo memoria.

Cierro los ojos –eso es lo que necesitaba, concentración– y enseguida se me aparece lo que quería recordar. Casi todo. Empiezo por el final: Madrid. Sigo con el nombre de mi heredera: Lisarda Reyes. Y de pronto una duda. Sin número, sí, pero... ¿cómo era la calle? ¿Prado del campo? ¿Campo del Prado?

–¡Camprodón! –suelto al fin.

Todo arreglado. «Lisarda Reyes. C/ Camprodón s/n. Madrid.» ¡Qué contenta se pondrá la abogada!

–Lisarda Reyes –repite el notario–. Calle Camprodón sin número...

–Eso es –digo.

Pero de repente me parece que queda un cabo suelto. «¡Ladrona!», me oigo decir con el pensamiento. ¿Y qué tendrá que ver una ladrona con Lisarda? «Ladrona, ladrona, ladrona...» Vuelvo a cerrar los ojos. ¡Ya lo tengo! La ladrona es la sinvergüenza que se quería hacer con mi moscardón. La merodeadora desaprensiva que gracias a la inteligencia del notario se va a quedar con un palmo de narices.

–¡Te fastidias, ladrona! –digo sin hablar, sólo con el pensamiento.

Y me dispongo a firmar. Pero en ese mismo instante entra una secretaria con una botella de agua y a través de la puerta entreabierta veo a la espía en la sala de espera, sentada en el extremo de un sofá, tiesa como un palo. ¡Pobre chica! Mira que si llego a olvidarme de ella... Al cabo de media hora vuelvo a estar en la calle. El cielo se ha puesto negro. Lloverá. Jesusica, como si acabara de pasar un examen, me pregunta bajito:

–¿Qué tal ha ido todo?

Me encojo de hombros.

–Ya te enterarás, hija. En su día...

Parece emocionada. Ahora estoy segura de que no se le escapará el detalle del conjunto y llamará a Magda o a María. Si no lo ha hecho ya. Con lo cual, a la larga, saldrá ganando la asistenta. Entre mi vestuario figurará el trajecito azul marino con el ribete blanco.

–¿Quiere que le haga compañía esta tarde?

Niego con la cabeza. Hoy, más que nunca, necesito estar sola. Me apoyo en su brazo y nos encaminamos en silencio hacia mi casa. Ella va pensando en sus cosas. Yo en las mías. La miro de reojo y, como a veces adivino, la veo tirar tabiques, poner moquetas y tapizar sillones. No tiene mucho gusto que digamos. Pero la dejo hacer. ¡Que juegue a arquitecta si le divierte! En su día ya se enterará y seguro que me lo agradece. Porque mi legado –se dice así– es, además de un legado, algo parecido a una lección de vida. Dos objetos de artesanía. Uno valioso. El otro no. Mi cojín de punto de cruz (ejemplo de lo que hay que hacer) y el pingo que bordó la pobre asistenta (ejemplo de todo lo contrario).

–¡Huy! –dice la inocente.

Seguro que enfrascada en sus chapuzas acaba de pincharse con un clavo. Sigo en mi silencio (el clavo, después de todo, es de mentira, tan de mentira como las reformas a las que se ha entregado esta pobre ilusa) y sólo lo interrumpo cuando, por fin, entramos en mi calle.

–¡Qué ganas tengo de llegar a casa!)

La vieja cierra la puerta con llave. Respira hondo. Saca del bolso la copia del testamento y la esconde en el cajón secreto de un escritorio. Piensa: «Secreto. El testamento es secreto, por lo cual el secretario (yo misma) lo guarda en el cajón secreto del secreter». Le ha gustado mucho la lectura que, con voz pausada, ha hecho el notario antes de la firma. Sobre todo la descripción de la lápida con la cruz y el moscardón. ¡Qué buena idea! ¡Y qué tranquila y descansada se siente! «Ser agradecido es de bien nacido», murmura. Y se queda embobada mirando los cristales de la galería. Ha empezado a llover, pero él, el bichito, el simpático moscardón al que tanto debe, entró por esta misma ventana una mañana de sol. Y desde entonces nada sería ya lo mismo. Él entró, ella lo reconoció enseguida, al momento recordó a Teresa Torrente y después... ¡el grupo al completo! Loles. Merche, Laurita... ¡Qué aburrida vivía antes de que la visitaran sus amigas! Y Teretorris, sabia como siempre, la llevó a la fiesta en la que estaba Rubén...

En la cocina le espera el almuerzo dispuesto sobre un fogón, listo para ser recalentado. Pero no tiene hambre ni sed. Se sirve una copita de Agua del Carmen y brinda ante un espejo. «¡¡Por mí!!» La tarde se le presenta como un premio (a su generosidad, a haberse comportado como un Rey Mago). Hoy no toca asistenta –¡día libre!– y doña Emilia necesita meditar, aclarar ideas, atar cabos y olvidarse del sistema mnemotécnico que ahora, para llegar a lo que quiere llegar, no le sería de ninguna ayuda. Se sienta en la galería y entorna los ojos. La fiesta de Loles, la puesta de largo de la hermana mayor de Loles, los jardines de los padres de Loles... Se recuerda perfectamente, con el vestido vaporoso, un poco de niña, y el peinado de peluquería que le hace mayor, tan sólo un par de años, lo suficiente para que Rubén no le quite los ojos de encima... Y ahí están también las amigas, escondiendo sus medallas en la tierra de las macetas. Y Teretorris, animándole a dar el paso. «Tu historia no tiene historia. ¿No le mandó tu hermana a freír espárragos...?» Abre los ojos. Esa frase –la de las calabazas de su hermana– no le gusta. Ya no le gustó ni pizca el otro día con lo bien que se lo estaba pasando. Teretorris la soltó –¡zas!, como un dardo–, seguramente sin mala intención, pero le aguó la fiesta. Aunque (ya entonces se dio cuenta) era una frase absurda. ¿Cómo contar con lo que ocurrirá después si todavía no ha ocurrido?

El canario se pone a cantar y la vieja lo mira sonriendo. «Cada cosa a su tiempo», dice con voz enigmática. «A su tiempo.» De pronto le parece entenderlo todo. ¿Cómo ha podido ser tan estúpida? Y se siente capaz de poner orden al galimatías de imágenes y enmendar a Teretorris que el otro día se pasó de lista. Porque su hermana mandó a Rubén a «freír espárragos», cierto. Pero en la fiesta nada de todo esto había ocurrido aún. Rubén la pretendía... a ella. Con su traje vaporoso y sus rizos de peluquería. Sí, Rubén sólo tenía ojos para ella, la pequeña (ahí está la razón del desaire de su hermana, años después, rencorosa y resentida, incapaz de dominar su orgullo). Ahora lo ve con claridad. La primera, en la lista de preferencias, es ella, Emi. Y antes de que Emi le rechace (porque eso está comprobado: que Emi terminará rechazándole y obligándole a ponerse de rodillas) bien podría haber sucedido un montón de cosas. Ahí están. Las cosas. En su tiempo. *Aquello...*

Quiere volver a la fiesta. Necesita regresar al jardín de las tisanas y los ponches. Pero hoy no acudirá a la mediación de Teretorris. Dice «Rubén, Rubén, Rubén, Rubén...». Cuando cae agotada, a punto de dormirse, oye su voz.

–Aquí estoy, Emi. Siempre a tu lado.

Pero Rubén no está a su lado sino al fondo de un corredor oscuro. Primero se sorprende. Luego recuerda que es de noche. Es su primera fiesta de noche.

–Ven –dice Rubén–. No tengas miedo.

La noche de hoy no se parece a las otras noches. No sabe por qué. Pero es distinta. Anda ligera por el pasadizo oscuro, como si se hubiera desprendido del cuerpo, como si lo hubiera abandonado en cualquier sillón de la galería. Y, mientras avanza sin sentir sus piernas y se acerca al punto de luz donde está Rubén, se da cuenta de que sobre el trajecito vaporoso recién planchado se ha puesto la chaqueta azul marino con el ribete blanco. Le gusta, sí. Pero no le cuadra. En *su tiempo* la chaqueta ribeteada no existía.

–Ven –repite Rubén–. Te estoy esperando.

La vieja se detiene. Frunce el ceño. «Esperando...», murmura. «Esperando...» Toda la vida se le aparece de pronto como una interminable sala de espera. Se ajusta la chaqueta, retoca su peinado... ¿Para qué correr? Piensa: «Hazte valer, Emilia. Hazte valer»... Pero sólo dice:

–¡Ja!

Y reemprende el paso. Despacio. Muy despacio. No tiene prisa. Sabe que ya nadie se atreverá a interrumpir su sueño. El verano no ha hecho más que empezar. Y la noche, esta vez, no acabará nunca.

Apéndice

En 1997, Ediciones Áltera tuvo la idea de reunir a varios escritores españoles y latinoamericanos (Cristina Fernández Cubas entre ellos) para que cada uno, a su manera, continuara un relato inacabado de Edgar Allan Poe. Así pues, el breve texto original de Poe, titulado «El faro» –que se inicia el 1 de enero de 1796 y se interrumpe bruscamente tres días después–, dio pie a nueve narraciones independientes, sin otro nexo de unión que el intrincado punto de arranque que el autor dejara para la posteridad, y la libertad absoluta a la hora de decidir la trama y el destino de los personajes. Reproducimos, en primer lugar, las páginas de Poe y, después, el cuento de Cristina Fernández Cubas, que continúa y resuelve el planteamiento del autor norteamericano. *(N. del E.)*

El faro,
por Edgar Allan Poe

1.º de enero de 1796

Hoy, mi primer día en el faro, hago esta anotación en mi diario, según lo acordado con De Grät. Llevaré el diario con la mayor regularidad posible, aunque Dios sabe lo que podría sucederle a alguien tan solitario como yo...* Podría enfermar, o algo peor...

Hasta ahora, todo bien. La balandra se salvó por poco, pero ¿por qué pensar en ello si estoy aquí, sano y salvo? Mi ánimo mejora sólo con pensar que estaré –al menos una vez en mi vida– completamente solo, pues por grande que sea Neptuno, es obvio que no se le puede considerar parte de la «sociedad». Sabe el cielo que nunca he confiado en la «sociedad» ni la mitad de lo que confío en este perro. Si lo hubiera hecho, la «sociedad» y yo quizá no nos habríamos separado ni siquiera por un año... Lo que más me sorprende es la dificultad que tuvo De Grät para conseguirme este puesto... ¡a mí, un noble del reino! No es probable que el consejo tuviera dudas sobre mi capacidad para dirigir el faro. Un solo hombre lo había atendido antes y se las ingenió tan bien como los tres que por lo general asignan a la tarea. Las obligaciones son nimias, y las instrucciones absolutamente claras. No sería lo mismo si me hubiera acompañado Orndoff. Jamás habría podido avanzar con mi libro teniéndolo cerca, con su intolerable cotilleo, por no hablar de su sempiterna pipa de espuma de mar. Además, quiero estar *solo*... Es curioso que nunca hasta ahora hubiera reparado en el triste sonido de la palabra «solo». Casi me parece que hay algo extraño en el eco de estos muros cilíndricos..., ¡pero no!, es absurdo. Sé que mi aislamiento me inquietará, pero no

* En el manuscrito de Poe, los puntos varían entre tres y dieciséis, y aquí se unifican siempre con los tres habituales puntos suspensivos. *(N. del E.)*

lo permitiré. No he olvidado la profecía de De Grät. Ahora, a trepar al fanal y a echar un vistazo para «ver lo que pueda ver»... Ver lo que pueda ver, en efecto..., no demasiado. Creo que la marea está bajando un poco, pero de todos modos la balandra tendrá un viaje de regreso turbulento. Difícilmente avistará la tierra del norte antes del mediodía de mañana, aunque sólo está a 190 o 200 millas.

2 de enero

He pasado el día en una especie de éxtasis casi imposible de describir. Mi pasión por la soledad no podría haber tenido mayor gratificación. No digo *satisfacción,* pues dudo que pudiera sentirme saciado de una dicha como la que he experimentado hoy... El viento amainó al alba y por la tarde el mar se había retirado... No se veía nada, ni siquiera con el telescopio, salvo océano, cielo y alguna que otra gaviota.

3 de enero

Calma chicha durante todo el día. Hacia el atardecer, el mar parecía de cristal. Avisté unas cuantas algas, pero absolutamente *nada más* en todo el día, ni siquiera el menor rastro de una nube... Me entretuve explorando el faro... Como compruebo a mi pesar cada vez que tengo que subir por sus interminables escaleras, es muy alto; casi cincuenta metros, diría yo, desde la marca inferior del nivel del agua hasta lo alto del fanal. Sin embargo, desde el fondo del foso, la distancia a la cima debe de ser de al menos cincuenta y cinco metros, puesto que el suelo está a unos cinco metros por debajo de la superficie del mar, incluso con la marea baja... Creo que deberían haber rellenado el fondo hueco con mampuestos. En tal caso el edificio sería mucho más *seguro*..., pero, ¿en qué estoy pensando? Una estructura como ésta es lo bastante segura en cualquier circunstancia. Debería sentirme a salvo incluso si arreciara el más furioso huracán. Sin embargo, he oído decir a los marinos que ocasionalmente, con viento del sudoeste, el mar ha subido más aquí que en cualquier otro punto del globo, con la sola excepción del paso occidental del Estrecho de Magallanes. Pero el mar por sí solo no podría con este sólido muro roblonado en hierro que, a quince metros de la línea de aguas altas, tiene un espesor de al menos un metro veinte... La base sobre la cual descansa la estructura se me antoja tiza...

4 de enero

[Fin de *El faro,* de Edgar Allan Poe. Traducción de M.ª Eugenia Cioccini.]

El faro
(*4 de enero y días sucesivos...* según Cristina Fernández Cubas)

4 de enero

Mis tareas son mucho más llevaderas de lo que me habían asegurado. Me acuesto con las primeras luces del alba, me despierto hacia el mediodía. Al caer la tarde subo por la escalera de caracol –¡180 peldaños!– y me instalo en la pieza superior de la torre, junto al fanal. *Goritz* –hoy, de repente, he recordado su nombre– no se mueve de mi lado en todo el rato. Parece que me ha tomado afecto o que, poco familiarizado aún con su nueva morada, haya comprendido que depende completamente de mí. Ya en lo alto reviso lentes y espejos, limpio cristales, me aseguro de que la linterna emitirá los destellos convenidos a los intervalos previstos. Ésta es la parte más importante de mi cometido. Prácticamente mi único cometido. Dispongo, pues, de todo el tiempo para mí mismo, aunque todavía no haya dado con la forma más atinada de organizarlo. Tal vez sea la continua presencia de este pobre perro –idea genial de Orndoff, como todas las suyas–, confinado a su pesar en una torre y sin poder sospechar siquiera lo que le aguarda. Un año... Se dice pronto. Pero yo estoy aquí por voluntad propia, y él porque así lo ha decidido Orndoff.

5 de enero

175 escalones. O bien hoy me he saltado alguno o ayer me equivoqué en las cuentas. Tengo que concentrarme al subir. Ayer estaba preocupado por la estabilidad de la construcción. Hoy contaba en voz alta y un eco me ha recordado la voz de Aglaia.

6 de enero

En todo el día no he avistado siquiera una gaviota. El color del mar, gris plomizo, se confundía con el del cielo y, por un momento, me he sentido presa de una tristeza casi tan inmensa como el propio océano. «¿Qué hago yo aquí? ¿Por qué he venido?» La razón, por fortuna, ha acudido inmediatamente en mi socorro. «Estás donde querías estar», ha dicho. «¿No insististe hasta la saciedad para conseguir el puesto? ¿No deseabas encontrarte a solas con la Naturaleza, desentrañar sus misterios y escribir el *gran libro?*»... Me he retirado de la ventana y he encendido un candil. El recuerdo de un sueño, uno de esos sueños en los que se nos revelan toda suerte de arcanos y de los que, al despertar, únicamente conservamos la certeza de haber penetrado en las entrañas del conocimiento, ha terminado con mis vagas aprensiones. «Sólo aquí», me he dicho, «en este faro solitario, puedo recuperar el hilo de aquella inesperada sabiduría.» He abierto un tomo de cubiertas repujadas y he leído el título que yo mismo escribí hace meses: *El secreto del mundo.* Después, en la primera página y en letra muy pequeña, he trazado, con todo cuidado, las seis letras que componen mi palabra favorita: *Aglaia.* No me he preguntado por qué lo hacía. Ni tampoco si se trataba de una dedicatoria o de una invocación. *Goritz,* de repente, se ha puesto a ladrar como un poseso y unas gotas de tinta han caído fatalmente sobre el nombre más querido. Su inoportunidad me ha sacado de quicio. Lo he apartado de un empujón y le he gritado: «¡Estúpido!». La violencia de mi propia voz me ha dejado sobrecogido. A *Goritz* también. Me ha mirado con ojos lastimeros y se ha echado en el suelo, a mi lado, inmóvil como una estatua. A ratos parece como si *Goritz* tuviera miedo. Pero no de mí.

7 de enero

170 escalones. Niebla. El fanal ha estado encendido durante todo el día.

9 de enero

¿Existe la soledad? No estoy muy seguro. Aglaia está aquí –y eso me complace–. Pero también están De Grät, el marino de la balandra, Orndoff... Continuamente me parece escucharles. Al marino es a quien oigo con mayor nitidez. Juramentos, carraspeos, reniegos... De Grät es como el mar cuando se retira. No acabo de entenderlo bien. Orndoff, en cambio, recuerda a las olas cuando rompen contra la roca. Canciones interminables, historias que se interrumpen –aquí entra De Grät– y que invariablemente se reanudan. Y de nuevo De Grät y de nuevo Orndoff... ¡El buenazo de Orndoff! Aglaia habla poco y, si lo hace, siempre dice lo mismo. En realidad apenas he hablado con Aglaia, pero sus palabras –¡las escasas palabras que he cruzado con mi amada!– cobran aquí, en el faro, una sonoridad deliciosa. Tal vez era eso lo que buscaba aun sin saberlo. Estar con Aglaia. A solas. De momento *casi* a solas.

15 de enero

Imposible explorar el exterior. La roca está repleta de abismos y el pliego de instrucciones recomienda no ir más allá de la plataforma. Hoy, día de calma absoluta, he visto desde lo alto una ola gigantesca surgiendo inesperadamente de uno de los huecos. Si *Goritz* o yo hubiéramos estado allí, habría terminado con nosotros.

16 de enero

No logro acostumbrarme a la insólita disposición del depósito de agua. Está en la planta baja, separado por una puerta de la vivienda, pero la boca resulta exageradamente alta. Para rellenarlo tuve el primer día que ascender por una escalerilla –lo cual me pareció ya entonces absurdo y fatigoso– y lo mismo debo hacer cada mediodía, al sacar el agua necesaria para la jornada. Se trata en realidad de un pozo alzado del que ni siquiera encaramado en lo alto acierto a precisar su profundidad, pero calculo que va más allá del suelo de la pieza. ¡Cuánto más lógico hubiera resultado aprovechar la capacidad total del foso y hundirlo por completo! El constructor tendría, supongo, sus motivos, como también el anónimo redactor de la instrucción segunda:

> «Una vez haya tomado posesión del faro, el torrero deberá proceder con la máxima diligencia y verter en el depósito la totalidad del agua que haya transportado a bordo de la balandra».

No explica la razón, ni yo acierto a barruntarla. ¿Por qué no puede el torrero reservar el agua en el lugar que le parezca conveniente? A no ser que la disposición obedezca a motivos de *seguridad* o, como se precisa más adelante, de *equilibrio*. Paso directamente a la instrucción treinta y tres. La última. Una *addenda* que alguien, quizá De Grät, se ha tomado el trabajo de incluir y ha acompañado de dibujos y bocetos.

> «Las poleas, péndulos, tuercas y demás ingenios y artilugios, hoy obsoletos, que aparecen en los grabados contiguos resaltados en rojo, no son del interés del torrero. Se recomienda, sin embargo, respetar su disposición y proceder a su cuidado y limpieza al igual que los otros, los de utilidad clara y reconocida. Contribuyen al equilibrio de la construcción y pueden resultar de vital importancia en caso de emergencia.»

«Seguridad», «equilibrio», «emergencia»... Debo apartar estas amenazas de mi mente. Sin embargo –y volviendo al asunto del depósito– tengo la sensación de que consumimos más agua de la razonable. Aunque, ¿por qué me preocupo? En el pliego está establecido: cada tres meses aparecerá la balandra de avituallamiento. Además, llueve. No para de llover, y el constructor dispuso sabiamente un canalón que filtra el agua del exterior y la recoge en el pozo... Pero somos dos. *Goritz* y yo. ¿Cómo Orndoff no pensó en estas cosas? ¿Y cómo me presté yo a sus tonterías?

18 de enero

El secreto del mundo no avanza, pero Aglaia, en cambio, sigue aquí. Me he acostumbrado a sentirla a mi lado, a verla en cuanto cierro los ojos, a escuchar su voz. «Imposible.» «Estoy comprometida.» «No insista, por favor»... Es cierto que sus frases, desnudas, no resultan precisamente alentadoras. Pero está también su mirada verde. Una mirada pura, transparente, casi infantil. Los ojos de Aglaia desmienten de continuo la negativa de sus palabras. Y, por si fuera poco, el recuerdo de su beso. Sí, ¡un beso! El regalo que me llegaría el último día, de forma inesperada, algo con lo que ni siquiera me había atrevido a soñar y de lo que sólo ahora, en mi confinamiento, puedo gozar a mis anchas y traerlo a la memoria siempre que lo desee. Aglaia nunca podría sospechar cómo tuve que esforzarme en la balandra, junto al marino maldiciente, para no revivir aquel milagroso instante. Hubiera sido un sacrilegio. Y aún ahora, aquí, en el faro, cuando ya me he rendido a la evidencia de que así ocurrió y no fue una visión producto del deseo, suelo, antes de detener el recuerdo, evocar minuciosamente las circunstancias, la charla con Orndoff, el largo paseo por la nieve, mi estado de ánimo, entre abatido y vigoroso, horas antes de partir a mi destierro. Cada vez prolongo más los preámbulos –como si todavía no acabara de creérmelo–, la insistencia de mi amigo en acompañarme, en mostrarme orgulloso su bergantín, las mejoras que había introducido desde que supo de mi obsesión por conseguir el puesto. ¡Pobre Orndoff! Bastaron pocas palabras para convencerle de que en este lugar inhóspito no podía fondear sin peligro nave alguna. Pero entonces se empeñó en venir conmigo en la balandra y tuve que acudir a toda mi elocuencia para persuadirle de que deseaba estar solo. *Solo...* Orndoff necesitó dos pipas para comprender, y aun así no lo logró del todo. Me habló entonces de sus veinte perros y de que la compañía canina era a menudo mucho más congratulante que la humana. Yo apenas le escuché. Abandonamos el embarcadero y nos adentramos en la ciudad. Llegados a la casa de Aglaia –mi destino–, Orndoff siguió avanzando entre la nieve como si nunca hubiéramos iniciado el camino juntos. ¡Cuánto le agradecí entonces su discreción y cuánto se la agradezco ahora! En otras ocasiones, mi locuaz y exuberante amigo se había prestado a averiguar los movimientos de mi adorada Aglaia, la hora y fecha de sus escasas salidas, siempre en compañía de una doncella de edad, el rumbo de sus paseos. Y cuando, como por azar, nos encontrábamos junto a un río o cabalgando en un valle, Orndoff, de inmediato, sometía a la doncella al cerco de su incontenible cháchara mientras, por unos segundos al menos, yo lograba acercarme a Aglaia, inclinarme ante ella, escuchar las negativas de su voz desmentidas por el candor y la transparencia de su mirada. Pero aquella gélida mañana, en la que ni el tiempo ni la hora presagiaban un encuentro fugaz, me bastaba con contemplar su morada y despedirme en silencio. Entonces, ante mi sorpresa, una ventana se abrió y apareció Aglaia.

19 de enero

Al principio no di crédito a lo que estaba ocurriendo. Aglaia desde lo alto me miraba. *A mí,* ¡Dios todopoderoso! Aglaia había abierto la ventana y me miraba. Pero sus ojos no eran esta vez encantadores ni candorosos. Sus ojos me rechazaban, me expulsaban de sus dominios, me hacían notar lo intempestivo de mi presencia. Comprendí entonces que Aglaia tenía miedo. De sus padres quizá, de mi reputación, de posibles habladurías que pudieran empañar su nombre y llegar a oídos de su futuro esposo. No tenía, pues, más remedio que retirarme, y eso es lo que con toda probabilidad iba a hacer, avergonzado de mi vileza, de mis casi treinta años de disipación y tropelías exhibidos impúdicamente ante la cancela de una casa honesta. Pero en aquel mismo instante su boca contradijo el mensaje de sus ojos verdes. Un mohín. Un gesto. Apenas esbozado y al tiempo decidido, rotundo... ¿Qué me quería decir con aquel gesto? Antes de que la ventana se cerrara, Aglaia, sin abandonar su expresión adusta, volvió a contraer los labios. Y entonces sí entendí. Era un beso. Un beso de niña. Con toda seguridad –¡y qué feliz me hizo la idea!– su primer beso.

No sé cuánto rato permanecí inmóvil sobre la nieve. La voz de Orndoff sonó de pronto a mis espaldas sacándome de mi ensueño. Estaba en el interior de un carruaje, acababa de abrir la portezuela y hablaba y hablaba, no paraba de hablar... Sin darme apenas cuenta me encontré sentado a su lado. «Te presento a tu compañero», dijo entonces. «Se llama *Goritz.*»

29 de enero

Goritz, a veces, recuerda a los gatos. Sus pelos se erizan, arquea el lomo, corre luego de aquí para allá, sube y baja escaleras, salta con una agilidad portentosa, se queda inmóvil, emite un sonido que jamás he escuchado en perro alguno y, casi al instante, se pone en guardia. ¿Contra el viento? ¿Contra el mar? Lleva aquí los días suficientes para haberse acostumbrado a las oscilaciones de la torre, las tormentas, la violencia de las olas rompiendo contra la roca. ¿A qué viene entonces tanta inquietud? Las inaguantables secuencias gatunas culminan invariablemente en una sucesión de ladridos que al principio interpreté como un aviso. La proximidad de un barco, la inminencia de un peligro... Nada hay de todo eso. Pero *Goritz* escoge los peores momentos para gruñir y ladrar, generalmente cuando estoy durmiendo. Ayer, sin ir más lejos. Me desperté sobresaltado, pistola en mano, sudando... Sólo que esta vez mi sueño no era más que una recurrente pesadilla. Estaba aún en tierra, en «sociedad», rodeado de presencias casi tan reales como los ladridos que ahora las desvanecían. Quise mostrarme agradecido y, aunque nada esperaba encontrar, lo seguí sumiso por las escaleras y me detuve allá donde *Goritz*, con su excitación inexplicable, indicó que me detuviera. Lo de siempre. Tubos y conductos de distinto calibre que ascienden paralelos a las paredes del cilindro, recuerdan en algunos tramos vagamente a un órgano y con los que *Goritz*, por lo visto, no acaba de familiarizarse. Lo agarré del collar, lo obligué a bajar a la vivienda y le ordené dormir. Antes de acostarme le di unas palmadas y le acaricié el cuello. *Goritz* pareció sorprendido, meneó el rabo y enseguida, una vez más, se puso a ronronear. Como un gato.

5 de febrero

El depósito pierde. Ya no hay duda. Anteayer, aprovechando la lluvia y las horas de marea baja, saqué un par de barreños a la plataforma que sólo retiré cuando se hallaban casi rebosando. Poco después me encaramé al pozo, obturé el conducto que recoge la lluvia e hice una muesca en las paredes, a la altura del nivel de agua. Durante una jornada y media *Goritz* y yo hemos bebido exclusivamente de los barreños y, sin embargo, el nivel ha descendido de forma alarmante. Quince, veinte litros tal vez... La evidencia de que en algún lugar se ha producido un escape no me ha alarmado tanto como la certeza de que el depósito pierde precisamente por su base, hundida en el foso y a la que no puedo acceder. A partir de ahora, con el conducto expedito, beberemos únicamente del pozo y conservaremos, en la vivienda, el mayor número de barreños como reserva. Nada grave. Llueve a menudo y dentro de dos meses volverá la balandra. Pero esta palabra, «reserva», me conduce fatalmente a otras. Equilibrio, seguridad, emergencia...

20 de febrero

El secreto del mundo sigue en blanco. Imposible desde la conciencia penetrar en el misterioso mundo de los sueños. Las leyes son distintas. La razón me embota. Los ilustres tratados de astronomía, física o matemáticas, los compendios del saber que tuve a bien traerme conmigo, entretienen gratamente mi ocio, me arrebatan a ratos o me ayudan a alegrar la rutina de mis tareas. Pero no conducen más que a un laberinto. Son caminos falsos, a menudo callejones sin salida, en el mejor de los casos rodeos, vías innecesariamente largas y trabajosas. Y yo sé que existe un atajo. ¡Con qué facilidad he transitado por él aunque fuera en sueños! Pero el recuerdo de aquella plenitud se me hace día a día más borroso. Como el rostro de Aglaia... No, en cambio, el de De Grät, a quien veo cada vez más nítido. Es como si en los flujos de las olas, en el reparto de papeles, le hubiera robado el puesto a Orndoff. Mi amigo se retira y De Grät aparece y reaparece, pero ¡no sé lo que dice! Lo veo a él y veo su nombre. De Grät, De Grät, De Grät... ¿Qué quiere De Grät?

25 de febrero

La existencia de este faro se me ha aparecido, de repente, como absolutamente inútil. No anunciamos la proximidad de unas tierras sino todo lo contrario. Nuestro faro es de efecto disuasorio. «No se acerque. Aquí hay sólo una roca sumergida, un hombre solitario y un pobre perro»... Eso es lo que escupen lentes y espejos. Pero ¿ante quién? En casi dos meses no hemos avistado un solo velero. O bien los navegantes lo saben, o bien otros faros les advierten del peligro.

28 de febrero

Recuerdo con toda claridad el día de mi llegada, la imponente aparición del faro, la maledicencia del marino, la tempestad que puso en peligro nuestras vidas. Y el interior de la torre, mucho más limpio y ordenado de lo que cabía esperar. El jergón prácticamente nuevo, el escritorio vacío, una mesa grande y un par de sillas... Hacía poco que el suelo había sido encalado y las láminas metálicas que refuerzan las paredes aparecían ya entonces relucientes. La pieza-vivienda me agradó y, mientras el marino descargaba mis enseres, no veía el momento de quedarme solo, subir por las escaleras, descubrir las otras piezas, alcanzar el fanal y tomar posesión de mis dominios. No iba a haber traspaso de poderes. Lo había dicho De Grät: «El puesto ha quedado vacante»... Pero ¿cuánto tiempo hacía de eso? Es decir, ¿cuántos días o meses llevaría el fanal sin emitir el menor destello? ¿Y qué repercusiones desastrosas había supuesto ese silencio? ¿Cuántos barcos se habían estrellado contra la roca?... No pregunté nada. Ni antes a De Grät ni ahora al malhumorado marinero. Dudo de que éste, por otra parte, se hubiera molestado en perder un solo minuto proporcionándome explicaciones añadidas. Descargó las provisiones con celeridad, echó un rápido vistazo a la torre y me miró como si aguardara algo. «Hasta pronto», dije yo. Pero su mano extendida me indicó a las claras que aquel hombre daba un valor exacto a su trabajo. Una moneda de oro. Eso es lo que le di. La primera moneda de mi sueldo. ¡Yo, un noble del reino, hurgando en la bolsa de mi sueldo de torrero! A él no le pareció ni bien ni mal. Se embarcó en la balandra y, durante unas horas, yo seguí su regreso turbulento desde lo alto.

1.º de marzo

175 o 181... ¡Qué más da! Algunos peldaños están en pésimo estado y es posible que, en mis cuentas, unas veces los haya tomado en consideración y otras no. El cimbreo al que tan a menudo se entrega la torre no facilita la labor. Algo parecido le debió de ocurrir a mi predecesor –o quizás al predecesor de mi predecesor–, porque escribió una cifra en un saliente de la pared, la tachó y a continuación anotó otra. Ayudado de una lámpara y con enorme asombro he comprobado esta tarde que su duda oscilaba entre 200 y 206. ¡Veinticinco escalones más de los que yo contabilizo!

20 de marzo

Ayer *Goritz* encontró un regalo. Era un hueso mondo, lleno de salitre, con el que el pobre animal, recordando otros tiempos, ha jugueteado hasta desintegrarlo. Esta tarde, harto de sus ladridos, le he sacado de nuevo a la plataforma. *Goritz* muestra especial predilección por la parte posterior de la torre, el lugar donde probablemente encontró el hueso y al que le he dejado acercarse, sujetándolo como siempre con una cuerda. Hoy no ha tenido tanta suerte. A mis llamadas y tirones ha acudido jadeando, envuelto cómicamente en una maraña de algas de la que me he aprestado a liberarlo. Al hacerlo me he dado cuenta de que se trataba de una red sorprendentemente fina y delicada, y que en su interior se agitaba un pez minúsculo. Ya en la vivienda, junto al candil, he estudiado el hallazgo. Un buen trabajo. Un minucioso trenzado. Sólo que no son hilos finísimos, como creí en un principio, sino... cabellos. Largos mechones de cabello.

1.° de abril

El barquero, con una puntualidad encomiable, apareció en la roca esta mañana. Descargó toda suerte de preciosas provisiones -toneles de agua, barricas de vino, galletas, leña, aceite, queso, un par de conejos vivos...- y contestó satisfactoriamente a mis preguntas. No tenía de qué preocuparme. El faro en otros tiempos había sido mucho más alto. En otros tiempos. En cuanto al anterior torrero, no podía decirme gran cosa. Lo conocía tanto como a mí, es decir, casi nada. Tampoco la visión de la red despertó en él la menor curiosidad. ¡Si tuviéramos que inquietarnos por las múltiples rarezas que las olas arrastran hasta aquí desde lugares remotos!... No tuve más remedio que asentir. Y me quedé tranquilo. Pero lo mismo me había ocurrido ayer y anteayer, y el otro día... El barquero no hace más que aparecer, bajar de la balandra, descargar cajas y cajas, quitar importancia a cualquier duda, y hacerse de nuevo a la mar. Después, cuando despierto, tardo aún un buen rato en comprender. Busco infructuosamente las provisiones, salgo a la plataforma y escudriño el horizonte. Nada. Sólo *Goritz* y yo. Y la inmensidad del océano.

7 de abril

Y, sin embargo, todo encaja a la perfección. La tempestad de la que creímos salvarnos por milagro, el marino, la moneda de oro... Caronte no regresará jamás. Cumplió con su cometido y a mí sólo me queda por averiguar cuál es el nuestro. Se lo acabo de preguntar a *Goritz:* «¿Qué es lo que se supone que debemos hacer si estamos muertos?». Mi compañero se ha entregado a una de sus odiosas transformaciones. Tiene hambre y hace días que debo sujetarlo por el collar para que no se lance temerariamente tras cualquier gaviota. Aunque, ¿por qué me preocupo de su vida si está muerto? O ¿qué clase de muerte es ésta en la que ni siquiera se encuentra el descanso?

Porque seguimos teniendo hambre y sed, bebiendo del depósito para conservar el agua de los barreños, alimentándonos exclusivamente de pescado, mirando con ojos ávidos las aves que se posan en la roca, e intentando atraerlas hasta la plataforma. La muerte no suspende las necesidades: las acrecienta. Y yo, o el fantasma de lo que fui, continúo ascendiendo cada tarde por la escalera de caracol, velando durante la noche los destellos del faro y, al amanecer, me dejo caer exhausto sobre el jergón sabiendo que los sueños -porque ni siquiera muerto uno se libra de seguir soñando- me engañarán con falsas visiones o me devolverán a una vida que hace tiempo dejó de pertenecerme. Aunque *Goritz,* o el fantasma de *Goritz,* se empeñe en seguir ladrando.

9 de abril

O tal vez, pobre animal, cumplía por primera vez con su obligación y presentía el impresionante temporal que se nos venía encima. Ahora sé que todo lo que se dice en los muelles es cierto. Faros solitarios arrancados de cuajo; espantosas presiones y embestidas; pero, sobre todo, aquello a lo que no concedí jamás el menor crédito y despaché como una absurda fantasía. Olas gigantescas escalando la torre, trepando por la columna atraídas por una fuerza irresistible, envolviéndola como una serpiente... La sólida construcción ha podido con la tormenta, y millares de aves, estrelladas contra los cristales del fanal, nos sirven ahora de precioso alimento. La calma es total y *Goritz* y yo, renacidos, hemos dedicado toda la mañana a saciar nuestra hambre. De ahí el gran optimismo que me embarga y el gozo de mi amigo, devorando despojos y reuniendo en la plataforma otros restos diseminados por la roca. Le he atado de nuevo una cuerda al collar, porque a pesar de que *Goritz* haya aprendido a moverse como un equilibrista, sigo temiendo las olas de fondo y la profundidad de los abismos. «No debemos enloquecer», le he dicho, «sino resistir.» La idea de resistencia me ha sonado placentera. De pronto, con el estómago saciado, todas las preocupaciones han encontrado su justo lugar. Es posible que el marino, previendo la terrible tempestad, haya demorado su viaje. O, también, que una ola gigantesca haya barrido la embarcación de la superficie. En ambos casos, se trata sólo de esperar. El pliego de instrucciones lo establece claramente: *Cada tres meses.* Y *Goritz* y yo –¡qué gran idea la de traerlo conmigo!– acabamos de sellar un pacto. Resistir.

12 de abril

Lo anoto simplemente porque forma parte de mi trabajo. Registrar cuanto ocurra dentro y fuera de la torre. Se trata de la red. Los cabellos con los que ha sido hábilmente tejida no pertenecen todos a la misma persona. Unos son lacios, resistentes; otros, ensortijados, recios; algunos, quebradizos y endebles... Aunque la permanencia en el mar o la intemperie haya podido alterar su color original, todos sin excepción son blancos.

13 de abril

Pienso en Palacio. En el salón de damascos rojos donde en tantas ocasiones intenté vencer el recelo de De Grät. Veo su cara rugosa, sus espaldas encorvadas, sus largos dedos: el brillo de una esmeralda en el índice, un diamante en el anular. Mi valedor acaba de terminar su almuerzo, juguetea con un mendrugo de pan y echa las migas a un grajo prisionero en una jaula de oro. Se diría que se encuentra totalmente concentrado en su labor. Que lo único que le importa en aquel instante es la alimentación del pájaro cautivo. Pero inesperadamente, sin mirarme, como si acudiera a un último recurso para disuadirme de mi empeño, sentencia en voz muy grave:

–Todos llevamos un loco dentro, querido amigo. Un loco dormido, conviviendo en silencio con el hombre cuerdo que creemos ser... Un faro solitario es el lugar idóneo para que despierte el durmiente, y el otro, el vigilante, caiga en un sopor del que quizá no amanezca nunca.

Pero ¿habla sólo para sí mismo? ¿O es que el Gran Consejero, de repente, está recordando *algo*?

14 de abril

Releo mis notas: *1.° de enero.* Primer día... Y compruebo hasta qué punto me había afectado la fábula del cuerdo y del orate. Una «profecía», llego a decir. ¿Temía acaso que el pobre loco que debo de ocultar yo también venciera sobre el hombre juicioso? Por fortuna sobrevino la gran tempestad y ¡cuán distintas veo ahora las cosas! Una energía desconocida emana de un lugar impreciso de mi ser. Ignoro si De Grät, con toda su sabiduría, lograría entenderlo, pero no dudo de que Orndoff, con su magnífica simpleza, lo haría de inmediato. Sí, mi amigo comprendería al instante cómo, durante toda una noche, me sentí parte integrante de esa terrible Naturaleza que me amenazaba y al tiempo me incluía. Cómo, desde el último de mis cabellos hasta el menor de mis poros, yo fui también... *la tempestad.* Y, desde entonces, ya no temo despertar al demente. El nuevo hombre que ahora soy festejó con disparos al aire su triunfo. Con la misma pistola tanta veces empleada en duelos y lances de honor, la misma arma con la que he burlado padrinos, jueces y testigos, puesta al servicio, al fin, de una causa digna. La celebración de la vida. ¡Cómo lo entendería mi amigo y cómo lo comprendió *Goritz!* Tal vez el estallido de la pólvora le recordó a su amo, lanzando señales en noches oscuras a bordo de su bergantín, o quizá, como yo, penetró por unos instantes en las entrañas misteriosas de la Naturaleza, en el auténtico secreto del mundo. ¡Qué maravillosa e indescriptible sensación! ¡Y qué poco me importa ahora que *El secreto del mundo,* arriba, en la última pieza de la torre, siga en blanco!

16 de abril

A través del telescopio he distinguido un punto. Quizás esta vez. ¡Paciencia!

17 de abril

Hace tiempo que no logro oír su voz ni recordar su rostro. Digo: «Aglaia», y sólo acierto a evocar las seis letras de un hermoso nombre desapareciendo lentamente bajo una mancha de tinta. Pero no quiero mentir. No es eso lo único que veo. Están también los labios. Y... su beso. El tiempo o la imaginación, sin embargo, deben de haber distorsionado aquel momento. Porque ahora se me presenta como un gesto desnudo, aislado, liberado de un rostro del que he olvidado los rasgos. No se me hace agradable revivirlo ni encuentro las palabras para explicar mi rechazo. El beso de Aglaia, en sí mismo, tal como lo veo ahora, es... una mueca. La burda caricatura de un beso.

Vuelvo a las primeras páginas del diario. *6 de enero:* los ladridos de *Goritz* me sobresaltan y unas gotas de tinta emborronan la dedicatoria de un libro que quizá jamás llegue a escribir. *9 de enero:* Ella está aquí, la siento, la escucho, la veo. *19 de enero:* El beso... Noto que ya entonces me parece extraño. «Decidido», escribo. «Rotundo.» Tardo un tiempo insensato en registrarlo como una prueba de afecto. Y me demoro *–18 de enero–*, prolongo estúpidamente los preámbulos como si, digo bien, *no acabara de creérmelo...* Aquello, ahora lo sé, no es un beso. Ni tampoco un gesto que nos una en el amor, sino en el peligro. Aglaia está asustada, y me avisa de algo que la distancia me impide oír, o que quizá no se atreve siquiera a acompañar de sonido alguno. Por eso mueve exageradamente los labios. Tal y como los revivo ahora, con tan sólo cerrar los ojos. Pero esta vez los ecos de la torre se encargan de poner voz a su mensaje. Aglaia dice claramente: «De Grät», «De Grät», «D-E-G-R-Ä-T»...

18 de abril

El punto que creí distinguir ha desaparecido del horizonte. ¿Debo sorprenderme aún?

De Grät ha estudiado cuidadosamente la situación. *Goritz* y yo vivimos, como el grajo, prisioneros en una jaula, pendientes de su generosidad o de su capricho. Puede alargarnos la mano o retirarla. Puede incluso olvidarse de nuestra existencia. ¡Qué astuto fue De Grät, y cómo yo, en mi ignorancia, le facilité la tarea! Su reticencia no hizo más que acrecentar mi empecinamiento, sus aparentes dudas, mi decisión. Pero ¿supo desde el principio de mi inclinación hacia Aglaia? ¿O fue este descubrimiento lo que le impulsó a acceder a mis ruegos? ¡Cómo debe de reír en el salón de damascos rojos! Ni siquiera tuvo que idear un plan para deshacerse del incómodo oponente. El propio rival, su protegido, el joven brillante y altanero firmó entusiasmado su condena: *Por voluntad propia.* Nadie podrá sospechar jamás de sus terribles designios. Únicamente Aglaia, obligada a entregar su juventud a ese viejo ruin, intentó prevenirme. ¡Ah, de haberlo comprendido antes! Yo, indigno del amor de Aglaia, no hubiera tolerado tan funesto y monstruoso enlace. Pero ¿por qué me mortifico? Es posible que en este mismo instante se estén celebrando los esponsales y que el índice del Gran Consejero –su esmeralda– señale indolentemente hacia el mar. «Es hora ya de que alimenten a aquel desgraciado.» Pero también es probable que De Grät se haya convencido de la inutilidad de mi existencia.

Sopla sudoeste y *Goritz* vuelve a mostrarse inquieto. Lo he dejado un rato fuera para que –por lo menos él– se desfogue a gusto contra el viento.

19 de abril

¡Dios todopoderoso! ¿Cómo es posible?

¿21 de abril?

Goritz ya no está. *Se fue... Goritz* me abandonó ayer, anteayer, quizás el otro día... Sus últimos ladridos, sin embargo, siguen aquí, adheridos a las piedras y al hierro de la torre, engañando mis sentidos, confundiéndome. «Nada ha ocurrido aún, todo se puede remediar.» El loco que sin duda llevo dentro ha despertado por fin. Es un pobre iluso que cree en los ensalmos, en la posibilidad de que el tiempo se detenga, corra hacia atrás, y de nuevo hacia adelante. «Anda», me dice, «ve a la plataforma.» De nada me sirve recordar que allí no hay nadie. Que *Goritz* consiguió romper mis ataduras y hacerse con toda la longitud de la cuerda. «Tira de ella», sigue diciendo. «Hálala»... Y yo, como un estúpido, me encuentro con la fuerza de mi mente halando metros y metros de soga, hasta que noto una resistencia, un obstáculo. Y de nuevo la vana esperanza. «*Goritz* ha quedado aprisionado en un saliente de la roca.» Y, sin temer por mi vida, voy hacia allí. La cuerda, en efecto, se ha enrollado en un saliente. Deshago la maraña de nudos, y ahora sí halo, halo sin ningún esfuerzo, con toda facilidad.... Ya el loco ha enmudecido y el cuerdo cree haberse vuelto loco. Duda de lo que ve, niega lo que sostiene entre las manos. Un collar ensangrentado... Y poco más. «*Goritz...*», susurra uno de los dos. «*¿Goritz?*», pregunta el otro.

¿22 de abril?

No puedo recomponer las horas o días que siguieron al terrible hallazgo. El espanto me heló la sangre y embotó mis sentidos. Fue entonces cuando el iluso demente, aprovechando mi desazón, empezó a hablar. A hacerme creer que tenía poder sobre el tiempo o a proporcionarme explicaciones inverosímiles. Lanzó unas runas ante mis ojos, formando un semicírculo del que enseguida sobresalieron dos. Una nos decía que estábamos soñando y nada era real. La otra reproducía la figura de un monstruo marino dotado de uñas como estiletes y dientes como cuchillos... ¡Magnífica fantasía! Salí de aquel estado de repente. Como alguien que es despertado por un estruendo de una pesadilla. Y aunque la imaginación intentó –intenta aún a veces– hacerme creer que nada había sucedido, envolví los restos de mi amigo en un lienzo y los lancé desde lo alto de la torre al mar. Sobre el velador quedó el collar teñido de rojo y la evidencia de una lucha encarnizada. Pero *Goritz*, mi compañero, no se había ido del todo. En su ausencia he hecho míos su instinto, sus temores. Subo y bajo las escaleras, una y otra vez. Los cabellos se me erizan de pronto y me detengo en los puntos precisos donde él solía ladrar. Ante el enjambre de cilindros, canales y tubos, ante el órgano sordo del que, sin embargo, parece surgir un rumor confuso. Ahora sé que se trata de respiraderos, pero también que las entrañas de la roca no ocultan monstruos de leyenda capaces de descuartizar con saña a cualquier presa, sino condenados a perpetuidad. Seres humanos. Míseras criaturas a las que los torreros ignorantes damos de beber para prolongar cruelmente su ilusión de vida. Y aunque el cuerdo que todavía soy no logre imaginar cuáles pudieron ser sus crímenes ni qué aberrantes delitos cometieron, sí sabe ya lo suficiente para estremecerse ante la magnitud de su castigo.

Ellos viven aquí. En un pozo de sombras. Son o han sido muchos. Sus cabellos, sin excepción, son blancos. Beben agua del depósito y se alimentan de algas y pescado. Llevan cuchillos en el cinto, tienen uñas afiladas como estiletes y hambre... Un hambre tal que ni siquiera un centenar de *Goritz* podría saciar. Pero no piden auxilio. ¡No pueden! Los de abajo conocen mejor que nadie las dimensiones de su pena y las excelencias de esta construcción. Los arquitectos de De Grät no descuidaron detalle. En el foso, tal vez en tétricas galerías extendidas a lo largo y ancho de la roca, dispusieron boquetes, orificios, minúsculas ventanas, que los propios prisioneros cierran herméticamente cuando las aguas suben, para sólo abrirlas después, a las horas de marea baja. Espacios angostos por los que sus manos huesudas se esfuerzan en tender rudimentarias redes. No importa el tamaño de la captura. Cuchillos, uñas o estiletes trocearán las piezas con paciencia infinita hasta que entren sin dificultad por las aberturas... Sí, todo eso sé ya. Pero lo que importa ahora es escribirlo. Dejar constancia. Consignarlo. No sea que ese triste infeliz, el pobre loco que ahora salta de júbilo y repite: «¿No te lo decía yo?», tome, una vez liberados, las riendas de la memoria, y oculte, calle, invente u olvide. Como, a buen seguro, hicieron en su día mis predecesores. Pero, por una vez al menos, debo darle la razón y unirme a su alegría. Porque hoy, día 21, 22 o 23 de abril, se ha obrado el milagro. Un punto en el horizonte que no desaparecerá. No es una balandra, tampoco una embarcación desconocida. Es un bergantín. ¡El bergantín de Orndoff! Mi fiel, intuitivo y desobediente amigo que acude a rescatarme. Orndoff se acerca. Acompaña su viaje con explosiones de pólvora. Y yo sólo pienso: «Llegará». No sé cuánto tardará en alcanzar la roca, pero llegará. Aunque el viento sudoeste arrecie con fuerza y la torre se haya entregado, por primera vez, a un frenético baile de péndulos, poleas, ruedas y cadenas.

Abril

Hoy, mi último día de torrero, concluyo con satisfacción este diario. Lo he llevado, dentro de las circunstancias, con la mayor regularidad posible. A ratos he dudado de que alguien más que yo mismo fuera el destinatario de mis pobres páginas. Ahora, con la pólvora del bergantín atronando mis oídos, sé que Orndoff será el primer testigo de este macabro experimento, y el diario la prueba acusatoria de una mente criminal y enferma. Las aguas suben como, a decir de los marinos, ha ocurrido aquí en más de una ocasión, y muchas otras en el lejano Estrecho de Magallanes. Pero me siento seguro. Estoy en la planta baja, en la pieza-vivienda. Los péndulos, ruedas, poleas y demás artilugios, las piezas obsoletas marcadas en rojo en las instrucciones, han recuperado finalmente su razón de ser. *Emergencia, equilibrio...* A medida que las aguas suben, planchas de hierro, movidas por ocultos mecanismos, refuerzan paredes y taponan ventanas y aberturas. El fanal, esta vez, no ha soportado los embates de bandadas de pájaros asustados, y las olas, enrollándose al cilindro como una serpiente, se están introduciendo por lo más alto de la torre. Pero estos astutos ingenios no les dan respiro. Debo inclinarme ante su perfección. El ruido es ensordecedor, y ahora unas tuercas ponen en acción nuevas planchas que cortan de cuajo la escalera. Me encuentro a salvo. Estoy en una burbuja contra la que nada puede la furia del mar o del viento. El bueno de Orndoff no debe temer por mí, sino por sí mismo. Aunque ¿por qué me preocupo ahora por Orndoff?

De nuevo el loco se ha señoreado de mi pensamiento. Sigo oyendo el estruendo de la pólvora. Algo más lejos. Como si el bergantín intentara capear el temporal y aguardara la ocasión de alcanzar la roca. Pero no puedo ignorar que el suelo cruje bajo mis pies. Como si, al tiempo que las planchas de hierro aislaban la pieza por arriba, otras, invisibles bajo la amalgama de cal, yeso y arena, se acabaran de abrir hacia el foso. No sé cuánto rato tardará el piso en derrumbarse y con él todo lo que se encuentra en esta pieza. Los de abajo martillean y rascan con sus cuchillos. ¿Qué es lo que esperan encontrar? Tengo la pistola conmigo y el loco insiste en que dispare, conteste al bergantín, dé señales de que aún estoy con vida... ¿Cómo quiere ese pobre simple que mis balas atraviesen el muro de piedra y hierro?

El loco sólo piensa en los de arriba. Pero yo –¿para qué engañarme?– pertenezco, desde que llegué hasta aquí, al mundo de abajo. Al foso. Al angosto reino sumergido. A la tenebrosa sociedad de hambrientos que me aguarda y cuyas normas o reglas no tardaré en compartir. La esperanza que pregona el iluso no me sirve. Tan sólo una idea poderosa: ¡sobrevivir! Ahora martillean con insólitos arrestos y el suelo se agrieta bajo mis pies. ¿Qué es lo que esperan con tanta ansiedad? ¿Dar la bienvenida al nuevo miembro? ¿Abalanzarse sobre una despensa vacía? ¿O, única y simplemente... *sobre mí?* La pistola me ayudará a detenerles, a convencerles de que, por un tiempo al menos, yo seré el más fuerte, a esperar a que las aguas bajen y lanzar sobre la roca, a través de un boquete o una ventana, este diario que ahora debo concluir. Una posibilidad entre millones, no lo ignoro. Los de abajo lo saben mejor que nadie. Todos, en un momento, debieron de escribir: *Hoy, mi primer día en el faro...* ¿Y dónde terminaron sus cuadernos? ¿En el fondo del mar? O, ¿por qué no?, a salvo. Unos junto a otros. En las estanterías de un salón de damascos rojos... El marino regresará algún día, encalará la nueva vivienda, descargará jergón, sillas y mesa, limpiará de objetos personales las otras piezas de la torre y, cumpliendo instrucciones, los entregará a De Grät. Aunque ¿no podría ser que este diario encontrara otro destino?

Hasta el iluso ha acabado por perder la fe. Niega con la cabeza, bosteza, cierra los ojos: parece que se dispone a dormir. ¡Qué loco inofensivo he sido capaz de engendrar! ¡Cuán distinto de aquel con quien muy pronto va a encontrarse Orndoff! Porque, cuando la tempestad amaine, cuando mi amigo penetre al fin en el cilindro, atribuirá los desperfectos a la fuerza del agua, escuchará rumores que creerá resonancias, subirá la escalera de caracol –¿155?, ¿160?–, jadeando, llamándome a gritos sin obtener respuesta. Y, ya en lo alto, sobre un velador, descubrirá consternado las pruebas irreversibles de mi demencia. El collar de *Goritz,* una red de cabellos blancos y la gran, inconmensurable obra. *El secreto del mundo.* Un océano blanco en el que –pero tal vez Orndoff ni siquiera repare en ello– flota únicamente un islote de tinta.